여러분 ~~~~~ 원하는
해커스소방의 특별 혜택!

KB084130

FREE 소방학개론 특강

해커스소방(fire.Hackers.com) 접속 후 로그인 ▶ 상단의 [무료강좌 → 소방 무료강의] 클릭하여 이용

해커스소방 온라인 단과강의 **20% 할인쿠폰**

5A8AE654822DD52P

해커스소방(fire.Hackers.com) 접속 후 로그인 ▶ 상단의 [내강의실] 클릭 ▶
좌측의 [인강 → 결제관리 → 쿠폰 확인] 클릭 ▶ 위 쿠폰번호 입력 후 이용

*등록 후 7일간 사용 가능(ID 당 1회에 한해 등록 가능)

해커스소방 무제한 수강상품(패스) **5만원 할인쿠폰**

695FF2D9CF54A78L

해커스소방(fire.Hackers.com) 접속 후 로그인 ▶ 상단의 [내강의실] 클릭 ▶
좌측의 [인강 → 결제관리 → 쿠폰 확인] 클릭 ▶ 위 쿠폰번호 입력 후 이용

*등록 후 7일간 사용 가능(ID 당 1회에 한해 등록 가능)
*특별 할인상품 적용 불가

쿠폰 이용 관련 문의 **1588-4055**

단기 합격을 위한
해커스 커리큘럼

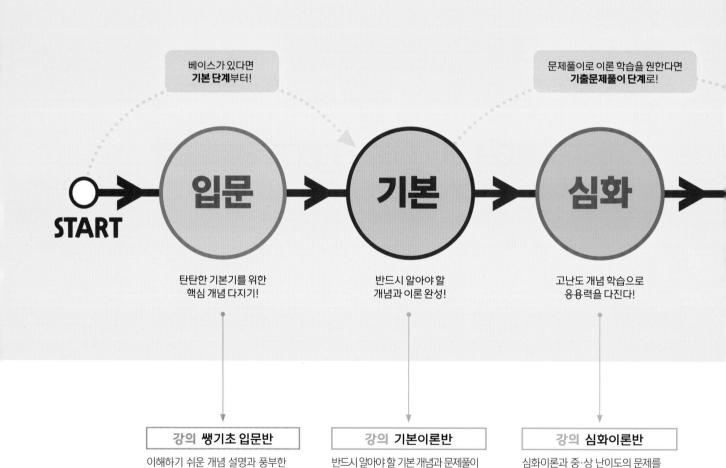

베이스가 있다면 **기본 단계부터!**

문제풀이로 이론 학습을 원한다면 **기출문제풀이 단계로!**

START → **입문** → **기본** → **심화** →

탄탄한 기본기를 위한
핵심 개념 다지기!

반드시 알아야 할
개념과 이론 완성!

고난도 개념 학습으로
응용력을 다진다!

강의 쌩기초 입문반
이해하기 쉬운 개념 설명과 풍부한
연습문제 풀이로 부담 없이 기초를
다질 수 있는 강의

강의 기본이론반
반드시 알아야 할 기본 개념과 문제풀이
전략을 학습하여 핵심 개념 정리를
완성하는 강의

강의 심화이론반
심화이론과 중·상 난이도의 문제를
함께 학습하여 고득점을 위한 발판을
마련하는 강의

* 커리큘럼은 과목별·선생님별로 상이할 수 있으며, 자세한 내용은 해커스소방 사이트에서 확인하세요.

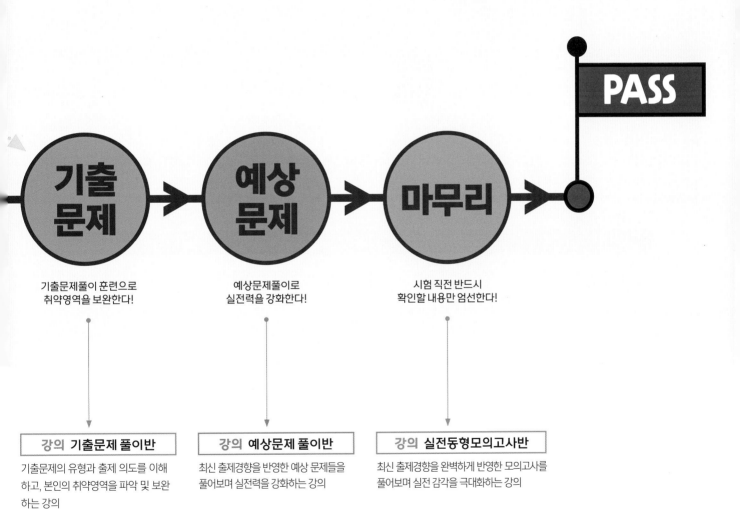

PASS

기출 문제

기출문제풀이 훈련으로
취약영역을 보완한다!

예상 문제

예상문제풀이로
실전력을 강화한다!

마무리

시험 직전 반드시
확인할 내용만 엄선한다!

강의 기출문제 풀이반

기출문제의 유형과 출제 의도를 이해
하고, 본인의 취약영역을 파악 및 보완
하는 강의

강의 예상문제 풀이반

최신 출제경향을 반영한 예상 문제들을
풀어보며 실전력을 강화하는 강의

강의 실전동형모의고사반

최신 출제경향을 완벽하게 반영한 모의고사를
풀어보며 실전 감각을 극대화하는 강의

강의 봉투모의고사반

시험 직전에 실제 시험과 동일한 형태의
모의고사를 풀어보며 실전력을 완성하는 강의

목표 점수 단번에 달성,
지텔프도 역시 해커스!

| 해커스 지텔프 교재 시리즈

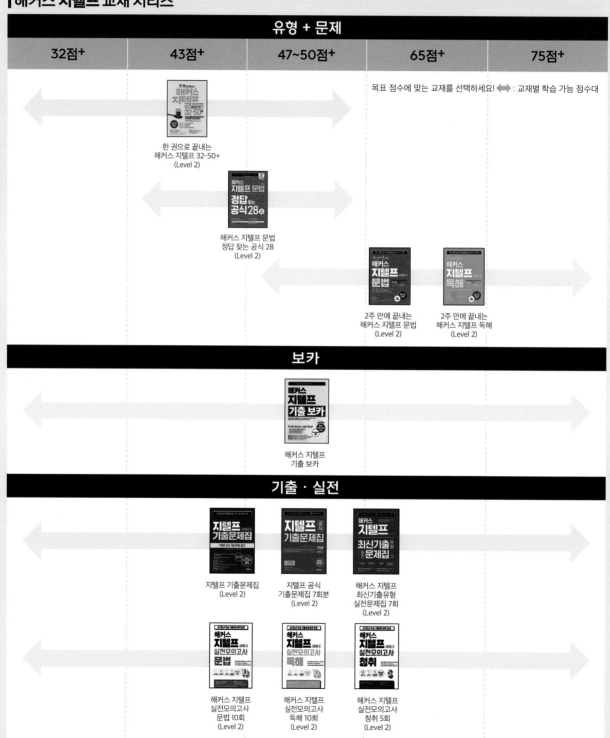

유형 + 문제				
32점+	43점+	47~50점+	65점+	75점+

목표 점수에 맞는 교재를 선택하세요! ⟷ : 교재별 학습 가능 점수대

한 권으로 끝내는
해커스 지텔프 32-50+
(Level 2)

해커스 지텔프 문법
정답 찾는 공식 28
(Level 2)

2주 만에 끝내는
해커스 지텔프 문법
(Level 2)

2주 만에 끝내는
해커스 지텔프 독해
(Level 2)

보카

해커스 지텔프
기출 보카

기출 · 실전

지텔프 기출문제집
(Level 2)

지텔프 공식
기출문제집 7회분
(Level 2)

해커스 지텔프
최신기출유형
실전문제집 7회
(Level 2)

해커스 지텔프
실전모의고사
문법 10회
(Level 2)

해커스 지텔프
실전모의고사
독해 10회
(Level 2)

해커스 지텔프
실전모의고사
청취 5회
(Level 2)

해커스소방

이영철
소방학개론

기본서 | 2권

해커스소방

"이영철과 함께한
여러분은 이미 소방관입니다."

1973년 2월 8일 지방소방공무원법이 제정되어 국가직과 지방직으로 이원화된 지 47년이 지나서야 2020년 4월 1일 국가직 소방공무원으로 전환되었습니다. 그동안 많은 인명피해와 재산피해의 발생으로 국가재난관리체계에 대한 개선과 국민의 안전보장에 대한 사회적 요구가 반영된 것으로 보입니다. 소방공무원은 국민의 생명과 재산을 구호함을 목적으로 매회 치열한 경쟁률을 보이고 있는 직렬로 앞으로도 그 위상은 더욱 더 높아질 것이고, 복지 또한 크게 개선될 것입니다.

소방학개론은 연소이론, 화재이론, 소화이론, 재난관리, 소방조직 분야 등으로 구성되며 소방·방재 및 재난을 합쳐놓은 전문성이 짙은 과목으로 소방공무원 시험, 2차 면접시험, 소방학교 교육 및 소방 승진에도 초석이 되는 필수과목입니다.

또한, 소방공무원 시험에서 영어와 한국사가 능력검정시험으로 대체된 후, 소방학개론의 중요성과 난이도가 더욱 높아졌습니다. 따라서 기본에 충실한 개념 이해, 암기, 반복을 통한 학습을 꼭 해야만 합니다. 다년간의 강의 경험이 담긴 이 기본서를 통해 전문과목의 중요도가 높아진 2025년 소방공무원 시험을 완벽하게 대비할 수 있을 것입니다.

어떻게 학습해야 할까요?

많은 수험생 여러분들이 익숙하지 않은 소방학개론의 용어, 화학식, 이론에 대해 두려움을 느끼곤 합니다.
하지만 「해커스소방 이영철 소방학개론 기본서」를 아래의 활용법대로 학습한다면, 수험생 여러분이 원하시는 결과를 얻을 것이라 확신합니다!

첫째, 출제POINT로 출제 키워드와 중요도 파악하기

최근 7개년의 기출문제를 분석한 출제POINT를 통해 각 CHAPTER의 출제 키워드, 중요도를 먼저 확인해보세요. 내용의 전체적인 맥락과 중요도를 파악하고 공부한다면 학습의 효율을 높일 수 있습니다.

둘째, 세분화된 목차로 깊이는 중간, 폭은 넓게 이론 학습하기

시험의 약 70%는 기본적인 틀에서 크게 벗어나지 않지만 나머지 30%는 숨어 있거나 무심코 넘어갈 수 있는 내용에서 출제될 수 있기 때문에 세분화된 목차를 통해 소방학개론 이론을 폭넓게 학습하는 것이 중요합니다.

셋째, 사진과 그림을 통해 이미지메이킹하기

기본서에 수록된 사진과 그림을 적극 활용하여 학습한다면, 처음 접하고 어려운 소방학개론 이론을 쉽게 이해할 수 있습니다. 또한, 소방관이 된 후에도 소방현장에 빠르게 적응하는 데 도움이 될 것입니다.

넷째, 다시 한 번 이론 점검하기

'문제로 완성하기'로 엄선된 기출문제와 실전문제들을 풀어보면서 문제 유형을 익히고, '한눈에 정리하기'를 통해 학습한 내용을 요약정리와 함께 복습해 보세요. 문제풀이와 요약정리로 이론을 다시 한 번 점검하고 회독하면서 본인의 취약점을 찾고 꼼꼼하게 교재 내용을 익힌다면 소방학개론 시험을 완벽하게 대비할 수 있습니다.

마지막으로 가장 중요한 것은 꿈을 현실로 만들기 위한 간절한 마음입니다. 수험생 여러분이 대한민국의 자랑스런 소방관이 되시기를 진심으로 기원하며 앞날에 건승을 바랍니다!

저자 이영철

목차

1권

해커스소방 **이영철 소방학개론** 기본서

PART 5

재난 및 안전관리 기본법

해커스소방 학원·인강 fire.Hackers.com

CHAPTER 1 재난관리 이론

1 개요

1. 재난(Disaster)의 개념

(1) 물리적 관점에서의 개념

재난을 재산피해와 인명피해의 정도에 초점을 맞추어 정의하는 관점으로 대부분의 나라에서는 이러한 물리적 관점에서 피해규모에 따라 일상적 사고와 구별되는 재난으로 정의하기도 한다.

(2) 사회적 관점에서의 개념

사회적 관점에서 재난의 정의를 시도하는 사람들은 '재난으로 인한 그 지역사회의 충격과 혼란상태'를 중요시한다. 소규모 사고일지라도 사회적 · 정치적 환경에 따라 재난으로 인식될 수 있다. 만약 자동차 사고로 10명의 사상자가 발생했다면, 그 지역에 의료시설이나 구조대원들이 없는 경우, 그 지역주민에게는 재난으로 받아들여질 수도 있다. 그러나 응급의료센터가 체계적으로 잘 운영되고 있는 대도시 지역에서는 그저 의외의 사고로 인식될 뿐이다.

> **참고** 재난(Disaster)의 개념
>
> 1. 물리적 관점에서의 개념은 재산피해와 인명피해의 정도에 초점을 맞추어 정의하는 관점으로 차가 엄청 막히는 출근길에 뒤에 있는 자동차가 살짝 추돌했다면 재난으로 인식하지 않지만, 고속도로에서 10중 추돌사고가 발생했다면 재산과 인명피해로 인한 재난으로 인식이 된다.
> 2. 사회적 관점에서의 개념은 재난으로 인한 그 지역사회의 충격과 혼란상태 정도에 초점을 맞추어 정의하는 관점으로 자동차 사고로 10명의 사상자가 발생했다면 소도시 지역은 응급의료센터가 멀리 있어 빠른 응급처지가 안 되므로 재난으로 인식될 수 있으나, 대도시 지역은 응급의료센터가 가까이 있어 빠른 응급처지가 되므로 재난으로 인식이 안 된다.

2. 재난(Disaster)의 분류

(1) 존스(Jones)의 재난분류

① 존스(David K. C. Jones)의 재난분류는 재난의 발생원인과 재해현상에 따라 크게 **자연재해, 준자연재해** 그리고 **인위재해로 삼분(三分)**한다.
② 자연재해는 다시 지구물리학적 재해와 생물학적 재해로 나누며 지구물리학적 재해를 다시 지질학적, 지형학적, 기상학적 재해로 구분하고 있다.

영철쌤 tip

재난의 분류
1. 존슨(Jones): 삼분법(자연, 준자연, 인위)
2. 아네스(Anesth): 이분법(자연, 인위)
3. 「재난 및 안전관리기본법」: 이분법(자연, 사회)

재해					
자연재해				준자연재해	인위재해
지구물리학적 재해			생물학적 재해	스모그현상, 온난화현상, 사막화현상, 염수화현상, 눈사태, 산성화, 홍수, 토양침식 등	공해, 광화학연무, 폭동, 교통사고, 폭발사고, 태업❸, 전쟁 등
지질학적 재해	지형학적 재해	기상학적 재해			
지진, 화산, 쓰나미❶ 등	산사태, 염수토양 등	안개, 눈, 해일❷, 번개, 토네이도, 폭풍, 태풍, 가뭄, 이상 기온 등	세균질병, 유독식물, 유독동물		

(2) 아네스(Anesth)의 재난분류

① 재난을 인위재해와 자연재해로 이분(二分)하는 관점도 세분류(細分類)를 각각 달리 하고 있다.

② 아네스(Br. J. Anesth)는 자연재해를 기후성 재해와 지진성 재해로 분류하고, 인위재해를 고의성 유무에 따라 사고성 재해와 계획적 재해로 구분하고 있다.

대분류	세분류	재해의 종류
자연재해	기후성 재해	태풍
	지진성 재해	지진, 화산폭발, 해일(지진)
인위재해	사고성 재해	· 교통사고(자동차, 철도, 항공, 선박사고) · 산업사고(건축물 붕괴) · 폭발사고(갱도, 가스, 화학, 폭발물) · 화재사고 · 생물학적 재해(박테리아, 바이러스, 독혈증) · 화학적 재해(부식성 물질, 유독 물질) · 방사능재해
	계획적 재해	테러, 폭동, 전쟁

(3) 현행법상 재난의 분류

「재난 및 안전관리 기본법」에서는 재난을 크게 **자연재난과 사회재난**으로 분류하고 있다.

① **자연재난**: 태풍, 홍수, 호우(豪雨), 강풍, 풍랑, 해일(海溢), 대설, 한파, 낙뢰, 가뭄, 폭염, 지진, 황사(黃砂), 조류(藻類)대발생, 조수(潮水), 화산활동, 「우주개발 진흥법」에 따른 자연우주물체의 추락, 충돌, 그 밖에 이에 준하는 자연현상으로 인하여 발생하는 재해

② 사회재난

ㄱ 화재·붕괴·폭발·교통사고(항공사고 및 해상사고를 포함한다)·화생방사 고·환경오염사고·다중운집인파사고 등으로 인하여 발생하는 대통령령으 로 정하는 규모 이상의 피해

ㄴ 에너지, 정보통신, 교통수송, 보건의료 등 국가핵심기반❶에 마비를 주는 재난

ㄷ 감염병 또는 가축전염병 확산 등으로 인한 피해

ㄹ 미세먼지 등으로 인한 피해

ㅁ 인공우주물체의 추락·충돌 등으로 인한 피해

③ 자연재난과 사회(인위)재난의 비교

구분	자연재난 (Natural Disaster)	사회(인위)재난 (Man-made Disaster)
피해 가시성	가시적으로 환경의 손상초래	가시적으로 피해가 나타나지 않는 경우 존재
예측 가능성	· 어느 정도의 사전예측이 가능 · 어느 정도의 경고가 가능	· 사전예측이 거의 불가능 · 피난의 여지가 거의 없음
발생 규모	넓은 지역(광범위한 지역)에서 발생	국소지역에서 발생
상황 전환점	식별 가능한 분명한 상황의 전환점이 존재하고 이 시점 이후 시간 경과에 따라 상황이 개선되는 경향이 있음	분명한 상황전환점이 존재할 수도 있으나 유독물질 사고의 경우 시간 경과에 따라 상황이 호전되지 않을 수도 있음
통제 인식성	통제 불가능한 것으로 인식	통제 가능한 것으로 인식
영향 범위성	재난의 희생자에 국한	직접적 피해를 받지 않은 사람에게 도 영향
발생 기간	비교적 장기적이며, 완만함 예 태풍, 홍수, 호우 등, 일본 후쿠시 마원전(2011년 3월)	비교적 단기적이며, 급격함 [예외: 코로나바이러스 19 등(2019 년 12월)]

3. 재난 관련 용어의 정의

(1) 재난(災難)

국민의 생명·신체·재산과 국가에 피해를 주거나 줄 수 있는 것을 말한다.

(2) 재해(災害)

「재난 및 안전관리 기본법」(이하 '기본법'이라 한다) 제3조 제1호의 규정에 의한 재난으로 인하여 발생하는 피해를 말한다.

4. 재난의 특성

불확실성	재난이 발생할 때 그로 인해 일정한 유형의 피해가 초래된다는 사실은 알려져 있지만 실제로 재해가 발생할 확률, 규모 및 시기가 사전에 알려지지 않은 상태를 말한다.
누적성	재난은 우리가 인식할 수 있는 결과의 발생 이전에 오랜 시간 동안 누적되어 온 위험요인들이 특정한 시점에서 밖으로 표출된 결과를 말한다.
상호 작용성 (복잡성)	실제로 재난이 발생한 경우 재해 자체와 피해주민 및 피해지역의 기반시설이 서로 영향을 미치면서 여러 가지 사건이 전개될 수 있다는 것을 의미한다. 결국 이러한 상호작용에 의해서 총체적으로 피해의 강도와 범위가 정해진다.
인지성	위험에 대한 체감도는 각 조직마다, 각 개인마다 다르다(언어학적 요인과 관련 있음).

 영철쌤 tip

상호작용성(복잡성)
- **예** 2019.11.17. 코로나 바이러스 감염증 [COVID19]: 코로나바이러스 감염병 자체와 그로 인한 소상공인 생계가 막막하다.

인지성
- **예** 방역당국은 코로나19 재유행의 정점이 지났다고 보고 마스크 착용의무를 해제하기로 하였으나, 각 개인마다 위험의 체감도가 다르므로 어떤 사람은 마스크를 벗고, 어떤 사람은 마스크를 쓰고 있는 경우이다.

2 재난관리의 분류

1. 광의의 재난관리

(1) 재난관리(Disaster Management)는 재난통제에 비해 좀 더 넓은 접근방법을 의미하는 것으로 인간에게 피해를 끼칠 수 있는 폭발적 사건의 위험을 통제하는 것으로 이해된다. 이러한 의미에서 재난관리란 사전에 재난을 예방하고 재난에 대비하며, 재난 발생 후 그로 인한 물적·인적 피해를 최소화하고 본래의 상태로 시설을 복구하기 위한 모든 측면을 포함하는 총체적 용어로 재난에 대한 위협과 재난으로 인한 결과를 관리하는 것을 말한다. 이러한 총체적 의미로서의 재난관리는 편의상 다음과 같은 단계로 구분된다.

① 예방단계 = 완화관리단계(Mitigation Management Phase)

② 대비단계 = 준비계획단계(Preparedness Planning Phase)

③ 대응단계(Response Phase)

④ 복구단계(Recover Phase)

(2) 광의의 재난관리는 이러한 4단계의 국면에 걸쳐 순차적인 총체적 관리를 위해 하나의 메커니즘을 구성하여 관리하는 것이다.

 영철쌤 tip

광의의 재난관리
예방, 대비, 대응, 복구가 해당한다.

협의의 재난관리
대응, 복구가 해당한다.

2. 협의의 재난관리

광의의 재난관리의 과정 중 완화관리단계와 복구관리단계는 대체로 완만하며 긴급대응을 필요로 하는 관리 분야가 아니라는 점에서 일반 행정관리와 크게 다를 바 없다. 따라서 일반관리와 구별되는 긴급관리의 특징을 갖는 단계는 대응단계라 할 수 있으며 일반적으로 재난대응계획상의 재난관리는 이와 같이 협의의 재난관리를 지칭한다.

즉, **협의의 재난관리** 개념은 재난 발생 시 피해를 최소화하기 위해 혼란한 위기상황에 질서를 부여하는 **대응 및 복구과정**으로 일상적 비상대응기관들의 자원을 관리하고, 조직간의 의사소통을 원활히 하며 체계적인 사고지휘체계를 구성함으로써 인적·물적 피해를 최소화하기 위한 일련의 과정을 말한다.

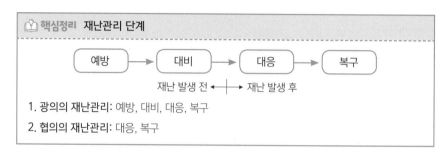

핵심정리 **재난관리 단계**

예방 → 대비 → 대응 → 복구

재난 발생 전 ←|→ 재난 발생 후

1. **광의의 재난관리:** 예방, 대비, 대응, 복구
2. **협의의 재난관리:** 대응, 복구

3　재난관리 단계별 정의 및 활동내용

1. 재난예방

(1) 정의

미래에 발생할 가능성이 있는 재난을 사전에 예방하고, 재난 발생 가능성을 감소시키며, 발생 가능한 재난의 피해를 최소화시키기 위한 활동이다.

(2) 활동내용

① 장기적 계획의 마련과 화재방지 및 기타 재난으로 인한 피해를 축소하기 위한 재난과 관련된 **각종 법규의 마련**
② 위험요인과 지역을 조사하여 위험지역을 표시한 **위험지도의 작성**
③ 수해상습지구의 설정과 수해방지시설의 **공사**
④ 안전기준의 설정
⑤ 토지이용을 규제 및 관리하여 재해위약지구의 **개발제한**
⑥ 재난·재해보험 가입

2. 재난대비

(1) 정의

예방 및 완화단계의 제반활동에도 불구하고 재난발생확률이 높아진 경우, 재해 발생 후에 효과적으로 대응할 수 있도록 사전에 대응활동을 위한 메커니즘을 구성하는 등 운영적인 **대비장치 등을 갖추는 단계**를 말한다.

(2) 활동내용

① 재난상황에 적절한 계획 **수립**
② 부족한 대응자원에 대한 **보강작업**

③ 비상연락망과 통신망을 정비하여 유사 시 활용할 수 있는 **경보시스템 구축**

④ 일반 국민에 대한 **홍보** 및 대응요원에 대한 **훈련**

3. 재난대응

(1) 정의

일단 재해가 발생한 경우 신속한 대응활동을 통하여 재해로 인한 **인명 및 재산피해를 최소화**하고 재해의 확산을 방지하며, **순조롭게 복구가 이루어질 수 있도록 활동**하는 단계를 말한다.

(2) 활동내용

① 각종 재난관리계획 **실행**

② **재난안전대책본부의 활동 개시**

③ 긴급 대피계획의 실천, 긴급 의약품 조달, 생필품 공급, **피난처 제공**, 이재민 수용 및 보호, 후송, 탐색 및 구조의 활동

4. 재난복구

(1) 정의

① 재해 상황이 어느 정도 안정된 후 취하는 활동단계로 **재해로 인한 피해 지역을 재해 이전의 상태로 회복시키는 활동**을 포함한다. 단기적으로는 피해주민들이 최소한의 생활을 영위할 수 있도록 지원하고, 장기적으로는 피해 지역의 원상복구 또는 개량 복구를 추구하게 된다.

② 복구의 목적은 지역의 시스템과 활동을 **정상상태로 돌려놓는 것**이며, **재난이 발생한 직후부터 시작**된다(대응과 동시에 복구).

(2) 활동내용

① 방역

② 재난으로 발생한 폐기물, 위험물의 제거

③ 실업자에 대한 직업소개

④ **임시주민시설 마련**

⑤ 주택과 시설의 원상회복 등 지역의 개발사업과 연계시켜 복구활동

⑥ 피해상황 집계, 피해자 보상 및 배상관리, 장·단기 복구계획 수립, 복구 우선순위 결정

> 🏠 **핵심정리** **지진 발생 시 재난관리의 단계**
>
> 1. **예방:** 지진 발생에 대한 관련 법규를 마련하는 단계이다.
> 2. **대비:** 지진 발생 시 지하주차장으로 이동하는 훈련을 하는 단계이다.
> 3. **대응:** 지진이 발생한 경우 피난처를 제공하는 단계이다(**예** 지하주차장으로 이동).
> 4. **복구:** 지진이 끝나면 임시주민시설을 마련하는 단계이다(**예** 학교 강당, 체육관으로 이동).

 영철쌤 tip

순조롭게 복구가 이루어질 수 있도록 활동하는 단계는 복구가 아닌 대응에 해당한다.

 영철쌤 tip

활동내용
1. 각종 법규 마련은 예방에 해당한다.
2. 각종 재난관리계획 수립은 대비에 해당하고, 실행은 대응에 해당한다.
3. 피난처 제공은 대응에 해당하고, 임시주민시설 마련은 복구에 해당한다.

1. 분산관리 방식

분산관리 방식은 전통적 재난관리제도로서 재난의 유형별 특징을 강조하며, 재난의 종류에 따라 대응방식에 차이가 있다는 것을 강조하기 때문에 재난계획과 대응 책임기관도 각각 다르게 배정되어 관리하는 방식이다.

2. 통합관리 방식

영철쌤 tip

중복대응과 과잉대응 문제로 통합관리 방식을 채택하는 국가들이 많다.

분산관리 방식은 재난 시 유사기관간의 중복대응과 과잉대응의 문제를 야기하였고 난해한 계획서의 비현실성과 다수기관간의 조정, 통제에 대해 여러 가지 반복되는 문제를 야기하였다. 또한, 모든 재난은 피해범위, 대응자원, 대응방식에 있어 유사하며 재난유형별 재난계획이 실제 재난상황에서 적응성이 거의 없다는 것이 제기되었다. 이에 따라 재난대응에 참가하는 모든 일상적 비상대응기관 단체들을 통합 관리함으로써 효과적으로 대응할 수 있는 것이 통합관리 방식이다.

3. 재난관리 방식별 비교

구분	분산관리 방식	통합관리 방식
성격	유형별 관리	통합적 관리
관련부처(기관)의 수	다수 부처(기관)	소수 부처(기관)
책임성	책임의 분산	과도한 책임(부담)
활동범위	특정 재난	모든 재난
정보의 전달 (지휘체계)	다양화	단일화(일원화)
제도적 장치 (관리체계)	복잡	보다 간편
장점	· 한 부처가 지속적으로 담당하므로 전문성 높음 · 업무의 과다 방지	· 재난시 유사한 자원동원체계와 자원유형이 필요하므로 자원동원과 신속한 대응성 확보 · 가용자원(인적자원)을 효과적으로 활용 가능
단점	· 각 부처간 업무의 중복 및 연계 미흡 · 복잡한 재난에 대한 대처능력의 한계 · 재원마련과 배분의 복잡성	· 종합관리체계의 구축의 어려움 (전문성이 떨어짐) · 업무 및 책임이 과도함

> 📖 **핵심정리** 분산관리 방식과 통합관리 방식

1. 정의
   ① 분산관리 방식: 전통적 재난관리제도로서 재난의 유형별 특징을 강조한 방식이다.
   ② 통합관리 방식: 통합적 관리(현대적 재난관리) 방식이다.

2. 우리나라의 관리 방식: 우리나라는 통합관리 방식이다.
   ① 통합관리방식

```
        행정안전부
   (컨트롤타워, 통합적 관리)
      직속          외청
재난안전관리본부        소방청
                (화재, 구조, 구급만 담당)
```

   ② 대형재난 시(세월호 등)

```
   청와대  ←  행정안전부
 (컨트롤타워)
          직속          외청
    재난안전관리본부        소방청
                    (화재, 구조, 구급만 담당)
```

5 재난발생의 불확실성과 위험

1. 하인리히 법칙(1 : 29 : 300 법칙)

재난을 일으키는 원인으로서의 사고는 어느 날 갑자기 발생하는 것이 아니라, 사고를 유발하는 데 연관된 사소한 문제들이 해결되지 않거나 방치되어 있다가, 갑자기 발생하게 된다. 이러한 사고로 인하여 발생하는 사회재난에 대해 피해규모와 발생건수와의 상관관계를 입증하기 위하여 하인리히 법칙이 적용된다. 하인리히 법칙에 의하면 위기는 어느 날 갑자기 찾아오는 것이 아니며 330번의 크고 작은 사고 중에 1건의 중대한 위기가 발생하기 전에 반드시 경미한 사건들이 29건 터지면서 경고를 하며, 29건의 사건 이면에는 300건의 잠재적인 위험요인들이 수없이 반복되어 나타난다고 하였다.

(1) 중대한 위기 1건

(2) 경미한 사건 29건

(3) 잠재적인 위험요인 300건
   ① 하인리히 법칙은 일반적으로 1 : 29 : 300 법칙으로 더 잘 알려져 있으며 안전관리 분야에서 활용되고 있다. 결국 하인리히 법칙은 사고와 상해 정도 사이에 항상 필연적이고 우연적인 확률이 존재한다는 것과 이를 입증하기 위하여 활용되는 이론이라 할 수 있다.

② 하나의 사고(Accident)가 일어난 경우, 그 배경에는 사고로 이어지지 않았던 29개의 사건(Incident)이 있으며, 다시 그 뒤에는 사건으로 이어지지 않았던 300건의 이상(Irregularity)이 있고, 다시 그 뒤에는 아마도 수 천에 달하는 불안전 행동과 불안전 상태가 존재한다. 안전에 대한 기본개념에 관해서 하인리히는 사고·재난이 일어나는 과정을 5단계로 나누어 정리하여 '도미노 이론'이라 하였다.

2. 도미노 이론

사고의 원인으로부터 재난 발생까지의 과정을 설명하기 위하여 하인리히가 사용한 이론을 도미노 연쇄모델이라 한다.

(1) Ⅰ단계 – 사회적 또는 가정적(유전적) 결함

바람직하지 못한 사회적 또는 가정환경에 의한 결함으로, 공중도덕이나 준법정신의 결여, 인명경시 풍조 등을 들 수 있다(예 무단횡단 등을 하는 집안분위기 등).

(2) Ⅱ단계 – 개인적 결함

개인적으로 신체적 또는 정신적으로 결함이 있거나, 안전에 대한 의식이 미흡하거나, 기능이 부족한 경우 등이 해당된다(예 개인적으로 무단횡단에 대한 안전의식 미흡 등).

(3) Ⅲ단계 – 불안전한 상태 또는 거동

안전하지 못한 상태라고 하는 것은, 예컨대 위험물이나 위험한 장소가 정리 정돈되지 않고 방치되어 있거나 안전장치가 구비되어 있지 않는 등의 상태를 말하며, 불안전 거동은 안전 수칙을 지키지 않거나 기계를 잘못 사용하는 경우 등이 해당된다(예 안전의식 미흡의 습관으로 안전수칙을 지키지 않음 등).

(4) Ⅳ단계 – 사고

한 개 이상의 위험요인, 즉 사회적 또는 가정적 결함, 개인적 결함, 불안전한 상태 또는 거동간의 상호작용에 의해 인명피해 또는 경제적 가치의 손해를 일으키는 사상(Event)을 말한다.

(5) Ⅴ단계 – 재난

사고발생의 최종결과로 큰 재해(인적·물적 손실)를 가져온다.

3. 프랭크 버드 이론(신도미노 이론)(1 : 10 : 30 : 600 법칙)

(1) 정의

버드(Frank Bird)의 신도미노 이론은 도미노 이론 5가지 단계를 제어의 부족, 기본원인, 직접원인, 사고, 재해손실로 보고 재해의 발생은 직접원인보다 기본원인을 제거함으로써 안전사고를 예방할 수 있다고 보며, 이에 따른 재해 연쇄의 사고발생 과정을 다음의 5개의 단계로 표현하였다. 소방활동 중 기본원인으로는 대원의 지식이나 기술수준, 안전의식 그리고 장비에 관한 관리 및 사용방법 등이 포함될 수 있다.

제1단계	제어부족(관리 부재)
제2단계	기본원인(기원)
제3단계	직접원인(징후)
제4단계	사고(접촉)
제5단계	상해(손실)

(2) 버드(Frank Bird)의 신도미노 이론(5단계)

제1단계	제어족(관리부재) – 안전관리계획
제2단계	기본원인(기원) – 지식 및 기능 부족, 육체적 및 정신적 문제 등
제3단계	직접원인(징후) – 재해발생의 근본적인 문제를 확인하지 않는 경우 연속적으로 재해가 발생함
제4단계	사고(접촉) – 일반적으로 물적 손해를 의미함
제5단계	상해(손실) – 인적 손실(경상해, 중상해)을 의미함

(3) 재해의 기본원인 4M[버드(Bird)의 신도미노 이론 5단계 중 2단계에 해당]
   – 작업자(Man), 기계(Machine), 매체(Media), 관리(Management)

Man (인간적인 요인, 인적, 사람, 작업자)	① 심리적 원인: 망각, 무의식행동, 착오 등 ② 생리적 원인: 수면부족 등 피로, 질병 등 ③ 직장의 원인: 직장의 인간관계, 의사소통, 통솔력 등
Machine (기계적 요인)	① 기계, 설비의 설계상의 결함 ② 점검, 정비의 불량 등 ③ 근원적인 표준화 부족
Media (매체, 정보)	① 작업정보의 부적절 ② 작업환경조건의 불량 등
Management (관리)	① 안전관리조직 및 계획의 결함 ② 안전교육 및 훈련의 부족

(4) 안전대책의 3요소, 하베이의 3E

① Education: 교육적 대책

② Engineering: 기술적 대책

③ Enforcement: 관리적 대책

 영철쌤 tip

3E
기술(Engineering), 교육(Education),
관리(Enforcement)

(5) 프랭크 버드(Frank Bird)의 재해(사고)구성 비율(1 : 10 : 30 : 600)

① 상해 또는 질병: 1

② 경상(물적·인적 상해): 10

③ 무상해 사고(물적 손실 발생): 30

④ 무상해 무사고 고장(위험순간): 600

4. 하인리히와 버드의 도미노 이론 비교

(1) 하인리히의 도미노 이론은 "재해의 직접원인인 불안전한 행동과 불안전한 상태를 제거하면 연쇄의 고리가 단절되어 사고예방이 가능하다."는 주장이다.

(2) 이에 대해 버드의 새로운 도미노 이론은 '직접원인은 기본원인의 징후에 불과하므로 기본원인의 발생을 제어하는 통제나 관리상의 결함을 제거하는 것이 더 근원적인 사고방지 대책'이라고 보는 주장이다.

구분	하인리히	버드
사고발생기재	불안전한 행동(88%) + 불안전한 상태(10%)	불안전한 행동×불안전한 상태
사고예방조건	직접원인 제거	통제 및 관리
사고관리방법	직접원인 발견, 분석 → 대책수립	전문안전관리 프로그램 실시
사고 결과	상해	상해, 손해, 손실

5. 재해의 예방

(1) 재해예방의 4대 원칙

손실우연의 원칙, 원인연계의 원칙, 예방가능의 원칙, 대책선정의 원칙이 있다.

(2) 사고예방대책의 기본원리 5단계

① 1단계: 안전관리조직(조직체계 확립)

② 2단계: 사실의 발견(현황파악)

③ 3단계: 분석(원인규명)

④ 4단계: 시정방법의 선정(대책선정)

⑤ 5단계: 시정책의 적용(목표달성), 3E 적용

문제로 완성하기

01 재난(재해)에 관한 설명으로 옳지 않은 것은? 　　　　　　　　　　　　　　23. 공채 · 경채

① 아네스(Br. J. Anesth)는 재난을 크게 자연재난과 인적(인위)재난으로 구분하였다.

② 존스(David K. Jones)는 재난을 크게 자연재난, 준자연재난, 인적(인위)재난으로 구분하였다.

③ 「재난 및 안전관리 기본법」 제3조 제1호에 따른 재난은 자연재난, 사회재난, 해외재난으로 구분된다.

④ 하인리히(H. W. Heinrich)의 도미노 이론은 재해발생과정을 유전적 요인 및 사회적 환경 → 개인적 결함 → 불안전 행동 및 불안전 상태 → 사고 → 재해(상해)라는 5개 요인의 연쇄작용으로 설명하였다.

02 존스(Jones)의 재해분류 중 기상학적 재해로 옳지 않은 것은?

① 번개　　　　　　　　　　　　　　② 폭풍

③ 쓰나미　　　　　　　　　　　　　④ 토네이도

정답 및 해설

01 재난 및 안전관리기본법

「재난 및 안전관리기본법」에서는 재난을 크게 자연재난과 사회(인위)재난으로 분류하고 있다. → 이분(二分)법

02 존스(Jones)의 재해분류

재해					
자연재해				준자연재해	인위재해
지구물리학적 재해			생물학적 재해	스모그현상, 온난화현상, 사막화현상, 염수화현상, 눈사태, 산성화, 홍수, 토양침식 등	공해, 광화학연무, 폭동, 교통사고, 폭발사고, 태업, 전쟁 등
지질학적 재해	지형학적 재해	기상학적 재해			
지진, 화산, 쓰나미(해일) 등	산사태, 염수토양 등	안개, 눈, 해일, 번개, 토네이도, 폭풍, 태풍, 가뭄, 이상기온 등	세균질병, 유독식물, 유독동물		

정답 01 ③ **02** ③

03 다음은 재해 발생 과정에 관한 이론이다. 각 이론에서 재해 발생을 방지하기 위해 제거해야 하는 단계가 옳게 나열된 것은?

24. 공채·경채

> ㄱ. 하인리히(H. W. Heinrich)의 도미노 이론: 사회적 환경 및 유전적 요소 → 개인적 결함 → 불안전한 행동 및 상태 → 사고 → 재해
>
> ㄴ. 버드(F. Bird)의 수정 도미노 이론: 제어의 부족 → 기본원인 → 직접원인 → 사고 → 재해

	ㄱ	ㄴ
①	개인적 결함	직접원인
②	개인적 결함	기본원인
③	불안전한 행동 및 상태	직접원인
④	불안전한 행동 및 상태	기본원인

04 재난관리 단계별 4단계 과정으로 옳은 것은?

① 재난예방 – 재난대응 – 재난대비 – 재난복구

② 재난예방 – 재난대비 – 재난복구 – 재난대응

③ 재난예방 – 재난대비 – 재난대응 – 재난복구

④ 재난예방 – 재난대응 – 재난복구 – 재난대비

05 미래에 발생할 가능성이 있는 재난을 사전에 예방하고 재난 발생 가능성을 감소시키며, 발생 가능한 재난의 피해를 최소화시키기 위한 활동단계는?

① 재난대비

② 재난예방

③ 재난대응

④ 재난복구

06 재난 발생을 막기 위하여 재난관리행정 중 예방활동이 가장 중요하다. 하지만 아무리 노력해도 모든 재난을 예방할 수 없다. 따라서 피할 수 없는 재난이 발생하였을 때 효과적으로 대응할 수 있도록 사전에 재난대응활동에 대한 행동계획을 구성하고 실제 현실에서 운영될 수 있도록 제반 준비활동을 하는 단계는?

① 재난예방 　　　　　　　　　　　　　② 재난복구

③ 재난대비 　　　　　　　　　　　　　④ 재난대응

07 다음에서 설명하고 있는 재난관리 활동단계는?

> 피해 지역이 재난이 발생하기 이전의 원상태로 회복될 때까지 장기적으로 활동하는 과정인 동시에, 초기 회복기간으로부터 그 지역이 정상적인 상태로 돌아올 때까지 지원을 제공하는 지속적인 활동단계이다.

① 예방 　　　　　　　　　　　　　　② 대비

③ 대응 　　　　　　　　　　　　　　④ 복구

정답 및 해설

03 재해 발생 과정에 관한 이론
· 하인리히의 도미노 이론은 '재해의 직접원인인 불안전한 행동과 불안전한 상태를 제거하면 연쇄의 고리가 단절되어 사고예방이 가능하다'는 주장이다.
· 이에 대해 버드의 새로운 도미노 이론은 '직접원인은 기본원인의 징후에 불과하므로 기본원인의 발생을 제어하는 통제나 관리상의 결함을 제거하는 것이 더 근원적인 사고방지 대책'이라고 보는 주장이다.

04 재난관리 주기의 4단계
'재난예방 – 재난대비 – 재난대응 – 재난복구'이다.

05 재난예방
재난예방은 재난 발생 전 활동단계로서 사회와 그 구성원의 건강, 안전, 복지에 대한 위험이 있는지 미리 알아보고 위험요인을 줄여서 재해 발생의 가능성을 낮추는 활동을 수행하는 단계를 말한다.

06 재난대비
재난대비는 예방 및 완화단계의 제반활동에도 불구하고 재난 발생 확률이 높아진 경우, 재해 발생 후에 효과적으로 대응할 수 있도록 사전에 대응활동을 위한 메커니즘을 구성하는 등 운영적인 준비 장치들을 갖추는 단계를 말한다.

07 재난복구
· 재해 상황이 어느 정도 안정된 후 취하는 활동단계로 재해로 인한 피해 지역을 재해 이전의 상태로 회복시키는 활동을 포함한다.
· 단기적으로는 피해주민들이 최소한의 생활을 영위할 수 있도록 지원하고 장기적으로는 피해 지역의 원상복구 또는 개량복구를 추구하게 된다.
· 복구의 목적은 지역의 시스템과 활동을 정상상태로 돌려놓는 것이며 재난이 발생한 직후부터 시작된다.

정답 03 ④ 04 ③ 05 ② 06 ③ 07 ④

08 재난대비 활동내용으로 옳지 않은 것은?

① 일반국민에 대한 홍보 및 대응요원에 대한 훈련

② 비상연락망과 통신망을 정비하여 유사시 활용할 수 있는 경보시스템 구축

③ 각종 재난관리계획 실행

④ 부족한 대응자원에 대한 보강작업

09 재난관리 개념과 단계별 관리상황 중 옳은 것은?

① 예방단계 - 위험지도의 작성

② 대비단계 - 토지이용관리

③ 대응단계 - 비상방송시스템 구축

④ 복구단계 - 피해주민 수용 및 구호

10 산업재해를 통계적으로 분석해 결과를 도출한 것으로, 사고 발생 시 도미노 이론 중 하인리히 법칙에 해당되는 것은?

① 1 : 29 : 300

② 1 : 30 : 300

③ 1 : 29 : 500

④ 1 : 30 : 500

11 버드(Frank E. Bird)의 재해 발생 비율을 따를 때, 인적 상해가 10건 발생한 경우 물적 손실을 동반하는 무상해 사고의 발생건수는?

① 1건

② 10건

③ 30건

④ 600건

12 하인리히의 도미노 이론의 사고 발생 5단계에 해당되지 않는 것은?

① 사회적 또는 가정환경 결함

② 개인적 결함

③ 불안전한 상태 또는 거동

④ 간접적인 사고로 발생하는 재해

13 하인리히(H. W. Heinrich)의 도미노 이론의 5단계 중 사고의 직접원인이 되는 3번째 단계에 해당하는 것은? 21. 소방간부

① 유전적 요소

② 불안전한 행동

③ 사회적 환경요소

④ 인적 · 물적 손실

⑤ 개인적 결함

정답 및 해설

08 재난대비

각종 재난관리계획 실행은 재난대응의 단계이다.

> ■ 재난대비 활동내용
> 1. 재난상황에 적절한 계획 수립
> 2. 부족한 대응자원에 대한 보강작업
> 3. 비상연락망과 통신망을 정비하여 유사시 활용할 수 있는 경보시스템 구축
> 4. 일반국민에 대한 홍보 및 대응요원에 대한 훈련

09 재난관리 개념과 단계별 관리상황

· 재난완화(예방): 재난관리를 위한 장기계획의 마련, 화재방지 및 기타 재해피해축소를 위한 건축기준법규의 마련, 위험지도의 작성, 수해상습지구의 설정, 수해방지시설의 공사, 안전기준의 설정, 토지이용을 규제 및 관리하여 재해위약지구의 개발제한, 재난 · 재해 보험가입 등

· 재난대비: 각 재난상황에 적절한 재난계획 수립, 대응자원에 대한 보강작업, 비상연락명과 통신망을 정비하여 경보시스템 구축, 홍보 및 대응요원에 대한 훈련과 재난 발생 시 실제적인 대응활동을 통한 현장대응상의 체제보완 등

· 재난대응: 각종 재난관리계획의 실행, 수습기구의 활동 개시, 긴급대피계획의 실천, 긴급의약품 조달, 생필품 공급, 피난처 제공, 이재민 수용 및 보호, 후송, 탐색 및 구조 등의 활동 등

· 재난복구: 장 · 단기 복구계획 수립, 피해자 보상 및 배상관리, 복구 우선순위 결정, 피해상황 집계, 임시주민시설 마련 등

10 사고 발생 시 도미노 이론의 하인리히 법칙

하인리히는 산업재해를 통계적으로 분석해 사망이나 중상자가 1명 발생 시, 경상자는 29명, 잠재적 부상자가 300명이라는 결과를 도출하였다. 이러한 법칙을 하인리히의 법칙 또는 1 : 29 : 300의 법칙이라 한다. 즉, 하나의 사고(Accident)가 일어난 경우, 그 배경에는 사고로 이어지지 않았던 29개의 사건(Incident)이 있으며, 다시 그 뒤에는 사건으로 이어지지 않았던 300건의 이상(Irregularity)이 있고, 다시 그 뒤에는 아마도 수천에 달하는 불안전 행동과 불안전 상태가 존재한다. 안전에 대한 기본개념에 관해서 하인리히는 사고 · 재난이 일어나는 과정을 5단계로 나누어 정리하여 '도미노 이론'이라 한다.

11 프랭크 버드의 1 : 10 : 30 : 600의 법칙

프랭크 버드의 재해(사고)구성 비율은 다음과 같다.

· 상해 또는 질병: 1

· 경상(물적 · 인적 상해): 10

· 무상해 사고(물적 손실 발생): 30

· 무상해 무사고 고장(위험순간): 600

12 하인리히의 도미노 이론의 사고 발생 5단계

· 1단계: 사회적 또는 가정적(유전적) 결함

· 2단계: 개인적 결함

· 3단계: 불안전한 상태 또는 거동

· 4단계: 사고

· 5단계: 재난

13 하인리히의 도미노 이론의 사고 발생 5단계

· 1단계: 사회적 또는 가정적(유전적) 결함

· 2단계: 개인적 결함

· 3단계: 불안전한 상태 또는 거동

· 4단계: 사고

· 5단계: 재난

정답 **08** ③ **09** ① **10** ① **11** ③ **12** ④ **13** ②

14 재해원인 분석방법 중 하나인 4M 분석방법에 관한 설명으로 옳은 것은?

① 재해의 원인을 Man, Machine, Manner, Management 요인으로 구분하여 분석한다.

② 기계 · 설비의 설계상 결함은 관리적 요인에 해당한다.

③ 작업정보의 부적절은 작업 · 환경적 요인에 해당한다.

④ 표준화의 부족은 인적 요인에 해당한다.

⑤ 심리적 요인은 작업 · 환경적 요인에 해당한다.

15 재난관리 방식 중 분산관리에 대한 일반적인 설명으로 옳지 않은 것은?

① 재난의 종류에 따라 대응방식의 차이와 대응계획 및 책임기관이 각각 다르게 배정된다.

② 재난 시 유관기관 간의 중복적 대응이 있을 수 있다.

③ 재난의 발생 유형에 따라 소관부처별로 업무가 나뉜다.

④ 재난 시 유사한 자원동원 체계와 자원유형이 필요하다.

정답 및 해설

14 재해원인 분석방법 중 하나인 4M 분석방법

Media(정보): 작업정보의 부적절은 작업 · 환경적 요인에 해당한다.

■ 재해의 기본원인 4M – 작업자(Man), 기계(Machine), 매체(Media), 관리(Management)

Man	인적, 사람, 작업자, 인간적 요인 – 인간 때문에 재난발생 · 심리적 원인: 망각, 무의식행동, 착오 등 · 생리적 원인: 수면부족 등 피로, 질병 등 · 직장의 원인: 직장의 인간관계, 의사소통, 통솔력 등
Machine	기계적 요인 – 기계 때문에 재난발생 · 기계, 설비의 설계상의 결함 · 점검, 정비의 불량 등 · 근원적인 표준화 부족
Media	매체, 정보 – 매체(정보) 때문에 재난발생 · 작업정보의 부적절 · 작업환경조건의 불량 등
Management	관리 – 관리 때문에 재난발생 · 안전관리조직 및 계획의 결함 · 안전교육 및 훈련의 부족

① 재해의 원인을 Man, Machine, Media, Management 요인으로 구분하여 분석한다.

② 기계 · 설비의 설계상 결함은 Machine(기계)요인에 해당한다.

④ 표준화의 부족은 Machine(기계)요인에 해당한다.

⑤ Man(인적): 심리적 요인은 작업 · 환경적 요인에 해당한다.

■ 안전대책의 3요소, 하베이의 3E
1. Education: 교육적 대책
2. Engineering: 기술적 대책
3. Enforcement: 관리적 대책

15 재난관리 방식(통합관리방식)

재난 시 유사한 자원동원 체계와 자원유형이 필요하기 때문에 자원동원과 신속한 대응성 확보, 가용자원(인적자원)을 효과적으로 활용할 수 있다.

정답 14 ③ **15** ④

CHAPTER 2 재난 및 안전관리 기본법의 개설

1 총칙

1. 목적

이 법은 각종 재난으로부터 국토를 보존하고 국민의 생명·신체 및 재산을 보호하기 위하여 국가와 지방자치단체의 **재난 및 안전관리체제를 확립**하고, 재난의 예방·대비·대응·복구와 안전문화활동, 그 밖에 재난 및 안전관리에 필요한 사항을 규정함을 목적으로 한다.

2. 기본이념

이 법은 재난을 예방하고 재난이 발생한 경우 그 피해를 최소화하여 일상으로 회복할 수 있도록 지원하는 것이 **국가와 지방자치단체의 기본적 의무**임을 확인하고, 모든 국민과 국가·지방자치단체가 국민의 생명 및 신체의 안전과 재산보호에 관련된 행위를 할 때에는 안전을 우선적으로 고려함으로써 국민이 재난으로부터 안전한 사회에서 생활할 수 있도록 함을 기본이념으로 한다.

3. 용어의 정의

(1) 재난

① **정의**: 국민의 생명·신체·재산과 국가에 피해를 주거나 줄 수 있는 것을 말한다.

② 재난의 종류

    ⊙ **자연재난**: 태풍, 홍수, 호우(豪雨), 강풍, 풍랑, 해일(海溢), 대설, 한파, 낙뢰, 가뭄, 폭염, 지진, 황사(黃砂), 조류(藻類)❶ 대발생, 조수(潮水)❷, 화산활동, 「우주개발 진흥법」에 따른 **자연우주물체의 추락❸·충돌**, 그 밖에 이에 준하는 **자연현상으로 인하여 발생하는 재해**

    ⊙ **사회재난**: 화재·붕괴·폭발·교통사고(항공사고 및 해상사고를 포함한다)·화생방사고·환경오염사고·다중운집인파사고 등으로 인하여 발생하는 대통령령으로 정하는 규모 이상의 피해와 **국가핵심기반의 마비**, 「감염병의 예방 및 관리에 관한 법률」에 따른 **감염병** 또는 「가축전염병예방법」에 따른 **가축전염병의 확산**, 「미세먼지 저감 및 관리에 관한 특별법」에 따른 **미세먼지**, 「우주개발 진흥법」에 따른 **인공우주물체의 추락·충돌** 등으로 인한 피해

(2) 해외재난

대한민국의 영역 밖에서 대한민국 국민의 생명·신체 및 재산에 피해를 주거나 줄 수 있는 재난으로서 **정부차원에서 대처할 필요가 있는 재난**을 말한다.

출제 POINT

01 용어의 정의 ★★☆
02 재난관리주관기관 ★★☆

영철쌤 tip

「소방법」은 1958년 3월 11일에 제정되었고, 「재난 및 안전관리 기본법」은 2004년 3월 11일에 제정되었다.

용어사전

❶ 조류(藻類): 강에는 녹조현상으로, 바다에는 적조현상으로 나타난다.
❷ 조수(潮水): 밀물과 썰물의 간만의 차를 말한다.
❸ 자연우주물체의 추락: 2013.2.15. 러시아에 소행성의 운석이 떨어진 것 등이 있다.

영철쌤 tip

대통령령으로 정하는 규모 이상의 피해
1. 국가 또는 지방자치단체 차원의 대처가 필요한 인명 또는 재산의 피해이다.
2. 그 밖에 1.의 피해에 준하는 것으로서 행정안전부장관이 재난관리를 위하여 필요하다고 인정하는 피해이다.

교통수송 및 교통사고 재난
1. 교통수송은 국가핵심기반의 마비를 주는 재난이다.
2. 교통사고는 대통령령으로 정하는 규모 이상의 피해를 주는 재난이다.

국가핵심기반
에너지, 정보통신, 교통수송, 보건의료 등 국가경제, 국민의 안전·건강 및 정부의 핵심기능에 중대한 영향을 미칠 수 있는 시설, 정보기술시스템 및 자산 등을 말한다.
1. 국가경제는 교통수송, 즉 화물차연대 파업으로 인해 국가경제가 흔들리는 것이다.
2. 핵심기능에 중대한 영향을 미칠 수 있는 시설은 청와대, 국회의사당, 정부중앙청사, 국방부청사 등이다.
3. 정보기술시스템 및 자산은 정보통신과 관련된 기기와 소프트웨어, 하드웨어 등이나 재산을 해외로 반출하는 것이다.

(3) 재난관리

재난의 예방·대비·대응 및 복구를 위하여 하는 모든 활동을 말한다.

(4) 안전관리

재난이나 그 밖의 각종 사고로부터 사람의 생명·신체 및 재산의 안전을 확보하기 위하여 하는 모든 활동을 말한다.

(5) 안전기준

각종 시설 및 물질 등의 제작, 유지관리 과정에서 안전을 확보할 수 있도록 적용하여야 할 기술적 기준을 체계화한 것을 말하며, 안전기준의 분야, 범위 등에 관하여는 대통령령으로 정한다.

참고 안전기준의 분야 및 범위	
안전기준의 분야	안전기준의 범위
건축시설 분야	다중이용업소, 문화재시설, 유해물질 제작·공급시설 등 관련 구조나 설비의 유지·관리 및 소방 관련 안전기준
생활 및 여가 분야	생활이나 여가활동에서 사용하는 기구, 놀이시설 및 각종 외부활동과 관련된 안전기준
환경 및 에너지 분야	대기환경·토양환경·수질환경·인체에 위험을 유발하는 유해성 물질과 시설, 발전시설 운영과 관련된 안전기준
교통 및 교통시설 분야	육상교통·해상교통·항공교통 등과 관련된 시설 및 안전 부대시설, 시설의 이용자 및 운영자 등과 관련된 안전기준
산업 및 공사장 분야	각종 공사장 및 산업현장에서의 주변 시설물과 그 시설의 사용자 또는 관리자 등의 안전부주의 등과 관련된 안전기준 (공장시설 포함)
정보통신 분야 (사이버 안전 분야는 제외)	정보통신매체 및 관련 시설과 정보보호에 관련된 안전기준
보건·식품 분야	의료·감염, 보건복지, 축산·수산·식품 위생 관련 시설 및 물질 관련 안전기준
그 밖의 분야	건축시설 분야 ~ 보건·식품 분야에서 정한 사항 외에 안전기준심의회에서 안전관리를 위하여 필요하다고 정한 사항과 관련된 안전기준

(6) 재난관리책임기관(재난관리업무를 하는 기관)

① 중앙행정기관 및 지방자치단체(「제주특별자치도 설치 및 국제자유도시 조성을 위한 특별법」 제10조 제2항에 따른 행정시를 포함한다)

② 지방행정기관·공공기관·공공단체(공공기관 및 공공단체의 지부 등 지방조직을 포함한다) 및 재난관리의 대상이 되는 중요시설의 관리기관 등으로서 대통령령으로 정하는 기관

참고 재난관리책임기관

1. **중앙행정기관**: 부처에 따른 중앙행정기관(부·처·청)

2. **지방자치단체**
   ① 광역자치단체: 1특별시·6광역시·6도·1특별자치시·3특별자치도
   ② 기초자치단체: 67시·98군·65자치구

3. **중앙행정기관 및 지방자치단체 외의 재난관리책임기관**

영철쌤 tip

특별자치도
1. 제주도(2006.7.1.~)
2. 강원도(2023.6.11.~)
3. 전라북도(2024.1.18.~)

재난관리책임기관(별표 1의2)		
1. 재외공관	34. 한국산업단지공단	67. 삭제
2. 농림축산검역본부	35. 부산교통공사	68. 삭제
3. 지방우정청	36. 국가철도공단	70. 공항철도주식회사
4. 국립검역소	37. 국토안전관리원	71. 서울시메트로9호선주식회사
5. 유역환경청 또는 지방환경청	38. 한국원자력연구원	72. 여수광양항만공사
6. 지방고용노동청	39. 한국원자력안전기술원	73. 한국해양교통안전공단
7. 지방항공청	40. 농업협동조합중앙회	74. 사단법인 한국선급
8. 지방국토관리청	41. 수산업협동조합중앙회	75. 한국원자력환경공단
9. 홍수통제소	42. 산림조합중앙회	76. 독립기념관
10. 지방해양수산청	43. 대한적십자사	77. 예술의 전당
11. 지방산림청	44. 댐 등의 설치자	78. 대구도시철도공사
12. 시·도의 교육청 및 시·군·구의 교육지원청	45. 발전용 원자로 운영자	79. 광주도시철도공사
13. 한국철도공사 ↓ 33. 한국산업안전보건공단	46. 재난방송 사업자 ↓ 66. 서울고속도로주식회사	80. 대전도시철도공사 ↓ 101. 주식회사에스알

(7) 재난관리주관기관

재난이나 그 밖의 각종 사고에 대하여 그 유형별로 예방·대비·대응 및 복구 등의 업무를 주관하여 수행하도록 대통령령으로 정하는 관계 중앙행정기관을 말한다.

영철쌤 tip

재난관리주관기관
1. 재난관리주관기관이 지정되지 않았거나 분명하지 않은 경우에는 행정안전부장관이 「정부조직법」에 따른 관장 사무와 피해 시설의 기능 또는 재난 및 사고 유형 등을 고려하여 재난관리주관기관을 정한다.
2. 감염병 재난 발생 시 중앙사고수습본부는 위기관리 표준매뉴얼에 따라 설치·운영한다.

참고 재난 및 사고유형별 재난관리주관기관

재난관리주관기관	재난 및 사고의 유형
교육부	학교 및 학교시설에서 발생한 사고
과학기술정보통신부	· 우주전파 재난 · 정보통신 사고 · 위성항법장치(GPS) 전파혼신 · 자연우주물체의 추락·충돌
외교부	해외에서 발생한 재난

법무부	법무시설에서 발생한 사고
국방부	국방시설에서 발생한 사고

행정안전부	· 정부중요시설 사고
	· 공동구(共同溝) 재난(국토교통부가 관장하는 공동구는 제외한다)
	· 내륙에서 발생한 유도선 등의 수난 사고
	· 풍수해(조수는 제외한다) · 지진 · 화산 · 낙뢰 · 가뭄 · 한파 · 폭염
	  으로 인한 재난 및 사고로서 다른 재난관리주관기관에 속하지
	  아니하는 재난 및 사고

문화체육관광부	경기장 및 공연장에서 발생한 사고
농림축산식품부	· 가축 질병 · 저수지 사고
산업통상자원부	· 가스 수급 및 누출사고 · 원유수급 사고 · 원자력안전 사고(파업에 따른 가동중단으로 한정한다) · 전력 사고 · 전력생산용 댐의 사고
보건복지부	보건의료 사고
보건복지부 질병관리청	감염병 재난
환경부	· 수질분야 대규모 환경오염 사고 · 식용수 사고 · 유해화학물질 유출 사고 · 조류(藻類) 대발생(녹조에 한정한다) · 황사 · 환경부가 관장하는 댐의 사고 · 미세먼지
고용노동부	사업장에서 발생한 대규모 인적 사고
국토교통부	· 국토교통부가 관장하는 공동구 재난 · 고속철도 사고 · 도로터널 사고 · 육상화물운송 사고 · 도시철도 사고(지하철) · 항공기 사고 · 항공운송 마비 및 항행안전시설 장애 · 다중밀집건축물 붕괴 대형사고로서 다른 재난관리주관기관에 속하지 아니하는 재난 및 사고
해양수산부	· 조류 대발생(적조에 한정한다) · 조수(潮水) · 해양 분야 환경오염 사고 · 해양 선박 사고
금융위원회	금융 전산 및 시설 사고

 영철쌤 tip

황사 및 미세먼지 비교
1. 황사는 자연재난에 해당한다.
2. 미세먼지는 사회재난에 해당한다.
3. 황사 및 미세먼지의 재난관리주관기관은
   환경부이다.

원자력안전 위원회	· 원자력안전 사고(파업에 따른 가동중단은 제외한다) · 인접국가 방사능 누출 사고
소방청	· 화재 · 위험물 사고 · 다중 밀집시설 대형화재
문화재청	문화재 시설 사고
산림청	· 산불 · 산사태
해양경찰청	해양에서 발생한 유도선 등의 수난 사고

📖 **핵심정리** **재난관리책임기관 및 재난관리주관기관**

- -

1. **중앙행정기관: 부 · 처 · 청(교육부, 보훈처, 소방청 등)**
2. **관계 중앙행정기관: 재난부서가 있는 중앙행정기관**
   ① 교육부, 소방청 등은 중앙행정기관도 되고, 관계 중앙행정기관도 된다. 즉, 재난관리
      책임기관도 되고, 재난관리주관기관도 된다.
   ② 기획재정부는 중앙행정기관은 되지만 관계 중앙행정기관은 아니다. 즉, 재난관리책
      임기관만 된다.

영철쌤 tip

관계 중앙행정기관
기획재정부는 재난부서가 없으므로 관계 중앙
행정기관이 아니다.

긴급구조기관
행정안전부, 경찰청은 긴급구조기관이 아니다.

(8) 긴급구조

재난이 발생할 우려가 현저하거나 재난이 발생하였을 때에 국민의 생명 · 신체 및
재산을 보호하기 위하여 긴급구조기관과 긴급구조지원기관이 하는 인명구조, 응
급처치, 그 밖에 필요한 모든 긴급한 조치를 말한다.

(9) 긴급구조기관

① 소방청, 해양경찰청

② 소방본부, 지방해양경찰청

③ 소방서, 해양경찰서

(10) 긴급구조지원기관

긴급구조에 필요한 인력 · 시설 및 장비, 운영체계 등 긴급구조능력을 보유한 기
관이나 단체로서 **대통령령으로 정하는 기관과 단체**를 말한다.

참고 **대통령령으로 정하는 긴급구조지원기관 및 단체**

1. 교육부, 과학기술정보통신부, 국방부, 산업통상자원부, 보건복지부, 환경부, 국토교통
   부, 해양수산부, 방송통신위원회, 경찰청, 산림청, 질병관리청 및 기상청
2. 국방부장관이 법 제57조 제3항 제2호에 따른 탐색구조부대로 지정하는 군부대와 그 밖
   에 긴급구조지원을 위하여 국방부장관이 지정하는 군부대
3. 「대한적십자사 조직법」에 따른 대한적십자사
4. 「의료법」 제3조 제2항 제3호 마목에 따른 종합병원
5. 「응급의료에 관한 법률」 제2조 제5호에 따른 응급의료기관, 같은 법 제27조에 따른 응
   급의료정보센터 및 같은 법 제44조 제1항 제1호 · 제2호에 따른 구급차 등의 운용자

6. 「재해구호법」제29조에 따른 전국재해구호협회

7. 법 제3조 제7호에 따른 긴급구조기관과 긴급구조활동에 관한 응원협정을 체결한 기관 및 단체

8. 그 밖에 긴급구조에 필요한 인력과 장비를 갖춘 기관 및 단체로서 행정안전부령으로 정하는 기관 및 단체

📖 **핵심정리 긴급구조기관 및 긴급구조지원기관**

1. 긴급구조기관
   ① 소방청, 해양경찰청
   ② 소방본부, 지방해양경찰청
   ③ 소방서, 해양경찰서

2. 긴급구조지원기관
   ① 각 부처 및 방송통신위원회, 경찰청, 산림청, 질병관리청 및 기상청
   ② 군부대
   ③ 대한적십자사
   ④ 종합병원
   ⑤ 구급차 등의 운용자
   ⑥ 전국재해구호협회
   ⑦ 긴급구조기관과 긴급구조활동에 관한 응원협정을 체결한 기관 및 단체
   ⑧ 행정안전부령으로 정하는 기관 및 단체

---

(11) 국가재난관리기준

모든 유형의 재난에 공통적으로 활용할 수 있도록 재난관리의 전 과정을 통일적으로 단순화 · 체계화한 것으로서 **행정안전부장관이 고시한 것**을 말한다.

영철쌤 tip

국가재난관리기준의 고시자는 행정안전부장관이다.

(12) 안전문화활동

안전교육, 안전훈련, 홍보 등을 통하여 안전에 관한 가치와 인식을 높이고 안전을 생활화하도록 하는 등 재난이나 그 밖의 각종 사고로부터 안전한 사회를 만들어 가기 위한 활동을 말한다.

영철쌤 tip

재난에 취약한 사람은 재난취약계층이 아니고, 안전취약계층에 해당한다.

(13) 안전취약계층

어린이, 노인, 장애인, 저소득층 등 신체적 · 사회적 · 경제적 요인으로 인하여 재난에 취약한 사람을 말한다.

(14) 재난관리정보

재난관리를 위하여 필요한 재난상황정보, 동원 가능 자원정보, 시설물정보, 지리정보를 말한다.

영철쌤 tip

재난안전의무보험은 강제보험이다.

(15) 재난안전의무보험

재난이나 그 밖의 각종 사고로 사람의 생명 · 신체 또는 재산에 피해가 발생한 경우 그 피해를 보상하기 위한 보험 또는 공제(共濟)로서 이 법 또는 다른 법률에 따라 일정한 자에 대하여 가입을 강제하는 보험 또는 공제를 말한다.

(16) 재난안전통신망

재난관리책임기관·긴급구조기관 및 긴급구조지원기관이 재난 및 안전관리 업무에 이용하거나 재난현장에서의 통합지휘에 활용하기 위하여 구축·운영하는 통신망을 말한다.

(17) 국가핵심기반

에너지, 정보통신, 교통수송, 보건의료 등 국가경제, 국민의 안전·건강 및 정부의 핵심기능에 중대한 영향을 미칠 수 있는 시설, 정보기술시스템 및 자산 등을 말한다.

(18) 재난안전데이터

정보처리능력을 갖춘 장치를 통하여 생성 또는 처리가 가능한 형태로 존재하는 재난 및 안전관리에 관한 정형 또는 비정형의 모든 자료를 말한다.

1. 정형데이터: 양적데이터
2. 비정형데이터: 질적데이터

---

2 재난 및 안전관리 업무의 총괄·조정

행정안전부장관은 국가 및 지방자치단체가 행하는 재난 및 안전관리 업무를 총괄·조정한다.

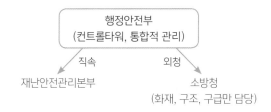

재난 및 안전관리 업무는 행정안전부장관이 컨트롤타워가 되어 총괄·조정한다.

예 감염병 재난의 경우 재난관리주관기관인 질병관리청에서 재난관리를 주도적으로 하지만, 컨트롤타워인 행정안전부장관이 총괄·조정한다.

01 「재난 및 안전관리 기본법」에서 자연재난의 종류가 아닌 것은?

① 해일(海溢)　　　　　　　　　　② 조수(潮水)

③ 태풍　　　　　　　　　　　　　④ 붕괴

02 「재난 및 안전관리 기본법」상 자연재난에 해당하지 않는 것은?　　　　　　　　22. 소방간부

① 가뭄　　　　　　　　　　　　　② 폭염

③ 미세먼지　　　　　　　　　　　④ 황사(黃砂)

⑤ 조류(藻類) 대발생

03 「재난 및 안전관리 기본법」상 재난의 분류가 다른 하나는?　　　　　　　　　　20. 공채·경채

① 「감염병의 예방 및 관리에 관한 법률」에 따른 감염병의 확산

② 황사로 인하여 발생하는 재해

③ 환경오염사고로 인하여 발생하는 대통령령으로 정하는 규모 이상의 피해

④ 「미세먼지 저감 및 관리에 관한 특별법」에 따른 미세 먼지 등으로 인한 피해

04 「재난 및 안전관리 기본법」에서 재난의 예방·대비·대응 및 복구를 위하여 하는 모든 활동을 말하는 용어로 옳은 것은?

① 재난　　　　　　　　　　　　　② 재난관리

③ 안전관리　　　　　　　　　　　④ 재난관리정보

05 재난관리 업무를 담당하는 재난관리책임기관이 아닌 것은?

① 중앙행정기관　　　　　　　　　② 긴급구조기관

③ 지방행정기관　　　　　　　　　④ 재난관리의 대상이 되는 중요시설의 관리기관

06 「재난 및 안전관리 기본법」상 용어의 정의로 옳지 않은 것은?

① "국가재난관리기준"이란 모든 유형의 재난에 공통적으로 활용할 수 있도록 재난관리의 전 과정을 통일적으로 단순화·체계화한 것으로서 행정안전부장관이 고시한 것을 말한다.

② "재난관리"란 재난이나 그 밖의 각종 사고로부터 사람의 생명·신체 및 재산의 안전을 확보하기 위하여 하는 모든 활동을 말한다.

③ "안전기준"이란 각종 시설 및 물질 등의 제작, 유지관리 과정에서 안전을 확보할 수 있도록 적용하여야 할 기술적 기준을 체계화한 것을 말한다.

④ "긴급구조"란 재난이 발생할 우려가 현저하거나 재난이 발생하였을 때에 국민의 생명·신체 및 재산을 보호하기 위하여 긴급구조기관과 긴급구조지원기관이 하는 인명구조, 응급처치, 그 밖에 필요한 모든 긴급한 조치를 말한다.

⑤ "안전취약계층"이란 어린이, 노인, 장애인, 저소득층 등 신체적·사회적·경제적 요인으로 인하여 재난에 취약한 사람을 말한다.

정답 및 해설

01 자연재난
태풍, 홍수, 호우(豪雨), 강풍, 풍랑, 해일(海溢), 대설, 한파, 낙뢰, 가뭄, 폭염, 지진, 황사(黃砂), 조류(藻類) 대발생, 조수(潮水), 화산활동, 「우주개발 진흥법」에 따른 자연우주물체의 추락·충돌, 그 밖에 이에 준하는 자연현상으로 인하여 발생하는 재해

02 재난의 종류

자연 재난	태풍, 홍수, 호우(豪雨), 강풍, 풍랑, 해일(海溢), 대설, 한파, 낙뢰, 가뭄, 폭염, 지진, 황사(黃砂), 조류(藻類) 대발생, 조수(潮水), 화산활동, 「우주개발 진흥법」에 따른 자연우주물체의 추락·충돌, 그 밖에 이에 준하는 자연현상으로 인하여 발생하는 재해
사회 재난	화재·붕괴·폭발·교통사고(항공사고 및 해상사고를 포함한다)·화생방사고·환경오염사고·다중운집인파사고 등으로 인하여 발생하는 대통령령으로 정하는 규모 이상의 피해와 국가핵심기반의 마비, 「감염병의 예방 및 관리에 관한 법률」에 따른 감염병 또는 「가축전염병예방법」에 따른 가축전염병의 확산, 「미세먼지 저감 및 관리에 관한 특별법」에 따른 미세먼지, 「우주개발 진흥법」에 따른 인공우주물체의 추락·충돌 등으로 인한 피해

03 현행법상 재난의 분류
② 황사로 인하여 발생하는 재해는 자연재난에 해당한다.
①③④ 사회재난에 해당한다.

04 재난관리
재난관리란 재난의 예방·대비·대응 및 복구를 위하여 하는 모든 활동을 말한다.

05 재난관리책임기관
재난관리책임기관이란 재난관리업무를 하는 다음의 기관을 말한다.
· 중앙행정기관 및 지방자치단체(「제주특별자치도 설치 및 국제자유도시 조성을 위한 특별법」 제15조 제2항에 따른 행정시를 포함한다)
· 지방행정기관·공공기관·공공단체(공공기관 및 공공단체의 지부 등 지방조직을 포함한다) 및 재난관리의 대상이 되는 중요시설의 관리기관 등으로서 대통령령으로 정하는 기관

06 재난관리
재난관리란 재난의 예방·대비·대응 및 복구를 위하여 하는 모든 활동을 말한다. 재난이나 그 밖의 각종 사고로부터 사람의 생명·신체 및 재산의 안전을 확보하기 위하여 하는 모든 활동은 안전관리이다.

정답 01 ④ **02** ③ **03** ② **04** ② **05** ② **06** ②

07 재난이나 그 밖의 각종 사고에 대하여 그 유형별로 예방·대비·대응 및 복구 등의 업무를 주관하여 수행하도록 대통령령으로 정하는 관계 중앙행정기관은?

① 긴급구조기관　　　　　　　　　　　② 긴급구조지원기관

③ 재난관리책임기관　　　　　　　　　④ 재난관리주관기관

08 「재난 및 안전관리 기본법 시행령」상 재난 및 사고 유형에 따른 재난관리주관기관으로 옳지 않은 것은?　　　20. 소방간부

① 가축질병 – 보건복지부

② 항공기 사고 – 국토교통부

③ 정부주요시설 사고 – 행정안전부

④ 교정시설에서 발생한 사고 – 법무부

⑤ 학교시설에서 발생한 사고 – 교육부

09 「재난 및 안전관리 기본법 시행령」상 재난 및 사고 유형별 재난관리주관기관으로 옳게 짝지어진 것은?　　　21. 소방간부

① 도로터널 사고 – 행정안전부

② 가스 수급 및 누출 사고 – 산업통상자원부

③ 해양 분야 환경오염 사고 – 해양경찰청

④ 금융 전산 및 시설 사고 – 과학기술정보통신부

⑤ 경기장 및 공연장에서 발생한 사고 – 소방청

10 「재난 및 안전관리 기본법 시행령」상 재난 및 사고의 유형에 따른 재난관리주관기관의 연결로 옳지 않은 것은? 24. 소방간부

① 내륙에서 발생한 유도선 등의 수난 사고: 소방청

② 해외에서 발생한 재난: 외교부

③ 전력생산용 댐의 사고: 산업통상자원부

④ 유해화학물질 유출 사고: 환경부

⑤ 해양에서 발생한 유도선 등의 수난 사고: 해양경찰청

11 「재난 및 안전관리 기본법 시행령」상 재난 및 사고 유형과 재난관리주관기관의 연결이 옳지 않은 것은? 24. 공채·경채

① 저수지 사고: 국토교통부

② 자연우주물체의 추락·충돌: 과학기술정보통신부

③ 공동구 재난(국토교통부가 관장하는 공동구는 제외한다): 행정안전부

④ 원자력안전 사고(파업에 따른 가동중단으로 한정한다): 산업통상자원부

정답 및 해설

07 재난 및 사고 유형별 재난관리주관기관
재난관리주관기관이란 재난이나 그 밖의 각종 사고에 대하여 그 유형별로 예방·대비·대응 및 복구 등의 업무를 주관하여 수행하도록 대통령령으로 정하는 관계 중앙행정기관을 말한다.

08 재난 및 사고 유형별 재난관리주관기관
가축질병, 저수지 사고는 농림축산식품부가 재난관리주관기관이다.

09 재난 및 사고 유형별 재난관리주관기관
산업통상자원부 주관 재난 및 사고의 유형은 다음과 같다.
· 가스 수급 및 누출 사고
· 원유수급 사고
· 원자력안전 사고(파업에 따른 가동중단으로 한정한다)
· 전력 사고
· 전력생산용 댐의 사고

10 재난관리주관기관
내륙에서 발생한 유도선 등의 수난 사고: 행정안전부

11 재난관리주관기관
저수지 사고: 농림축산식품부

정답 07 ④ **08** ① **09** ② **10** ① **11** ①

12 긴급구조기관에 해당되지 않는 기관은?

① 소방청

② 경찰청

③ 소방본부

④ 소방서

13 「재난 및 안전관리 기본법」상 재난의 정의 및 유형에 대한 설명으로 옳지 않은 것은?

① 재난관리를 위하여 필요한 재난상황정보, 동원가능 자원정보, 시설물정보, 지리정보를 재난관리정보라 한다.

② 「감염병의 예방 및 관리에 관한 법률」에 따른 감염병도 재난의 일종이다.

③ 대한민국의 영역 밖에서 대한민국 국민의 생명·신체 및 재산에 피해를 주거나 줄 수 있는 재난으로서 정부차원에서 대처할 필요가 있는 재난을 해외재난이라고 한다.

④ 재난은 자연재난, 인적재난, 사회재난으로 구분된다.

CHAPTER 3 안전관리기구 및 기능

1 개요

1. 안전관리기구①

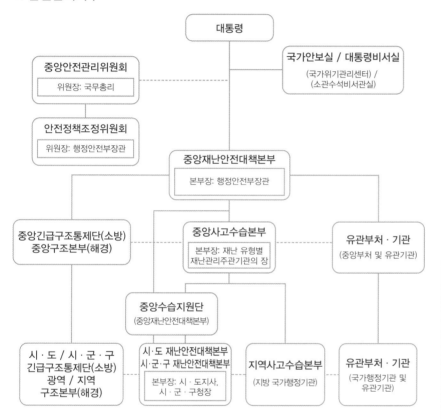

📝 출제POINT

01 중앙안전관리위원회 ★★★
02 안전정책조정위원회 ★★★
03 실무위원회 ★★☆
04 중앙재난방송협의회 ★☆☆
05 중앙안전관리민관협력위원회 ★☆☆
06 지역안전관리위원회 ★☆☆
07 안전정책실무조정위원회 ★☆☆
08 지역재난방송협의회 ★☆☆
09 지역안전관리민관협력위원회 ★☆☆
10 중앙재난안전대책본부 ★★★
11 중앙사고수습본부 ★★☆
12 지역재난안전대책본부 ★☆☆
13 재난안전상황실 ★★☆

📖 용어사전

① 안전관리기구: 각종 재난 및 안전관리를 심의하는 기구를 말한다.

2. 심의 기구 분류

(1) 중앙 심의 기구 분류

① 중앙안전관리위원회(중앙위원회)

② 안전정책조정위원회(조정위원회)

③ 실무위원회

④ 중앙재난방송협의회

⑤ 중앙민관협력위원회

(2) 지역 심의 기구 분류

① 지역안전관리위원회(지역위원회)

ㄱ 시 · 도 안전관리위원회

ㄴ 시 · 군 · 구 안전관리위원회

② 안전정책실무조정위원회

③ 지역재난방송협의회

④ 지역민관협력위원회

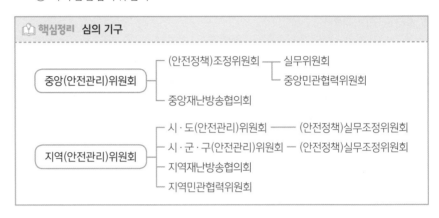

핵심정리 심의 기구

중앙(안전관리)위원회 ── (안전정책)조정위원회 ── 실무위원회
　　　　　　　　　　　　　　　　　　　　　　　── 중앙민관협력위원회
　　　　　　　　　　　── 중앙재난방송협의회

지역(안전관리)위원회 ── 시 · 도(안전관리)위원회 ────── (안전정책)실무조정위원회
　　　　　　　　　　　── 시 · 군 · 구(안전관리)위원회 ── (안전정책)실무조정위원회
　　　　　　　　　　　── 지역재난방송협의회
　　　　　　　　　　　── 지역민관협력위원회

2   중앙 심의 기구

1. 중앙안전관리위원회(중앙위원회)

(1) 설치 목적

재난 및 안전관리에 관한 다음의 사항을 심의하기 위하여 국무총리 소속으로 중앙안전관리위원회(이하 '중앙위원회'라 한다)를 둔다.

(2) 중앙위원회 심의 기능

① 재난 및 안전관리에 관한 중요 정책에 관한 사항

② 국가안전관리기본계획에 관한 사항

③ 재난 및 안전관리 사업 관련 중기사업계획서, 투자우선순위 의견 및 예산요구서에 관한 사항

④ 중앙행정기관의 장이 수립 · 시행하는 계획, 점검 · 검사, 교육 · 훈련, 평가 등 재난 및 안전관리업무의 조정에 관한 사항

⑤ 안전기준관리에 관한 사항

⑥ 재난사태의 선포에 관한 사항

⑦ 특별재난지역의 선포에 관한 사항

⑧ 재난이나 그 밖의 각종 사고가 발생하거나 발생할 우려가 있는 경우 이를 수습하기 위한 관계 기관간 협력에 관한 중요 사항

영철쌤 tip

중앙위원회 심의 기능
국가안전보장과 관련된 경우에는 국가안전보장회의와 협의하여야 한다.

⑨ 재난안전의무보험의 관리·운용 등에 관한 사항

⑩ 중앙행정기관의 장이 시행하는 대통령령으로 정하는 재난 및 사고의 예방사업 추진에 관한 사항

⑪ 「재난안전산업진흥법」 제5조에 따른 기본계획에 관한 사항

⑫ 그 밖에 위원장이 회의에 부치는 사항

(3) 중앙위원회 심의 기구 구성

① **소속**: 국무총리실 소속의 행정위원회

② **위원장**: 국무총리

③ **위원**: 대통령령으로 정하는 중앙행정기관 또는 관계 기관·단체의 장

④ **간사**: 행정안전부장관

⑤ **위원장 권한**: 중앙위원회를 대표하며, 중앙위원회 업무를 총괄한다.

(4) 사고 또는 부득이한 사유로 직무를 수행할 수 없을 때 대행 순서

📖 용어사전

❶ 재난안전관리본부장: 행정안전부의 재난안
전관리 사무를 담당하는 본부장을 말한다.

(5) 대통령령으로 정하는 중앙행정기관 또는 관계 기관·단체의 장의 중앙위원회 위원

① 기획재정부장관, 교육부장관, 과학기술정보통신부장관, 외교부장관, 통일부장관, 법무부장관, 국방부장관, 행정안전부장관, 문화체육관광부장관, 농림축산식품부장관, 산업통상자원부장관, 보건복지부장관, 환경부장관, 고용노동부장관, 여성가족부장관, 국토교통부장관, 해양수산부장관 및 중소벤처기업부장관

② 국가정보원장, 방송통신위원회위원장, 국무조정실장, 식품의약품안전처장, 금융위원회위원장 및 원자력안전위원회위원장

③ 경찰청장, 소방청장, 문화재청장, 산림청장, 기상청장, 질병관리청장 및 해양경찰청장

④ 그 밖에 중앙위원회의 위원장이 지정하는 기관 및 단체의 장

(6) 중앙위원회 운영

① 중앙위원회의 회의는 위원의 요청이 있거나 위원장이 필요하다고 인정하는 경우에 위원장이 소집한다.

② 중앙위원회의 회의는 재적위원 과반수의 출석으로 개의(開議)하고, 출석위원 과반수의 찬성으로 의결한다.

③ 위원장은 회의 안건과 관련하여 필요하다고 인정하는 경우에는 관계 공무원과 민간 전문가 등을 회의에 참석하게 하거나 관계 기관의 장에게 자료 제출을 요청할 수 있다. 이 경우 요청을 받은 관계 공무원과 관계 기관의 장은 특별한 사유가 없으면 요청에 따라야 한다.

④ ①부터 ③까지에서 규정한 사항 외에 중앙위원회의 운영에 필요한 사항은 중앙위원회 의결을 거쳐 위원장이 정한다.

영철쌤 tip

중앙위원회 운영

회의가 열리는 것도 과반수$\left(\frac{1}{2}\right)$이고, 통과하는 것도 과반수$\left(\frac{1}{2}\right)$이다.

2. 안전정책조정위원회(조정위원회)

(1) 설치 목적

중앙위원회에 상정될 안건을 사전에 검토하고 다음의 사무를 수행하기 위하여 중앙위원회에 안전정책조정위원회(이하 '조정위원회'라 한다)를 둔다.

(2) 조정위원회 심의 기능

① 사전조정
   ㉠ 중앙행정기관의 장이 수립·시행하는 계획, 점검·검사, 교육·훈련, 평가 등 재난 및 안전관리업무의 조정에 관한 사항
   ㉡ 안전기준관리에 관한 사항
   ㉢ 재난이나 그 밖의 각종 사고가 발생하거나 발생할 우려가 있는 경우 이를 수습하기 위한 관계 기관 간 협력에 관한 중요 사항
   ㉣ 재난안전의무보험의 관리·운용 등에 관한 사항
   ㉤ 중앙행정기관의 장이 시행하는 대통령령으로 정하는 재난 및 사고의 예방사업 추진에 관한 사항
② 집행계획의 심의
③ 국가핵심기반의 지정에 관한 사항의 심의
④ 재난 및 안전관리기술 종합계획의 심의
⑤ 그 밖에 중앙위원회가 위임한 사항

(3) 조정위원회 심의 기구 구성

① 소속: 중앙위원회
② 위원장: 행정안전부장관
③ 위원: 대통령령으로 정하는 중앙행정기관의 차관 또는 차관급 공무원과 재난 및 안전관리에 관한 지식과 경험이 풍부한 사람 중에서 위원장이 임명하거나 위촉하는 사람
④ 간사: 재난안전관리본부장(행정안전부의 재난안전관리사무를 담당하는 본부장)

(4) 대통령령으로 정하는 조정위원회 위원

① 기획재정부차관, 교육부차관, 과학기술정보통신부차관, 외교부차관, 통일부차관, 법무부차관, 국방부차관, 행정안전부의 재난안전관리사무를 담당하는 본부장, 문화체육관광부차관, 농림축산식품부차관, 산업통상자원부차관, 보건복지부차관, 환경부차관, 고용노동부차관, 여성가족부차관, 국토교통부차관, 해양수산부차관 및 중소벤처기업부차관. 이 경우 복수차관이 있는 기관은 재난 및 안전관리 업무를 관장하는 차관으로 한다.
② 국가정보원의 재난 및 안전관리 업무를 관장하는 차장, 방송통신위원회 상임위원, 국무조정실의 재난 및 안전관리 업무를 관장하는 차장 및 금융위원회 부위원장
③ 그 밖에 재난 및 안전관리에 관한 지식과 경험이 풍부한 사람 중에서 조정위원회 위원장이 임명하거나 위촉하는 사람으로 한다.

(5) 조정위원회 운영

① 조정위원회의 회의는 위원이 요청하거나 위원장이 필요하다고 인정하는 경우에 위원장이 소집한다.

② 조정위원회의 회의는 재적위원 **과반수**의 출석으로 개의하고, 출석위원 **과반수**의 찬성으로 의결한다.

③ 위원장은 회의 안건과 관련하여 필요하다고 인정하는 경우에는 관계 공무원과 민간전문가 등을 회의에 참석하게 하거나 관계 기관의 장에게 자료 제출을 요청할 수 있다. 이 경우 요청을 받은 관계 공무원과 관계 기관의 장은 특별한 사유가 없으면 요청에 따라야 한다.

(6) 조정위원회 심의 결과의 중앙위원회 보고[조정위원회 위원장(행정안전부장관) → 중앙위원회 위원장(국무총리)에게 보고]

조정위원회의 위원장은 조정위원회에서 심의 · 조정된 사항 중 대통령령으로 정하는 중요 사항에 대해서는 조정위원회의 심의 · 조정 결과를 중앙위원회의 위원장에게 보고하여야 한다.

① 집행계획의 심의

② 국가핵심기반의 지정에 관한 사항의 심의

③ 그 밖에 중앙위원회로부터 위임받아 심의한 사항 중 조정위원회 위원장이 필요하다고 인정하는 사항

▲ 조정위원회 심의

3. 실무위원회

(1) 설치 목적

조정위원회의 업무를 효율적으로 처리하기 위하여 조정위원회에 실무위원회를 둘 수 있다.

(2) 실무위원회 구성

① **소속**: 조정위원회

② **구성**: 위원장 1명을 포함하여 50명 내외의 위원

③ **실무위원장**: 재난안전관리본부장(행정안전부의 재난안전관리사무를 담당하는 본부장)

④ **실무위원**: 성별을 고려하여 행정안전부장관이 임명하거나 위촉하는 사람

　㉠ 관계 중앙행정기관의 고위공무원단에 속하는 공무원 또는 3급 이상에 해당하는 공무원 중에서 해당 중앙행정기관의 장이 추천하는 공무원

　㉡ 재난 및 안전관리에 관한 지식과 경험이 풍부한 사람

 영철쌤 tip

조정위원회 운영

회의가 열리는 것도 과반수$\left(\frac{1}{2}\right)$이고, 통과하는 것도 과반수$\left(\frac{1}{2}\right)$이다.

© 그 밖에 실무위원장이 필요하다고 인정하는 분야의 전문지식과 경력이 충분한 사람

(3) 실무위원회 심의 기능

① 재난 및 안전관리를 위하여 관계 **중앙행정기관의 장**이 수립하는 대책에 관하여 협의·조정이 필요한 사항

② 재난 발생 시 관계 **중앙행정기관의 장**이 수행하는 재난의 수습(대응, 복구)에 관하여 협의·조정이 필요한 사항

③ 그 밖에 실무위원회의 위원장(이하 '실무위원장'이라 한다)이 회의에 부치는 사항

(4) 실무위원회 운영

① 실무위원회의 회의(이하 '실무회의'라 한다)는 위원 5명 이상의 요청이 있거나 실무위원장이 필요하다고 인정하는 경우에 실무위원장이 소집한다.

② 실무회의는 실무위원장과 실무위원장이 회의마다 지정하는 25명 내외의 위원으로 구성한다.

③ 실무회의는 제6항에 따른 구성원 과반수의 출석으로 개의(開議)하고, 출석위원 과반수의 찬성으로 의결한다.

4. 재난 및 안전관리 사업예산의 사전협의 등

(1) 관계 중앙행정기관의 장은 「국가재정법」 제28조에 따라 기획재정부장관에게 제출하는 중기사업계획서 중 재난 및 안전관리 사업(행정안전부장관이 기획재정부장관과 협의하여 정하는 사업)과 관련된 중기사업계획서와 해당 기관의 재난 및 안전관리 사업에 관한 투자우선순위 의견을 매년 1월 31일까지 행정안전부장관에게 제출하여야 한다.

(2) 관계 중앙행정기관의 장은 기획재정부장관에게 제출하는 「국가재정법」 제31조 제1항에 따른 예산요구서 중 재난 및 안전관리 사업 관련 예산요구서를 매년 5월 31일까지 행정안전부장관에게 제출하여야 한다.

(3) 행정안전부장관은 (1) 및 (2)에 따른 중기사업계획서, 투자우선순위 의견 및 예산요구서를 검토하고, 중앙위원회의 심의를 거쳐 다음의 사항을 매년 6월 30일까지 기획재정부장관에게 통보하여야 한다.

① 재난 및 안전관리 사업의 투자 방향

② 관계 중앙행정기관별 재난 및 안전관리 사업의 투자우선순위, 투자적정성, 중점 추진방향 등에 관한 사항

③ 재난 및 안전관리 사업의 유사성·중복성 검토결과

④ 그 밖에 재난 및 안전관리 사업의 투자효율성을 높이기 위하여 필요한 사항

5. 중앙위원회·조정위원회 및 실무위원의 심의 기능 비교

중앙안전관리위원회 심의 기능	안전정책조정위원회 심의 기능
1. 재난 및 안전관리에 관한 중요 정책에 관한 사항 심의 2. 국가안전관리기본계획에 관한 사항심의 2의2. 제10조의2에 따른 재난 및 안전관리 사업 관련 중기사업계획서, 투자우선순위 의견 및 예산요구서에 관한 사항 3. 중앙행정기관의 장이 수립·시행하는 계획, 점검·검사, 교육·훈련, 평가 등 재난 및 안전관리업무의 조정에 관한 사항심의 3의2. 안전기준관리에 관한 사항 4. 재난사태의 선포에 관한 사항심의 5. 특별재난지역의 선포에 관한 사항심의 6. 재난이나 그 밖의 각종 사고가 발생하거나 발생할 우려가 있는 경우 이를 수습하기 위한 관계 기관 간 협력에 관한 중요 사항심의 6의2. 재난안전의무보험의 관리·운용 등에 관한 사항 7. 중앙행정기관의 장이 시행하는 대통령령으로 정하는 재난 및 사고의 예방사업 추진에 관한 사항심의 8. 「재난안전산업 진흥법」에 따른 기본계획에 관한 사항 9. 그 밖에 위원장이 회의에 부치는 사항 심의	1. 중앙위원회에 상정될 안건을 사전에 검토 2. 제9조 제1항 제3호, 제6호 및 제7호의 사항에 대한 사전 조정 3. 집행계획의 심의 4. 국가핵심기반의 지정에 관한 사항의 심의 5. 재난 및 안전관리기술 종합계획의 심의 6. 그 밖에 중앙위원회가 위임한 사항 **실무위원회 심의 기능** 1. 재난 및 안전관리를 위하여 관계중앙행정기관의 장이 수립하는 대책 2. 재난 발생 시 관계중앙행정기관의 장이 수행하는 재난의 수습에 관하여 협의·조정이 필요한 사항 3. 그 밖의 실무위원장이 회의에 부치는 사항

영철쌤 tip

조정위원회의 위원장은 조정 결과를 중앙위원회의 위원장에게 보고

1. 집행계획의 심의
2. 국가핵심기반의 지정에 관한 사항의 심의
3. 그 밖에 중앙위원회로부터 위임받아 심의한 사항 중 조정위원회 위원장이 필요하다고 인정하는 사항

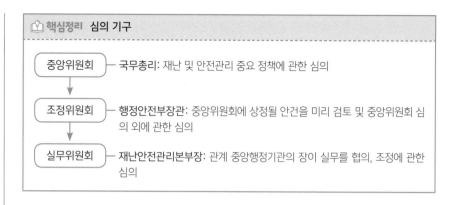

핵심정리 심의 기구

중앙위원회 → **국무총리**: 재난 및 안전관리 중요 정책에 관한 심의

조정위원회 → **행정안전부장관**: 중앙위원회에 상정될 안건을 미리 검토 및 중앙위원회 심의 외에 관한 심의

실무위원회 → **재난안전관리본부장**: 관계 중앙행정기관의 장이 실무를 협의, 조정에 관한 심의

6. 중앙재난방송협의회

(1) 설치 목적

재난에 관한 예보·경보·통지나 응급조치 및 재난관리를 위한 **재난방송이 원활히 수행될 수 있도록 중앙위원회에 중앙재난방송협의회를 두어야 한다.**

(2) 구성

① 소속: **중앙위원회**

② 위원장 1명과 부위원장 1명을 포함한 25명 이내의 위원으로 구성한다.

③ 중앙재난방송협의회의 구성 및 운영에 필요한 사항은 대통령령으로 정한다.

④ 중앙재난방송협의회의 위원장은 위원 중에서 **과학기술정보통신부장관이 지명하는 사람**이 되고, 부위원장은 중앙재난방송협의회의 위원 중에서 호선한다.

(3) 심의 기능

① 재난에 관한 예보·경보·통지나 응급조치 및 재난관리를 위한 재난방송 내용의 효율적 전파 방안

② 재난방송과 관련하여 중앙행정기관, 특별시·광역시·특별자치시·도·특별자치도(이하 '시·도'라 한다) 및 방송사업자간의 역할분담 및 협력체제 구축에 관한 사항

③ 언론에 공개할 재난 관련 정보의 결정에 관한 사항

④ 재난방송 관련 법령과 제도의 개선 사항

⑤ 그 밖에 재난방송이 원활히 수행되도록 하기 위하여 필요한 사항으로서 방송통신위원회위원장과 과학기술정보통신부장관이 요청하거나 중앙재난방송협의회위원장이 필요하다고 인정하는 사항

7. 중앙안전관리민관협력위원회(중앙민관협력위원회)

(1) 설치 목적

재난 및 안전관리에 관한 **민관 협력관계를 원활히** 하기 위함이다.

(2) 구성

① 구성·운영권자: 조정위원회위원장(행정안전부장관)

② **공동위원장**

　㉠ 재난안전관리본부장

영철쌤 tip

재난문자방송

재난문자방송의 기준 및 운영에 필요한 세부사항은 행정안전부장관이 정한다. 다만, 지진·지진해일·화산에 대한 재난문자방송의 기준 및 운영에 필요한 세부 사항은 기상청장이 정한다.

참고 임기

중앙위원회, 조정위원회 및 중앙재난방송협의회의 위원 중 공무원인 위원의 임기는 해당 직위에 재임하는 기간으로 하고, 그 외의 위원의 임기는 2년으로 한다. 다만, 보궐위원의 임기는 전임자 임기의 남은 기간으로 한다.

ⓛ 위촉된 민간위원 중 중앙민관협력위원회의 의결을 거쳐 행정안전부장관이
지명하는 사람

③ 위원: 공동위원장 2명을 포함하여 민간위원 35명 이내로 구성

④ 위원장 권한

㉠ 중앙민관협력위원회 대표

㉡ 중앙민관협력위원회의 운영 및 사무에 관한 사항 총괄

㉢ 업무 총괄

(3) 심의 기능

① 재난 및 안전관리 민관협력활동에 관한 협의

② 재난 및 안전관리 민관협력활동사업의 효율적 운영방안의 협의

③ 평상시 재난 및 안전관리 위험요소 및 취약시설의 모니터링·제보

④ 재난 발생 시 재난관리 자원의 동원, 인명구조·피해복구 활동 참여, 피해주민
지원서비스 제공 등에 관한 협의

참고 **중앙민관협력위원회**

1. 중앙민관협력위원회의 회의는 다음에 해당하는 경우 공동위원장이 소집할 수 있다.
   ① 대규모 재난의 발생으로 민관협력 대응이 필요한 경우
   ② 재적위원 1/4 이상이 회의 소집을 요청하는 경우
   ③ 그 밖에 공동위원장이 회의 소집이 필요하다고 인정하는 경우

2. 재난 발생 시 신속한 재난대응활동참여 등 중앙민관협력위원회의 기능을 지원하기 위하여
   중앙민관협력위원회에 대통령령으로 정하는 바에 따라 재난긴급대응단을 둘 수 있다.

---

(4) 위원

① 당연직❶ 위원

㉠ 행정안전부 안전예방정책실장

㉡ 행정안전부 자연재난실장

㉢ 행정안전부 사회재난실장

㉣ 행정안전부 재난복구지원국장

② 민간위원

㉠ 다음의 어느 하나에 해당하는 사람 중에서 성별을 고려하여 행정안전부장관이
위촉하는 사람

ⓐ 재난 및 안전관리 활동에 적극적으로 참여하고 전국 규모의 회원을 보
유하고 있는 협회 등의 민간단체 대표

ⓑ 재난 및 안전관리 분야 유관기관, 단체·협회 또는 기업 등에 소속된 재
난 및 안전관리 전문가

ⓒ 재난 및 안전관리 분야에 학식과 경험이 풍부한 사람

㉡ **민간위원의 임기는** 2년으로 하며, 위원의 사임 등으로 새로 위촉된 위원의
임기는 전임위원 임기의 남은 기간으로 한다.

③ ①부터 ②까지에서 규정한 사항 외에 중앙민관협력위원회의 구성·운영에 필요
한 세부 사항은 중앙민관협력위원회의 의결을 거쳐 행정안전부장관이 정한다.

용어사전

❶ 당연직[當然職]: 기관이나 단체에서 어떤
직책에 있게 됨으로써 자동적으로 맡게
되는 직이다.
예 국무총리가 되면 당연직으로 행정개혁
위원회의 위원이 된다.

1. 지역안전관리위원회(지역위원회)

(1) 설치 목적

지역별 재난 및 안전관리에 관한 다음 각 호의 사항을 심의·조정하기 위하여 특별시장·광역시장·특별자치시장·도지사·특별자치도지사(이하 "시·도지사"라 한다) 소속으로 시·도 안전관리위원회(이하 "시·도위원회"라 한다)를 두고, 시장(「제주특별자치도 설치 및 국제자유도시 조성을 위한 특별법」 제11조 제1항에 따른 행정시장을 포함한다. 이하 같다)·군수·구청장 소속으로 시·군·구 안전관리위원회(이하 "시·군·구위원회"라 한다)를 둔다.

(2) 지역위원회 심의 기능

① 해당 지역에 대한 재난 및 안전관리정책에 관한 사항

② 시·도 및 시·군·구 안전관리계획의 수립에 따른 안전관리계획에 관한 사항

③ 재난사태의 선포에 관한 사항(시·군·구위원회는 제외한다)

④ 해당 지역을 관할하는 재난관리책임기관(중앙행정기관과 상급 지방자치단체는 제외한다)이 수행하는 재난 및 안전관리업무의 추진에 관한 사항

⑤ 재난이나 그 밖의 각종 사고가 발생하거나 발생할 우려가 있는 경우 이를 수습하기 위한 관계 기관간 협력에 관한 사항

⑥ 다른 법령이나 조례에 따라 해당 위원회의 권한에 속하는 사항

⑦ 그 밖에 해당 위원회의 위원장이 회의에 부치는 사항

(3) 지역위원회 심의 기구 구성

① 시·도 안전관리위원회 심의 기구 구성

   ㉠ 소속: 시·도

   ㉡ 위원장: 시·도지사

   ㉢ 위원: 지방자치단체의 조례로 정한다.

   ㉣ 시·도위원회 구성과 운영에 필요한 사항은 지방자치단체의 조례로 정한다.

② 시·군·구 안전관리위원회 심의 기구 구성

   ㉠ 소속: 시·군·구

   ㉡ 위원장: 시장·군수·구청장

   ㉢ 위원: 지방자치단체의 조례로 정한다.

   ㉣ 시·군·구위원회 구성과 운영에 필요한 사항은 지방자치단체의 조례로 정한다.

2. 안전정책실무조정위원회

(1) 설치 목적

시·도위원회와 시·군·구위원회(이하 '지역위원회'라 한다)의 회의에 부칠 의안을 검토하고, 재난 및 안전관리에 관한 관계 기관간의 협의·조정 등을 위하여 지역위원회에 안전정책실무조정위원회를 둘 수 있다.

(2) 심의 기구 구성

① **소속**: 지역위원회

② 안전정책실무조정위원회의 구성·운영에 필요한 사항은 해당 지방자치단체의 조례로 정한다.

3. 지방자치단체의 재난 및 안전관리 사업예산의 사전검토 등

(1) 지방자치단체의 장은 「지방재정법」 제36조에 따라 예산을 편성하기 전에 다음에 해당하는 재난 및 안전관리 사업에 대하여 사업의 집행 실적 및 성과, 향후 사업 추진 필요성 등 행정안전부령으로 정하는 사항을 고려하여 투자우선순위를 검토하고, 시·도 안전관리위원회 또는 시·군·구 안전관리위원회의 심의를 거쳐야 한다.

① 재난 및 안전관리 체계의 구축 및 운영

② 재난 및 안전관리를 목적으로 하는 시설의 구축 및 기능 강화

③ 재난취약 지역·시설 등의 위험요소 제거 및 기능 회복

④ 재난안전 관련 교육·훈련 및 홍보

⑤ 그 밖에 재난 및 안전관리와 관련된 사업 중 행정안전부령으로 정하는 사업

(2) 행정안전부장관은 지방자치단체의 장에게 (1)에 따른 심의 결과의 제출을 요청할 수 있다. 이 경우 요청을 받은 지방자치단체의 장은 특별한 사유가 없으면 이에 따라야 한다.

(3) 지방자치단체의 장은 해당 지방자치단체의 예산이 확정된 날부터 2개월 이내에 (1)에 따른 재난 및 안전관리 사업에 대한 예산 현황을 **행정안전부장관에게 제출하여야** 한다. 이 경우 시장(「제주특별자치도 설치 및 국제자유도시 조성을 위한 특별법」 제11조 제1항에 따른 행정시장은 제외한다. 이하 같다)·군수·구청장(자치구의 구청장을 말한다. 이하 같다)은 **특별시장·광역시장·도지사**를 거쳐 제출하여야 한다.

(4) 지방자치단체의 장은 해당 지방자치단체의 결산이 승인된 날부터 2개월 이내에 (1)에 따른 재난 및 안전관리 사업에 대한 결산 현황을 **행정안전부장관에게** 제출하여야 한다. 이 경우 시장·군수·구청장은 특별시장·광역시장·도지사를 거쳐 제출하여야 한다.

4. 지역재난방송협의회

(1) 설치 목적

지역 차원에서 재난에 대한 예보·경보·통지나 응급조치 및 재난방송이 원활히 수행될 수 있도록 시·도위원회에 시·도 재난방송협의회를 두어야 하고, 필요한 경우 시·군·구위원회에 시·군·구 재난방송협의회를 둘 수 있다.

(2) 구성

① **소속**: 지역위원회

② 시·도 재난방송협의회와 시·군·구 재난방송협의회 구성 및 운영에 필요한 사항은 해당 지방자치단체의 조례로 정한다.

5. 지역민관협력위원회

(1) 설치 목적

지역위원회의 위원장은 재난 및 안전관리에 관한 지역 차원의 민관 협력관계를 원활히 하기 위하여 시·도 또는 시·군·구 안전관리민관협력위원회(이하 '지역민관협력위원회'라 한다)를 구성·운영할 수 있다.

(2) 구성

① **구성·운영권자:** 지역위원회 위원장(시·도지사 및 시장·군수·구청장)
② 지역민관협력위원회의 구성 및 운영에 필요한 사항은 해당 지방자치단체의 조례로 정한다.

4 중앙재난안전대책본부 등

1. 중앙재난안전대책본부(중앙대책본부) 등

(1) 대통령령으로 정하는 대규모 재난의 범위

① 재난 중 인명 또는 재산의 피해 정도가 매우 크거나 재난의 영향이 사회적·경제적으로 광범위하여 주무부처의 장 또는 지역대책본부장의 건의를 받아 중앙대책본부장이 인정하는 재난
② ①에 따른 재난에 준하는 것으로서 중앙대책본부장이 재난관리를 위하여 중앙대책본부의 설치가 필요하다고 판단하는 재난

(2) 설치 목적

대통령령으로 정하는 대규모 재난의 대응·복구(이하 '수습'이라 한다) 등에 관한 사항을 총괄·조정하고 필요한 조치를 하기 위하여 **행정안전부에 중앙대책본부를** 둔다.

(3) 중앙대책본부의 구성 및 담당자

① 중앙대책본부에는 **차장·총괄조정관·대변인·통제관·부대변인 및 담당관을 두며,** 연구개발·조사 및 홍보 등 전문적 지식의 활용이 필요한 경우에는 중앙대책본부장(국무총리가 중앙대책본부장인 경우에는 차장을 말한다)을 보좌하기 위하여 **특별대응단장 또는 특별보좌관**(이하 '특별대응단장 등'이라 한다)을 둘 수 있다.
 ㉠ **소속:** 행정안전부
 ㉡ **본부장:** 행정안전부장관
 ㉢ **차장, 총괄조정관, 대변인, 통제관, 담당관:** 행정안전부 소속 공무원 중에서 행정안전부장관이 지명하는 사람
 ㉣ **특별대응단장 등:** 해당 재난과 관련한 민간전문가 중에서 행정안전부장관이 위촉하는 사람

ⓔ **부대변인**: 재난관리주관기관 소속 공무원 중에서 소속 기관의 장의 추천을 받아 행정안전부장관이 지명하는 공무원

② 특별대응단장 등에는 업무수행에 필요한 최소한의 하부조직을 둘 수 있다.

(4) 중앙대책본부장의 권한

① 중앙대책본부장(행정안전부장관)은 중앙대책본부의 **업무를 총괄**하고 필요하다고 인정하면 중앙재난안전대책본부 **회의를 소집**할 수 있다.

② 해외재난의 경우에는 외교부장관이 중앙대책본부장의 권한을 행사한다.

③ 방사능재난의 경우에는 중앙방사능방재대책본부장(원자력안전위원회 위원장)이 각각 중앙대책본부장의 권한을 행사한다.

(5) 재난의 효과적인 수습을 위한 국무총리의 중앙대책본부장의 권한 행사

① 재난의 효과적인 수습을 위하여 다음의 어느 하나에 해당하는 경우에는 **국무총리**가 중앙대책본부장의 권한을 행사할 수 있다. 이 경우 행정안전부장관, 외교부장관(해외재난의 경우에 한정한다) 또는 원자력안전위원회 위원장(방사능 재난의 경우에 한정한다)이 **차장**이 된다.

② ①에도 불구하고 국무총리가 필요하다고 인정하여 지명하는 중앙행정기관의 장은 행정안전부장관, 외교부장관(해외재난의 경우에 한정한다) 또는 원자력안전위원회 위원장(방사능 재난의 경우에 한정한다)과 **공동**으로 차장이 된다.

ㄱ 국무총리가 범정부적 차원의 통합 대응이 필요하다고 인정하는 경우

ㄴ 행정안전부장관이 국무총리에게 건의하거나 수습본부장의 요청을 받아 행정안전부장관이 국무총리에게 건의하는 경우

> **참고** **국무총리의 중앙대책본부장의 권한 행사 등**
>
> **1. 국무총리의 중앙대책본부장의 권한 행사**
> ① **특별대응단장 등**: 차장이 해당 재난과 관련한 민간전문가 중에서 추천하여 국무총리가 위촉하는 사람
> ② **총괄조정관, 통제관, 담당관**: 차장이 소속 중앙행정기관 공무원 중에서 지명하는 사람
> ③ **대변인**: 차장이 소속 중앙행정기관 공무원 중에서 추천하여 국무총리가 지명하는 사람
> ④ **부대변인**: 재난관리주관기관 소속 공무원 중에서 소속 기관의 장이 추천하여 국무총리가 지명하는 사람
>
> **2. 국무총리가 필요하다고 인정하여 지명하는 중앙행정기관의 장이 공동으로 차장이 되는 경우**
> ① **특별대응단장 등**: 공동 차장이 해당 재난과 관련한 민간전문가 중에서 추천하여 국무총리가 위촉하는 사람
> ② **총괄조정관, 통제관, 담당관**: 공동 차장이 각각 소속 중앙행정기관 공무원 중에서 지명하는 사람
> ③ **대변인, 부대변인**: 공동 차장이 각각 소속 중앙행정기관 공무원 중에서 추천하여 국무총리가 지명하는 사람
>
> **3. 공동차장**
> ① 행정안전부장관 + 중앙행정기관의 장
> ② 외교부장관(해외재난의 경우에 한정) + 중앙행정기관의 장
> ③ 원자력안전위원회 위원장(방사능 재난의 경우에 한정) + 중앙행정기관의 장

영철쌤 tip

특별대응단장 등
1. 특별대응단장 또는 특별보좌관을 말한다.
2. 지역재난안전대책본부 구성에는 특별대응단장 등이 없다.

영철쌤 tip

중앙대책본부장의 권한
중앙대책본부장(행정안전부장관)의 권한은 업무총괄, 회의소집이다.

공동차장
공동차장의 경우는 다음의 3가지가 있다.
1. 중앙행정기관의 장 + 행정안전부장관
2. 중앙행정기관의 장 + 외교부장관(해외재난)
3. 중앙행정기관의 장 + 원자력안전위원회 위원장(방사능 재난)

조건에 따른 중앙대책본부장
1. 국무총리: 범정부적 차원에서 통합대응이 필요한 재난상황
2. 행정안전부장관: 일반적인 재난상황
3. 외교부장관: 해외 재난상황
4. 중앙방사능 방재대책본부: 방사능 재난상황

영철쌤 tip

상시 재난안전상황실 설치 · 운영자
1. 행정안전부장관은 중앙재난안전상황실을 설치 · 운영한다.
2. 시 · 도지사는 시 · 도별 재난안전상황실을 설치 · 운영한다.
3. 시장, 군수, 구청장은 시, 군, 구별 재난안전상황실을 설치 · 운영한다.

필요한 경우 재난안전상황실 설치 · 운영권자
1. 중앙행정기관의 장은 재난안전상황실을 설치 · 운영한다.
2. 재난관리책임기관의 장은 재난안전상황실을 설치 · 운영한다.

실무반 편성
1. 행정안전부, 외교부(해외재난의 경우에 한정한다) 또는 원자력안전위원회(「원자력시설 등의 방호 및 방사능 방재 대책법」 제2조 제1항 제8호에 따른 방사능재난의 경우에 한정한다) 소속 공무원으로 편성한다.
2. 국무총리가 중앙행정기관의 장을 공동 차장으로 지명한 경우 해당 중앙행정기관 소속 공무원으로 편성한다.
3. 관계 재난관리책임기관에서 파견된 사람으로 편성한다.

(6) 대규모 재난의 발생 시 중앙대책본부장의 대응체계

① 대응체계

ㄱ 실무반 편성

ㄴ 중앙재난안전대책본부상황실 설치

ㄷ 중앙재난안전상황실 및 재난안전상황실과 인력, 장비, 시설 등을 통합 · 운영

② 중앙대책본부장은 대규모 재난이 발생하거나 발생할 우려가 있는 경우에는 대통령령으로 정하는 바에 따라 실무반을 편성하고, 중앙재난안전대책본부상황실을 설치하는 등 해당 대규모 재난에 대하여 효율적으로 대응하기 위한 체계를 갖추어야 한다. 이 경우 중앙재난안전상황실과 인력, 장비, 시설 등을 통합 · 운영할 수 있다.

(7) 중앙재난안전대책본부회의 구성

① 중앙재난안전대책본부회의(이하 '중앙대책본부회의'라 한다)는 다음 사람 중에서 중앙대책본부장이 임명 또는 위촉하는 사람으로 구성한다.

ㄱ 다음 기관의 고위공무원단에 속하는 일반직공무원(국방부의 경우에는 이에 상당하는 장성급(將星級) 장교를, 경찰청 및 해양경찰청의 경우에는 치안감 이상의 경찰공무원을, 소방청의 경우에는 소방감 이상의 소방공무원을 말한다) 중에서 소속 기관의 장의 추천을 받은 사람

ⓐ 기획재정부, 교육부, 과학기술정보통신부, 외교부, 통일부, 법무부, 국방부, 행정안전부, 문화체육관광부, 농림축산식품부, 산업통상자원부, 보건복지부, 환경부, 고용노동부, 여성가족부, 국토교통부, 해양수산부 및 중소벤처기업부

ⓑ 조달청, 경찰청, 소방청, 문화재청, 산림청, 질병관리청, 기상청 및 해양경찰청

ⓒ 그 밖에 중앙대책본부장이 필요하다고 인정하는 행정기관

ㄴ 재난의 대응 및 복구 등에 관한 민간전문가

② 국무총리가 중앙대책본부장의 권한을 행사하는 경우의 중앙대책본부회의는 다음 사람 중에서 국무총리가 임명 또는 위촉하는 사람으로 구성한다.

ㄱ ①의 ㄱ의 기관의 장

ㄴ 재난의 대응 및 복구 등에 관한 민간전문가

(8) 중앙대책본부회의의 심의 · 협의 사항

중앙대책본부회의는 재난복구계획에 관한 사항을 심의 · 확정하는 외에 다음 사항을 협의한다.

① 재난예방대책에 관한 사항

② 재난응급대책에 관한 사항

③ 국고지원 및 예비비 사용에 관한 사항

④ 그 밖에 중앙대책본부장이 회의에 부치는 사항

2. 수습지원단의 파견 등

(1) 중앙대책본부장은 국내 또는 해외에서 발생하였거나 발생할 우려가 있는 대규모 재난의 수습을 지원하기 위하여 관계 중앙행정기관 및 관계 기관·단체의 재난관리에 관한 전문가 등으로 수습지원단을 구성하여 현지에 파견할 수 있다.

(2) 중앙대책본부장은 구조·구급·수색 등의 활동을 신속하게 지원하기 위하여 행정안전부·소방청 또는 해양경찰청 소속의 전문 인력으로 구성된 특수기동구조대를 편성하여 재난현장에 파견할 수 있다.

(3) 수습지원단의 구성과 운영 및 특수기동구조대의 편성과 파견 등에 필요한 사항은 대통령령으로 정한다.

3. 중앙대책본부장의 권한 등

(1) 중앙대책본부장은 대규모 재난을 효율적으로 수습하기 위하여 관계 재난관리책임기관의 장에게 행정 및 재정상의 조치, 소속 직원의 파견, 그 밖에 필요한 지원을 요청할 수 있다. 이 경우 요청을 받은 관계 재난관리책임기관의 장은 특별한 사유가 없으면 요청에 따라야 한다.

(2) 파견된 직원은 대규모 재난의 수습에 필요한 소속 기관의 업무를 성실히 수행하여야 하며, 대규모 재난의 수습이 끝날 때까지 중앙대책본부에서 상근❶하여야 한다.

(3) 중앙대책본부장은 해당 대규모 재난의 수습에 필요한 범위에서 수습본부장 및 지역대책본부장을 지휘할 수 있다.

> 📖 **핵심정리 중앙재난안전대책본부 등**
> ------------------------------------
> 1. **중앙대책본부장**: 행정안전부장관
> 2. **수습본부장**: 재난관리주관기관의 장
> 3. **지역대책본부장**: 시·도지사, 시장·군수·구청장

4. 중앙사고수습본부

(1) 설치 목적

① 재난관리주관기관의 장은 재난이 발생하거나 발생할 우려가 있는 경우에는 재난상황을 효율적으로 관리하고 재난을 수습하기 위한 중앙사고수습본부(이하 '수습본부'라 한다)를 신속하게 설치·운영하여야 한다.

② 행정안전부장관은 재난이나 그 밖의 각종 사고로 인한 피해의 심각성, 사회적 파급효과 등을 고려하여 필요하다고 인정하는 경우에는 재난관리주관기관의 장에게 수습본부의 설치·운영을 요청할 수 있다. 이 경우 요청을 받은 재난관리주관기관의 장은 특별한 사유가 없으면 요청에 따라야 한다.

(2) 구성

① **설치·운영권자**: 재난관리주관기관의 장
② **수습본부장**: 재난관리주관기관의 장
③ 수습본부의 구성·운영 등에 필요한 사항은 대통령령으로 정한다.

📖 **용어사전**

❶ 상근(常勤): 매일 출근하여 일정한 시간 동안 근무하는 것이다.

(3) 운영

수습본부장은 재난정보의 수집·전파, 상황관리, 재난 발생 시 초동조치 및 지휘 등을 위한 수습본부상황실을 설치·운영하여야 한다. 이 경우 재난안전상황실과 인력, 장비, 시설 등을 통합·운영할 수 있다.

(4) 권한

① 수습본부장은 재난을 수습하기 위하여 필요하면 관계 재난관리책임기관의 장에게 행정상 및 재정상의 조치, 소속 직원의 파견, 그 밖에 필요한 지원을 요청할 수 있다. 이 경우 요청을 받은 관계 재난관리책임기관의 장은 특별한 사유가 없으면 요청에 따라야 한다.

② 수습본부장은 지역사고수습본부를 운영할 수 있으며, 지역사고수습본부장은 수습본부장이 지명한다.

③ 수습본부장은 해당 재난의 수습에 필요한 범위에서 **시·도지사 및 시장·군수·구청장을 지휘**할 수 있다.

④ 수습본부장은 재난을 수습하기 위하여 필요하면 대통령령으로 정하는 바에 따라 수습 지원단을 구성·운영할 것을 중앙대책본부장에게 요청할 수 있다.

📖 **핵심정리 지휘체계**

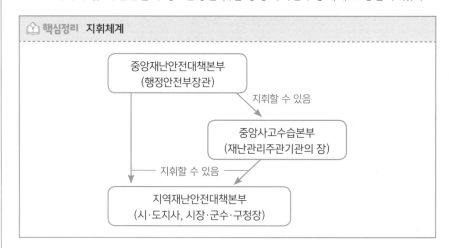

📌 **참고 특수기동구조대의 편성 및 파견 등**

중앙대책본부장은 특수기동구조대(이하 '특수기동구조대'라 한다)의 대원을 소방청 중앙119구조본부 및 해양경찰청 중앙해양특수구조단 소속 공무원 중에서 선발하고, 특수기동구조대 대장을 특수기동구조대의 대원 중에서 지명한다. 이 경우 중앙대책본부장은 재난 유형별로 필요한 전문 인력을 추가할 수 있다.

경기도 구리시 재난안전대책본부의 출입인증확인

5. 지역재난안전대책본부

(1) 설치 목적

해당 관할 구역에서 재난의 수습 등에 관한 사항을 총괄·조정하고 필요한 조치를 하기 위하여 시·도지사는 시·도 대책본부를 두고, 시장·군수·구청장은 시·군·구 대책본부를 둔다.

(2) 구성

① 시·도 재난안전대책본부(시·도 대책본부)

ⓒ 소속: 시·도

ⓒ 시·도 지역본부장: 시·도지사

ⓒ 구성 및 운영: 지방자치단체 조례로 정한다.

② 시·군·구 재난안전대책본부(시·군·구 대책본부)

ⓒ 소속: 시·군·구

ⓒ 시·군·구 지역본부장: 시장·군수·구청장

ⓒ 구성 및 운영: 지방자치단체 조례로 정한다.

(3) 권한

지역대책본부장은 지역대책본부의 업무를 총괄하고 필요하다고 인정하면 대통령령으로 정하는 바에 따라 지역재난안전대책본부회의를 소집할 수 있다.

(4) 재난현장 통합지원본부(통합지원본부)

시·군·구 재난안전대책본부의 장은 재난현장의 총괄·조정 및 지원을 위하여 재난현장에 통합지원본부를 설치·운영할 수 있다.

① 통합지원본부 설치·운영권자: 시장·군수·구청장

② 통합지원본부의 장: 관할 시·군·구의 부단체장(부시장·부군수·부구청장)

③ 통합지원본부의 장은 실무반을 편성하여 운영할 수 있다.

④ 구성 및 운영: 해당 지방자치단체의 조례로 정한다.

(5) 지역대책본부장의 권한 등

① 지역대책본부장은 재난의 수습을 효율적으로 하기 위하여 해당 시·도 또는 시·군·구를 관할 구역으로 하는 지방행정기관·공공기관·공공단체 및 재난관리의 대상이 되는 중요시설의 관리기관 등으로서 대통령령으로 정하는 기관인 재난관리책임기관의 장에게 행정 및 재정상의 조치나 그 밖에 필요한 업무협조를 요청할 수 있다. 이 경우 요청을 받은 재난관리책임기관의 장은 특별한 사유가 없으면 요청에 따라야 한다.

② 지역대책본부장은 재난의 수습을 위하여 필요하다고 인정하면 해당 시·도 또는 시·군·구의 전부 또는 일부를 관할 구역으로 하는 지방행정기관·공공기관·공공단체 및 재난관리의 대상이 되는 중요시설의 관리기관 등으로서 대통령령으로 정하는 기관인 재난관리책임기관의 장에게 소속 직원의 파견을 요청할 수 있다. 이 경우 요청을 받은 재난관리책임기관의 장은 특별한 사유가 없으면 즉시 요청에 따라야 한다.

③ 파견된 직원은 지역대책본부장의 지휘에 따라 재난의 수습에 필요한 소속 기관의 업무를 성실히 수행하여야 하며, 재난의 수습이 끝날 때까지 지역대책본부에서 상근하여야 한다.

(6) 재난현장 통합자원봉사지원단의 설치 등

① 지역대책본부장은 재난의 효율적 수습을 위하여 지역대책본부에 통합자원봉사지원단을 설치·운영할 수 있다.

② 통합자원봉사지원단은 다음의 업무를 수행한다.

㉠ 자원봉사자의 모집·등록

㉡ 자원봉사자의 배치 및 운영

㉢ 자원봉사자에 대한 교육훈련

㉣ 자원봉사자에 대한 안전조치

㉤ 자원봉사 관련 정보의 수집 및 제공

㉥ 그 밖에 자원봉사 활동의 지원에 관한 사항

③ 행정안전부장관은 통합자원봉사지원단의 원활한 운영을 위하여 필요한 경우 지방자치단체에 대하여 행정 및 재정적 지원을 할 수 있다.

④ 행정안전부장관, 시·도지사 및 시장·군수·구청장은 통합 자원봉사지원단의 원활한 운영을 위하여 필요한 경우 자원봉사 관련 업무 종사자에 대한 교육훈련을 실시할 수 있다.

⑤ ①부터 ④까지에서 규정한 사항 외에 통합자원봉사지원단의 구성·운영에 관하여 필요한 사항은 해당 지방자치단체의 조례로 정한다.

(7) 대책지원본부

① 행정안전부장관은 수습본부 또는 지역대책본부의 재난상황의 관리와 재난 수습 등을 효율적으로 지원하기 위하여 필요한 경우에는 대책지원본부를 둘 수 있다.

② 대책지원본부의 장(이하 '대책지원본부장'이라 한다)은 행정안전부 소속 공무원 중에서 행정안전부장관이 지명하는 사람이 된다.

③ 대책지원본부장은 재난 수습 등을 효율적으로 지원하기 위하여 필요하면 관계 재난관리책임기관의 장에게 행정상 및 재정상의 조치, 소속 직원의 파견, 그 밖에 필요한 지원을 요청할 수 있다.

④ 대책지원본부의 구성과 운영 등에 필요한 사항은 대통령령으로 정한다.

(8) 대책지원본부의 구성 및 운영

① 대책지원본부(이하 '대책지원본부'라 한다)는 행정안전부 소속 공무원, 관계 재난관리책임기관에서 파견된 공무원·직원 및 민간 전문가 등으로 구성한다.

② 대책지원본부의 장은 재난현장 지원 등 재난상황의 관리와 재난 수습을 효율적으로 지원하기 위하여 대책지원본부에 실무반을 설치·운영할 수 있다.

③ ① 및 ②에서 규정한 사항 외에 대책지원본부의 구성 및 운영 등에 필요한 사항은 행정안전부장관이 정한다.

영철쌤 tip

1. 지역대책본부장: 통합자원봉사지원단을 설치·운영할 수 있다.
2. 행정안전부장관: 대책지원본부를 둘 수 있다.

1. 재난안전상황실

(1) 상시 재난안전상황실 설치 목적 및 설치·운영권자

① 행정안전부장관, 시·도지사 및 시장·군수·구청장은 재난정보의 수집·전파, 상황관리, 재난 발생 시 초동조치 및 지휘 등의 업무를 수행하기 위하여 상시 재난안전상황실을 설치·운영하여야 한다.

ㄱ 신속한 재난정보의 수집·전파와 재난대비 자원의 관리·지원을 위한 재난방송 및 정보통신체계

ㄴ 재난상황의 효율적 관리를 위한 각종 장비의 운영·관리체계

ㄷ 재난안전상황실 운영을 위한 전담인력과 운영규정

ㄹ 그 밖에 행정안전부장관이 정하여 고시하는 사항

② 행정안전부장관: 중앙재난안전상황실

③ 시·도지사 및 시장·군수·구청장: 시·도별 및 시·군·구별 재난안전상황실

(2) 필요한 경우 재난안전상황실 설치·운영권자

① 중앙행정기관의 장: 소관 업무분야의 재난상황을 관리하기 위하여 재난안전상황실을 설치·운영하거나 재난상황을 관리할 수 있는 체계를 갖추어야 한다.

② 재난관리책임기관의 장(지방행정기관·공공기관·공공단체 및 재난관리의 대상이 되는 중요시설의 관리기관 등으로서 대통령령으로 정하는 기관): 재난에 관한 상황관리를 위하여 재난안전상황실을 설치·운영할 수 있다.

▲ 중앙재난안전상황실

영철쌤 tip

상시 재난안전상황실 설치·운영하는 이유
재난정보의 수집·전파, 상황관리, 재난 발생 시 초동조치 및 지휘 등의 업무를 수행하기 위함

영철쌤 tip

소방은 재난안전상황실은 없지만 119종합상황실이 있다.

📖 **핵심정리 재난안전상황실 설치·운영자**

1. 상시 재난안전상황실 설치·운영자
   ① 행정안전부장관
   ② 시·도지사
   ③ 시장·군수·구청장

2. 필요한 경우 재난안전상황실 설치·운영자
   ① 중앙행정기관의 장
   ② 재난관리책임기관의 장

2. 재난신고 등

(1) 누구든지 재난의 발생이나 재난이 발생할 징후를 발견하였을 때에는 즉시 그 사실을 시장·군수·구청장·긴급구조기관, 그 밖의 관계 행정기관에 신고하여야 한다.

(2) 경찰관서의 장은 업무수행 중 재난의 발생이나 재난이 발생할 징후를 발견하였을 때에는 즉시 그 사실을 그 소재지 관할 시장·군수·구청장과 관할 긴급구조기관의 장에게 알려야 한다.

(3) (1), (2)에 따른 신고를 받은 시장·군수·구청장과 그 밖의 관계 행정기관의 장은 관할 긴급구조기관의 장에게, 긴급구조기관의 장은 그 소재지 관할 시장·군수·구청장 및 재난관리주관기관의 장에게 통보하여 응급대처방안을 마련할 수 있도록 조치하여야 한다.

3. 재난상황보고

(1) 대통령령으로 정하는 대규모 재난

　① 재난 중 인명 또는 재산의 피해 정도가 매우 크거나 재난의 영향이 사회적·경제적으로 광범위하여 주무부처의 장 또는 지역대책본부장의 건의를 받아 중앙대책본부장이 인정하는 재난

　② ①에 따른 재난에 준하는 것으로서 중앙대책본부장이 재난관리를 위하여 중앙대책본부의 설치가 필요하다고 판단하는 재난

　③ 그 밖에 재난의 신속한 수습을 위하여 중앙대책본부장 또는 재난관리주관기관의 장의 지휘·통제가 필요할 것으로 예상되는 재난

(2) 재난상황보고 및 통보 포함 사항

　① 재난 발생의 일시·장소와 재난의 원인
　② 재난으로 인한 피해내용
　③ 응급조치 사항
　④ 대응 및 복구활동 사항
　⑤ 향후 조치계획
　⑥ 그 밖에 해당 재난을 수습할 책임이 있는 중앙행정기관의 장이 정하는 사항

(3) 재난상황보고 체계

　① 시장·군수·구청장, 소방서장, 해양경찰서장, 제3조 제5호 나목에 따른 재난관리책임기관의 장 또는 제26조 제1항에 따른 국가핵심기반을 관리하는 기관·단체의 장(이하 '관리기관의 장'이라 한다)은 그 관할구역, 소관 업무 또는 시설에서 재난이 발생하거나 발생할 우려가 있으면 대통령령으로 정하는 바에 따라 재난상황에 대해서는 즉시, 응급조치 및 수습현황에 대해서는 지체 없이 각각 행정안전부장관, 관계 재난관리주관기관의 장 및 시·도지사에게 보고하거나 통보하여야 한다. 이 경우 관계 재난관리주관기관의 장 및 시·도지사는 보고받은 사항을 확인·종합하여 행정안전부장관에게 통보하여야 한다.

재난상황보고 체계
재난상황의 보고자는 응급조치 내용을 별지 제3호 서식의 응급복구조치 상황 및 별지 제4호 서식의 응급구호조치 상황으로 구분하여 재난기간 중 1일 2회 이상 보고하여야 한다.

② 시장·군수·구청장, 소방서장, 해양경찰서장, 제3조 제5호 나목에 따른 재난 관리책임기관의 장 또는 관리기관의 장은 재난이 발생한 경우 또는 재난 발생을 신고받거나 통보받은 경우에는 즉시 관계 재난관리책임기관의 장에게 통보하여야 한다.

③ 시장·군수·구청장, 소방서장, 해양경찰서장, 제3조 제5호 나목에 따른 재난 관리책임기관의 장 또는 제26조 제1항에 따른 국가핵심기반을 관리하는 기관·단체의 장(이하 "관리기관의 장"이라 한다)은 그 관할구역, 소관 업무 또는 시설에서 재난이 발생하거나 발생할 우려가 있으면 대통령령으로 정하는 바에 따라 재난상황에 대해서는 즉시, 응급조치 및 수습현황에 대해서는 지체 없이 각각 행정안전부장관, 관계 재난관리주관기관의 장 및 시·도지사에게 보고하거나 통보하여야 한다. 이 경우 관계 재난관리주관기관의 장 및 시·도지사는 보고받은 사항을 확인·종합하여 행정안전부장관에게 통보하여야 한다.

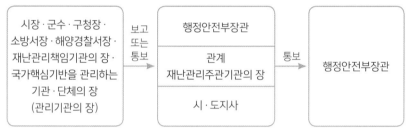

④ 보고과정
  ㉠ **최초 보고**: 인명피해 등 주요 재난 발생 시 지체 없이 서면(전자문서를 포함한다), 팩스, 전화, 재난안전통신망 중 가장 빠른 방법으로 보고한다.
  ㉡ **중간 보고**: 전산시스템 등을 활용하여 재난 수습기간 중에 수시로 보고한다.
  ㉢ **최종 보고**: 재난 수습이 끝나거나 재난이 소멸된 후 종합하여 보고한다.

(4) 해외재난상황의 보고 및 관리

영철쌤 tip

재외공관의 장 = 총영사관

① 보고를 받은 외교부장관은 지체 없이 해외재난 발생 또는 발생 우려 지역에 거주하거나 체류하는 대한민국 국민(이하 '해외재난국민'이라 한다)의 생사확인 등 안전 여부를 확인하고, 행정안전부장관 및 관계 중앙행정기관의 장과 협의하여 해외재난국민의 보호를 위한 방안을 마련하여 시행하여야 한다.

② 해외재난국민의 가족 등은 외교부장관에게 해외재난국민의 생사확인 등 안전 여부 확인을 요청할 수 있다. 이 경우 외교부장관은 특별한 사유가 없으면 그 요청에 따라야 한다.

③ 안전 여부 확인과 가족 등의 범위는 대통령령으로 정한다.

01 재난 및 안전관리에 대한 사항을 심의하기 위한 기구는?

① 중앙안전관리위원회   ② 안전정책조정위원회

③ 지역위원회   ④ 중앙재난안전대책본부

02 「재난 및 안전관리 기본법」상 다음의 기능을 하는 재난 및 안전관리 심의 기구의 장은?

- 재난 및 안전관리에 관한 중요 정책에 관한 사항 심의
- 국가안전관리기본계획에 관한 사항 심의
- 재난안전의무보험의 관리 · 운용 등에 관한 사항
- 중앙행정기관의 장이 수립 · 시행하는 계획 등 재난 및 안전관리업무의 조정에 관한 사항 심의

① 관계 중앙행정기관의 장   ② 행정안전부장관

③ 국무총리   ④ 대통령

03 중앙위원회의 위원장이 사고 또는 부득이한 사유로 직무를 수행할 수 없을 때 직무 대행자는?

① 중앙행정기관의 장   ② 행정안전부장관

③ 재난관리주관기관의 장   ④ 관계 기관 · 단체의 장

04 중앙위원회에 상정될 안건을 사전에 검토·조정·심의를 수행하기 위한 기구는?

① 중앙안전관리위원회

② 안전정책조정위원회

③ 실무위원회

④ 안전정책실무조정위원회

05 조정 및 심의 기구인 안전정책조정위원회의 기능으로 옳지 않은 것은?

① 중앙행정기관의 장이 수립·시행하는 재난 및 안전관리업무의 조정에 관한 사항에 대한 사전조정

② 집행계획의 심의

③ 국가핵심기반의 지정에 관한 사항의 심의

④ 특정관리대상시설의 지정에 관한 사항의 심의

정답 및 해설

01 중앙안전관리위원회(중앙위원회)

재난 및 안전관리에 관한 사항을 심의하기 위하여 국무총리 소속으로 중앙안전관리위원회를 둔다.

■ 중앙안전관리위원회(중앙위원회) 심의 기능

1. 재난 및 안전관리에 관한 중요 정책에 관한 사항

2. 국가안전관리기본계획에 관한 사항

3. 제10조의2에 따른 재난 및 안전관리 사업 관련 중기사업계획서, 투자 우선순위 의견 및 예산요구서에 관한 사항

4. 중앙행정기관의 장이 수립·시행하는 계획, 점검·검사, 교육·훈련, 평가, 안전기준 등 재난 및 안전관리업무의 조정에 관한 사항

5. 안전기준관리에 관한 사항

6. 재난사태의 선포에 관한 사항

7. 특별재난지역의 선포에 관한 사항

8. 재난이나 그 밖의 각종 사고가 발생하거나 발생할 우려가 있는 경우 이를 수습하기 위한 관계 기관 간 협력에 관한 중요 사항

9. 재난안전의무보험의 관리·운용 등에 관한 사항

10. 중앙행정기관의 장이 시행하는 대통령령으로 정하는 재난 및 사고의 예방사업 추진에 관한 사항

11. 「재난안전산업진흥법」 제5조에 따른 기본계획에 관한 사항

12. 그 밖에 위원장이 회의에 부치는 사항

02 중앙안전관리위원회(중앙위원회)

중앙안전관리위원회에 대한 설명으로, 국무총리가 해당 심의 기구의 장이다.

03 직무대행 순서

'중앙위원회위원장(국무총리) → 행정안전부장관 → 중앙행정기관의 장' 순이다.

04 안전정책조정위원회(조정위원회)

중앙위원회에 상정될 안건을 사전에 검토·조정·심의를 수행하기 위하여 중앙위원회에 안전정책조정위원회를 둔다.

05 안전정책조정위원회(조정위원회)

중앙위원회에 상정될 안건을 사전에 검토하고 다음의 사무를 수행하기 위하여 중앙위원회에 안전정책조정위원회를 둔다.

· 중앙행정기관의 장이 수립·시행하는 계획, 점검·검사, 교육·훈련, 평가, 안전기준 등 재난 및 안전관리업무의 조정에 관한 사항에 대한 사전조정

· 안전기준관리에 관한 사항

· 재난이나 그 밖의 각종 사고가 발생하거나 발생할 우려가 있는 경우 이를 수습하기 위한 관계 기관간 협력에 관한 중요 사항에 대한 사전조정

· 재난안전의무보험의 관리·운용 등에 관한 사항에 대한 사전조정

· 중앙행정기관의 장이 시행하는 대통령령으로 정하는 재난 및 사고의 예방사업 추진에 관한 사항에 대한 사전조정

· 집행계획의 심의

· 국가핵심기반의 지정에 관한 사항의 심의

· 재난 및 안전관리기술 종합계획의 심의

· 그 밖에 중앙안전관리위원회가 위임한 사항

정답 01 ① **02** ③ **03** ② **04** ② **05** ④

06 조정위원회의 업무를 효율적으로 운영하기 위하여 필요하면 둘 수 있는 위원회는?

① 중앙위원회

② 안전정책실무조정위원회

③ 실무위원회

④ 안전관리민관협력위원회

07 중앙안전관리민관협력위원회의 구성·운영권자는?

① 국무총리

② 행정안전부장관

③ 관계중앙행정기관의 장

④ 시·도지사

08 「재난 및 안전관리 기본법」상 중앙안전관리위원회와 안전정책조정위원회에 대한 설명으로 옳지 않은 것은?

① 중앙안전관리위원회는 국무총리 소속으로 국무총리가 위원장이다.

② 중앙안전관리위원회는 재난사태의 선포에 관한 사항을 심의하고, 안전정책조정위원회는 특별재난지역의 선포에 관한 사항을 심의한다.

③ 안전정책조정위원회는 중앙위원회에 상정될 안건을 사전에 검토한다.

④ 안전정책조정위원회 위원장은 행정안전부장관이 된다.

09 대통령령으로 정하는 대규모 재난의 수습 등에 대한 사항을 담당하는 기구는?

① 중앙위원회   ② 중앙사고수습본부

③ 중앙대책본부   ④ 중앙통제단

10 재난관리의 단계적 관리 중 중앙재난안전대책본부의 활동 개시를 하는 단계는?

① 재난예방 및 완화단계   ② 재난준비(대비)단계

③ 재난대응단계   ④ 재난복구단계

정답 및 해설

06 실무위원회

조정위원회의 업무를 효율적으로 운영하기 위하여 설치하는 위원회는 실무위원회이다.

> **■ 실무위원회(분과위원회)의 구성**
> 1. **소속:** 조정위원회
> 2. **구성:** 위원장 1명을 포함하여 50명 내외의 위원
> 3. **심의 사항**
>   · 재난 및 안전관리를 위하여 관계 중앙행정기관의 장이 수립하는 대책에 관하여 협의·조정이 필요한 사항
>   · 재난 발생 시 관계 중앙행정기관의 장이 수행하는 재난의 수습에 관하여 협의·조정이 필요한 사항
>   · 그 밖에 실무위원회의 위원장이 회의에 부치는 사항
> 4. **실무위원장:** 재난안전관리본부장(행정안전부의 재난안전관리사무를 담당하는 본부장)

07 중앙안전관리민관협력위원회(중앙민관협력위원회)

· 조정위원회의 위원장(행정안전부장관)은 재난 및 안전관리에 관한 민관 협력관계를 원활히 하기 위하여 중앙안전관리민관협력위원회를 구성·운영할 수 있다.

· 지역위원회의 위원장은 재난 및 안전관리에 관한 지역 차원의 민관 협력관계를 원활히 하기 위하여 시·도 또는 시·군·구 안전관리민관협력위원회를 구성·운영할 수 있다.

· 중앙민관협력위원회의 구성 및 운영에 필요한 사항은 대통령령으로 정하고, 지역민관협력위원회의 구성 및 운영에 필요한 사항은 해당 지방자치단체의 조례로 정한다.

08 중앙안전관리위원회

중앙안전관리위원회는 재난사태의 선포에 관한 사항을 심의하고, 특별재난지역의 선포에 관한 사항을 심의한다.

09 중앙재난안전대책본부(중앙대책본부)

대통령령으로 정하는 대규모 재난의 대응·복구 등에 관한 사항을 총괄·조정하고 필요한 조치를 하기 위하여 행정안전부에 중앙재난안전대책본부를 둔다.

10 재난대응단계

· **정의:** 일단 재해가 발생한 경우 신속한 대응활동을 통하여 재해로 인한 인명 및 재산피해를 최소화하고 재해의 확산을 방지하며, 순조롭게 복구가 이루어질 수 있도록 활동하는 단계이다.

· **활동 내용:** 대비단계에서 수립된 각종 재난관리계획의 실행, 재해대책본부의 활동 개시, 긴급대피 계획의 실천, 긴급의약품 조달, 생필품 공급, 피난처 제공, 이재민 수용 및 보호, 후송, 탐색 및 구조 등의 활동이 포함된다.

정답 06 ③ **07** ② **08** ② **09** ③ **10** ③

11 행정안전부에 두는 중앙재난안전대책본부의 구성 및 운영 등에 관련된 사항으로 옳지 않은 것은?

① 중앙대책본부는 대통령령으로 정하는 대규모 재난의 대응·복구 등에 관한 사항을 총괄·조정하고 필요한 조치를 하기 위하여 설치한다.

② 중앙대책본부에 본부장·차장 및 과장을 둔다.

③ 중앙대책본부장은 중앙대책본부의 업무를 총괄하고 필요하다고 인정하면 중앙재난안전대책본부회의를 소집할 수 있다.

④ 중앙대책본부장은 행정안전부장관이다.

12 「재난 및 안전관리 기본법」상 중앙재난안전대책본부에 대한 내용으로 옳지 않은 것은? 22. 소방간부

① 재난의 효과적인 수습을 위하여 국무총리가 범정부적 차원의 통합 대응이 필요하다고 인정하는 경우에는 대통령이 중앙대책본부장의 권한을 행사한다.

② 해외재난의 경우에는 외교부장관이 중앙대책본부장의 권한을 행사한다.

③ 대통령령으로 정하는 대규모 재난의 대응·복구 등에 관한 사항을 총괄·조정하고 필요한 조치를 하기 위하여 행정안전부에 중앙재난안전대책본부를 둔다.

④ 「원자력시설 등의 방호 및 방사능 방재 대책법」에 따른 방사능재난의 경우에는 중앙방사능방재대책본부의 장이 중앙대책본부장의 권한을 행사한다.

⑤ 행정안전부장관이 국무총리에게 건의하거나 수습본부장의 요청을 받아 행정안전부장관이 국무총리에게 건의하는 경우에는 국무총리가 중앙대책본부장의 권한을 행사할 수 있다.

13 해외에서 재난이 발생한 경우 중앙대책본부장의 권한을 행사할 수 있는 사람은?

① 국외재외공관장 ② 행정안전부장관

③ 국무총리 ④ 외교부장관

14 재난이 발생하거나 발생할 우려가 있는 경우 재난상황을 효율적으로 관리하고 재난을 수습하기 위한 중앙사고수습본부의 설치·운영권자는?

① 재난관리주관기관의 장　　　　　　② 국무총리
③ 중앙대책본부장　　　　　　　　　　④ 시·도지사 및 시장·군수·구청장

15 상시 재난안전상황실의 설치·운영권자에 해당하지 않는 사람은?

① 행정안전부장관　　　　　　　　　② 시·도지사
③ 중앙행정기관의 장　　　　　　　　④ 시장·군수·구청장

정답 및 해설

11 중앙재난안전대책본부 등
② 중앙대책본부에 본부장과 차장을 둔다.
① 대통령령으로 정하는 대규모 재난의 대응·복구 등에 관한 사항을 총괄·조정하고 필요한 조치를 하기 위하여 행정안전부에 중앙대책본부를 둔다.
③④ 중앙대책본부장은 행정안전부장관이 되며, 중앙대책본부장은 중앙대책본부의 업무를 총괄하고 필요하다고 인정하면 중앙재난안전대책본부회의를 소집할 수 있다. 다만, 해외재난의 경우에는 외교부장관이, 방사능재난의 경우에는 원자력안전위원회 위원장이 각각 중앙대책본부장의 권한을 행사한다.

12 중앙재난안전대책본부
재난의 효과적인 수습을 위하여 국무총리가 범정부적 차원의 통합 대응이 필요하다고 인정하는 경우에는 국무총리가 중앙대책본부장의 권한을 행사한다.

13 중앙대책본부장의 권한
해외재난의 경우에는 외교부장관이, 방사능재난의 경우에는 원자력안전위원회 위원장이 각각 중앙대책본부장의 권한을 행사한다.

14 중앙 및 지역사고수습본부
· 재난관리주관기관의 장은 재난이 발생하거나 발생할 우려가 있는 경우에는 재난상황을 효율적으로 관리하고 재난을 수습하기 위한 중앙사고수습본부(이하 '수습본부'라 한다)를 신속하게 설치·운영하여야 한다.
· 수습본부장은 해당 재난관리주관기관의 장이 된다.

· 수습본부장은 재난정보의 수집·전파, 상황관리, 재난 발생 시 초동조치 및 지휘 등을 위한 수습본부상황실을 설치·운영하여야 한다. 이 경우 재난안전상황실과 인력, 장비, 시설 등을 통합·운영할 수 있다.
· 수습본부장은 재난을 수습하기 위하여 필요하면 관계 재난관리책임기관의 장에게 행정상 및 재정상의 조치, 소속 직원의 파견, 그 밖에 필요한 지원을 요청할 수 있다. 이 경우 요청을 받은 관계 재난관리책임기관의 장은 특별한 사유가 없으면 요청에 따라야 한다.
· 수습본부장은 지역사고수습본부를 운영할 수 있으며, 지역사고수습본부장은 수습본부장이 지명한다.

15 재난안전상황실
1. 상시 재난안전상황실 설치·운영자
· 행정안전부장관
· 시·도지사
· 시장·군수·구청장
2. 필요한 경우 재난안전상황실 설치·운영자
· 중앙행정기관의 장
· 재난관리책임기관의 장

정답 11 ② **12** ① **13** ④ **14** ① **15** ③

CHAPTER 4 안전관리계획

 출제 POINT

01 국가안전관리기본계획 수립 ★★☆
02 집행계획 ★★☆

영철쌤 tip

안전관리계획은 안전관리를 하기 위해 계획을 세우는 것이다.

---

1 국가안전관리기본계획의 수립 등

(1) 국가안전관리기본계획의 수립

① **국무총리는 국가의 재난 및 안전관리업무에 관한 기본계획(이하 "국가안전관리기본계획"이라 한다)의 수립지침을 5년마다 작성**해야 한다.

② 국무총리는 국가안전관리기본계획을 5년마다 수립해야 한다. 이 경우 관계 기관 및 전문가 등의 의견을 들을 수 있다.

③ 관계 중앙행정기관의 장은 국가안전관리기본계획을 이행하기 위하여 필요한 예산을 반영하는 등의 조치를 하여야 한다.

④ 행정안전부장관은 통보 받은 국가안전관리기본계획을 행정안전부의 인터넷 홈페이지에 공개해야 한다.

(2) 국가안전관리기본계획의 총칙과 대책 구성

① 재난에 관한 대책

② 생활안전, 교통안전, 산업안전, 시설안전, 범죄안전, 식품안전, 안전취약계층 안전 및 그 밖에 이에 준하는 안전관리에 관한 대책

(3) 국가안전관리기본계획의 수립지침 작성 및 확정

① 국무총리는 대통령령으로 정하는 바에 따라 **5년마다 국가의 재난 및 안전관리업무에 관한 기본계획(이하 "국가안전관리기본계획"이라 한다)의 수립지침**을 작성하여 **관계 중앙행정기관의 장에게 통보**하여야 한다

② ①에 따른 수립지침에는 부처별로 중점적으로 추진할 안전관리기본계획의 수립에 관한 사항과 국가재난관리체계의 기본방향이 포함되어야 한다.

③ **관계 중앙행정기관의 장은 ①에 따른 수립지침에 따라 5년마다 그 소관에 속하는 재난 및 안전관리업무에 관한 기본계획을 작성**한 후 **국무총리에게 제출**하여야 한다.

④ **국무총리는** ③에 따라 관계 중앙행정기관의 장이 제출한 기본계획을 종합하여 **국가안전관리기본계획을 작성**하여 **중앙위원회의 심의**를 거쳐 **확정**한 후 이를 관계 중앙행정기관의 장에게 통보하여야 한다.

⑤ **중앙행정기관의 장은** ④에 따라 확정된 국가안전관리기본계획 중 그 소관 사항을 관계 **재난관리책임기관(중앙행정기관과 지방자치단체는 제외한다)의 장**에게 **통보**하여야 한다.

영철쌤 tip

국가안전관리기본계획의 수립지침 작성 및 확정

1. 국무총리: 수립지침을 작성한다.
2. 국무총리: 관계 중앙행정기관의 장에게 통보한다.
3. 관계 중앙행정기관의 장: 시달 받은 수립지침에 따라 그 소관에 속하는 재난 및 안전관리 업무에 관한 기본계획을 작성한다.
4. 관계 중앙행정기관의 장: 국무총리에게 제출한다.
5. 국무총리: 관계 중앙행정기관의 장이 제출한 기본계획을 종합하여 중앙위원회 심의를 거쳐 확정 후 관계 중앙행정기관의 장에게 통보한다.

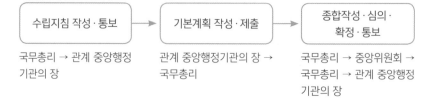

수립지침 작성·통보	→	기본계획 작성·제출	→	종합작성·심의·확정·통보
국무총리 → 관계 중앙행정기관의 장		관계 중앙행정기관의 장 → 국무총리		국무총리 → 중앙위원회 → 국무총리 → 관계 중앙행정기관의 장

2 집행계획

(1) 관계 중앙행정기관의 장은 제22조 제4항에 따라 통보받은 국가안전관리기본계획에 따라 매년 그 소관 업무에 관한 **집행계획**을 작성하여 **조정위원회의 심의**를 거쳐 **국무총리의 승인**을 받아 **확정**한다.

(2) 관계 중앙행정기관의 장은 확정된 **집행계획**을 행정안전부장관에게 **통보**하고, 시·도지사 및 지방행정기관·공공기관·공공단체 및 재난관리의 대상이 되는 중요시설의 관리기관 등으로서 대통령령으로 정하는 기관의 재난관리책임기관의 장에게 통보하여야 한다.

(3) 관계 중앙행정기관의 장은 매년 10월 31일까지 **집행계획**을 작성하여 행정안전부장관에게 통보하여야 한다.

(4) 중앙행정기관의 장은 확정된 집행계획에 변경 사항이 있을 때에는 그 변경 사항을 행정안전부장관과 협의한 후 국무총리에게 보고하여야 한다. 다만, 다음의 어느 하나에 해당하는 **경미한 사항**은 보고를 생략할 수 있다.
　① 집행계획 중 재난 및 안전관리에 소요되는 비용 등의 단순 증감에 관한 사항
　② 다른 관계 중앙행정기관의 재난 및 안전관리에 영향을 미치지 않는 사항
　③ 그 밖에 행정안전부장관이 집행계획의 기본방향에 영향을 미치지 않는 것으로 인정하는 사항

(5) 국가안전관리집행계획(1년)

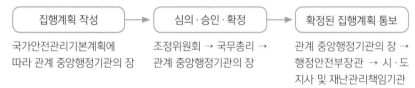

집행계획 작성	→	심의·승인·확정	→	확정된 집행계획 통보
국가안전관리기본계획에 따라 관계 중앙행정기관의 장		조정위원회 → 국무총리 → 관계 중앙행정기관의 장		관계 중앙행정기관의 장 → 행정안전부장관 → 시·도지사 및 재난관리책임기관

📖 핵심정리 국가안전관리기본계획과 집행계획의 비교

구분	국가안전관리기본계획	집행계획
기간	5년	1년(매년 10월 31일까지 작성)
수립지침	국무총리	–
작성	국무총리	관계 중앙행정기관의 장
심의	중앙위원회	조정위원회
승인	–	국무총리
확정	국무총리	관계 중앙행정기관의 장

영철쌤 tip

국무총리 및 행정안전부장관의 계획 수립
1. 행정안전부장관은 재난 및 안전관리에 관한 과학기술의 진흥을 위하여 5년마다 관계 중앙행정기관의 재난 및 안전관리기술개발에 관한 계획을 종합하여 조정위원회의 심의와 「국가과학기술자문회의법」에 따른 국가과학기술자문회의의 심의를 거쳐 재난 및 안전관리기술개발 종합계획을 수립하여야 한다.
2. 행정안전부장관은 5년마다 재난 및 안전관리기술개발에 관한 계획을 수립하여야 한다.
3. 국무총리는 5년마다 국가안전관리기본계획을 수립하여야 한다.

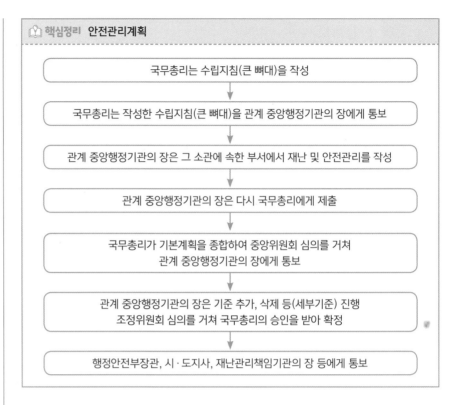

📖**핵심정리 안전관리계획**

> 국무총리는 수립지침(큰 뼈대)을 작성
>
> ↓
>
> 국무총리는 작성한 수립지침(큰 뼈대)을 관계 중앙행정기관의 장에게 통보
>
> ↓
>
> 관계 중앙행정기관의 장은 그 소관에 속한 부서에서 재난 및 안전관리를 작성
>
> ↓
>
> 관계 중앙행정기관의 장은 다시 국무총리에게 제출
>
> ↓
>
> 국무총리가 기본계획을 종합하여 중앙위원회 심의를 거쳐 관계 중앙행정기관의 장에게 통보
>
> ↓
>
> 관계 중앙행정기관의 장은 기준 추가, 삭제 등(세부기준) 진행 조정위원회 심의를 거쳐 국무총리의 승인을 받아 확정
>
> ↓
>
> 행정안전부장관, 시·도지사, 재난관리책임기관의 장 등에게 통보

---

3 시·도 안전관리계획의 수립

(1) 시·도 안전관리계획의 수립지침 작성 및 확정

① 행정안전부장관: 국가안전관리기본계획과 제23조 제1항에 따른 집행계획에 따라 매년 시·도의 재난 및 안전관리업무에 관한 계획(이하 "시·도안전관리계획"이라 한다)의 수립지침을 작성하여 이를 시·도지사에게 통보하여야 한다.

② 시·도의 전부 또는 일부를 관할 구역으로 하는 재난관리책임기관의 장: 매년 그 소관 재난 및 안전관리업무에 관한 계획을 작성하여 관할 시·도지사에게 제출하여야 한다.

③ 시·도지사는 ①에 따라 통보받은 수립지침과 ②에 따라 제출받은 재난 및 안전관리업무에 관한 계획을 종합하여 시·도안전관리계획을 작성하고 시·도위원회의 심의를 거쳐 확정한다.

④ 시·도지사는 ③에 따라 확정된 시·도안전관리계획을 행정안전부장관에게 보고하고, ②에 따른 재난관리책임기관의 장에게 통보하여야 한다.

(2) 시 · 도 안전관리계획(1년)

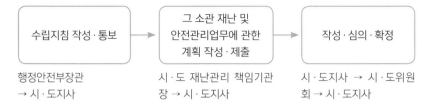

수립지침 작성·통보	→	그 소관 재난 및 안전관리업무에 관한 계획 작성·제출	→	작성·심의·확정
행정안전부장관 → 시·도지사		시·도 재난관리 책임기관 장 → 시·도지사		시·도지사 → 시·도위원회 → 시·도지사

(3) 시 · 도 안전관리계획 및 시 · 군 · 구 안전관리계획의 작성

① 시 · 도 안전관리계획과 시 · 군 · 구 안전관리계획은 다음의 대책을 포함하여 작성하여야 한다.

　㉠ 재난에 관한 대책

　㉡ 생활안전, 교통안전, 산업안전, 시설안전, 범죄안전, 식품안전, 그 밖에 이에 준하는 안전관리에 관한 대책

② 시 · 도지사 및 시장 · 군수 · 구청장은 소관 안전관리계획에 대하여 실무위원회의 사전 검토 및 심의를 거칠 수 있다.

③ 시 · 도지사는 전년도 12월 31일까지, 시장 · 군수 · 구청장은 해당 연도 2월 말일까지 소관 안전관리계획을 확정하여야 한다.

4 　시 · 군 · 구 안전관리계획의 수립

(1) 시 · 군 · 구 안전관리계획의 수립지침 작성 및 확정

① **시 · 도지사**: 확정된 시 · 도안전관리계획에 따라 매년 시 · 군 · 구의 재난 및 안전관리업무에 관한 계획(이하 "시 · 군 · 구안전관리계획"이라 한다)의 수립지침을 작성하여 시장 · 군수 · 구청장에게 통보하여야 한다.

② **시 · 군 · 구의 전부 또는 일부를 관할 구역으로 재난관리책임기관의 장**: 매년 그 소관 재난 및 안전관리업무에 관한 계획을 작성하여 시장 · 군수 · 구청장에게 제출하여야 한다.

③ **시장 · 군수 · 구청장**: 통보받은 수립지침과 제출받은 재난 및 안전관리업무에 관한 계획을 종합하여 시 · 군 · 구안전관리계획을 작성하고 시 · 군 · 구위원회의 심의를 거쳐 확정한다.

④ 시장 · 군수 · 구청장은 ③에 따라 확정된 시 · 군 · 구안전관리계획을 시 · 도지사에게 보고하고, ②에 따른 재난관리책임기관의 장에게 통보하여야 한다.

영철쌤 tip

시 · 도 안전관리계획의 수립지침 작성자는 행정안전부장관이고, 시 · 군 · 구 안전관리계획의 수립지침 작성자는 시 · 도지사이다.

(2) 시 · 군 · 구 안전관리계획(1년)

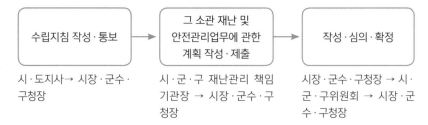

수립지침 작성 · 통보	→	그 소관 재난 및 안전관리업무에 관한 계획 작성 · 제출	→	작성 · 심의 · 확정
시 · 도지사 → 시장 · 군수 · 구청장		시 · 군 · 구 재난관리 책임기관장 → 시장 · 군수 · 구청장		시장 · 군수 · 구청장 → 시 · 군 · 구위원회 → 시장 · 군수 · 구청장

(3) 시 · 도 안전관리계획 및 시 · 군 · 구 안전관리계획의 작성

① 시 · 도 안전관리계획과 시 · 군 · 구 안전관리계획은 다음의 대책을 포함하여 작성하여야 한다.
ㄱ 재난에 관한 대책
ㄴ 생활안전, 교통안전, 산업안전, 시설안전, 범죄안전, 식품안전, 그 밖에 이에 준하는 안전관리에 관한 대책

② 시 · 도지사 및 시장 · 군수 · 구청장은 소관 안전관리계획에 대하여 실무위원회의 사전검토 및 심의를 거칠 수 있다.

③ 시 · 도지사는 전년도 12월 31일까지, 시장 · 군수 · 구청장은 해당 연도 2월 말일까지 소관 안전관리계획을 확정하여야 한다.

5 집행계획 등 추진실적의 제출 및 보고

(1) 관계 중앙행정기관의 장은 제23조 제1항에 따라 확정된 전년도 집행계획의 추진실적을 매년 행정안전부장관에게 제출하여야 한다.

(2) 제3조 제5호 나목에 따른 재난관리책임기관의 장(시 · 도 또는 시 · 군 · 구의 전부 또는 일부를 관할 구역으로 하는 제3조 제5호 나목에 따른 재난관리책임기관은 제외한다)은 제23조 제3항에 따라 확정된 전년도 세부집행계획의 추진실적을 매년 소속 중앙행정기관의 장에게 제출하여야 하고, 이를 제출받은 소속 중앙행정기관의 장은 해당 추진실적을 행정안전부장관에게 제출하여야 한다.

(3) 시 · 군 · 구의 전부 또는 일부를 관할 구역으로 하는 제3조 제5호 나목에 따른 재난관리책임기관은 제25조 제3항에 따라 확정된 전년도 시 · 군 · 구안전관리계획에 따른 그 소관 재난 및 안전관리업무에 관한 계획의 추진실적을 매년 시장 · 군수 · 구청장에게 제출하여야 한다.

(4) 시장 · 군수 · 구청장은 제25조 제3항에 따라 확정된 전년도 시 · 군 · 구안전관리계획의 추진실적 및 제3항에 따라 제출받은 추진실적을 매년 시 · 도지사에게 제출하여야 한다.

(5) 시·도의 전부 또는 일부를 관할 구역으로 하는 제3조 제5호 나목에 따른 재난관리책임기관은 제24조 제3항에 따라 확정된 전년도 시·도안전관리계획에 따른 그 소관 재난 및 안전관리업무에 관한 계획의 추진실적을 매년 시·도지사에게 제출하여야 한다.

(6) 시·도지사는 제24조 제3항에 따라 확정된 전년도 시·도안전관리계획의 추진실적 및 제4항과 제5항에 따라 제출받은 추진실적을 매년 행정안전부장관에게 제출하여야 한다.

(7) 행정안전부장관은 ①, ②, ⑥에 따라 제출받은 추진실적을 점검하고 종합 분석·평가한 보고서를 작성하여 매년 국무총리에게 제출하여야 한다.

(8) 그 밖에 ①부터 ⑦까지에 따른 추진실적 및 보고서 등의 작성·제출 시기와 절차 등에 필요한 사항은 대통령령으로 정한다.

01 국가안전관리기본계획의 수립지침 작성 및 확정은 누가 하는가?

① 국무총리

② 시 · 도지사

③ 행정안전부장관

④ 관계 중앙행정기관의 장

02 국가안전관리기본계획은 몇 년마다 수립하여야 하는가?

① 1년

② 2년

③ 3년

④ 5년

03 국가안전관리기본계획에 따라 그 소관 업무에 대한 집행계획을 작성하여 누가 확정하는가?

① 대통령

② 국무총리

③ 관계 중앙행정기관의 장

④ 재난관리책임기관의 장

04 집행계획은 어디의 심의 및 누구의 승인을 얻어서 확정하는가?

① 중앙위원회, 대통령

② 중앙위원회, 국무총리

③ 조정위원회, 국무총리

④ 조정위원회, 행정안전부장관

정답 및 해설

01 국가안전관리기본계획(5년)

수립지침 작성 · 통보 → 기본계획 작성 · 제출 → 종합작성 · 심의 · 확정 · 통보

수립지침 작성·통보	기본계획 작성·제출	종합작성·심의·확정·통보
국무총리 → 관계 중앙행정기관의 장	관계 중앙행정기관의 장 → 국무총리	국무총리 → 중앙위원회 → 국무총리 → 관계 중앙행정기관의 장

02 국가안전관리기본계획 수립(시행령 제26조)

1. 국무총리는 국가안전관리기본계획을 5년마다 수립하여야 한다.
2. 국가안전관리기본계획은 총칙과 다음의 대책으로 구성한다.
   · 재난에 관한 대책
   · 생활안전, 교통안전, 산업안전, 시설안전, 범죄안전, 식품안전, 그 밖에 이에 준하는 안전관리에 관한 대책

03 집행계획(1년)

집행계획 작성	심의·승인·확정	확정된 집행계획 통보
국가안전관리기본계획에 따라 관계 중앙행정기관의 장	조정위원회 → 국무총리 → 관계 중앙행정기관의 장	관계 중앙행정기관의 장 → 행정안전부장관 → 시·도지사 및 재난관리책임기관

04 집행계획

관계 중앙행정기관의 장은 집행계획을 작성하여 조정위원회 심의를 거쳐 국무총리의 승인을 받아 최종 확정한다.

정답 01 ① **02** ④ **03** ③ **04** ③

CHAPTER 5 재난의 예방

■ **예방에 관한 활동 내역**
1. 재난관리책임기관의 장의 재난예방조치
2. 국가핵심기반의 지정 및 관리 등
3. 특정관리대상지역의 지정 및 관리 등
4. 지방자치단체에 대한 지원 등
5. 재난방지시설의 관리
6. 안전취약계층에 대한 안전 환경 지원
7. 재난안전분야 종사자 교육
8. 재난예방을 위한 긴급안전점검 등
9. 재난예방을 위한 안전조치
10. 재난안전분야 제도 개선
11. 정부합동 안전점검
12. 집중 안전점검기간 운영 등
13. 재난관리체계 등에 대한 평가 등
14. 재난관리 실태 공시 등

출제POINT

01 재난예방조치 ★★☆
02 국가핵심기반 지정 및 관리 ★★☆
03 특정관리대상지역 지정·관리 ★★☆
04 재난방지시설의 관리 ★☆☆
05 재난안전분야 종사자 교육 ★☆☆
06 긴급안전점검 ★★☆
07 안전조치 ★★☆
08 정부합동 안전점검 ★☆☆
09 재난관리체계 등에 대한 평가 ★☆☆
10 재난관리 실태 공시 등 ★☆☆

 영철쌤 tip

예방에 관한 활동내역
1. 국가핵심기반의 지정 및 관리 등은 조정위원회에서 심의한다.
2. 특정관리대상지역의 지정 및 관리 등, 재난방지시설의 관리는 심의사항이 아니다.

1 재난관리책임기관의 장의 재난예방조치 등

(1) **재난관리책임기관의 장의 재난예방조치 사항(법률적 개념)**
① 재난에 대응할 조직의 구성 및 정비
② 재난의 예측 및 예측정보 등의 제공·이용에 관한 체계의 구축
③ 재난 발생에 대비한 교육·훈련과 재난관리예방에 관한 홍보
④ 재난이 발생할 위험이 높은 분야에 대한 안전관리체계의 구축 및 안전관리규정의 제정
⑤ 제26조에 따라 지정된 국가핵심기반의 관리
⑥ 제27조 제2항에 따른 특정관리대상지역에 관한 조치
⑦ 제29조에 따른 재난방지시설의 점검·관리
⑧ 제34조에 따른 재난관리자원의 관리
⑨ 그 밖에 재난을 예방하기 위하여 필요하다고 인정되는 사항

(2) 재난관리책임기관의 장은 재난예방조치를 효율적으로 시행하기 위하여 필요한 사업비를 확보하여야 한다.

 영철쌤 tip

재난예방조치 사항
1. 재난 발생에 대비한 교육·훈련과 재난관리 예방에 관한 홍보는 예방에 해당한다.
2. 대응요원에 대한 훈련 및 일반 국민에 대한 홍보는 대비에 해당한다.

영철쌤 tip

1. 국가핵심기반의 지정 및 관리 등은 예방에 관한 활동내역에 해당된다.
2. 국가핵심기반의 관리는 재난관리책임기관의 장의 재난예방조치사항에 해당된다.

(3) 재난관리책임기관의 장은 다른 재난관리책임기관의 장에게 재난을 예방하기 위하여 필요한 협조를 요청할 수 있다. 이 경우 요청을 받은 다른 재난관리책임기관의 장은 특별한 사유가 없으면 요청에 따라야 한다.

(4) 재난관리책임기관의 장은 재난관리의 실효성을 확보할 수 있도록 안전관리체계 및 안전관리규정을 정비·보완하여야 한다.

(5) 재난관리책임기관의 장 및 국회·법원·헌법재판소·중앙선거관리위원회의 행정사무를 처리하는 기관의 장은 재난상황에서 해당 기관의 핵심기능을 유지하는 데 필요한 계획(이하 '기능연속성계획'이라 한다)을 수립·시행하여야 한다.

(6) 행정안전부장관이 재난상황에서 해당 기관·단체의 핵심 기능을 유지하는 것이 특별히 필요하다고 인정하여 고시하는 기관·단체(민간단체를 포함한다) 및 민간업체는 기능연속성계획을 수립·시행하여야 한다. 이 경우 민간단체 및 민간업체에 대해서는 해당 단체 및 업체와 협의를 거쳐야 한다.

(7) 행정안전부장관은 재난관리책임기관과 (6)에 따른 기관·단체 및 민간업체의 기능연속성계획 이행실태를 정기적으로 점검하고, 재난관리책임기관에 대해서는 그 결과를 제33조의2에 따른 재난관리체계 등에 대한 평가에 반영할 수 있다.

(8) 기능연속성계획[1]에 포함되어야 할 사항 및 계획수립의 절차 등은 국회규칙, 대법원규칙, 헌법재판소규칙, 중앙선거관리위원회규칙 및 대통령령으로 정한다.

용어사전

[1] 기능연속성계획(COOP): 공공기관이 직면할 수 있는 광범위한 위기상황에서 기관의 핵심기능을 중단하지 않고 지속할 수 있도록 수립·운영하는 계획을 말한다. 즉, 재난관리책임기관 등이 직면할 수 있는 화재, 지진, 감염병 등 광범위한 재난상황에서 기관의 핵심 기능을 중단하지 않고 지속할 수 있도록 수립·운영하는 계획을 말한다.

예 감염병인 코로나 바이러스19가 발생하더라도 기능연속성계획에 따라 행정을 중단하지 않고, 중단 없는 행정서비스를 하여야 한다(코로나19 상황 속에서도 기관의 주요 핵심기능을 잃지 않도록 하는 것).

참고 기능연속성계획의 수립 등

1. 행정안전부장관은 기능연속성계획의 수립에 관한 지침을 작성하여 다음의 기관·단체 등(이하 '기능연속성계획수립기관'이라 한다)의 장에게 통보해야 한다.
   ① 재난관리책임기관
   ② 행정안전부장관이 고시하는 기관·단체(민간단체를 포함한다) 및 민간업체

2. 1.에 따른 지침을 통보받은 관계 중앙행정기관의 장 및 시·도지사는 소관 업무 또는 관할 지역의 특수성을 반영한 지침을 작성하여 관계 재난관리책임기관의 장 및 관할 지역의 재난관리책임기관의 장에게 각각 통보할 수 있다.

3. 기능연속성계획에는 다음의 사항이 포함되어야 한다.
   ① 기능연속성계획수립기관의 핵심기능의 선정과 우선순위에 관한 사항
   ② 재난상황에서 핵심기능을 유지하기 위한 의사결정권자 지정 및 그 권한의 대행에 관한 사항
   ③ 핵심기능의 유지를 위한 대체시설, 장비 등의 확보에 관한 사항
   ④ 재난상황에서의 소속 직원의 활동계획 등 기능연속성계획의 구체적인 시행절차에 관한 사항
   ⑤ 소속 직원 등에 대한 기능연속성계획의 교육·훈련에 관한 사항
   ⑥ 그 밖에 기능연속성계획수립기관의 장이 재난상황에서 해당 기관의 핵심기능을 유지하는 데 필요하다고 인정하는 사항

4. 기능연속성계획수립기관의 장은 기능연속성계획을 수립하거나 변경한 경우에는 수립 또는 변경 후 1개월 이내에 행정안전부장관에게 통보해야 한다. 이 경우 시장·군수·구청장은 시·도지사를 거쳐 통보하고, 재난관리책임기관의 장은 관계 중앙행정기관의 장이나 시·도지사를 거쳐 통보한다.

5. 행정안전부장관은 기능연속성계획의 이행실태를 점검(이행실태점검)하는 경우에는 기능연속성계획수립기관의 장에게 미리 이행실태점검 계획을 통보해야 한다.

6. 행정안전부장관은 이행실태점검을 하는 경우에는 다음의 구분에 따라 정하는 행정기관과 합동으로 점검을 할 수 있다.
   ① 재난관리책임기관과 행정안전부장관이 고시하는 기관·단체 및 민간업체: 관계 중앙행정기관의 장 또는 소관 지방자치단체의 장
   ② 시·군·구: 시·도지사
7. 행정안전부장관은 이행실태점검 결과에 따라 기능연속성계획수립기관의 장에게 시정이나 보완 등을 요청할 수 있으며, 재난관리책임기관에 대해서는 시정이나 보완 등을 요청한 사항이 적정하게 반영되었는지를 재난관리체계 등에 대한 평가에 반영할 수 있다.
8. 1.부터 7.까지에서 규정한 사항 외에 기능연속성계획의 수립 및 이행실태점검에 필요한 사항은 행정안전부장관이 정한다.

(9) 재난사전 방지조치

① 행정안전부장관은 재난발생을 사전에 방지하기 위하여 재난징후정보를 수집·분석하여 관계 재난관리책임기관의 장에게 미리 필요한 조치를 하도록 요청할 수 있다.
   ㉠ 재난 발생 징후가 포착된 위치
   ㉡ 위험요인 발생원인 및 상황
   ㉢ 위험요인 제거 및 조치 사항
   ㉣ 그 밖에 재난 발생의 사전 방지를 위하여 필요한 사항
② 행정안전부장관은 재난징후정보의 수집·분석을 위하여 필요한 경우 국가정보원 등 국가안전보장과 관련된 기관의 장(이하 "국가안전보장 관련기관의 장"이라 한다)에게 국가안전보장과 관련된 정보의 제공을 요청할 수 있다. 다만, 국가안전보장 관련기관의 장은 행정안전부장관의 요청이 없어도 국가안전보장과 관련된 정보를 행정안전부장관에게 수시로 제공할 수 있다.
③ 행정안전부장관은 재난징후정보의 수집·분석을 위하여 필요한 경우 재난관리주관기관의 장에게 재난 및 안전관리와 관련된 정보의 제공을 요청할 수 있다.
④ 행정안전부장관은 재난징후정보의 효율적 조사·분석 및 관리를 위하여 재난징후정보 관리시스템을 운영할 수 있다.

2 국가핵심기반의 지정 및 관리 등

(1) 국가핵심기반

에너지, 정보통신, 교통수송, 보건의료 등 국가경제, 국민의 안전·건강 및 정부의 핵심기능에 중대한 영향을 미칠 수 있는 시설, 정보기술시스템 및 자산 등을 말한다.

(2) 지정기준

① 다른 국가핵심기반 등에 미치는 **연쇄효과**(**예** 에너지 분야인 발전소 고장으로 인해 전기시스템 마비가 되면 연쇄적인 파급효과가 크다)

② 둘 이상의 중앙행정기관의 **공동대응 필요성**(예 1개의 부처가 재난을 극복할 수 없으면 2개 이상 부처가 협력해야 한다)

③ 재난이 발생하는 경우 국가안전보장과 경제·사회에 미치는 **피해규모 및 범위**

④ 재난의 발생 **가능성** 또는 그 복구의 용이성(예 재난의 발생 가능성이 크거나 복구시간이 오래 걸리면 지정해야 한다)

(3) 심의 기구는 조정위원회가 된다.

(4) 지정 및 취소권자

① **지정권자: 관계 중앙행정기관의 장**

관계 **중앙행정기관의 장**은 소관분야의 국가핵심기반을 조정위원회 심의를 거쳐 지정할 수 있다.

② **취소권자: 관계 중앙행정기관의 장**

관계 **중앙행정기관의 장**은 소관 재난관리책임기관이 해당 업무를 폐지·정지 또는 변경하는 경우에는 조정위원회의 심의를 거쳐 국가핵심기반의 **지정**을 취소할 수 있다.

③ 국가핵심기반의 지정 및 지정취소 등에 필요한 사항은 대통령령으로 정한다.

④ 관계 중앙행정기관의 장은 국가핵심기반을 지정하거나 취소하는 경우에는 다음 사항을 관보에 공고하여야 한다. 다만, 관계 중앙행정기관의 장이 국가의 안전보장을 위하여 필요하다고 인정하는 경우에는 공고를 생략할 수 있다.

㉠ 국가핵심기반의 명칭

㉡ 국가핵심기반의 관리 기관 또는 업체 및 그 장의 명칭

㉢ 국가핵심기반의 지정 또는 취소 사유

⑤ 행정안전부장관은 국가핵심기반으로 지정하여 관리할 필요가 있다고 인정되는 시설, 정보기술시스템 및 자산 등을 관계 중앙행정기관의 장에게 국가핵심기반으로 지정하도록 권고할 수 있다.

⑥ 국가핵심기반의 지정 등에 필요한 세부사항은 행정안전부장관이 정한다.

참고	분야별 국가기반시설의 지정기준(법 제30조 제1항 관련)
분야별	**지정기준**
에너지	전력·석유·가스 공급에 필요한 생산·공급시설과 비축시설
정보통신	• 교환기 등 주요 통신장비가 집중된 시설 및 정보통신 서비스의 전국 상황 감시시설 • 국가행정을 운영·관리하는 데에 필요한 기간망과 주요 전산시스템
교통수송	인력 수송과 물류 기능을 담당하는 체계와 실제 운용하는 데 필요한 교통·운송시설 및 이를 통제하는 시설
금융	은행 및 투자매매업·투자중개업을 운영하는 데에 필요한 시설이나 체계
보건의료	응급의료서비스를 제공하는 시설과 이를 지원하는 혈액관리 업무를 담당하는 시설

영철쌤 tip

지정 및 취소권자

국가핵심기반의 지정 및 취소권자는 조정위원회 심의를 거친 관계 중앙행정기관의 장이다.

원자력	원자력시설의 안정적 운영에 필요한 주제어장치(主制御裝置)가 집중된 시설과 방사성폐기물을 영구 처분하기 위한 시설
환경	「폐기물관리법」에 따른 생활폐기물 처리를 위한 수집부터 소각·매립까지의 계통상의 시설
정부중요시설	중앙행정기관이 입주하고 있는 주요 시설
식용수	식용수 공급을 위한 담수(湛水)부터 정수(淨水)까지 계통상의 시설
문화재	「문화재보호법」 제2조 제3항 제1호에 따른 국가지정문화재로서 문화재청장이 특별히 관리할 필요가 있다고 인정하는 문화재
공동구	「국토의 계획 및 이용에 관한 법률」 제2조 제9호에 따른 공동구로서 행정안전부장관 또는 국토교통부장관이 특별히 관리할 필요가 있다고 인정하는 공동구

(5) 국가핵심기반의 관리 등

① 관계 중앙행정기관의 장은 제26조 제1항에 따라 국가핵심기반을 지정한 경우에는 대통령령으로 정하는 바에 따라 소관 분야 국가핵심기반 보호계획을 수립하여 해당 관리기관의 장에게 통보하여야 한다.

② 관리기관의 장은 제1항에 따라 통보받은 국가핵심기반 보호계획에 따라 소관 국가핵심기반에 대한 보호계획을 수립·시행하여야 한다.

③ 행정안전부장관 또는 관계 중앙행정기관의 장은 대통령령으로 정하는 바에 따라 국가핵심기반의 보호 및 관리 실태를 확인·점검할 수 있다.

④ 행정안전부장관은 국가핵심기반에 대한 데이터베이스를 구축·운영하고, 관계 중앙행정기관의 장이 재난관리정책의 수립 등에 이용할 수 있도록 통합지원할 수 있다.

3 특정관리대상지역의 지정 및 관리 등

(1) 지정·관리·정비

중앙행정기관의 장❶ 또는 지방자치단체의 장❷은 재난이 발생할 위험이 높거나 재난 예방을 위하여 계속적으로 관리할 필요가 있다고 인정되는 지역을 대통령령으로 정하는 바에 따라 **특정관리대상지역**❸으로 지정할 수 있다.

① 중앙행정기관의 장 또는 지방자치단체의 장은 특정관리대상지역(이하 '특정관리대상지역'이라 한다)을 지정하기 위하여 소관 지역의 현황을 매년 정기적으로 또는 수시로 조사하여야 한다.

② 중앙행정기관의 장 또는 지방자치단체의 장은 다음의 어느 하나에 해당하는 지역은 특정관리대상지역의 지정·관리 등에 관한 지침에서 정하는 세부지정기준 등에 따라 특정관리대상지역으로 지정하거나 그 지정을 해제하여야 한다.

용어사전

❶ 중앙행정기관의 장: 장관, 처장, 청장을 말한다.

❷ 지방자치단체의 장: 시·도지사, 시장, 군수, 구청장을 말한다.

❸ 특정관리대상지역: 아파트, 지하구, 공공기관 등을 말한다.

영철쌤 tip

재난관리

지정, 취소(해제)권자 등	·중앙행정기관, 지방 자치단체 ·재난관리주관기관 (관계중앙행정기관)
점검, 관리, 정비, 조치 등	재난관리책임기관 ·중앙행정기관, 지방 자치단체 ·지방행정기관, 공공 기관 등

㉠ 자연재난으로 인한 피해의 위험이 높거나 피해가 우려되는 지역

㉡ 재난예방을 위하여 관리할 필요가 있다고 인정되는 지역

㉢ 그 밖에 재난관리책임기관의 장이 재난의 예방을 위하여 특별히 관리할 필요가 있다고 인정하는 지역

③ 중앙행정기관의 장 또는 지방자치단체의 장은 ②에 따라 특정관리대상지역을 지정하거나 해제할 때에는 행정안전부령으로 정하는 바에 따라 그 사실을 특정관리대상지역의 소유자·관리자 또는 점유자(이하 '관계인'이라 한다)에게 알려주어야 한다.

(2) 특정관리대상지역의 지정·관리 등에 관한 지침

① 관계 중앙행정기관의 장(재난관리책임기관이 지방자치단체인 경우에는 행정안전부장관을 말한다)은 특정관리대상지역의 지정·관리 등에 관한 지침을 제정하여 관계 재난관리책임기관의 장에게 통보하여야 한다.

② ①에 따른 지침은 **특정관리대상지역의 지정·관리 등에 필요한 다음의 사항을 포함하여야 한다.**

㉠ 특정관리대상지역의 지정을 위한 세부기준에 관한 사항

㉡ 특정관리대상지역에 대한 조사 방법 및 특정관리대상지역의 지정·해제 절차 등에 관한 사항

㉢ 특정관리대상지역의 안전등급의 평가기준에 관한 사항

㉣ 특정관리대상지역의 안전점검과 유지·관리의 방법에 관한 사항

㉤ 그 밖에 관계 중앙행정기관의 장이 특정관리대상지역의 지정·관리 등에 필요하다고 인정하는 사항

(3) 재난 발생의 위험성을 제거하기 위한 장기·단기 계획의 수립·시행

① 재난관리책임기관의 장은 특정관리대상지역으로부터 재난발생의 위험성을 제거하기 위한 다음의 사항이 포함된 장기·단기 계획을 수립하여 관계 중앙행정기관의 장에게 제출하여야 한다.

㉠ 특정관리대상지역의 정비·관리에 관한 기본 방침

㉡ 특정관리대상지역의 연도별 정비·관리계획에 관한 사항

㉢ 개별 특정관리대상지역의 세부 정비·관리계획에 관한 사항

㉣ 그 밖의 재원대책 등 필요한 사항

② ①에 따른 장기·단기 계획의 수립 및 시행에 필요한 세부 사항은 관계 중앙행정기관의 장이 정한다.

(4) 조치사항

재난관리책임기관의 장은 특정관리대상지역 등으로 지정된 시설 및 지역에 대하여 대통령령으로 정하는 바에 따라 다음의 **조치**를 하여야 한다.

① 특정관리대상지역 등으로부터 재난 발생의 위험성을 제거하기 위한 장기·단기 계획을 수립·시행한다.

② 특정관리대상지역 등에 대한 안전점검 또는 정밀 안전진단을 한다.

③ 그 밖에 특정관리대상지역 등의 관리·정비에 필요한 조치를 한다.

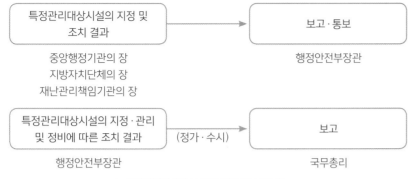

중앙행정기관의 장
지방자치단체의 장
재난관리책임기관의 장

행정안전부장관

행정안전부장관

국무총리

▲ 특정관리대상시설 등의 지정 및 관리 등

1. **특정관리대상지역의 지정 및 해제권자:** 중앙행정기관의 장 또는 지방자치단체의 장
2. **특정관리대상지역 등 조치권자:** 재난관리책임기관의 장

(5) 특정관리대상지역의 안전등급 및 안전점검 등

① 재난관리책임기관의 장은 지정된 특정관리대상지역을 안전등급의 평가기준에 따른 안전등급으로 구분하고 관리한다(5개 등급으로 구분).

A등급	안전도가 우수한 경우
B등급	안전도가 양호한 경우
C등급	안전도가 보통인 경우
D등급	안전도가 미흡한 경우
E등급	안전도가 불량한 경우

② 재난관리책임기관의 장은 다음의 구분에 따라 특정관리대상지역에 대한 **안전점검**을 실시하여야 한다.

㉠ 정기안전점검

ⓐ A등급, B등급, C등급에 해당하는 특정관리대상지역은 반기별 1회 이상 실시한다.

ⓑ D등급에 해당하는 특정관리대상지역은 월 1회 이상 실시한다.

ⓒ E등급에 해당하는 특정관리대상지역은 월 2회 이상 실시한다.

㉡ **수시안전점검:** 재난관리책임기관의 장이 필요하다고 인정하는 경우 실시한다.

③ 행정안전부장관은 특정관리대상지역을 체계적으로 관리하기 위하여 정보화시스템을 구축·운영할 수 있다.

④ 재난관리책임기관의 장은 정보화시스템을 이용하여 특정관리대상지역을 관리하여야 한다.

⑤ 행정안전부장관은 법 제27조 제4항에 따라 매년 1회 이상 특정관리대상지역에 대한 지정 및 조치 현황을 국무총리에게 보고하여야 하며, 필요한 경우에는 수시로 보고할 수 있다.

▲ 재난위험시설물 E등급 표지판

▲ 재난위험시설물 E등급 건물

영철쌤 tip

벌칙
1. 안전점검을 회피하는 경우: 1년 이하 징역 또는 1,000만원 이하의 벌금
2. 안전점검 이후 조치명령을 따르지 않는 경우: 3년 이하 징역 또는 3,000만원 이하의 벌금

4 지방자치단체에 대한 지원 등

행정안전부장관은 지방자치단체의 조치 등에 필요한 지원 및 지도를 할 수 있고, 관계 중앙행정기관의 장에게 협조를 요청할 수 있다.

5 재난방지시설의 관리

(1) 재난관리책임기관의 장은 관계 법령 또는 안전관리계획에서 정하는 바에 따라 대통령령으로 정하는 재난방지시설을 점검·관리하여야 한다.

(2) 재난방지시설의 범위(대통령령으로 정하는 재난방지시설)
① 소하천부속물 중 제방·호안(기슭·둑 침식 방지시설)·보 및 수문
② 하천시설 중 댐·하구둑·제방·호안·수제·보·갑문·수문·수로터널·운하 및 수문조사시설 중 홍수발생의 예보를 위한 시설
③ 방재시설
④ 하수도 중 하수관로 및 공공하수처리시설
⑤ 농업생산기반시설 중 저수지, 양수장, 우물 등 지하수이용시설, 배수장, 취입보, 용수로, 배수로, 웅덩이, 방조제, 제방
⑥ 사방시설
⑦ 댐
⑧ 유람선·낚시어선·모터보트·요트 또는 윈드서핑 등의 수용을 위한 레저용 기반시설
⑨ 도로의 부속물 중 방설·제설시설, 토사 유출·낙석 방지시설, 공동구(共同溝), 터널·교량 및 지하도 및 육교
⑩ 재난예보·경보시설
⑪ 항만시설
⑫ 그 밖에 행정안전부장관이 정하여 고시하는 재난을 예방하기 위하여 설치한 시설

> 🔖 **핵심정리 책임자**
> ---
> 1. **국가핵심기반의 지정 및 취소권자:** 조정위원회 심의를 거쳐 관계 중앙행정기관의 장
> 2. **특정관리대상지역의 안전등급 및 안전점검 실시권자:** 재난관리책임기관의 장
> 3. **재난방지시설의 점검·관리권자:** 재난관리책임기관의 장
> 4. 국가핵심기반은 심의사항이지만, 특정관리대상지역 및 재난방지시설은 심의사항이 아니다.

영철쌤 tip

재난방지시설
제방, 호안, 보, 수문, 댐, 터널, 육교 등이 해당한다.

재난예보·경보시설
적설관측시스템, 산불비상경보시설 등이 있다.

「재난 및 안전관리 기본법」의 시설 및 지역 3가지
1. 국가핵심기반은 심의, 지정, 점검, 관리이다.
2. 특정관리대상지역은 지정, 점검, 관리이다.
3. 재난방지시설은 점검, 관리이다.

▲ 사방시설

▲ 사방시설 표지판

6 안전취약계층에 대한 안전 환경 지원

(1) 재난관리책임기관의 장은 안전취약계층이 재난이나 그 밖의 각종 사고로부터 안전을 확보할 수 있는 생활환경을 조성하기 위하여 안전용품의 제공 및 시설 개선 등 필요한 사항을 지원하기 위하여 노력하여야 한다.

(2) (1)에 따른 지원의 대상, 범위, 방법 및 절차 등에 필요한 사항은 대통령령 또는 해당 지방자치단체의 조례로 정한다.

(3) 행정안전부장관은 재난관리책임기관의 장에게 (1)에 따른 지원이 원활히 수행되는 데 필요한 사항을 요청할 수 있다. 이 경우 요청을 받은 재난관리책임기관의 장은 특별한 사유가 없으면 요청에 따라야 한다.

(4) 행정안전부장관은 (1)에 따른 지원과 관련하여 지방자치단체에 필요한 지원 및 지도를 할 수 있다.

> **참고** 안전취약계층
>
> **1. 안전취약계층**
> ① 13세 미만의 어린이
> ② 65세 이상의 노인
> ③ 「장애인복지법」 제2조에 따른 장애인
> ④ 그 밖에 재난이나 각종 사고에 취약하다고 인정되는 사람
>
> **2. 안전취약계층에게 지원하는 대상**
> ① 안전관리를 위하여 필요한 소방·가스·전기 등의 안전점검 및 시설 개선
> ② 어린이 보호구역 등 취약지역의 안전 확보를 위한 환경 개선
> ③ 재난 및 사고 예방을 위하여 필요한 안전장비 및 용품의 제공
> ④ 그 밖에 안전취약계층의 안전한 생활환경을 조성하기 위하여 필요하다고 인정되는 사항
>
> **3.** 안전취약계층에 대한 안전 환경 지원에 필요한 사항은 중앙행정기관의 장이 정한다.

7 재난안전분야 종사자 교육

(1) 재난관리책임기관에서 재난 및 안전관리업무를 담당하는 공무원이나 직원은 행정안전부장관이 실시하는 전문교육을 행정안전부령으로 정하는 바에 따라 정기적으로 또는 수시로 받아야 한다.

(2) 행정안전부장관은 필요하다고 인정하면 대통령령으로 정하는 전문인력 및 시설 기준을 갖춘 교육기관으로 하여금 전문교육을 대행하게 할 수 있다. 전문교육을 대행하게 할 수 있는 교육기관은 다음과 같다.
① 행정안전부, 관계 중앙행정기관 또는 시·도 소속의 공무원 교육기관
② 재난관리책임기관(행정기관 외의 기관만 해당한다) 소속의 교육기관

③ 재난 및 안전관리 분야 교육 운영 실적이 있는 민간교육기관으로서 행정안전부장관이 지정하는 교육기관

(3) 행정안전부장관은 정당한 사유 없이 전문교육을 받지 아니한 자에 대하여 소속 재난관리책임기관의 장에게 징계할 것을 요구할 수 있다.

(4) 전문교육의 종류 및 대상, 그 밖에 전문교육의 실시에 필요한 사항은 행정안전부령으로 정한다.

① 재난안전분야 종사자 전문교육은 관리자 전문교육과 실무자 전문교육으로 구분하며, 그 교육 대상자는 다음과 같다.

㉠ **관리자 전문교육:** 다음에 해당하는 사람

ⓐ 재난관리책임기관에서 재난 및 안전관리 업무를 담당하는 부서의 장

ⓑ 시(「제주특별자치도 설치 및 국제자유도시 조성을 위한 특별법」 제10조 제2항에 따른 행정시를 포함한다)·군·구(자치구를 말한다)의 부단체장(부단체장이 2명 이상인 경우에는 재난 및 안전관리 업무를 관할하는 부단체장을 말한다)

㉡ **실무자 전문교육:** 재난관리책임기관에서 재난 및 안전관리 업무를 담당하는 부서의 공무원 또는 직원으로서 ㉠에 해당하지 아니하는 사람

② 전문교육의 대상자는 해당 업무를 맡은 후 6개월 이내에 신규교육을 받아야 하며, 신규교육을 받은 후 매 2년마다 정기교육을 받아야 한다.

③ 전문교육의 이수시간

㉠ **관리자 전문교육:** 7시간 이상

㉡ **실무자 전문교육:** 14시간 이상

④ ①~③에서 규정한 사항 외에 전문교육의 교육과정 운영 등에 관하여 필요한 사항은 행정안전부장관이 정한다.

8 재난예방을 위한 긴급안전점검 등

(1) 대상

특정관리대상지역과 그 밖에 행정안전부장관, 시·도지사 또는 시장·군수·구청장이 긴급안전점검이 필요하다고 인정하는 시설 및 지역을 대상으로 한다.

(2) 사유

① 사회적으로 피해가 큰 재난이 발생하여 피해시설의 긴급한 안전점검이 필요하거나 이와 유사한 시설의 재난예방을 위하여 점검이 필요한 경우가 이에 해당한다. 예를 들면, 세월호 이후 유람선·여객선 긴급안전점검, 성수대교 붕괴 이후 교량 긴급안전점검을 한다.

② 계절적으로 재난 발생이 우려되는 취약시설에 대한 안전대책이 필요한 경우가 이에 해당한다. 예를 들면 여름철에는 수해, 겨울철에는 폭설에 대한 긴급안전점검을 한다.

(3) 실시권자 및 실시자
① 실시권자: 행정안전부장관 또는 재난관리책임기관의 장(행정기관만을 말한다)
② 실시자: 소속 공무원(행정안전부장관은 다른 재난관리책임기관의 장에게 긴급안전점검을 하도록 요구할 수 있다)

(4) 긴급안전점검 실시방법
① 긴급안전점검을 하는 공무원은 관계인에게 필요한 질문을 하거나 관계 서류 등을 열람할 수 있다.
② 긴급안전점검의 절차 및 방법, 긴급안전점검 결과의 기록·유지 등에 필요한 사항은 대통령령으로 정한다.
③ 긴급안전점검을 하는 공무원은 그 권한을 표시하는 증표를 지니고 이를 관계인에게 보여 주어야 한다.
④ 행정안전부장관은 긴급안전점검을 하면 그 결과를 해당 재난관리책임기관의 장에게 통보하여야 한다.
⑤ 행정안전부장관 또는 재난관리책임기관(행정기관만을 말한다. 이하 같다)의 장은 긴급안전점검을 실시할 때에는 미리 긴급안전점검 대상 시설 및 지역의 관계인에게 긴급안전점검의 목적·날짜 등을 서면으로 통지하여야 한다. 다만, 서면통지로는 긴급안전점검의 목적을 달성할 수 없는 경우에는 말로 통지할 수 있다.
⑥ 행정안전부장관 또는 재난관리책임기관의 장은 긴급안전점검 대상 시설 및 지역이 국가안전보장과 관련된 경우 국가정보원장에게 긴급안전점검의 실시와 관련하여 협조를 요청할 수 있다.
⑦ 행정안전부장관 또는 재난관리책임기관의 장은 긴급안전점검을 실시하였을 때에는 행정안전부령으로 정하는 긴급안전점검 대상 시설 및 지역의 관리에 관한 카드에 긴급안전점검 결과 및 안전조치 사항 등을 기록·유지하여야 한다.

벌칙
1. 정당한 사유 없이 긴급안전점검을 거부 또는 기피하거나 방해한 자: 1년 이하의 징역 또는 1,000만원 이하의 벌금에 처한다.
2. 긴급안전점검 이후 조치명령을 따르지 않는 경우: 3년 이하 징역 또는 3,000만원 이하의 벌금에 처한다.

9 재난예방을 위한 안전조치

(1) 안전조치 명령권자
행정안전부장관 또는 재난관리책임기관의 장(행정기관만을 말한다)을 말한다.

(2) 안전조치 명령
특정관리대상시설 등으로 지정된 시설 등의 안전점검 결과 또는 긴급안전점검 결과 재난 발생의 위험이 높다고 인정되는 시설 또는 지역의 소유자·관리자 또는 점유자 등에게 명령한다.

① 정밀안전진단(시설만 해당한다)을 시행한다. 이 경우 다른 법령에 시설의 정밀안전진단에 관한 기준이 있는 경우에는 그 기준에 따르고, 다른 법령의 적용을 받지 아니하는 시설에 대하여는 행정안전부령으로 정하는 기준에 따른다.

② 보수(補修) 또는 보강 등을 정비한다.

③ 재난을 발생시킬 위험요인을 제거한다.

(3) 안전조치 명령에 따른 안전조치 이행 및 결과 보고사항

① 안전조치 명령을 받은 소유자·관리자 또는 점유자는 이행계획서를 작성하여 행정안전부장관 또는 재난관리책임기관의 장에게 제출한 후 안전조치를 하고, 행정안전부령으로 정하는 바에 따라 그 결과를 행정안전부장관 또는 재난관리책임기관의 장에게 통보하여야 한다.

② 행정안전부장관 또는 재난관리책임기관의 장은 안전조치명령을 받은 자가 그 명령을 이행하지 아니하거나 이행할 수 없는 상태에 있고, 안전조치를 이행하지 아니할 경우 공중의 안전에 위해를 끼칠 수 있어 재난의 예방을 위하여 긴급하다고 판단하면 그 시설 또는 지역에 대하여 사용을 제한하거나 금지시킬 수 있다. 이 경우 그 제한하거나 금지하는 내용을 보기 쉬운 곳에 게시하여야 한다.

③ 행정안전부장관 또는 재난관리책임기관의 장은 안전조치명령을 받아 이를 이행하여야 하는 자가 그 명령을 이행하지 아니하거나 이행할 수 없는 상태에 있고, 재난예방을 위하여 긴급하다고 판단하면 그 명령을 받아 이를 이행하여야 할 자를 갈음하여 필요한 안전조치를 할 수 있다. 이 경우 「행정대집행법」을 준용한다.

④ 행정안전부장관 또는 재난관리책임기관의 장은 시설 또는 지역에 대하여 사용을 제한하거나 금지에 따른 안전조치를 할 때에는 미리 해당 소유자·관리자 또는 점유자에게 서면으로 이를 알려 주어야 한다. 다만, 긴급한 경우에는 구두로 알리되, 미리 구두로 알리는 것이 불가능하거나 상당한 시간이 걸려 공중의 안전에 위해를 끼칠 수 있는 경우에는 안전조치를 한 후 그 결과를 통보할 수 있다.

(4) 벌칙

안전조치명령을 이행하지 아니한 자는 3년 이하의 징역 또는 3천만원 이하의 벌금에 처한다.

(5) 「행정대집행법」

행정관청으로부터 명령받은 행위를 의무자가 이행하지 않을 경우, 행정관청이 의무자를 대신하여 이를 행하거나 제삼자로 하여금 하도록 시키고 그 비용을 의무자로부터 강제로 징수하는 것을 규정한 법률이다. 즉, 행정대집행의 절차와 비용징수에 대하여 규정한 법률을 말한다.

1. **재난관리책임기관**
   ① 가목: 중앙행정기관, 지방자치단체
   ② 나목: 가목 외

2. **재난관리주관기관:** 관계 중앙행정기관

3. **국가핵심기반**
   ① 심의: 조정위원회
   ② 지정: 관계 중앙행정기관의 장

4. **특정관리대상지역**
   ① 지정: 중앙행정기관의 장 또는 지방자치단체의 장
   ② 관리: 재난관리책임기관의 장

5. **재난방지시설의 관리:** 재난관리책임기관의 장

6. **재난예방을 위한 긴급안전점검의 실시권자:** 행정안전부장관 또는 재난관리책임기관의 장
   (행정기관만을 말한다)

7. **재난예방을 위한 안전조치의 명령권자:** 행정안전부장관 또는 재난관리책임기관의 장(행정
   기관만을 말한다)

---

10   재난안전분야 제도개선

(1) 행정안전부장관은 재난 예방 및 국민 안전 확보를 위하여 재난안전분야 제도개선
과제(이하 "개선과제"라 한다)를 선정하여 재난관리주관기관의 장에게 개선과제의
이행을 요청할 수 있다.

(2) 행정안전부장관은 개선과제의 선정을 위하여 일반 국민, 지방자치단체 또는 민간
단체 등으로부터 의견을 수렴할 수 있으며, 관련 분야 전문가에게 자문할 수 있다.

(3) (1)에 따른 요청을 받은 재난관리주관기관의 장은 행정안전부령으로 정하는 바
에 따라 개선과제의 이행 요청에 대한 수용 여부를 행정안전부장관에게 통보하여야
한다.

(4) 재난관리주관기관의 장은 (3)에 따라 개선과제의 이행 요청을 수용하기로 한 경우
해당 개선과제의 이행상황을 분기별로 점검하고 그 결과를 행정안전부장관에게 통보
하여야 한다.

(1) 정부합동점검단 설치 목적

재난관리책임기관의 재난 및 안전관리 실태를 점검하기 위하여 대통령령으로 정하는 바에 따라 **정부합동점검단을 편성하여 안전점검을 실시할 수 있다.**

(2) 실시권자

행정안전부장관이 실시한다.

(3) 정부합동점검단의 단장

행정안전부장관이 지명한다.

(4) 구성

① 소속공무원
② 관계 재난관리책임기관에서 파견된 공무원 또는 직원

(5) 실시권한

행정안전부장관은 정부합동점검단을 편성하기 위하여 필요하면 관계 재난관리책임기관의 장에게 관련 공무원 또는 직원의 파견을 요청할 수 있다. 이 경우 요청을 받은 관계 재난관리책임기관의 장은 특별한 사유가 없으면 요청에 따라야 한다.

(6) 결과 보고 사항

① 행정안전부장관은 (1)에 따른 점검을 실시하면 점검 결과를 관계 재난관리책임기관의 장에게 통보하고, 보완이나 개선이 필요한 사항에 대한 조치를 관계 재난관리책임기관의 장에게 요구할 수 있다.
② 점검 결과 및 조치 요구사항을 통보받은 관계 재난관리책임기관의 장은 보완이나 개선이 필요한 사항에 대한 조치계획을 수립하여 필요한 조치를 한 후 그 결과를 행정안전부장관에게 통보하여야 한다.
③ 행정안전부장관은 조치 결과를 점검할 수 있다.
④ 행정안전부장관은 안전 점검 결과와 조치 결과를 안전정보통합관리시스템을 통하여 공개할 수 있다. 다만, 「공공기관의 정보공개에 관한 법률」 제9조 제1항 각 호의 어느 하나에 해당하는 정보에 대해서는 공개하지 아니할 수 있다.

12 집중 안전점검기간 운영 등

(1) 행정안전부장관은 재난을 예방하고 국민의 안전의식을 높이기 위하여 재난관리 책임기관의 장의 의견을 들어 매년 집중 안전점검기간을 설정하고 그 운영에 필요한 계획을 수립하여야 한다.

(2) 행정안전부장관 및 재난관리책임기관의 장은 (1)에 따른 집중 안전점검기간 동안에 재난이나 그 밖의 각종 사고의 발생이 우려되는 시설 등에 대하여 집중적으로 안전점검을 실시할 수 있다.

(3) 행정안전부장관은 (2)에 따른 집중 안전점검기간에 실시한 안전점검 결과로서 재난관리책임기관의 장이 관계 법령에 따라 공개하는 정보를 제66조의9 제2항에 따른 안전정보통합 관리시스템을 통하여 공개할 수 있다.

(4) (1)부터 (3)까지에서 규정한 사항 외에 집중 안전점검기간의 설정 및 운영 등에 필요한 사항은 대통령령으로 정한다.

13 재난관리체계 등에 대한 평가 등

(1) **재난관리체계 등의 평가**

① **실시권자:** 행정안전부장관이 실시한다(행정안전부장관은 재난관리책임기관에 대하여 대통령령으로 정하는 바에 따라 ②의 **사항을 정기적으로 평가**할 수 있다).

② **평가사항**

㉠ 대규모 재난의 발생에 대비한 단계별 예방·대응 및 복구과정

㉡ 재난에 대응할 조직의 구성 및 정비 실태

㉢ 안전관리체계 및 안전관리규정

㉣ 재난관리기금의 운용 현황

③ **조치:** 행정안전부장관은 필요하다고 인정하면 해당 재난관리책임기관의 장에게 시정조치나 보완을 요구할 수 있으며, 우수한 기관에 대하여는 예산지원 및 포상 등 필요한 조치를 할 수 있다.

④ **보고:** 행정안전부장관은 평가결과를 중앙위원회에 종합 보고한다.

(2) **공공기관에 대한 재난관리체계 등의 평가**

① **실시권자:** 관할 중앙행정기관의 장이 실시한다.

② **평가사항**

㉠ 대규모 재난의 발생에 대비한 단계별 예방·대응 및 복구과정

㉡ 재난에 대응할 조직의 구성 및 정비 실태

ⓒ 안전관리체계 및 안전관리규정

ⓐ 재난관리기금의 운용 현황

③ **조치**: 공공기관의 장에게 시정조치나 보완 요구를 하려는 경우에는 관할 중앙 행정기관의 장에게 한다.

④ **보고**: 행정안전부장관은 평가결과를 중앙위원회에 종합 보고한다.

(3) 시·군·구에 대한 재난관리 평가

① **실시권자**: 시·도지사가 실시한다.

② **평가사항**

ⓐ 대규모 재난의 발생에 대비한 단계별 예방·대응 및 복구과정

ⓑ 재난에 대응할 조직의 구성 및 정비 실태

ⓒ 안전관리체계 및 안전관리규정

ⓐ 재난관리기금의 운용 현황

③ **조치**: 시장·군수·구청장에게 시정조치나 보완 요구를 하려는 경우에는 시·도지사에게 한다.

④ **보고**: 행정안전부장관은 평가결과를 중앙위원회에 종합 보고한다.

⑤ 행정안전부장관은 공공기관에 대한 평가 결과를 「공공기관의 운영에 관한 법률」에 따른 공공기관 경영실적 평가에 반영하도록 기획재정부장관에게 요구할 수 있다.

📖 **핵심정리** **재난관리체계 등에 대한 평가 등**

1. 실시권자

재난관리체계 등에 대한 평가 등	행정안전부장관
공공기관에 대한 재난관리체계 등에 대한 평가 등	관할 중앙행정기관의 장
시·군·구에 대한 재난관리체계 등에 대한 평가 등	시·도지사

2. 평가사항
① 대규모 재난의 발생에 대비한 단계별 예방·대응 및 복구과정
② 재난에 대응할 조직의 구성 및 정비 실태
③ 안전관리체계 및 안전관리규정
④ 재난관리기금의 운용 현황

3. 보고
행정안전부장관은 평가결과를 중앙위원회에 종합 보고한다.

14 재난관리 실태 공시 등

(1) 실태 공시

① 시장·군수·구청장(ⓒ의 경우에는 시·도지사를 포함한다)은 다음의 사항이 포함된 재난관리 실태를 매년 1회 이상 관할지역 주민에게 공시하여야 한다.

ⓐ 전년도 재난의 발생 및 수습 현황

ⓑ 재난예방조치 실적

ⓒ 재난관리기금의 적립 및 집행 현황

ⓓ 현장조치 행동매뉴얼의 작성·운용 현황

ⓔ 그 밖에 대통령령으로 정하는 재난관리에 관한 중요 사항

② 시장·군수·구청장은 매년 3월 31일까지 ①에 따른 재난관리실태를 해당 지방자치단체의 인터넷 홈페이지 또는 공보에 공고해야 한다.

(2) 평가결과 공개

행정안전부장관 또는 시·도지사는 평가결과를 공개할 수 있다.

참고 **안전관리 전문기관에 대한 자료요구 등(제33조)**

안전관리 전문기관에 대한 자료 요구 등 행정안전부장관은 재난예방을 효율적으로 추진하기 위하여 대통령령으로 정하는 안전관리전문기관에 안전점검 결과, 주요시설물의 설계도서 등 대통령령으로 정하는 안전관리에 필요한 자료를 요구할 수 있다.

1. 한국소방산업기술원
2. 한국농어촌공사
3. 한국가스안전공사
4. 한국전기안전공사
5. 한국에너지공단
6. 한국산업안전보건공단
7. 국토안전관리원
8. 교통안전공단
9. 도로교통공단
10. 한국방재협회
11. 한국소방안전원
12. 한국승강기안전공단
13. 그 밖에 행정안전부장관이 안전관리에 관한 자료를 요구할 필요가 있다고 인정하여 고시하는 기관

01 재난관리책임기관의 장의 재난예방조치와 관련된 내용으로 옳지 않은 것은?

① 국가핵심기반의 지정 · 관리

② 특정관리대상지역 등에 관한 조치

③ 재난방지시설의 점검 · 관리

④ 재난관리자원의 비축 및 장비 · 인력의 지정

02 「재난 및 안전관리 기본법」상 재난관리 단계별 활동 내용 중 예방단계에 포함되어야 할 내용을 [보기]에서 있는 대로 고른 것은?

21. 소방간부

──────── [보기] ────────

ㄱ. 재난에 대응할 조직의 구성 및 정비

ㄴ. 재난의 예측 및 예측정보 등의 제공 · 이용에 관한 체계의 구축

ㄷ. 재난 발생에 대비한 교육 · 훈련과 재난관리 예방에 관한 홍보

ㄹ. 재난이 발생할 위험이 높은 분야에 대한 안전관리체계의 구축 및 안전관리규정의 제정

ㅁ. 재난관리자원의 비축 · 관리

① ㄱ   ② ㄱ, ㄴ   ③ ㄱ, ㄴ, ㄷ

④ ㄱ, ㄴ, ㄷ, ㄹ   ⑤ ㄱ, ㄴ, ㄷ, ㄹ, ㅁ

03 사회재난 중 국가핵심기반시설의 지정 및 취소권자는?

① 국무총리   ② 행정안전부장관

③ 관계 중앙행정기관의 장   ④ 재난관리책임기관의 장

04 재난이 발생할 위험이 높거나 재난예방을 위하여 계속적으로 관리할 필요가 있다고 인정되는 특정관리대상지역 등의 지정 권자는 누구인가?

① 중앙행정기관의 장 또는 지방자치단체의 장

② 행정안전부장관 또는 지방자치단체의 장

③ 중앙행정기관의 장 또는 공공기관 및 단체의 장

④ 행정안전부장관 또는 재난관리책임기관의 장

05 재난방지시설을 점검·관리하는 자는?

① 지방자치단체장

② 소방본부장

③ 중앙행정기관의 장

④ 재난관리책임기관의 장

정답 및 해설

01 재난관리책임기관의 장의 재난예방조치
국가핵심기반의 지정은 관계 중앙행정기관의 장이 조정위원회의 심의를 거쳐 지정할 수 있다.

02 재난관리책임기관의 장의 재난예방조치 사항(법률적 개념)
· 재난에 대응할 조직의 구성 및 정비
· 재난의 예측 및 예측정보 등의 제공·이용에 관한 체계의 구축
· 재난 발생에 대비한 교육·훈련과 재난관리 예방에 관한 홍보
· 재난이 발생할 위험이 높은 분야에 대한 안전관리체계의 구축 및 안전 관리규정의 제정
· 제26조에 따라 지정된 국가핵심기반의 관리
· 제27조 제2항에 따른 특정관리대상지역에 관한 조치
· 제29조에 따른 재난방지시설의 점검·관리
· 제34조에 따른 재난관리자원의 관리
· 그 밖에 재난을 예방하기 위하여 필요하다고 인정되는 사항

03 국가핵심기반의 지정
국가핵심기반의 지정 및 취소는 조정위원회 심의를 거쳐 관계 중앙행정기관의 장이 한다.

04 특정관리대상지역의 지정
중앙행정기관의 장 또는 지방자치단체의 장은 재난이 발생할 위험이 높거나 재난예방을 위하여 계속적으로 관리할 필요가 있다고 인정되는 지역을 대통령령으로 정하는 바에 따라 특정관리대상지역으로 지정하여야 한다.

05 재난방지시설 점검·관리
· 재난관리책임기관의 장은 관계 법령 또는 안전관리계획에서 정하는 바에 따라 대통령령으로 정하는 재난방지시설을 점검·관리하여야 한다.
· 행정안전부장관은 재난방지시설의 관리 실태를 점검하고 필요한 경우 보수·보강 등의 조치를 재난관리책임기관의 장에게 요청할 수 있다. 이 경우 요청을 받은 재난관리책임기관의 장은 신속하게 조치를 이행하여야 한다.

정답 01 ① **02** ④ **03** ③ **04** ① **05** ④

06 공공기관에 대한 재난관리체계 등에 대한 평가는 누가 하는가?

① 행정안전부장관

② 시장 · 군수 · 구청장

③ 시 · 도지사

④ 관할 중앙행정기관의 장

07 재난관리 실태 공시는 누가 하는가?

① 행정안전부장관

② 시 · 도지사

③ 재난관리책임기관의 장

④ 시장 · 군수 · 구청장

정답 및 해설

06 재난관리체계 등 평가

공공기관에 대한 재난관리체계 등의 정비 · 평가는 관할 중앙행정기관의 장이 평가를 하고, 시 · 군 · 구에 대하여는 시 · 도지사가 평가를 한다.

07 재난관리 실태 공시

시장 · 군수 · 구청장은 매년 3월 31일까지 재난관리 실태를 해당 지방자치단체의 공보에 공고하여야 한다.

■ 재난관리 실태 공시 등

1. 시장 · 군수 · 구청장(재난관리기금의 적립 및 집행 현황의 경우에는 시 · 도지사를 포함한다)은 다음의 사항이 포함된 재난관리 실태를 매년 1회 이상 관할 지역 주민에게 공시하여야 한다.
   · 전년도 재난의 발생 및 수습 현황
   · 재난예방조치 실적
   · 재난관리기금의 적립 및 집행 현황
   · 현장조치 행동매뉴얼의 작성 · 운용 현황
   · 그 밖에 대통령령으로 정하는 재난관리에 관한 중요 사항
2. 행정안전부장관 또는 시 · 도지사는 재난관리체계 등에 따른 평가 결과를 공개할 수 있다.

정답 06 ④ 07 ④

CHAPTER 6 재난의 대비

■ 대비에 관한 활동 내역
1. 재난관리자원의 관리(재난관리자원공동활용시스템 포함)
2. 재난현장 긴급통신수단의 마련
3. 국가재난관리기준의 제정·운영 등
4. 기능별 재난대응 활동계획의 작성·활용
5. 재난분야 위기관리 매뉴얼 작성·운용(위기관리 표준매뉴얼, 위기대응 실무매뉴얼, 현장조치 행동매뉴얼)
6. 다중이용시설 등의 위기상황 매뉴얼 작성·관리 및 훈련
7. 안전기준의 등록 및 심의 등
8. 재난안전통신망의 구축
9. 재난대비훈련 기본계획 수립
10. 재난대비훈련실시(훈련주관기관, 훈련참여기관)

출제 POINT

01 재난관리자원의 관리 ★☆☆
02 긴급통신수단의 마련 ★★☆
03 국가재난관리기준 제정·운영 ★☆☆
04 기능별 재난대응 활동계획 ★★☆
05 재난분야 위기관리 매뉴얼 ★★★
06 다중이용업소 위기상황 매뉴얼 ★☆☆
07 재난안전통신망의 구축 ★☆☆
08 재난대비훈련실시 ★☆☆

용어사전

❶ 재난관리자원: 물적·인적자원을 말한다.

---

1 재난관리자원❶의 관리

(1) 재난관리자원의 관리
① 재난관리책임기관의 장은 재난관리를 위하여 필요한 물품, 재산 및 인력 등의 물적·인적자원(이하 '재난관리자원'이라 한다)을 비축하거나 지정하는 등 체계적이고 효율적으로 관리하여야 한다.
② 재난관리자원의 관리에 관하여는 따로 법률로 정한다.

(2) 재난관리자원 비축·관리자 및 보고 사항
① **재난관리자원 비축·관리자:** 재난관리책임기관의 장이 비축·관리한다.
② 재난관리책임기관의 장은 매년 10월 31일까지 다음 해의 재난관리자원에 대한 비축·관리계획을 수립하고, 이를 행정안전부장관에게 제출하여야 한다.
③ 행정안전부장관은 매년 5월 31일까지 다음 해의 재난관리자원에 대한 비축·관리계획의 수립을 지원하기 위한 지침을 마련하여 재난관리책임기관의 장에게 통보할 수 있다.

(3) 민간기관·단체 또는 소유자의 재난관리자원 지정·관리자
행정안전부장관, 시·도지사 또는 시장·군수·구청장은 재난 발생에 대비하여 민간기관·단체 또는 소유자와 협의하여 응급조치에 사용할 장비, 시설 및 인력을 지정·관리할 수 있다.

영철쌤 tip

예방과 대비
1. 예방: 제34조에 따른 재난관리자원 관리
제34조에 따른 재난관리자원 관리하여 재난관리책임기관의 장이 재난발생을 사전에 방지하자는 의미이다.
2. 대비: 재난관리자원의 관리
재난관리자원의 관리는 재난발생을 사전에 방지했지만 인적·물적을 효율적으로 관리하자는 의미이다.

(4) 재난관리자원공동활용시스템(자원관리시스템) 구축·운영권자

행정안전부장관은 재난관리책임기관의 장이 비축·관리하는 재난관리자원을 체계적으로 관리 및 활용할 수 있도록 **재난관리자원공동활용시스템**(이하 '자원관리시스템'이라 한다)을 구축·운영할 수 있다.

📖 **핵심정리** **재난관리자원의 비축·관리**

재난관리자원 비축·관리자	재난관리책임기관의 장
민간 기관·단체 또는 소유자의 재난관리자원 지정·관리	행정안전부장관, 시·도지사 또는 시장·군수·구청장
재난관리자원공동활용시스템 (자원관리시스템) 구축·운영권자	행정안전부장관

2   재난현장 긴급통신수단의 마련

(1) 재난관리책임기관의 장은 재난의 발생으로 인하여 통신이 끊기는 상황에 대비하여 미리 유선이나 무선 또는 위성통신망을 활용할 수 있도록 긴급통신수단을 마련하여야 한다.

(2) 행정안전부장관은 재난현장에서 긴급통신수단이 공동 활용될 수 있도록 하기 위하여 재난관리책임기관, 긴급구조기관 및 긴급구조지원기관에서 보유하고 있는 긴급통신수단의 보유 현황 등을 조사하고, 긴급통신수단을 관리하기 위한 체계를 구축·운영할 수 있다.

(3) 긴급통신수단을 관리하기 위한 체계를 구축·운영하는 데 필요한 사항은 대통령령으로 정한다.

3   국가재난관리기준의 제정·운용 등

(1) 국가재난관리기준

모든 유형의 재난에 공통적으로 활용할 수 있도록 재난관리의 전 과정을 통일적으로 단순화·체계화한 기준을 말한다.

(2) 국가재난관리기준 제정·운용자(고시자)

행정안전부장관이 제정·운용자이다.

(3) 국가재난관리기준 포함(운영) 사항

① 재난분야 관련 용어 정의 및 표준체계를 정립

② 국가재난 대응체계에 대한 원칙

③ 재난경감 · 상황관리 · 유지관리 등에 관한 일반적인 기준

④ 대통령령으로 정하는 사항

    ㉠ 재난에 관한 예보 · 경보의 발령 기준

    ㉡ 재난상황의 전파

    ㉢ 재난 발생 시 효과적인 지휘 · 통제 체제 마련

    ㉣ 재난관리를 효과적으로 수행하기 위한 관계 기관 간 상호협력 방안

    ㉤ 재난관리체계에 대한 평가 기준이나 방법

    ㉥ 그 밖에 재난관리를 효율적으로 수행하기 위하여 행정안전부장관이 필요하다고 인정하는 사항

---

4 기능별 재난대응활동계획의 작성 · 활용

(1) 재난대응활동계획 작성 · 활용 및 보고 사항

① 재난관리책임기관의 장은 재난관리가 효율적으로 이루어질 수 있도록 대통령령으로 정하는 바에 따라 **기능별 재난대응활동계획을 작성하여 활용**하여야 한다.

② 행정안전부장관은 재난대응활동계획의 작성에 필요한 작성지침을 재난관리책임기관의 장에게 통보할 수 있다.

③ 행정안전부장관은 재난관리책임기관의 장이 작성한 재난대응활동계획을 확인 · 점검하고, 필요하면 관계 재난관리책임기관의 장에게 시정을 요청할 수 있다. 이 경우 시정 요청을 받은 재난관리책임기관의 장은 특별한 사유가 없으면 요청에 따라야 한다.

(2) 재난대응활동계획 기능

재난대응활동계획에는 다음의 기능이 포함되어야 한다.

① 재난상황관리 기능

② 긴급 생활안정 지원 기능

③ 긴급 통신 지원 기능

④ 시설피해의 응급복구 기능

⑤ 에너지 공급 피해시설 복구 기능

⑥ 재난관리자원 지원 기능

⑦ 교통대책 기능

⑧ 의료 및 방역서비스 지원 기능

⑨ 재난현장 환경 정비 기능

⑩ 자원봉사 지원 및 관리 기능

⑪ 사회질서 유지 기능

⑫ 재난지역 수색, 구조·구급 지원 기능

⑬ 재난 수습 홍보 기능

5 재난분야 위기관리 매뉴얼 작성·운용

(1) 위기관리 매뉴얼 분류·작성·운용자 및 내용

재난관리책임기관의 장은 재난을 효율적으로 관리하기 위하여 재난유형에 따라 다음의 위기관리 매뉴얼을 작성·운용하고, 이를 준수하도록 노력하여야 한다. 이 경우 재난대응활동계획과 위기관리 매뉴얼이 서로 연계되도록 하여야 한다.

위기관리 매뉴얼 분류	작성·운용자	위기관리 매뉴얼 내용
위기관리 매뉴얼	재난관리책임기관의 장	-
위기관리 표준매뉴얼	재난관리주관기관의 장	· 국가적 차원에서 관리가 필요한 재난에 대하여 재난관리 체계와 관계 기관의 임무와 역할을 규정한 문서로 위기대응 실무매뉴얼의 작성기준이 된다. · 다만, 다수의 재난관리주관기관이 관련되는 재난에 대해서는 관계 재난관리주관기관의 장과 협의하여 행정안전부장관이 위기관리 표준매뉴얼을 작성할 수 있다.
위기대응 실무매뉴얼	재난관리주관기관의 장과 관계 기관의 장	· 위기관리 표준매뉴얼에서 규정하는 기능과 역할에 따라 실제 재난대응에 필요한 조치사항 및 절차를 규정한 문서이다. · 이 경우 재난관리주관기관의 장은 위기대응 실무매뉴얼과 위기관리 표준매뉴얼을 통합하여 작성할 수 있다.
현장조치 행동매뉴얼	위기대응 실무매뉴얼을 작성한 기관의 장이 지정한 기관의 장	· 재난현장에서 임무를 직접 수행하는 기관의 행동조치 절차를 구체적으로 수록한 문서이다. · 다만, 시장·군수·구청장은 재난 유형별 현장조치 행동매뉴얼을 통합하여 작성할 수 있다(현장조치 행동매뉴얼 작성 기관의 장이 다른 법령에 따라 작성한 계획·매뉴얼 등에 재난유형별 현장조치 행동매뉴얼에 포함될 사항이 모두 포함되어 있는 경우 해당 재난유형에 대해서는 현장조치 행동매뉴얼이 작성된 것으로 본다).

1. 기능별 재난대응 활동계획의 작성 · 활용, 위기관리 매뉴얼 작성 · 운용을 하는 사람은 재난관리책임기관의 장이다.
2. 위기관리 매뉴얼 분류(재난관리책임기관의 장)
   ① 위기관리 표준매뉴얼: 재난관리주관기관의 장
   ② 위기대응 실무매뉴얼: 재난관리주관기관의 장과 관계기관의 장
   ③ 현장조치 행동매뉴얼: 위기대응 실무매뉴얼을 작성한 기관의 장이 지정한 기관의 장

(2) 위기관리 매뉴얼에 관한 보고 사항

① 행정안전부장관은 재난유형별 위기관리 매뉴얼의 작성 및 운용기준을 정하여 재난관리책임기관의 장에게 통보할 수 있다.

② 재난관리주관기관의 장이 작성한 위기관리 표준매뉴얼은 행정안전부장관의 승인을 받아 이를 확정하고, 위기대응 실무매뉴얼과 연계하여 운용하여야 한다.

③ 재난관리주관기관의 장은 위기관리 표준매뉴얼 및 위기대응 실무매뉴얼을 정기적으로 점검하고 그 결과를 행정안전부장관에게 통보하여야 한다. 이 경우 매뉴얼의 점검을 위하여 필요한 때에는 관계 전문가의 의견을 들을 수 있다.

④ 행정안전부장관은 재난유형별 위기관리 매뉴얼의 표준화 및 실효성 제고를 위하여 대통령령으로 정하는 위기관리 매뉴얼 협의회를 구성 · 운영할 수 있다.

⑤ 재난관리주관기관의 장은 소관 분야 재난유형의 위기대응 실무매뉴얼 및 현장조치 행동매뉴얼을 조정 · 승인하고 지도 · 관리를 하여야 하며, 소관분야 위기관리 매뉴얼을 새로이 작성하거나 변경한 때에는 이를 행정안전부장관에게 통보하여야 한다.

⑥ 시장 · 군수 · 구청장이 작성한 현장조치 행동매뉴얼에 대하여는 시 · 도지사의 승인을 받아야 한다. 시 · 도지사는 현장조치 행동매뉴얼을 승인하는 때에는 재난관리주관기관의 장이 작성한 위기대응 실무매뉴얼과 연계되도록 하여야 하며, 승인 결과를 재난관리주관기관의 장 및 행정안전부장관에게 보고하여야 한다.

⑦ 행정안전부장관은 위기관리 매뉴얼의 체계적인 운용을 위하여 관리시스템을 구축 · 운영할 수 있으며, 위기관리 매뉴얼의 작성 · 운용 등 필요한 사항은 대통령령으로 정한다.

⑧ 행정안전부장관은 재난관리업무를 효율적으로 하기 위하여 대통령령으로 정하는 바에 따라 위기관리에 필요한 표준화된 매뉴얼을 연구 · 개발하여 보급할 수 있다.

⑨ 행정안전부장관은 위기관리 매뉴얼의 작성 · 운용 실태를 반기별로 점검하여야 하며, 필요한 경우 수시로 점검할 수 있고, 그 결과에 따라 이를 시정 또는 보완하기 위하여 위기관리 매뉴얼을 작성 · 운용하는 기관의 장에게 필요한 조치를 하도록 권고할 수 있다. 이 경우 권고를 받은 기관의 장은 특별한 사유가 없으면 이에 따라야 한다.

(3) 위기관리 매뉴얼 협의회의 구성 · 운용

① **구성**: 위기관리 매뉴얼 협의회는 위원장 1명을 포함하여 200명 이내의 위원으로 구성한다.

② 심의 사항
　　㉠ 위기관리 표준매뉴얼 및 위기대응 실무매뉴얼의 검토에 관한 사항
　　㉡ 위기관리 매뉴얼의 작성방법 및 운용기준 등에 관한 사항
　　㉢ 위기관리 매뉴얼의 개선에 관한 사항
　　㉣ 그 밖에 행정안전부장관이 위기관리 매뉴얼의 표준화 및 실효성 제고를 위하여 필요하다고 인정하는 사항

영철쌤 tip

심의사항 중 현장조치행동매뉴얼의 검토에 관한 사항은 없다.

용어사전

❶ 다중이용시설: 많은 사람들이 사용하는 시설을 말한다.
예 지하 역사와 지하도 상가, 여객 자동차 터미널의 대합실, 공항의 여객 터미널, 항만의 대합실, 도서관, 박물관 및 미술관, 의료 기관, 실내 주차장, 철도 역사의 대합실 등 불특정 다수의 사람들이 이용하는 시설과 아파트 및 연립 주택으로서 대통령령이 정하는 규모 이상의 공동 주택

6 다중이용시설 등의 위기상황 매뉴얼 작성 · 관리 · 훈련

(1) 다중이용시설❶ 등의 위기상황 매뉴얼 작성 · 관리 대상

대통령령으로 정하는 다중이용시설 등의 소유자 · 관리자 또는 점유자란 다음의 어느 하나에 해당하는 건축물 또는 시설의 관계인(다중이용시설 등 관계인)을 말하며, 이때 해당 건축물 또는 시설은 다중이용시설 등의 위기상황 매뉴얼 작성 · 관리 대상이 된다.
① 다중이용 건축물
② 다중이용 건축물에 준하는 건축물 또는 시설로서 행정안전부장관이 위기상황 매뉴얼의 작성 · 관리가 필요하다고 인정하여 고시하는 건축물 또는 시설

(2) 다중이용시설 등의 위기상황 매뉴얼 작성 · 관리 및 포함 사항

① 다중이용시설 등의 소유자 · 관리자 또는 점유자는 위기상황 매뉴얼을 작성 · 관리하여야 한다.
② 다중이용시설 등의 관계인이 작성 · 관리하여야 하는 위기상황 매뉴얼 포함 사항
　　㉠ 위기상황 대응조직의 체계
　　㉡ 위기상황 발생 시 구성원의 역할에 관한 사항
　　㉢ 위기상황별 · 단계별 대처방법에 관한 사항
　　㉣ 응급조치 및 피해복구에 관한 사항
　　㉤ 그 밖에 행정안전부장관이 위기상황의 효율적인 극복을 위하여 필요하다고 인정하여 고시하는 사항

(3) 다중이용시설 등의 위기상황 매뉴얼 훈련

① 소유자 · 관리자 또는 점유자는 위기상황 매뉴얼에 따른 훈련을 주기적으로 실시하여야 한다.
② 위기상황 매뉴얼을 작성 · 관리하는 관계인은 매년 1회 이상 위기상황 매뉴얼에 따른 훈련을 실시하여야 한다.
③ 행정안전부장관, 관계 중앙행정기관의 장 또는 지방자치단체의 장은 위기상황 매뉴얼(위기상황에 대비한 대응계획 등을 포함한다)의 작성 · 관리 및 훈련 실태를 점검하고 필요한 경우에는 개선명령을 할 수 있다.

④ 위기상황 매뉴얼을 작성·관리하는 관계인은 훈련 결과를 반영하여 위기상황 매뉴얼이 실제 위기상황에서 무리 없이 작동하도록 지속적으로 보완·발전시켜야 한다.

7 안전기준의 등록 및 심의 등

(1) 행정안전부장관은 안전기준을 체계적으로 관리·운용하기 위하여 안전기준을 통합적으로 관리할 수 있는 체계를 갖추어야 한다.

(2) 중앙행정기관의 장은 관계 법률에서 정하는 바에 따라 안전기준을 신설 또는 변경하는 때에는 행정안전부장관에게 안전기준의 등록을 요청하여야 한다.

(3) 행정안전부장관은 (2)에 따라 안전기준의 등록을 요청받은 때에는 안전기준심의회의 심의를 거쳐 이를 확정한 후 관계 중앙행정기관의 장에게 통보하여야 한다.

(4) 중앙행정기관의 장이 신설 또는 변경하는 안전기준은 제34조의3에 따른 국가재난관리기준에 어긋나지 아니하여야 한다.

(5) 안전기준의 등록 방법 및 절차와 안전기준심의회 구성 및 운영에 관하여는 대통령령으로 정한다.

8 재난안전통신망의 구축·운영

(1) 행정안전부장관은 체계적인 재난관리를 위하여 재난안전통신망을 구축·운영하여야 하며, 재난관리책임기관·긴급구조기관 및 긴급구조지원기관(이하 '재난관련기관'이라 한다)은 재난관리에 재난안전통신망을 사용하여야 한다.

(2) 재난안전통신망의 운영·사용 등에 필요한 사항은 다른 법률로 정한다.

> 📖 **핵심정리** **재난안전통신망**
> --
> 1. **재난안전통신망 구축·운영자:** 행정안전부장관
> 2. **재난안전통신망 사용자:** 재난관리책임기관, 긴급구조기관, 긴급구조지원기관

 영철쌤 tip

재난안전통신망
1. 통신망이 해당한다.
2. 구축·운영자: 행정안전부장관

긴급통신수단
1. 유선, 무선, 위성통신망이 해당한다.
2. 마련하는 자: 재난관리책임기관의 장

9   재난대비훈련 기본계획 수립

(1) 행정안전부장관은 매년 재난대비훈련 기본계획을 수립하고 재난관리책임기관의 장에게 통보하여야 한다.

(2) 재난관리책임기관의 장은 (1)의 재난대비훈련 기본계획에 따라 소관분야별로 자체계획을 수립하여야 한다.

(3) 행정안전부장관은 (1)에 따라 수립한 재난대비훈련 기본계획을 국회 소관상임위원회에 보고하여야 한다.

> **참고** **재난대비훈련 기본계획**
>
> 행정안전부장관은 법 제34조의9 제1항에 따라 재난대비훈련 기본계획을 수립하는 경우에는 다음 사항을 포함하여야 한다.
> 1. 재난대비훈련 목표
> 2. 재난대비훈련 유형 선정기준 및 훈련프로그램
> 3. 재난대비훈련 기획, 설계 및 실시에 관한 사항
> 4. 재난대비훈련 평가 및 평가결과에 따른 교육·재훈련의 실시 등에 관한 사항
> 5. 그 밖에 재난대비훈련의 실시를 위하여 행정안전부장관이 필요하다고 인정하여 정하는 사항

10   재난대비훈련 실시

(1) 훈련주관기관 및 장
   ① **행정안전부**: 행정안전부장관
   ② **중앙행정기관**: 중앙행정기관의 장
   ③ **시·도**: 시·도지사
   ④ **시·군·구**: 시장·군수·구청장
   ⑤ **긴급구조기관**: 긴급구조기관의 장

(2) 훈련참여기관
   ① 재난관리책임기관
   ② 긴급구조지원기관
   ③ 군부대 등 관련 기관
   즉, 행정안전부장관, 중앙행정기관의 장, 시·도지사, 시장·군수·구청장 및 긴급구조기관(이하 이 조에서 '훈련주관기관'이라 한다)의 장은 대통령령으로 정하는 바에 따라 매년 정기적으로 또는 수시로 재난관리책임기관, 긴급구조지원기관 및 군부대 등 관계 기관(이하 이 조에서 '훈련참여기관'이라 한다)과 합동으로 재난

영철쌤 tip

긴급구조기관의 장
1. 소방청장, 소방본부장, 소방서장이다.
2. 해양경찰청장, 지방해양경찰청장, 해양경찰서장이다.

대비훈련(제34조의5에 따른 위기관리 매뉴얼의 숙달훈련을 포함한다)을 실시하여야 한다.

(3) 재난대비훈련실시 사항

① 훈련주관기관의 장은 대통령령으로 정하는 바에 따라 매년 정기적으로 또는 수시로 훈련참여기관과 합동으로 재난대비훈련을 실시하여야 한다.

② 훈련주관기관의 장은 재난대비훈련을 실시하려면 재난대비훈련계획을 수립하여 훈련참여기관의 장에게 통보하여야 한다.

③ 훈련참여기관의 장은 재난대비훈련을 실시하면 훈련상황을 점검하고, 그 결과를 대통령령으로 정하는 바에 따라 훈련주관기관의 장에게 제출하여야 한다.

④ 훈련주관기관의 장은 대통령령으로 정하는 바에 따라 다음의 조치를 하여야 한다.

    ㉠ 훈련참여기관의 훈련과정 및 훈련 결과에 대한 점검·평가

    ㉡ 훈련참여기관의 장에게 훈련과정에서 나타난 미비사항이나 개선·보완이 필요한 사항에 대한 보완조치 요구

    ㉢ 훈련과정에서 나타난 위기관리 매뉴얼의 미비점에 대한 개선·보완 및 개선·보완조치 요구

⑤ 재난대비훈련의 효율적인 추진을 위한 절차·방법 등에 필요한 사항은 대통령령으로 정한다.

⑥ 훈련주관기관의 장은 관계 기관과 합동으로 참여하는 재난대비훈련을 각각 소관 분야별로 주관하여 연 1회 이상 실시하여야 한다. 훈련참여기관의 장은 재난대비훈련 실시 후 10일 이내에 그 결과를 훈련주관기관의 장에게 제출하여야 한다.

⑦ 재난대비훈련에 참여하는 기관은 자체 훈련을 수시로 실시할 수 있다.

⑧ 훈련주관기관의 장은 재난대비훈련을 실시하는 경우에는 훈련일 15일 전까지 훈련일시, 훈련장소, 훈련내용, 훈련방법, 훈련참여 인력 및 장비, 그 밖에 훈련에 필요한 사항을 재난관리책임기관, 긴급구조지원기관 및 군부대 등 관계 기관(이하 '훈련참여기관'이라 한다)의 장에게 통보하여야 한다.

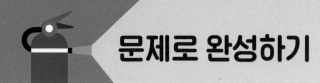

01 「재난 및 안전관리 기본법」에서 말하는 재난의 대비와 관련이 없는 것은?

① 재난관리자원의 관리

② 재난현장 긴급통신수단의 마련

③ 재난예보·경보체계 구축·운영

④ 국가재난관리기준의 제정·운영

02 「재난 및 안전관리 기본법」상 재난의 대비에 포함되어야 할 내용으로 옳은 것만을 [보기]에서 있는 대로 고른 것은?

23. 소방간부

─────── [보기] ───────

ㄱ. 국가핵심기반의 지정

ㄴ. 재난안전분야 종사자 교육

ㄷ. 지방자치단체에 대한 지원

ㄹ. 재난현장 긴급통신수단의 마련

ㅁ. 재난분야 위기관리 매뉴얼 작성·운용

① ㄱ, ㄴ

② ㄴ, ㄷ

③ ㄷ, ㄹ

④ ㄹ, ㅁ

⑤ ㄱ, ㄹ, ㅁ

03 국가재난관리기준의 제정·운용권자는?

① 국무총리

② 행정안전부장관

③ 시·도지사

④ 중앙행정기관의 장

04 「재난 및 안전관리 기본법」상 재난관리에 대한 내용으로 옳은 것은?

20. 공채·경채

① 예방: 재난 발생을 사전에 방지하기 위하여 매년 재난대비훈련계획을 수립하고, 관계 기관과 합동으로 재난 대비훈련을 실시한다.

② 대비: 재난을 효율적으로 관리하기 위하여 재난유형에 따라 위기관리 매뉴얼을 작성·운용한다.

③ 대응: 재난 피해지역을 재해 이전 상태로 회복시키기 위하여 피해상황을 조사하고, 자체복구계획을 수립·시행한다.

④ 복구: 재난의 수습활동을 효율적으로 하기 위하여 재난관리자원의 비축·관리 및 긴급통신수단을 마련한다.

05 재난을 효율적으로 관리하기 위하여 재난유형에 따른 위기관리 매뉴얼의 작성·운용권자는?

① 재난관리책임기관의 장   ② 행정안전부장관

③ 시·도지사   ④ 재난관리주관기관의 장

06 재난관리주관기관의 장과 관계 기관의 장이 작성하는 매뉴얼은?

① 위기관리 표준매뉴얼   ② 위기대응 실무매뉴얼

③ 현장조치 행동매뉴얼   ④ 시민고객 행동매뉴얼

정답 및 해설

01 재난의 대비
· 재난관리자원의 관리
· 재난관리자원공동활용시스템
· 재난현장 긴급통신수단의 마련
· 국가재난관리기준의 제정·운용
· 재난분야 위기관리 매뉴얼 작성·운영
· 재난대비훈련

02 재난관리
ㄱ. 국가핵심기반의 지정 – 예방
ㄴ. 재난안전분야 종사자 교육 – 예방
ㄷ. 지방자치단체에 대한 지원 – 예방
ㄹ. 재난현장 긴급통신수단의 마련 – 대비
ㅁ. 재난분야 위기관리 매뉴얼 작성·운용 – 대비

03 국가재난관리기준의 제정·운용 등
행정안전부장관은 재난관리를 효율적으로 수행하기 위하여 다음의 사항이 포함된 국가재난관리기준을 제정하여 운용하여야 한다.
· 재난분야 용어정의 및 표준체계 정립
· 국가재난 대응체계에 대한 원칙
· 재난경감·상황관리·자원관리·유지관리 등에 관한 일반적 기준
· 그 밖의 대통령령으로 정하는 사항

04 재난관리

대비	· 재난 발생을 사전에 방지하기 위하여 매년 재난대비훈련계획을 수립하고, 관계 기관과 합동으로 재난대비훈련을 실시한다. · 재난을 효율적으로 관리하기 위하여 재난유형에 따라 위기관리 매뉴얼을 작성·운용한다. · 재난의 수습활동을 효율적으로 하기 위하여 재난관리자원의 비축·관리 및 긴급통신수단을 마련한다.
복구	재난 피해지역을 재해 이전 상태로 회복시키기 위하여 피해상황을 조사하고, 자체복구계획을 수립·시행한다.

05 재난분야 위기관리 매뉴얼의 작성·운용
재난관리책임기관의 장은 재난을 효율적으로 관리하기 위하여 재난유형에 따라 위기관리 매뉴얼을 작성·운용하여야 한다. 이 경우 재난대응활동계획과 위기관리 매뉴얼이 서로 연계되도록 하여야 한다.

06 위기대응 실무매뉴얼
위기관리 표준매뉴얼에서 규정하는 기능과 역할에 따라 실제 재난대응에 필요한 조치사항 및 절차를 규정한 문서로 재난관리주관기관의 장과 관계 기관의 장이 작성한다. 이 경우 재난관리주관기관의 장은 위기대응 실무매뉴얼과 위기관리 표준매뉴얼을 통합하여 작성할 수 있다.

정답 01 ③ **02** ④ **03** ② **04** ② **05** ① **06** ②

07 「재난 및 안전관리 기본법」상 재난관리책임기관의 장은 재난을 효율적으로 관리하기 위하여 재난유형에 따라 위기관리 매뉴얼을 작성·운용하여야 한다. (   ) 안에 들어갈 내용으로 옳은 것은? 21. 소방간부

(ㄱ)은 국가적 차원에서 관리가 필요한 재난에 대하여 재난관리 체계와 관계 기관의 임무와 역할을 규정한 문서이고, (ㄴ)은 재난현장에서 임무를 직접 수행하는 기관의 행동조치 절차를 구체적으로 수록한 문서이다.

	ㄱ	ㄴ		ㄱ	ㄴ
①	위기관리 표준매뉴얼	위기대응 실무매뉴얼	②	위기관리 표준매뉴얼	현장조치 행동매뉴얼
③	위기대응 실무매뉴얼	현장조치 행동매뉴얼	④	위기대응 실무매뉴얼	위기관리 표준매뉴얼
⑤	현장조치 행동매뉴얼	위기관리 표준매뉴얼			

08 재난대비훈련주관기관의 장이 아닌 사람은?

① 행정안전부장관　　　　　　　　　　② 중앙행정기관의 장

③ 국무총리　　　　　　　　　　　　　④ 시장·군수·구청장

09 「재난 및 안전관리 기본법」상 재난현장에서 임무를 직접 수행하는 기관의 행동조치 절차를 구체적으로 수록한 문서는? 22. 공채·경채

① 재난대응 활동계획　　　　　　　　　② 현장조치 행동매뉴얼

③ 위기대응 실무매뉴얼　　　　　　　　④ 위기관리 표준매뉴얼

10 「재난 및 안전관리 기본법」상 재난관리 대비단계의 관리사항을 있는 대로 모두 고른 것은? 22. 공채·경채

> ㄱ. 국가재난관리기준의 제정·운용
> ㄴ. 재난 예보·경보체계 구축·운영
> ㄷ. 재난안전분야 종사자 교육
> ㄹ. 재난안전통신망의 구축·운영

① ㄱ, ㄴ

② ㄱ, ㄹ

③ ㄱ, ㄴ, ㄹ

④ ㄴ, ㄷ, ㄹ

정답 및 해설

07 위기관리 매뉴얼

- 위기관리 표준매뉴얼: 국가적 차원에서 관리가 필요한 재난에 대하여 재난관리 체계와 관계 기관의 임무와 역할을 규정한 문서로 위기대응 실무매뉴얼의 작성기준이 된다. 다만, 다수의 재난관리주관기관이 관련되는 재난에 대해서는 관계 재난관리주관기관의 장과 협의하여 행정안전부장관이 위기관리 표준매뉴얼을 작성할 수 있다.
- 현장조치 행동매뉴얼: 재난현장에서 임무를 직접 수행하는 기관의 행동조치 절차를 구체적으로 수록한 문서이다. 다만, 시장·군수·구청장은 재난 유형별 현장조치 행동매뉴얼을 통합하여 작성할 수 있다(현장조치 행동매뉴얼 작성 기관의 장이 다른 법령에 따라 작성한 계획·매뉴얼 등에 재난유형별 현장조치 행동매뉴얼에 포함될 사항이 모두 포함되어 있는 경우, 해당 재난유형에 대해서는 현장조치 행동매뉴얼이 작성된 것으로 본다).

08 재난대비훈련주관기관의 장

행정안전부장관, 중앙행정기관의 장, 시·도지사, 시장·군수·구청장 및 긴급구조기관의 장은 대통령령으로 정하는 바에 따라 매년 정기적으로 또는 수시로 재난관리책임기관, 긴급구조지원기관 및 군부대 등 관계 기관과 합동으로 재난대비훈련(제34조의5에 따른 위기관리 매뉴얼의 숙달 훈련을 포함한다)을 실시하여야 한다.

09 위기관리 매뉴얼

구분	작성·운용자	위기관리 매뉴얼 내용
위기관리 매뉴얼	재난관리책임기관의 장	-
위기관리 표준 매뉴얼	재난관리주관기관의 장	국가적 차원에서 관리가 필요한 재난에 대하여 재난관리 체계와 관계 기관의 임무와 역할을 규정한 문서
위기대응 실무 매뉴얼	재난관리주관기관의 장과 관계기관의 장	위기관리 표준매뉴얼에서 규정하는 기능과 역할에 따라 실제 재난대응에 필요한 조치사항 및 절차를 규정한 문서
현장조치 행동 매뉴얼	위기대응 실무매뉴얼을 작성한 기관의 장이 지정한 기관의 장	재난현장에서 임무를 직접 수행하는 기관의 행동조치 절차를 구체적으로 수록한 문서

10 재난 대비 활동내역

ㄴ. 재난 예보·경보체계 구축·운영은 재난대응 활동내역에 해당한다.

ㄷ. 재난안전분야 종사자 교육은 재난 예방 활동내역에 해당한다.

> **■ 재난 대비 활동내역**
> 1. 재난관리자원의 관리(재난관리자원공동활용시스템 포함)
> 2. 재난현장 긴급통신수단의 마련
> 3. 국가재난관리기준의 제정·운영 등
> 4. 기능별 재난대응 활동계획의 작성·활용
> 5. 재난분야 위기관리 매뉴얼 작성·운용(위기관리 표준매뉴얼, 위기대응 실무매뉴얼, 현장조치 행동매뉴얼)
> 6. 다중이용업소 등의 위기상황 매뉴얼 작성·관리·훈련
> 7. 재난안전통신망의 구축
> 8. 재난대비훈련실시(훈련주관기관, 훈련참여기관)

정답 **07** ② **08** ③ **09** ② **10** ②

CHAPTER 7 재난의 대응

■ 대응에 관한 활동내역

응급조치 등에 대한 활동내역	긴급구조 등에 대한 활동내역
1. 재난사태선포 2. 응급조치 3. 위기경보발령 등 4. 재난 예보·경보체계 구축·운영 5. 동원명령 등 6. 대피명령 7. 위험구역의 설정 8. 강제대피조치 9. 통행제한 등 10. 응원요청 11. 응급부담 12. 시·도지사가 실시하는 응급조치 등 13. 재난관리책임기관의 장의 응급조치 14. 지역통제단장의 응급조치 등	1. 긴급구조 　(긴급구조기관, 긴급구조지원기관) 2. 긴급구조통제단 운영(중앙·지역) 3. 긴급구조지휘대 운영 4. 통제선 설치 5. 긴급대응협력관 지정·운영 6. 현장지휘소 7. 긴급구조활동에 대한 평가 8. 긴급구조대응계획의 수립·시행(기본 　계획, 기능별 긴급구조대응계획, 재난 　유형별 긴급구조대응계획) 9. 긴급구조에 관한 교육 10. 긴급구조지휘대의 구성 및 기능 11. 긴급구조관련 특수번호 전화서비스 　의 통합·연계 12. 재난대비능력보강 13. 현장응급의료소 14. 해상에서의 긴급구조 15. 항공기 등 조난사고 시의 긴급구조 등

---

1   응급조치 등

1. 재난사태선포

(1) 재난사태선포

① 대통령령으로 정하는 재난
　㉠ 재난 중 극심한 인명 또는 재산의 피해가 발생하거나 발생할 것으로 예상
　　되어 시·도지사가 중앙대책본부장에게 재난사태의 선포를 건의하는 재난
　㉡ 중앙대책본부장이 재난사태의 선포가 필요하다고 인정하는 재난(「노동조
　　합 및 노동관계조정법」 제4장에 따른 쟁의행위로 인한 국가핵심기반의 일
　　시 정지는 제외한다)

② **재난사태선포 등:** 행정안전부장관은 대통령령으로 정하는 재난이 발생하거나 발생할 우려가 있는 경우 사람의 생명·신체 및 재산에 미치는 중대한 영향이나 피해를 줄이기 위하여 긴급한 조치가 필요하다고 인정하면 **중앙위원회의 심의**를 거쳐 재난사태를 선포할 수 있다. 다만, **행정안전부장관**은 재난상황이 긴급하여 **중앙위원회의 심의**를 거칠 시간적 여유가 없다고 인정하는 경우에는 **중앙위원회의 심의**를 거치지 아니하고 재난사태를 선포할 수 있다. 행정안전부장관은 선 선포에 따른 재난사태를 선포한 경우에는 지체 없이 중앙위원회의 승인을 받아야 하고, 승인을 받지 못하면 선포된 재난사태를 즉시 해제하여야 한다.

③ ②에 불구하고 시·도지사는 관할 구역에서 재난이 발생하거나 발생할 우려가 있는 등 대통령령으로 정하는 경우 사람의 생명·신체 및 재산에 미치는 중대한 영향이나 피해를 줄이기 위하여 긴급한 조치가 필요하다고 인정하면 시·도위원회의 심의를 거쳐 재난사태를 선포할 수 있다. 이 경우 시·도지사는 지체 없이 그 사실을 **행정안전부장관에게 통보**하여야 한다.

④ ③에 따른 재난사태 선포에 대한 시·도위원회 심의의 생략 및 승인 등에 관하여는 ②을 준용한다. 이 경우 "행정안전부장관"은 "시·도지사"로, "중앙위원회"는 "시·도위원회"로 본다.

⑤ **재난사태 해제:** 행정안전부장관 또는 시·도지사는 재난으로 인한 위험이 해소되었다고 인정하는 경우 또는 재난이 추가적으로 발생할 우려가 없어진 경우에는 선포된 재난사태를 즉시 해제하여야 한다.

(2) 재난사태 선포권자 및 해제권자
행정안전부장관

(3) 재난사태지역 조치권자
행정안전부장관(중앙대책본부장) 및 지방자치단체의 장(시·도지사, 시장·군수·구청장)

(4) 재난사태 심의·승인
중앙안전관리위원회

(5) 재난사태지역 조치사항
① 재난경보의 발령, 재난관리자원의 동원, 위험구역 설정, 대피명령, 응급지원 등 법에 따른 응급조치
② 해당 지역에 소재하는 행정기관 소속공무원의 **비상소집**
③ 해당 지역에 대한 여행 등 이동 자제 **권고**
④ 휴업명령 및 휴원·휴교 처분의 **요청**
⑤ 그 밖에 재난예방에 필요한 조치

재난사태선포
1. 선포권자, 해제권자는 행정안전부장관(중앙대책본부장)이다.
2. 심의, 승인권자는 중앙위원회이다.
3. 조치권자는 행정안전부장관(중앙대책본부장), 지방자치단체의 장(시·도지사, 시장·군수·구청장)이다.

시·도지사의 재난산태 선포
시·도위원회 심의 → 시·도지사 선포 → 행정안전부장관 통보

재난사태지역 조치사항
③은 금지가 아니라 '권고'이고,
④는 권고가 아니라 '요청'이고,
⑤는 재난대응이 아니라 '재난예방'임을 주의하여야 한다.

용어사전

❶ 수방: 둑을 쌓는 방법 등으로 홍수로 인한
재해를 막는 것을 말한다.

❷ 구조: 사람을 구하는 일을 말한다.

❸ 구난: 조난당한 배나 화물을 건지는 일을
말한다.

2. 응급조치

(1) 응급조치

재난이 발생할 우려가 있거나 재난이 발생하였을 때에는 즉시 관계 법령이나 재난대응 활동계획 및 위기관리 매뉴얼에서 정하는 바에 따라 수방❶·진화·구조❷ 및 구난❸, 그 밖에 재난 발생을 예방하거나 피해를 줄이기 위하여 응급조치를 하여야 한다.

(2) 응급조치권자

① 지역통제단장
ㄱ 시·도긴급구조통제단: 소방본부장
ㄴ 시·군·구긴급구조통제단의 단장: 소방서장
② 시장·군수·구청장

(3) 시장·군수·구청장의 응급조치사항

① 경보의 발령 또는 전달이나 피난의 권고 또는 지시
② 제31조에 따른 (긴급)안전조치
③ 진화·수방·지진방재, 그 밖의 응급조치와 구호
④ 피해시설의 응급복구 및 방역과 방범, 그 밖의 질서 유지
⑤ 긴급수송 및 구조 수단의 확보
⑥ 급수 수단의 확보, 긴급피난처 및 구호품 등 재난관리자원의 확보
⑦ 현장지휘통신체계의 확보
⑧ 그 밖에 재난 발생을 예방하거나 줄이기 위하여 필요한 사항으로서 대통령령으로 정하는 사항

(4) 시장·군수·구청장 및 지역통제단장의 응급조치사항

① 진화
② 긴급수송 및 구조 수단의 확보
③ 현장지휘통신체계의 확보

3. 위기경보발령 등

(1) 대통령령으로 정하는 재난

① 자연재난 및 사회재난
② 그 밖에 인명 또는 재산의 피해 정도가 매우 크고 그 영향이 광범위할 것으로 예상되어 중앙대책본부장, 지역대책본부장 또는 수습본부장이 재난 예보·경보의 발령이 필요하다고 인정하는 재난

(2) 위기경보의 발령 및 해제권자

재난관리주관기관의 장은 대통령령으로 정하는 재난에 대한 징후를 식별하거나 재난 발생이 예상되는 경우에는 그 위험 수준, 발생 가능성 등을 판단하여 그에 부합되는 조치를 할 수 있도록 위기경보를 발령할 수 있다. 다만, 국가적 차원에서 관리가 필요한 재난상황인 경우에는 행정안전부장관이 위기경보를 발령할 수 있다.

영철쌤 tip

지역통제단장은 소방본부장, 소방서장이 해당한다.

지역통제단장도 할 수 있는 응급조치사항
1. 진화
2. 긴급수송 및 구조 수단의 확보
3. 현장지휘통신체계의 확보

(3) 위기경보의 구분(재난 상황의 심각성에 따른 구분)

관심(Blue)	징후가 있으나 그 활동수준이 낮으며 가까운 기간 내에 국가위기로 발전할 가능성도 비교적 낮은 상태
주의 (Yellow)	징후활동이 비교적 활발하고 국가위기로 발전할 수 있는 일정 수준의 경향성이 나타나는 상태
경계 (Orange)	징후활동이 매우 활발하고 전개속도, 경향성 등이 현저한 수준으로서 국가위기로의 발전 가능성이 농후한 상태
심각(Red)	징후활동이 매우 활발하고 전개속도, 경향성 등이 심각한 수준으로서 위기 발생이 확실시 되는 상태

(4) 위기경보의 발령 등

① 재난관리주관기관의 장은 심각경보를 발령 또는 해제할 경우에는 행정안전부장관과 사전에 협의하여야 한다. 다만, 긴급한 경우에 재난관리주관기관의 장은 우선 조치한 후 지체 없이 행정안전부장관과 협의하여야 한다.

② 재난관리책임기관의 장은 위기경보가 신속하게 발령될 수 있도록 재난과 관련한 위험정보를 얻으면 즉시 행정안전부장관, 재난관리주관기관의 장, 시·도지사 및 시장·군수·구청장에게 통보하여야 한다.

목적	대통령령으로 정하는 재난에 대한 징후를 식별하거나 재난 발생이 예상되는 경우에는 그 위험수준, 발생 가능성 등을 판단하여 그에 부합되는 조치의 실행
발령권자	재난관리주관기관의 장
구분	관심 → 주의 → 경계 → 심각

4. 재난 예보·경보체계 구축·운영 등

(1) 재난관리책임기관의 장은 사람의 생명·신체 및 재산에 대한 피해가 예상되면 그 피해를 예방하거나 줄이기 위하여 재난에 관한 예보 또는 경보 체계를 구축·운영할 수 있다.

(2) 재난관리책임기관의 장은 재난에 관한 예보 또는 경보가 신속하게 실시될 수 있도록 재난과 관련한 위험정보를 얻으면 즉시 행정안전부장관, 재난관리주관기관의 장, 시·도지사 및 시장·군수·구청장에게 통보하여야 한다.

(3) 행정안전부장관, 시·도지사 또는 시장·군수·구청장은 재난에 관한 예보·경보·통지나 응급조치를 실시하기 위하여 필요하면 다음 각 호의 조치를 요청할 수 있다. 다만, 다른 법령에 특별한 규정이 있을 때에는 그러하지 아니하다.

① 전기통신시설의 소유자 또는 관리자에 대한 전기통신시설의 우선 사용

② 「전기통신사업법」 제2조 제8호에 따른 전기통신사업자 중 대통령령으로 정하는 주요 전기통신사업자에 대한 필요한 정보의 문자나 음성 송신 또는 인터넷 홈페이지 게시

③ 「방송법」 제2조 제3호에 따른 방송사업자에 대한 필요한 정보의 신속한 방송

 영철쌤 tip

아프리카 돼지열병(2019년)
경계에서 심각으로 격상하였다.
→ 재난관리주관기관인 농림축산식품부 장관이 위경경보발령한다.

코로나 바이러스19(2019년)
경계에서 심각으로 격상하였다.
→ 재난관리주관기관인 보건복지부 장관이 위경경보발령한다(현시점에서는 질병관리청장).

④ 「신문 등의 진흥에 관한 법률」 제2조 제3호 및 제4호에 따른 신문사업자 및 인터넷신문사업자 중 대통령령으로 정하는 주요 신문사업자 및 인터넷신문사업자에 대한 필요한 정보의 게재

⑤ 「옥외광고물 등의 관리와 옥외광고산업 진흥에 관한 법률」 제2조 제1호에 따른 디지털광고물의 관리자에 대한 필요한 정보의 게재

(4) (3)에 따른 재난에 관한 예보·경보·통지 중 다음 각 호의 어느 하나에 해당하는 재난에 대해서는 **기상청장이 예보·경보·통지를 실시한다.** 이 경우 기상청장은 (3) 각 호의 조치를 요청할 수 있다.

① 「지진·지진해일·화산의 관측 및 경보에 관한 법률」 제2조 제1호부터 제3호까지에 따른 지진·지진해일·화산

② 대통령령으로 정하는 규모 이상의 호우 또는 태풍

③ 그 밖에 대통령령으로 정하는 자연재난

(5) (3) 및 (4)에 따른 요청을 받은 전기통신시설의 소유자 또는 관리자, 전기통신사업자, 방송사업자, 신문사업자, 인터넷신문사업자 및 디지털광고물 관리자는 정당한 사유가 없으면 요청에 따라야 한다.

(6) 전기통신사업자나 방송사업자, 휴대전화 또는 내비게이션 제조업자는 (3) 및 (4)에 따른 재난의 예보·경보 실시 사항이 사용자의 휴대전화 등의 수신기 화면에 반드시 표시될 수 있도록 소프트웨어나 기계적 장치를 갖추어야 한다.

(7) **시장·군수·구청장**은 제41조에 따른 위험구역 및 「자연재해대책법」 제12조에 따른 자연재해위험개선지구 등 재난으로 인하여 사람의 생명·신체 및 재산에 대한 피해가 예상되는 지역에 대하여 그 피해를 예방하기 위하여 **시·군·구 재난 예보·경보체계 구축 종합계획**(이하 이 조에서 "시·군·구종합계획"이라 한다)을 5년 단위로 수립하여 **시·도지사에게 제출**하여야 한다.

(8) 시·도지사는 (7)에 따른 시·군·구종합계획을 기초로 시·도 재난 예보·경보체계 구축 종합계획(이하 이 조에서 "시·도종합계획"이라 한다)을 수립하여 행정안전부장관에게 제출하여야 하며, 행정안전부장관은 필요한 경우 시·도지사에게 시·도종합계획의 보완을 요청할 수 있다.

(9) 시·도종합계획과 시·군·구종합계획에는 다음 각 호의 사항이 포함되어야 한다.
① 재난 예보·경보체계의 구축에 관한 기본방침
② 재난 예보·경보체계 구축 종합계획 수립 대상지역의 선정에 관한 사항
③ 종합적인 재난 예보·경보체계의 구축과 운영에 관한 사항
④ 그 밖에 재난으로부터 인명 피해와 재산 피해를 예방하기 위하여 필요한 사항

(10) 시·도지사와 시장·군수·구청장은 각각 시·도종합계획과 시·군·구종합계획에 대한 사업시행계획을 매년 수립하여 행정안전부장관에게 제출하여야 한다.

(11) 시·도지사와 시장·군수·구청장이 각각 시·도종합계획과 시·군·구종합계획을 변경하려는 경우에는 (7)과 (8)을 준용한다.

(12) (3) 및 (4)에 따른 요청의 절차, 시·도종합계획, 시·군·구종합계획 및 사업시행계획의 수립 등에 필요한 사항은 대통령령으로 정한다.

5. 동원명령 등

(1) 동원명령 조치권자

① 중앙대책본부장

② 시장·군수·구청장

(2) 동원명령 조치사항

① 민방위대의 동원

② 응급조치를 위하여 재난관리책임기관의 장에 대한 관계 직원의 출동 또는 재난관리 자원의 동원 등 필요한 조치의 요청

③ 동원 가능한 재난관리자원 등이 부족한 경우에는 국방부장관에 대한 군부대의 지원요청

조치권자	중앙대책본부장, 시장·군수·구청장
조치사항	· 민방위대 · 관계직원의 출동 · 군부대

6. 대피명령

(1) 대피명령 목적

재난이 발생하거나 발생할 우려가 있는 경우에 사람의 생명 또는 신체나 재산에 대한 위해를 방지하기 위하여 대피명령을 명한다.

(2) 대피명령권자

① 시장·군수·구청장

② 지역통제단장

ㄱ 시·도긴급구조통제단: 소방본부장

ㄴ 시·군·구긴급구조통제단의 단장: 소방서장

(3) 대피명령 조치사항

① 해당 지역 주민

② 그 지역 안에 있는 사람

③ 선박, 자동차 등: 이 경우 미리 대피장소를 지정할 수 있으며, 그 소유자·관리자 또는 점유자에게 대피시킬 것을 명할 수 있다. 대피명령을 받은 경우에는 즉시 명령에 따라야 한다.

목적	재난이 발생하거나 발생할 우려가 있는 경우에 사람의 생명 또는 신체나 재산에 대한 위해를 방지하기 위함
명령권자	시장·군수·구청장과 지역통제단장(대통령령으로 정하는 권한을 행사하는 경우에만 해당한다)
조치사항	· 해당 지역 주민 · 그 지역 안에 있는 사람 · 선박, 자동차(대피장소를 지정할 수 있다)

중앙대책본부장은 행정안전부장관이 해당한다.

기상청장이 예보·경보·통지
1. 지진·지진해일·화산
2. 호우 또는 태풍
3. 자연재난

통제단
1. 중앙긴급구조통제단장: 소방청장
2. 지역긴급구조통제단장: 소방본부장, 소방서장

7. 위험구역의 설정

(1) 위험구역 설정 목적

재난이 발생하거나 발생할 우려가 있는 경우에 사람의 생명 또는 신체에 대한 위해 방지나 질서의 유지를 위하여 위험구역을 설정한다.

(2) 위험구역의 설정권자

① 시장·군수·구청장
② 지역통제단장
　㉠ 시·도긴급구조통제단: 소방본부장
　㉡ 시·군·구긴급구조통제단의 단장: 소방서장

(3) 위험구역의 설정에 따른 조치사항

① 위험구역에 출입하는 행위나 그 밖의 행위의 금지 또는 제한
② 위험구역에서의 퇴거 또는 대피

(4) 위험구역 설정 요청

관계 중앙행정기관의 장은 재난이 발생하거나 발생할 우려가 있는 경우로서 사람의 생명 또는 신체에 대한 위해 방지나 질서의 유지를 위하여 필요하다고 인정되는 경우에는 시장·군수·구청장과 지역통제단장에게 위험구역의 설정을 요청할 수 있다.

목적	재난이 발생하거나 발생할 우려가 있는 경우에 사람의 생명 또는 신체에 대한 위해 방지나 질서의 유지
조치권자	시장·군수·구청장과 지역통제단장(대통령령으로 정하는 권한을 행사하는 경우에만 해당한다)
조치사항	· 위험구역에 출입하는 행위나 그 밖의 행위의 금지 또는 제한 · 위험구역에서의 퇴거 또는 대피

8. 강제대피조치

(1) 강제대피조치

대피명령을 받은 사람 또는 위험구역에서의 퇴거나 대피명령을 받은 사람이 그 명령을 이행하지 아니하여 위급하다고 판단되면 강제대피조치를 한다.

(2) 강제대피 조치권자

① 시장·군수·구청장
② 지역통제단장
　㉠ 시·도긴급구조통제단: 소방본부장
　㉡ 시·군·구긴급구조통제단의 단장: 소방서장

(3) 강제대피 조치사항

그 지역 또는 위험구역 안의 주민이나 그 안에 있는 사람을 강제로 대피 또는 퇴거시키거나 선박·자동차 등을 견인시킬 수 있다.

목적	대피명령을 받은 사람 또는 위험구역에서의 퇴거나 대피명령을 받은 사람이 그 명령을 이행하지 아니하여 위급하다고 판단될 시 조치를 취하기 위함
조치권자	시장·군수·구청장과 지역통제단장(대통령령으로 정하는 권한을 행사하는 경우에만 해당한다)
조치사항	· 그 지역 주민 또는 위험구역 안의 주민을 강제로 대피 또는 퇴거시키거나 선박·자동차 등을 견인시킬 수 있다. · 그 안에 있는 사람을 강제로 대피 또는 퇴거시키거나 선박·자동차 등을 견인시킬 수 있다.

9. 통행제한 등

(1) 통행제한 목적

응급조치에 필요한 물자를 긴급히 수송하거나 진화·구조 등을 하기 위하여 통행제한을 한다.

(2) 통행제한권자

① 시장·군수·구청장

② 지역통제단장

ㄱ **시·도긴급구조통제단**: 소방본부장

ㄴ **시·군·구긴급구조통제단의 단장**: 소방서장

(3) 통행제한 조치사항

통행제한이 필요하면 대통령령으로 정하는 바에 따라 경찰관서의 장에게 도로의 구간을 지정하여 해당 긴급수송 등을 하는 차량 외의 차량의 통행을 금지하거나 제한하도록 요청할 수 있다. 통행제한 요청을 받은 경찰관서의 장은 특별한 사유가 없으면 요청에 따라야 한다.

목적	응급조치에 필요한 물자를 긴급히 수송하거나 진화·구조 등을 하기 위함
요청권자	시장·군수·구청장과 지역통제단장(대통령령으로 정하는 권한을 행사하는 경우에만 해당한다)
조치사항	대통령령으로 정하는 바에 따라 경찰관서의 장에게 도로의 구간을 지정하여 해당 긴급수송 등을 하는 차량 외의 차량의 통행을 금지하거나 제한하도록 요청

 영철쌤 tip

통행제한 조치사항
통행을 제한하여 일반차량은 돌아가고, 긴급수송차량만 통과하며, 경찰과 협력해야 한다.

10. 응원요청

(1) 응원요청 목적

재난현장에서 응급조치를 하기 위하여 응원요청을 한다.

(2) 응원요청권자

시장·군수·구청장

(3) 응원요청 조치사항

① 다른 시·군·구나 관할 구역에 있는 군부대 및 관계 행정기관의 장에게 요청할 수 있다.

② 그 밖의 민간기관·단체의 장에게 재난관리자원의 지원 등 필요한 응원(應援)을 요청할 수 있다.

목적	응급조치를 하기 위하여 필요 시 요청
요청권자	시장·군수·구청장
조치사항	· 다른 시·군·구나 관할 구역에 있는 군부대 · 관계 행정기관의 장 · 그 밖의 민간기관·단체의 장

11. 응급부담

(1) 응급부담

그 관할 구역에서 재난이 발생하거나 발생할 우려가 있어 응급조치를 하여야 할 급박한 사정이 있으면 응급부담을 한다.

(2) 응급부담 명령권자

① 시장·군수·구청장

② 지역통제단장

　㉠ 시·도긴급구조통제단: 소방본부장

　㉡ 시·군·구긴급구조통제단의 단장: 소방서장

(3) 응급부담 명령사항

① 해당 재난현장에 있는 사람이나 인근에 거주하는 사람에게 응급조치에 종사하도록 명령한다.

② 다른 사람의 토지·건축물·인공구조물, 그 밖의 소유물을 일시 사용할 수 있으며, 장애물을 변경하거나 제거할 수 있다.

목적	그 관할 구역에서 재난이 발생하거나 발생할 우려가 있어 응급조치를 하여야 할 급박한 사정이 있을 때 실행
명령권자	시장·군수·구청장과 지역통제단장(대통령령으로 정하는 권한을 행사하는 경우에만 해당)
조치사항	· 해당 재난현장에 있는 사람이나 인근에 거주하는 사람에게 응급조치에 종사하도록 명령 · 다른 사람의 토지·건축물·인공구조물, 그 밖의 소유물을 일시 사용할 수 있으며, 장애물을 변경하거나 제거

12. 시 · 도지사가 실시하는 응급조치 등

(1) 시 · 도지사가 응급조치를 할 수 있는 경우

'대통령령으로 정하는 경우'란 인명 또는 재산의 피해 정도가 매우 크고 그 영향이 광범위하거나 광범위할 것으로 예상되어 시 · 도지사가 응급조치가 필요하다고 인정하는 경우를 말한다.

(2) 시 · 도지사가 실시 가능한 응급조치 규정

① 관할 구역에서 재난이 발생하거나 발생할 우려가 있는 경우로서 대통령령으로 정하는 경우

② 둘 이상의 시 · 군 · 구에 걸쳐 재난이 발생하거나 발생할 우려가 있는 경우

(3) 시 · 도지사는 응급조치를 하기 위하여 필요하면 응급조치를 하여야 할 시장 · 군수 · 구청장에게 필요한 지시를 하거나 다른 시 · 도지사 및 시장 · 군수 · 구청장에게 응원을 요청할 수 있다.

(4) 시 · 도지사가 실시 가능한 응급조치 등 사항

① 동원명령

② 대피명령

③ 위험구역설정

④ 강제대피조치

⑤ 통행제한

⑥ 응원요청

⑦ 응급부담

13. 재난관리책임기관의 장의 응급조치

재난관리책임기관의 장은 재난이 발생하거나 발생할 우려가 있으면 즉시 그 소관 업무에 관하여 필요한 응급조치를 하고, 이 절에 따라 시 · 도지사, 시장 · 군수 · 구청장 또는 지역통제단장이 실시하는 응급조치가 원활히 수행될 수 있도록 필요한 협조를 하여야 한다.

14. 지역통제단장의 응급조치 등

(1) 지역통제단장은 긴급구조를 위하여 필요하면 **중앙대책본부장, 시 · 도지사**(시 · 도대책본부가 운영되는 경우에는 해당 본부장을 말한다. 이하 같다) **또는 시장 · 군수 · 구청장**(시 · 군 · 구대책본부가 운영되는 경우에는 해당 본부장을 말한다. 이하 같다)에게 제37조, 제38조의2, 제39조 및 제44조에 따른 **응급대책을 요청**할 수 있고, 중앙대책본부장, 시 · 도지사 또는 시장 · 군수 · 구청장은 특별한 사유가 없으면 요청에 따라야 한다.

(2) 지역통제단장은 제37조에 따른 응급조치 및 제40조부터 제43조까지와 제45조에 따른 응급대책을 실시하였을 때에는 이를 즉시 해당 시장 · 군수 · 구청장에게 통보하여야 한다. 다만, 인명구조 및 응급조치 등 긴급한 대응이 필요한 경우에는 우선 조치한 후에 통보할 수 있다.

영철쌤 tip

시 · 도지사가 실시 가능한 응급조치 등 사항에 해당하지 않는 것
재난사태선포, 응급조치, 위기경보발령 등, 재난예보 · 경보체계구축 · 운영 등은 해당하지 않는다.

영철쌤 tip

재난대응선포권자, 발령권자, 조치권자, 명령권자, 요청권자 등
1. 재난사태선포권자는 행정안전부장관이다.
2. 위기경보발령권자는 재난관리주관기관의 장이다.
3. 동원 명령 등 조치권자는 중앙대책본부장, 시장 · 군수 · 구청장이다.
4. 응원요청권자는 시장 · 군수 · 구청장이다.
5. 그 외의 경우는 시장 · 군수 · 구청장, 지역통제단장이다.

중앙재난안전대책본부장, 재난관리주관기관의 장, 지역긴급구조통제단장 등
1. 중앙재난안전대책본부장은 행정안전부장관이다.
2. 재난관리주관기관의 장은 관계중앙행정기관의 장이다.
3. 지역긴급구조통제단장은 소방본부장, 소방서장이다.

2 긴급구조

1. 긴급구조

(1) 정의

재난이 발생할 우려가 현저하거나 재난이 발생하였을 때에 국민의 생명·신체 및 재산을 보호하기 위하여 긴급구조기관과 긴급구조지원기관이 하는 인명구조, 응급처치, 그 밖에 필요한 모든 긴급한 조치를 말한다.

(2) 긴급구조기관

① 소방청, 해양경찰청
② 소방본부, 지방해양경찰청
③ 소방서, 해양경찰서

(3) 긴급구조지원기관

긴급구조에 필요한 인력·시설 및 장비, 운영체계 등 긴급구조 능력을 보유한 기관이나 단체로서 대통령령으로 정하는 기관과 단체를 말한다.

2. 긴급구조통제단 운영

(1) 중앙긴급구조통제단

① **중앙통제단 설치 목적:** 긴급구조에 관한 사항의 총괄·조정, 긴급구조기관 및 긴급구조지원기관이 하는 긴급구조활동의 역할 분담과 지휘·통제를 위하여 소방청에 중앙긴급구조통제단(이하 '중앙통제단'이라 한다)을 둔다.

② **중앙통제단 구성**

㉠ 소속: 소방청
㉡ 단장: 소방청장
㉢ 부단장: 소방청 차장
㉣ **중앙통제단의 부서 구성:** 대응계획부, 현장지휘부, 자원지원부
㉤ **중앙통제단의 구성**(제12조 제1항 관련, 긴급구조대응활동 및 현장지휘에 관한 규칙 별표 3)

중앙통제단
긴급구조기관과 긴급구조지원기관이 재난현장에 갔을 때 우왕좌왕하지 않게 중앙통제단이 역할분담을 해준다.

긴급구조 통제단 등

긴급구조현장지휘자(지휘관)
소방청장, 소방본부장, 소방서장, 통제단장의 사전명령에 따라 현장지휘를 하는 소방관서 선착대장(119센터장) 또는 긴급구조지휘대의 장(현장대응단장)

ⓐ 중앙통제단 조직도

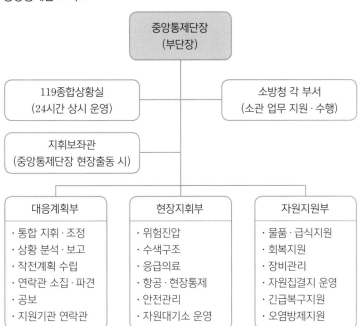

ⓑ 부서별 임무

부서별	임무	
중앙통제단장	· 긴급구조활동의 총괄 지휘 · 조정 · 통제 · 정부차원의 긴급구조대응계획의 가동	
119종합상황실	· 중앙통제단 지원기능 수행 · 긴급구조대응계획 중 기능별 긴급구조대응계획 가동지원 · 중앙재난안전대책본부 등 유관기관 등에 상황 전파 · 대응계획부(공보)와 공동으로 긴급대피, 상황 전파, 비상연락 등 실시	
소방청 각 부서	· 부서별 긴급구조대응계획 중 기능별 긴급구조대응계획 가동지원 · 각 소속 기관 · 단체에 분담된 임무연락 및 이행완료 여부 보고	
지휘보좌관	· 중앙통제단장 보좌 · 그 밖의 중앙통제단장 지원활동	
대응계획부	통합지휘 · 조정	· 긴급구조체제 및 중앙통제단 운영체계 가동 · 시 · 도 소방본부 및 권역별 긴급구조지휘대 자원의 지휘 · 조정 · 통제
	상황분석 · 보고	· 재난상황 정보 종합 분석 · 보고 · 중앙재난안전대책본부 등 유관기관 등에 상황 보고
	작전계획 수립	시 · 도긴급구조통제단 대응계획부의 작전계획 수립 · 지원

	연락관 소집·파견	· 지원기관 연락관 소집 · 현장상황관리관 파견 · 지원기관 지원·협력에 관한 사항
대응계획부	공보	· 긴급 공공정보 제공과 재난상황 등에 관한 정보 등 비상방송시스템 가동 · 대중매체 홍보에 관한 사항 · 119종합상황실과 공동으로 긴급대피, 상황전파, 비상연락 등 실시
	지원기관 연락관	· 중앙통제단과 공동으로 지원기관의 긴 급구조지원활동 조정·통제 · 대규모 재난 및 광범위한 지역에 걸친 재난발생 시 탐색구조 활동(국방부), 현 장통제(경찰청), 응급의료(보건복지부) 지원 등
현장지휘부	위험진압	정부차원의 화재 등 위험진압 지원
	수색구조	정부차원의 수색 및 인명구조 등 지원
	응급의료	· 정부차원의 응급의료자원 지원활동 · 정부차원의 재난의료체계 가동 · 시·도 응급의료 자원의 지휘·조정·통제
	항공·현장통제	· 헬기 등 현장활동 지휘·조정·통제 · 응급환자 원거리 항공이송 지휘·조 정·통제 · 정부차원의 대규모 대피계획 지원 · 지방 경찰관서 현장통제자원의 지휘· 조정·통제
	안전관리	시·도긴급구조통제단의 안전관리 지원
	자원대기소 운영	시·도긴급구조통제단의 자원대기소 운 영 지원
자원지원부	물품·급식지원	정부차원의 물품·급식 지원
	회복지원	정부차원의 긴급 구호 활동 및 회복 지원
	장비관리	· 정부차원의 장비·시설 지원 · 정부차원의 재난통신지원 활동 · 시·도긴급구조통제단 기술정보 지원
	자원집결지 운영	소방청 자원관리시스템을 통한 시·도긴 급구조통제단 자원집결지 요구사항 지원
	긴급복구지원	· 정부차원의 긴급시설복구 지원활동 · 다른 지역 자원봉사자의 재난현장 집단 수송 지원
	오염·방제지원	정부차원의 긴급오염·통제·방제 지원 활동

· 중앙통제단 조직은 재난상황에 따라 확대 또는 축소하여 운영할 수
있다.

- 부서별 임무는 예시로서, 재난상황에 따라 임무를 선택하거나 새로운 임무를 추가할 수 있다.
- ⓗ 긴급구조지원기관의 장은 중앙통제단장이 파견을 요청하는 경우에는 중앙통제단 대응계획부에 상시연락관을 파견해야 한다.
- ⓢ 중앙통제단의 구성 및 운영에 관한 세부사항은 긴급구조대응계획이 정하는 바에 따른다.

③ **중앙통제단의 기능**
- ㉠ 국가 긴급구조대책의 **총괄·조정**
- ㉡ 긴급구조활동의 **지휘·통제**(긴급구조활동에 필요한 긴급구조기관의 인력과 장비 등의 동원을 포함한다)
- ㉢ 긴급구조지원기관간의 역할분담 등 긴급구조를 위한 **현장활동계획의 수립**
- ㉣ 긴급구조대응계획의 **집행**
- ㉤ 그 밖에 중앙통제단장이 필요하다고 인정하는 사항

④ **중앙통제단 운영**
- ㉠ 중앙통제단장은 중앙통제단을 대표하고, 그 업무를 총괄한다.
- ㉡ 중앙통제단에는 부단장을 두고 **부단장**은 중앙통제단장을 보좌하며 중앙통제단장이 부득이한 사유로 직무를 수행할 수 없을 경우에는 그 직무를 **대행**한다.
- ㉢ 중앙통제단의 구성·기능 및 운영에 필요한 사항은 대통령령으로 정한다.

⑤ **통제단의 운영기준**
- ㉠ 영 제63조 제1항 제2호 각 목의 어느 하나에 해당하는 기능의 수행이 필요한 경우
- ㉡ 긴급구조관련기관의 인력 및 장비의 동원이 필요하고, 동원된 자원 및 그 활동을 통합하여 지휘·조정·통제할 필요가 있는 경우
- ㉢ 그 밖에 통제단장이 재난의 종류·규모 및 피해상황 등을 종합적으로 고려하여 통제단의 운영이 필요하다고 인정하는 경우

> **참고 대응단계 발령기준**
> 1. 현장지휘관은 현장대응을 위한 긴급구조기관의 인력 및 장비를 확보하기 위하여 대응단계를 발령할 수 있다.
> 2. 대응단계 발령기준에 관한 세부 사항은 긴급구조대응계획에서 정하는 바에 따른다.

(2) 지역긴급구조통제단
① **지역통제단 설치 목적**: 지역별 긴급구조에 관한 사항의 총괄·조정, 해당 지역에 소재하는 긴급구조기관 및 긴급구조지원기관간의 역할분담과 재난현장에서의 지휘·통제를 위하여 **시·도의 소방본부**에 **시·도긴급구조통제단**을 두고, 시·군·구의 소방서에 **시·군·구긴급구조통제단**을 둔다.

② **지역통제단 구성**
- ㉠ **소속**
  - ⓐ **시·도의 소방본부**: 시·도긴급구조통제단
  - ⓑ **시·군·구의 소방서**: 시·군·구긴급구조통제단

    Ⓛ 단장

        ⓐ **시·도통제단 단장**: 소방본부장

        ⓑ **시·군·구통제단 단장**: 소방서장

  Ⓒ 다음 기관 및 단체는 지역통제단장이 파견을 요청하는 경우에는 시·도긴 급구조통제단 및 시·군·구긴급구조통제단(이하 "지역통제단"이라 한다) 의 대응계획부에 연락관을 파견해야 한다.

    ⓐ 영 제4조 제2호에 따른 군부대

    ⓑ 시·도경찰청 및 경찰서(지방해양경찰청 및 해양경찰서를 포함한다)

    ⓒ 보건소, 「응급의료에 관한 법률」 제26조 제1항에 따른 권역응급의료센 터, 같은 법 제27조 제1항에 따른 응급의료지원센터 및 같은 법 제30조 제1항에 따른 지역응급의료센터 중 지역통제단장이 지정하는 기관 또는 센터

    ⓓ 그 밖에 지역통제단장이 지정하는 기관 및 단체

  Ⓔ 지역통제단의 구성 및 운영에 관한 세부사항은 긴급구조대응계획이 정하 는 바에 따른다.

  Ⓜ **지역통제단 조직도**

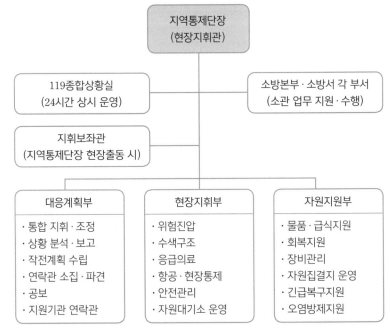

③ **지역통제단 권한**

  ㉠ 지역통제단장은 긴급구조를 위하여 필요하면 긴급구조지원기관간의 공조 체제를 유지하기 위하여 관계 기관·단체의 장에게 **소속 직원의 파견을** 요청 할 수 있다. 이 경우 요청을 받은 기관·단체의 장은 특별한 사유가 없으면 요청에 따라야 한다.

ⓒ 긴급구조활동에 참여한 민간 긴급구조지원기관에 대하여는 **대통령령**으로 정하는 바에 따라 그 경비의 전부 또는 일부를 지원할 수 있다.

▲ 소방서 긴급구조통제단

(3) 중앙통제단과 지역통제단의 비교

구분	중앙통제단	지역통제단
목적	· 긴급구조에 관한 사항의 총괄 · 조정 · 긴급구조기관 및 긴급구조지원기관이 하는 긴급구조활동의 역할 분담과 지휘 · 통제	· 지역별 긴급구조에 관한 사항의 총괄 · 조정 · 해당 지역에 소재하는 긴급구조기관 및 긴급구조지원기관간의 역할분담과 재난현장에서의 지휘 · 통제
소속	소방청	· 시 · 도의 소방본부: 시 · 도긴급구조통제단 · 시 · 군 · 구의 소방서: 시 · 군 · 구긴급구조통제단
단장	소방청장	· 시 · 도통제단 단장: 소방본부장 · 시 · 군 · 구통제단 단장: 소방서장
기능	· 국가 긴급구조대책의 총괄 · 조정 · 긴급구조활동의 지휘 · 통제 · 긴급구조지원기관 간의 역할분담 등 긴급구조를 위한 현장활동계획의 수립 · 긴급구조대응계획의 집행 · 그 밖에 중앙통제단이 필요하다고 인정하는 사항	–
부서	대응계획부 · 현장지휘부 · 자원지원부	–

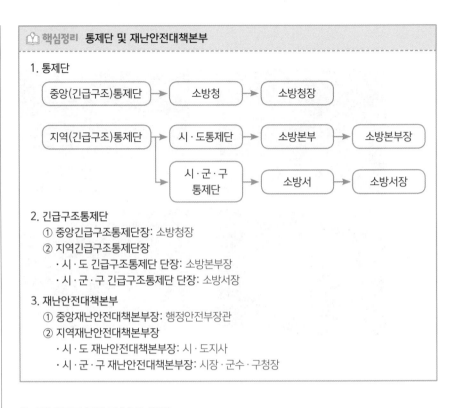

핵심정리 통제단 및 재난안전대책본부

1. 통제단

중앙(긴급구조)통제단 → 소방청 → 소방청장

지역(긴급구조)통제단 → 시·도통제단 → 소방본부 → 소방본부장

→ 시·군·구 통제단 → 소방서 → 소방서장

2. 긴급구조통제단
① 중앙긴급구조통제단장: 소방청장
② 지역긴급구조통제단장
  · 시·도 긴급구조통제단 단장: 소방본부장
  · 시·군·구 긴급구조통제단 단장: 소방서장

3. 재난안전대책본부
① 중앙재난안전대책본부장: 행정안전부장관
② 지역재난안전대책본부장
  · 시·도 재난안전대책본부장: 시·도지사
  · 시·군·구 재난안전대책본부장: 시장·군수·구청장

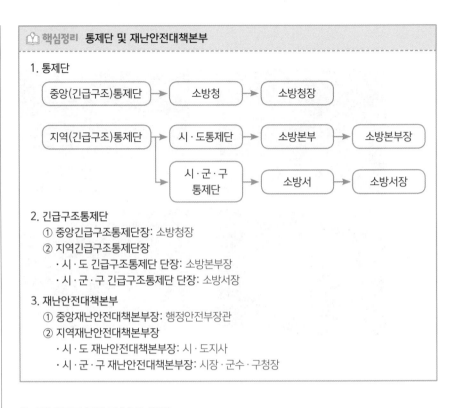

영철쌤 tip

재난대응구역
대규모 재난이 발생하여 시·도긴급구조통제단장의 지휘통제가 마비된 경우에 시·군·구 긴급구조통제단장이 관할구역 안에서 자체적으로 재난에 대응하기 위하여 설정하는 구역이다.

3. 긴급구조현장지휘대 운영

(1) 대통령령으로 정하는 대규모 재난

① 재난 중 인명 또는 재산의 피해 정도가 매우 크거나 재난의 영향이 사회적·경제적으로 광범위하여 주무부처의 장 또는 지역대책본부장의 건의를 받아 중앙대책본부장이 인정하는 재난

② ①에 따른 재난에 준하는 것으로서 중앙대책본부장이 재난관리를 위하여 중앙대책본부의 설치가 필요하다고 판단하는 재난

(2) 재난현장에서 긴급구조현장지휘자(현장지휘관)

① **시·군·구긴급구조통제단장: 소방서장**

재난현장에서는 시·군·구긴급구조통제단장이 긴급구조활동을 지휘한다. 다만, 치안활동과 관련된 사항은 관할 경찰관서의 장과 협의하여야 한다.

② **시·도긴급구조통제단장: 소방본부장**

필요하다고 인정하면 직접 현장지휘를 할 수 있다.

③ **중앙통제단장: 소방청장**

대통령령으로 정하는 대규모 재난이 발생하거나 그 밖에 필요하다고 인정하면 직접 현장지휘를 할 수 있다.

④ 통제단장의 사전명령에 따라 현장지휘를 하는 소방관서의 선착대 장 또는 긴급구조지휘대의 장이 지휘할 수 있다.

▲ 지휘차　　　　▲ 구조차　　　　▲ 구급차

▲ 소방차 등

(3) 재난현장에서 긴급구조활동 사항

① 재난현장에서는 시·군·구 긴급구조통제단장이 긴급구조활동을 지휘한다. 다만, 치안활동과 관련된 사항은 관할 경찰관서의 장과 협의하여야 한다.

② 재난현장 지휘사항

  ㉠ 재난현장에서 인명의 탐색·구조

  ㉡ 긴급구조기관 및 긴급구조지원기관의 긴급구조요원·긴급구조지원요원 및 재난관리자원의 배치와 운용

  ㉢ 추가 재난의 방지를 위한 응급조치

  ㉣ 긴급구조지원기관 및 자원봉사자 등에 대한 임무의 부여

  ㉤ 사상자의 응급처치 및 의료기관으로의 이송

  ㉥ 긴급구조에 필요한 재난관리자원의 관리

  ㉦ 현장접근 통제, 현장 주변의 교통정리, 그 밖에 긴급구조활동을 효율적으로 하기 위하여 필요한 사항

③ 재난현장에서 긴급구조활동을 하는 긴급구조요원과 긴급구조지원기관의 긴급구조지원요원 및 재난관리자원에 대한 운용은 현장지휘를 하는 긴급구조통제단장(각급통제단장)의 지휘·통제에 따라야 한다.

④ 지역대책본부장은 각급통제단장이 수행하는 긴급구조활동에 적극 협력하여야 한다.

⑤ 시·군·구긴급구조통제단장은 지역대책본부장이 설치·운영하는 통합지원본부의 장에게 긴급구조에 필요한 인력이나 물자 등의 지원을 요청할 수 있다. 이 경우 요청받은 기관의 장은 최대한 협조하여야 한다.

⑥ 재난현장의 구조활동 등 초동조치상황에 대한 언론 발표 등은 각급통제단장이 지명하는 자가 한다.

⑦ 각급통제단장은 재난현장의 긴급구조 등 현장지휘를 효과적으로 하기 위하여 재난현장에 현장지휘소를 설치·운영할 수 있다. 이 경우 긴급구조활동에 참여하는 긴급구조 지원기관의 현장지휘자는 현장지휘소에 대통령령으로 정하는 바에 따라 연락관을 파견하여야 한다.

⑧ 각급통제단장은 긴급구조활동을 종료하려는 때에는 재난현장에 참여한 지역
   사고수습 본부장, 통합지원본부의 장 등과 협의를 거쳐 결정하여야 한다. 이
   경우 각급통제단장은 긴급구조활동 종료 사실을 지역대책본부장 및 긴급구조
   지원기관의 장에게 통보하여야 한다.
⑨ **해양에서 발생한 재난의 긴급구조활동 지휘자**
   ㉠ 시·군·구긴급구조통제단장은 지역구조본부의 장(해양경찰서장)이다.
   ㉡ 시·도긴급구조통제단장은 광역구조본부의 장(지방해양경찰청장)이다.
   ㉢ 중앙긴급구조통제단장은 중앙구조본부의 장(해양경찰청장)이다.

4. 통제선 설치

(1) 통제단장 및 시·도경찰청장 또는 경찰서장은 재난현장 주위의 주민보호와 원활
   한 긴급구조활동에 필요한 **최소한의 통제규모**를 설정하여 **통제선을 설치**할 수 있다.

(2) 통제선은 제1통제선과 제2통제선으로 구분하되, **제1통제선**은 **통제단장**이 긴급구
   조활동에 직접 참여하는 인력 및 장비만을 출입할 수 있도록 설치하고, 제2통제선
   은 시·도경찰청장 또는 경찰서장(이하 '경찰관서장'이라 한다)이 구조·구급차량 등
   의 출동주행에 지장이 없도록 긴급구조활동에 직접 참여하거나 긴급구조활동을
   지원하는 인력 및 장비만을 출입할 수 있도록 설치·운영한다.

5. 긴급대응협력관 지정·운영

긴급구조기관의 장은 긴급구조지원기관의 장에게 다음의 업무를 수행하는 긴급대응
협력관을 대통령령으로 정하는 바에 따라 지정·운영하게 할 수 있다.

(1) 평상시 해당 긴급구조지원기관의 긴급구조대응계획 수립 및 재난관리자원의 관리

(2) 재난대응업무의 상호 협조 및 재난현장 지원업무 총괄

6. 현장지휘소

(1) **용어의 정의**
   ① **기관별 지휘소**: 재난현장에 출동하는 긴급구조관련기관별로 소속 직원을 지
      휘·조정·통제하는 장소 또는 지휘차량·선박·항공기 등
   ② **현장지휘소**: 중앙긴급구조통제단장(이하 '중앙통제단장'이라 한다), 시·도긴급
      구조통제단장(이하 '시·도긴급구조통제단장'이라 한다) 또는 시·군·구긴급구
      조통제단장(이하 '시·군·구긴급구조통제단장'이라 한다)이 재난현장에서 기
      관별 지휘소를 총괄하여 지휘·조정 또는 통제하는 등의 재난현장지휘를 효과
      적으로 수행하기 위하여 설치·운영하는 장소 또는 지휘차량·선박·항공기 등

(2) **현장지휘소의 설치·운용권자**
   ① **중앙통제단장**: 소방청장
   ② **지역통제단장**: 소방본부장, 소방서장

(3) **현장지휘소에 파견하는 연락관**
   긴급구조지원기관의 공무원 또는 직원으로서 재난 관련 업무 실무책임자로 한다.

7. 긴급구조활동에 대한 평가

(1) 중앙통제단장과 지역통제단장은 재난상황이 끝난 후 대통령령으로 정하는 바에 따라 긴급구조지원기관의 활동에 대하여 종합평가를 하여야 한다.

(2) 종합평가 결과는 시·군·구긴급구조통제단장은 시·도긴급구조통제단장 및 시장·군수·구청장에게, 시·도긴급구조통제단장은 소방청장에게 보고하거나 통보하여야 한다.

8. 긴급구조대응계획의 수립·시행

(1) 긴급구조대응계획의 수립 목적

긴급구조기관의 장은 재난이 발생하는 경우 긴급구조기관과 긴급구조지원기관이 신속하고 효율적으로 긴급구조를 수행할 수 있도록 대통령령으로 정하는 바에 따라 재난의 규모와 유형에 따른 긴급구조대응계획을 수립·시행하여야 한다.

(2) 긴급구조대응계획 구분 및 포함 사항

① 기본계획
  ㉠ 긴급구조대응계획의 목적 및 적용범위
  ㉡ 긴급구조대응계획의 기본방침과 절차
  ㉢ 긴급구조대응계획의 운영책임에 관한 사항

② 기능별 긴급구조대응계획
  ㉠ **지휘통제**: 긴급구조체제 및 중앙통제단과 지역통제단의 운영체계 등에 관한 사항
  ㉡ **비상경고**: 긴급대피, 상황 전파, 비상연락 등에 관한 사항
  ㉢ **대중정보**: 주민보호를 위한 비상방송시스템 가동 등 긴급 공공정보 제공에 관한 사항 및 재난상황 등에 관한 정보 통제에 관한 사항
  ㉣ **피해상황분석**: 재난현장상황 및 피해정보의 수집·분석·보고에 관한 사항
  ㉤ **구조·진압**: 인명 수색 및 구조, 화재진압 등에 관한 사항
  ㉥ **응급의료**: 대량 사상자 발생 시 응급의료서비스 제공에 관한 사항
  ㉦ **긴급오염통제**: 오염 노출 통제, 긴급 감염병 방제 등 재난현장 공중보건에 관한 사항
  ㉧ **현장통제**: 재난현장 접근 통제 및 치안 유지 등에 관한 사항
  ㉨ **긴급복구**: 긴급구조활동을 원활하게 하기 위한 긴급구조차량 접근 도로 복구 등에 관한 사항
  ㉩ **긴급구호**: 긴급구조요원 및 긴급대피 수용주민에 대한 위기 상담, 임시 의식주 제공 등에 관한 사항
  ㉪ **재난통신**: 긴급구조기관 및 긴급구조지원기관간 정보통신체계 운영 등에 관한 사항

③ 재난유형별 긴급구조대응계획
  ㉠ 재난 발생 단계별 주요 긴급구조대응활동 사항
  ㉡ 주요 재난유형별 대응 매뉴얼에 관한 사항
  ㉢ 비상경고 방송메시지 작성 등에 관한 사항

영철쌤 tip

긴급구조대응계획

1. 긴급구조대응계획을 수립·시행하는 자는 긴급구조기관의 장(소방청장, 소방본부장, 소방서장)이다.
2. 긴급구조대응계획은 기본계획, 기능별 계획, 재난유형별 계획으로 구분된다.

영철쌤 tip

'비상경고'라는 기능에 긴급대피, 상황전파, 비상연락 등에 관한 대응계획이 있다.

(3) 긴급구조지휘대 구성

① 현장지휘요원

② 자원지원요원

③ 통신지원요원

④ 안전관리요원

⑤ 상황조사요원

⑥ 구급지휘요원

참고 긴급구조지휘대

1. 구성

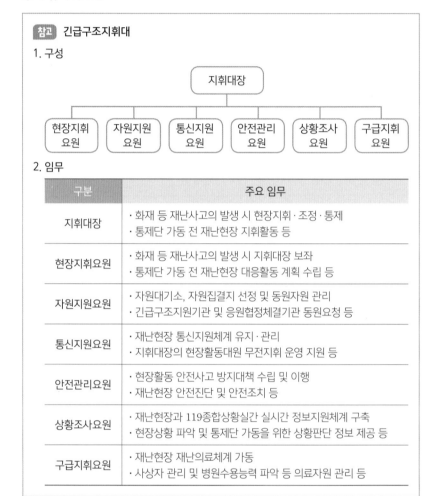

2. 임무

구분	주요 임무
지휘대장	· 화재 등 재난사고의 발생 시 현장지휘 · 조정 · 통제 · 통제단 가동 전 재난현장 지휘활동 등
현장지휘요원	· 화재 등 재난사고의 발생 시 지휘대장 보좌 · 통제단 가동 전 재난현장 대응활동 계획 수립 등
자원지원요원	· 자원대기소, 자원집결지 선정 및 동원자원 관리 · 긴급구조지원기관 및 응원협정체결기관 동원요청 등
통신지원요원	· 재난현장 통신지원체계 유지 · 관리 · 지휘대장의 현장활동대원 무전지휘 운영 지원 등
안전관리요원	· 현장활동 안전사고 방지대책 수립 및 이행 · 재난현장 안전진단 및 안전조치 등
상황조사요원	· 재난현장과 119종합상황실간 실시간 정보지원체계 구축 · 현장상황 파악 및 통제단 가동을 위한 상황판단 정보 제공 등
구급지휘요원	· 재난현장 재난의료체계 가동 · 사상자 관리 및 병원수용능력 파악 등 의료자원 관리 등

참고 긴급구조대응계획심의위원회

1. 긴급구조기관의 장은 긴급구조대응계획을 수립하는 경우에는 긴급구조기관에 긴급구조대응계획심의위원회(이하 '위원회'라 한다)를 구성하여 위원회의 심의를 거쳐 확정하여야 한다.

2. 위원회의 위원장은 긴급구조기관의 장이 되고, 위원은 긴급구조지원기관의 장으로 구성하되 위원장을 포함하여 7인 이상 11인 이하로 한다.

3. 그 밖에 위원회의 구성 및 운영에 관한 사항은 각 긴급구조기관의 장이 정한다.

(4) 긴급구조지휘대 구분

① **소방서현장지휘대**: 소방서별로 설치·운영

② **방면**[1]**현장지휘대**: 2개 이상 4개 이하의 소방서별로 소방본부장이 1개를 설치·운영

③ **소방본부현장지휘대**: 소방본부별로 현장지휘대 설치·운영

④ **권역**[2]**현장지휘대**: 2개 이상 4개 이하의 소방본부별로 소방청장이 1개를 설치·운영

9. 긴급구조에 관한 교육

(1) 긴급구조지원기관에서 긴급구조업무와 재난관리업무를 담당하는 부서의 담당자 및 관리자는 법 제55조 제3항에 따라 다음의 구분에 따른 긴급구조에 관한 교육 (이하 '긴급구조교육'이라 한다)을 받아야 한다.

① **신규교육**: 해당 업무를 맡은 후 1년 이내에 받는 긴급구조교육

② **정기교육**: 신규교육을 받은 후 2년마다 받는 긴급구조교육

(2) (1)에서 규정한 사항 외에 재난관리업무에 종사하는 사람의 교육에 필요한 세부 사항은 행정안전부령으로 정한다.

10. 긴급구조지휘대의 구성 및 기능

(1) 구성

① 소방본부 및 소방서의 긴급구조지휘대는 **상시 구성·운영**하여야 한다.

② 긴급구조지휘대를 구성하는 다음에 해당하는 자는 통제단이 설치·운영되는 경우에는 다음의 구분에 따라 통제단의 해당 부서에 배치된다.

ㄱ **현장지휘요원**: 현장지휘부

ㄴ **자원지원요원**: 자원지원부

ㄷ **통신지원요원**: 현장지휘부

ㄹ **안전관리요원**: 현장지휘부

ㅁ **상황조사요원**: 대응계획부

ㅂ **구급지휘요원**: 현장지휘부

(2) 기능

① 통제단이 가동되기 전 재난 초기 시 현장지휘

② 주요 긴급구조지원기관과의 합동으로 현장지휘의 조정·통제

③ 광범위한 지역에 걸친 재난 발생 시 **전진지휘**

④ 화재 등 일상적 사고의 발생 시 **현장지휘**

영철쌤 tip

현장지휘대
119안전센터에는 현장지휘대가 없다.

용어사전

❶ 방면: 어떤 지역이 있는 쪽(시·군·구)을 말한다.

❷ 권역: 일정한 범위 안의 지역(시·도)을 말한다.

영철쌤 tip

긴급구조지휘대
1. 소방서 긴급구조지휘대[현장대응단(지휘팀장)]는 1팀, 2팀, 3팀으로 3교대 근무한다.
2. 긴급구조지휘대는 상시 운용하며, 통제단은 필요하면 운용한다.
3. 전진지휘 = 근접지휘이다.

영철쌤 tip

긴급구조지휘대		통제단
현장지휘요원		현장지휘부
자원지원요원		자원지원부
통신지원요원	⇒	현장지휘부
안전관리요원		현장지휘부
상황조사요원		대응계획부
구급지휘요원		현장지휘부

11. 긴급구조 관련 특수번호 전화서비스의 통합·연계

(1) 행정안전부장관은 긴급구조 요청에 대한 신속한 대응을 위하여 대통령령으로 정하는 긴급구조 관련 특수번호 전화서비스(이하 '특수번호 전화서비스'라 한다)의 통합·연계 체계를 구축·운영하여야 한다.

(2) 행정안전부장관은 (1)에 따라 통합·연계되는 특수번호 전화서비스의 운영실태를 조사·분석하여 그 결과를 특수번호 전화서비스의 통합·연계 체계의 운영 개선에 활용할 수 있다.

(3) 행정안전부장관은 필요한 경우 관계 중앙행정기관의 장 또는 대통령령으로 정하는 공공기관의 장에게 특수번호 전화서비스의 통합·연계 및 조사·분석 결과의 활용 등에 관한 협조를 요청할 수 있다. 이 경우 요청을 받은 해당 기관의 장은 특별한 사유가 없으면 협조하여야 한다.

(4) (1)부터 (3)까지에서 규정한 사항 외에 특수번호 전화서비스의 통합·연계 체계의 구축·운영 등에 필요한 사항은 대통령령으로 정한다.

12. 재난대비능력보강

(1) 국가와 지방자치단체는 재난관리에 필요한 재난관리자원의 확보·확충, 통신망의 설치·정비 등 긴급구조능력을 보강하기 위하여 노력하고, 필요한 재정상의 조치를 마련하여야 한다.

(2) 긴급구조기관의 장은 긴급구조활동을 신속하고 효과적으로 할 수 있도록 긴급구조지휘대 등 긴급구조체제를 구축하고, 상시 소속 긴급구조요원 및 장비의 출동 태세를 유지하여야 한다.

(3) 긴급구조업무와 재난관리책임기관(행정기관 외의 기관만 해당한다)의 재난관리 업무에 종사하는 사람은 대통령령으로 정하는 바에 따라 긴급구조에 관한 교육을 받아야 한다. 다만, 다른 법령에 따라 긴급구조에 관한 교육을 받은 경우에는 이 법에 따른 교육을 받은 것으로 본다.

(4) 소방청장과 시·도지사는 제3항에 따른 교육을 담당할 교육기관을 지정할 수 있다.

(5) 긴급구조기관의 장은 재난이 발생한 경우 사상자의 신속한 분류·응급처치 및 이송을 위하여 「의료법」 제3조에 따른 의료기관 및 「응급의료에 관한 법률」 제2조에 따른 응급의료기관등에 현장 응급의료에 필요한 재난관리자원 등에 관한 자료를 요청할 수 있다. 이 경우 자료의 요청을 받은 관계 기관의 장은 정당한 사유가 없으면 이에 따라야 한다.

13. 현장응급의료소

(1) 현장응급의료소의 설치 목적

통제단장은 재난현장에 출동한 응급의료관련자원을 총괄·지휘·조정·통제하고, 사상자를 분류·처치 또는 이송하기 위하여 사상자의 수에 따라 재난현장에 적정한 현장응급의료소①(이하 '의료소'라 한다)를 설치·운영해야 한다.

(2) 현장응급의료소 설치·운영권자

통제단장(중앙통제단장②, 지역통제단장③)

(3) 현장응급의료소 소장

지역을 관할하는 보건소장

(4) 현장응급의료소에는 소장 1명과 분류반, 응급처치반, 이송반을 둔다.

(5) 현장응급의료소에는 응급의학전문의를 포함한 의사 3명, 간호사 4명 또는 1급응급구조사 4명, 지원요원 1명 이상으로 편성한다. 즉, 8명으로 편성한다.

14. 해상에서의 긴급구조

해상에서 발생한 선박이나 항공기 등의 조난사고의 긴급구조활동에 관하여는 「수상에서의 수색·구조 등에 관한 법률」 등 관계 법령에 따른다.

15. 항공기 등 조난사고 시의 긴급구조 등

(1) 소방청장은 항공기 조난사고가 발생한 경우 항공기 수색과 인명구조를 위하여 항공기 수색·구조계획을 수립·시행하여야 한다.

(2) 항공기의 수색·구조에 필요한 사항은 대통령령으로 정한다.

(3) 국방부장관은 항공기나 선박의 조난사고가 발생하면 관계 법령에 따라 긴급구조업무에 책임이 있는 기관의 긴급구조활동에 대한 군의 지원을 신속하게 할 수 있도록 다음의 조치를 취하여야 한다.

① 탐색구조본부의 설치·운영
② 탐색구조부대의 지정 및 출동대기태세의 유지
③ 조난 항공기에 관한 정보 제공

(4) 탐색구조본부의 구성과 운영에 필요한 사항은 국방부령으로 정한다.

📖 용어사전

❶ **현장응급의료소**: 재난현장에서 임시로 사용하는 천막(텐트)응급의료소를 말한다.
❷ **중앙통제단장**: 소방청장을 말한다.
❸ **지역통제단장**: 소방본부장, 소방서장을 말한다.

01 「재난 및 안전관리 기본법」에서 말하는 재난의 대응과 관련이 없는 것은?

① 재난사태 선포 ② 위기경보 발령

③ 응급부담 ④ 재난관리자원의 관리

02 「재난 및 안전관리 기본법」상 재난관리 단계와 활동내용의 연결이 옳지 않은 것은? 23. 공채·경채

① 예방 단계 – 위험구역의 설정

② 대비 단계 – 재난현장 긴급통신수단의 마련

③ 대응 단계 – 재난 예보·경보체계 구축·운영

④ 복구 단계 – 특별재난지역 선포 및 지원

03 「재난 및 안전관리 기본법」에 대한 내용이다. ( ) 안에 들어갈 용어로 옳은 것은? 21. 공채·경채

> (ㄱ)은 대통령령으로 정하는 재난이 발생하거나 발생할 우려가 있는 경우 사람의 생명·신체 및 재산에 미치는 중대한 영향이나 피해를 줄이기 위하여 긴급한 조치가 필요하다고 인정하면 (ㄴ)의 심의를 거쳐 (ㄷ)을/를 선포할 수 있다.

	ㄱ	ㄴ	ㄷ
①	중앙재난안전대책본부장	안전정책조정위원회	재난사태
②	행정안전부장관	중앙안전관리위원회	재난사태
③	중앙재난안전대책본부장	중앙안전관리위원회	특별재난지역
④	행정안전부장관	안전정책조정위원회	특별재난지역

04 재난이 발생할 우려가 있거나 재난이 발생한 때 소방본부장·소방서장이 할 수 없는 응급조치 사항은?

① 진화

② 긴급수송 및 구조 수단의 확보

③ 현장지휘통신체계의 확보

④ 피해시설의 응급복구

05 대통령령으로 정하는 재난에 대한 징후를 식별하거나 재난발생이 예상되는 경우에는 그 위험 수준, 발생 가능성 등을 판단하여 그에 부합되는 조치를 할 수 있도록 위기경보를 발령할 수 있는 자는?

① 중앙대책본부장

② 재난관리주관기관의 장

③ 시·도지사

④ 시장·군수·구청장

정답 및 해설

01 재난의 대응

재난관리자원의 관리는 재난의 대비에 해당된다.

■ 재난의 대응	
1. 재난사태선포	2. 응급조치
3. 위기경보 발령	4. 동원명령 등
5. 대피명령	6. 위험구역의 설정
7. 강제대피조치	8. 통행제한 등
9. 응원요청	10. 응급부담

02 대응 단계

대응 단계 – 위험구역의 설정

03 재난사태선포

행정안전부장관은 대통령령으로 정하는 재난이 발생하거나 발생할 우려가 있는 경우 사람의 생명·신체 및 재산에 미치는 중대한 영향이나 피해를 줄이기 위하여 긴급한 조치가 필요하다고 인정하면 중앙안전관리위원회의 심의를 거쳐 재난사태를 선포할 수 있다.

04 지역통제단장의 응급조치

· 진화

· 긴급수송 및 구조 수단의 확보

· 현장지휘통신체계의 확보

05 위기경보의 발령권자

재난관리주관기관의 장은 대통령령으로 정하는 재난에 대한 징후를 식별하거나 재난발생이 예상되는 경우에는 그 위험 수준, 발생 가능성 등을 판단하여 그에 부합되는 조치를 할 수 있도록 위기경보를 발령할 수 있다. 다만, 국가적 차원에서 관리가 필요한 재난상황인 경우에는 행정안전부장관이 위기경보를 발령할 수 있다.

정답 01 ④ **02** ① **03** ② **04** ④ **05** ②

06 대피명령에 대한 설명으로 옳지 않은 것은?

① 대피명령권자는 시장·군수·구청장과 지역통제단장이다.

② 해당 지역 주민 및 그 지역 안에 있는 사람에게 조치한다.

③ 선박·자동차 등에 대피장소를 지정한다.

④ 대피장소는 재난발생과 동시에 지정한다.

07 시장·군수·구청장 및 지역통제단장이 재난이 발생하거나 발생할 우려가 있는 경우에 사람의 생명 또는 신체에 대한 위해 방지나 또는 질서의 유지를 위하여 필요한 때에 설정하는 곳으로, 응급조치에 종사하는 자 외의 자에 대하여 출입 그 밖의 행위의 금지 또는 제한 및 퇴거 또는 대피 등의 조치를 명할 수 있는 곳을 무엇이라 하는가?

① 위험구역   ② 재난구역

③ 통제구역   ④ 경계구역

08 해당 재난현장에 있는 사람이나 인근에 거주하는 사람에게 응급조치에 종사하도록 명령하는 것을 무엇이라 하는가?

① 응원   ② 강제대피조치

③ 응급조치   ④ 응급부담

09 다음 주어진 규정에 따라 시·도지사가 실시하는 응급조치 등 사항과 관련이 먼 것은?

> • 관할 구역에서 재난이 발생하거나 발생할 우려가 있는 경우로서 대통령령으로 정하는 경우
> • 둘 이상의 시·군·구에 걸쳐 재난이 발생하거나 발생할 우려가 있는 경우

① 동원명령   ② 강제대피조치

③ 응원요청   ④ 위기경보 발령

10 「재난 및 안전관리 기본법」에서 재난의 대응과 관련된 내용이 잘못 연결된 것은?

① 재난사태 선포권자 – 행정안전부장관

② 위기경보 발령권자 – 재난관리주관기관의 장

③ 동원명령 등 – 중앙대책본부장, 시장·군수·구청장

④ 응원요청 – 시장·군수·구청장, 지역통제단장

정답 및 해설

06 대피명령(제40조)

목적	재난이 발생하거나 발생할 우려가 있는 경우에 사람의 생명 또는 신체에 대한 위해를 방지하기 위하여 실행한다.
명령권자	시장·군수·구청장과 지역통제단장
조치사항	· 해당 지역 주민 · 그 지역 안에 있는 사람 · 선박, 자동차 등(이 경우 미리 대피장소를 지정할 수 있다)

07 위험구역의 설정

목적	재난이 발생하거나 발생할 우려가 있는 경우에 사람의 생명 또는 신체에 대한 위해 방지나 질서의 유지를 위하여 실행한다.
조치권자	시장·군수·구청장과 지역통제단장
조치사항	· 위험구역에 출입하는 행위나 그 밖의 행위의 금지 또는 제한 · 위험구역에서의 퇴거 또는 대피

08 응급부담

목적	그 관할 구역에서 재난이 발생하거나 발생할 우려가 있어 응급조치를 하여야 할 급박한 사정이 있을 때 실행한다.
명령권자	시장·군수·구청장과 지역통제단장
조치사항	· 해당 재난현장에 있는 사람이나 인근에 거주하는 사람에게 응급조치에 종사하도록 명령 · 다른 사람의 토지·건축물·인공구조물, 그 밖의 소유물을 일시 사용할 수 있으며, 장애물을 변경하거나 제거

09 시·도지사가 실시하는 응급조치 등 사항

· 동원명령 등
· 대피명령
· 위험구역의 설정
· 강제대피조치
· 통행제한 등
· 응원요청
· 응급부담

10 재난대응

· 재난사태선포: 행정안전부장관
· 응급조치: 시장·군수·구청장, 지역통제단장
· 위기경보 발령권자: 재난관리주관기관의 장
· 동원명령 등: 중앙대책본부장, 시장·군수·구청장
· 대피명령: 시장·군수·구청장, 지역통제단장
· 위험구역의 설정: 시장·군수·구청장, 지역통제단장
· 강제대피조치: 시장·군수·구청장, 지역통제단장
· 통행제한 등: 시장·군수·구청장, 지역통제단장
· 응원요청: 시장·군수·구청장
· 응급부담: 시장·군수·구청장, 지역통제단장

정답 06 ④ **07** ① **08** ④ **09** ④ **10** ④

11 긴급구조에 대한 사항의 총괄·조정 및 긴급구조기관 및 긴급구조지원기관이 하는 긴급구조활동의 역할분담 및 지휘통제를 하는 중앙통제단장은?

① 행정안전부장관
② 소방청장
③ 재난관리책임기관의 장
④ 행정안전부차관

12 「재난 및 안전관리 기본법」상 긴급구조에 대한 설명으로 옳지 않은 것은?

① 중앙긴급구조통제단의 단장은 행정안전부장관이 된다.
② 시·도긴급구조통제단의 단장은 소방본부장이 된다.
③ 시·군·구긴급구조통제단의 단장은 소방서장이 된다.
④ 재난현장에서는 시·군·구긴급구조통제단장이 긴급구조활동을 지휘한다.

13 중앙긴급구조통제단의 기능으로 옳지 않은 것은?

① 국가 긴급구조대책의 총괄·조정
② 긴급구조지원기관간의 역할분담 등 긴급구조를 위한 현장활동계획의 실행
③ 긴급구조활동의 지휘·통제
④ 긴급구조대응계획의 집행

14 대통령령으로 정하는 대규모 재난이 발생하거나 그 밖에 필요하다고 인정하면 직접 현장지휘를 할 수 있는 자로 옳은 것은?

① 중앙대책본부장　　　　　　　　　② 중앙통제단장

③ 소방본부장　　　　　　　　　　　④ 소방서장

15 재난현장에서 긴급구조의 업무를 지휘하는 현장지휘관으로 옳지 않은 것은?

① 중앙통제단장

② 지역통제단장

③ 통제단장의 사전명령이나 위임에 의하여 현장지휘를 하는 소방관서의 선착대 장

④ 선착대의 소방대원

정답 및 해설

11 중앙긴급구조통제단(중앙통제단)
· 권한: 긴급구조에 관한 사항의 총괄·조정 및 긴급구조기관 및 긴급구조지원기관이 하는 긴급구조활동의 역할분담 및 지휘통제
· 소속: 소방청
· 단장: 소방청장
· 중앙긴급구조통제단 기능
  - 국가 긴급구조대책의 총괄·조정
  - 긴급구조활동의 지휘·통제
  - 긴급구조지원기관간의 역할분담 등 긴급구조를 위한 현장활동계획의 수립
  - 긴급구조대응계획의 집행
  - 그 밖에 중앙통제단의 장이 필요하다고 인정하는 사항

12 중앙긴급구조통제단 단장
중앙긴급구조통제단의 단장은 소방청장이다.

13 중앙긴급구조통제단 기능
· 국가 긴급구조대책의 총괄·조정
· 긴급구조활동의 지휘·통제
· 긴급구조지원기관간의 역할분담 등 긴급구조를 위한 현장활동계획의 수립
· 긴급구조대응계획의 집행
· 그 밖에 중앙통제단의 장이 필요하다고 인정하는 사항

14 중앙통제단장
중앙통제단장은 대통령령으로 정하는 대규모 재난이 발생하거나 그 밖에 필요하다고 인정하면 직접 현장지휘를 할 수 있다.

· 대통령령으로 정하는 대규모 재난
  - 재난 중 인명 또는 재산의 피해 정도가 매우 크거나 재난의 영향이 사회적·경제적으로 광범위하여 주무부처의 장 또는 지역대책본부장의 건의를 받아 중앙대책본부장이 인정하는 재난
  - 위 내용에 따른 재난에 준하는 것으로서 중앙대책본부장이 재난관리를 위하여 중앙대책본부의 설치가 필요하다고 판단하는 재난
· 긴급구조 현장지휘권자
  - 시·군·구통제단장: 소방서장
  - 시·도통제단장: 소방본부장
  - 중앙통제단장: 소방청장

15 현장지휘관
· 중앙통제단장(소방청장)
· 지역통제단장(소방본부장, 소방서장)
· 통제단장의 사전명령이나 위임에 의하여 현장지휘를 하는 소방관서의 선착대 장 또는 긴급구조지휘대의 장

정답 11 ②　**12** ①　**13** ②　**14** ②　**15** ④

16 중앙긴급구조통제단 조직과 관련이 없는 부서는?

① 현장지휘부

② 긴급구조대응부

③ 대응계획부

④ 자원지원부

17 긴급구조지휘대의 구성요원과 관련이 없는 것은?

① 현장지휘요원

② 통신지원요원

③ 기술지원요원

④ 안전관리요원

18 긴급구조지휘대의 설치기준 중 2개 이상 4개 이하의 소방서별로 소방본부장이 1개 설치·운영하는 지휘대는?

① 권역현장지휘대

② 소방본부현장지휘대

③ 방면현장지휘대

④ 소방서현장지휘대

19 재난현장에서 인명수색 및 구조, 화재진압 등에 대한 기능별 긴급구조대응계획은?

① 재난통신

② 긴급복구

③ 구조 · 진압

④ 현장통제

20 재난현장에서 접근 통제 및 치안 유지 등에 대한 기능별 긴급구조대응계획은?

① 비상경고

② 긴급오염통제

③ 구조 · 진압

④ 현장통제

정답 및 해설

16 중앙통제단 및 지역통제단 구성 부서
· 대응계획부
· 현장지휘부
· 자원지원부

17 긴급구조지휘대 구성 요원
· 현장지휘요원
· 자원지원요원
· 통신지원요원
· 안전관리요원
· 상황조사요원
· 구급지휘요원

18 긴급구조지휘대 구성
· 소방현장지휘대: 소방서별로 설치 · 운영
· 방면현장지휘대: 2개 이상 4개 이하의 소방서별로 소방본부장이 1개를 설치 · 운영
· 소방본부현장지휘대: 소방본부별로 현장지휘대 설치 · 운영
· 권역현장지휘대: 2개 이상 4개 이하의 소방본부별로 소방청장이 1개를 설치 · 운영

19 기능별 긴급구조대응계획
③ 구조 · 진압: 인명수색 및 구조, 화재진압 등에 관한 사항
① 재난통신: 긴급구조기관 및 긴급구조지원기관간 정보통신체계 운영 등에 관한 사항
② 긴급복구: 긴급구조활동을 원활하게 하기 위한 긴급구조차량 접근도로 복구 등에 관한 사항
④ 현장통제: 재난현장 접근통제 및 치안 유지 등에 관한 사항

20 기능별 긴급구조대응계획
④ 현장통제: 재난현장 접근통제 및 치안유지 등에 관한 사항
① 비상경고: 긴급대피, 상황전파, 비상연락 등에 관한 사항
② 긴급오염통제: 오염노출통제, 긴급 감염병 방제 등 재난현장 공중보건에 관한 사항
③ 구조 · 진압: 인명수색 및 구조, 화재진압 등에 관한 사항

정답 16 ② 17 ③ 18 ③ 19 ③ 20 ④

21 「재난 및 안전관리 기본법 시행령」상 긴급구조 기관의 장이 수립하는 재난유형별 긴급구조대응계획에 포함되어야 할 내용으로 옳은 것은?

20. 소방간부

> ㄱ. 긴급구조대응계획의 기본방침과 절차
> ㄴ. 긴급구조대응계획의 목적 및 적용범위
> ㄷ. 주요 재난유형별 대응 매뉴얼에 관한 사항
> ㄹ. 비상경고 방송메시지 작성 등에 관한 사항
> ㅁ. 긴급구조대응계획의 운영책임에 관한 사항
> ㅂ. 재난 발생 단계별 주요 긴급구조대응활동 사항

① ㄱ, ㄴ, ㄷ   ② ㄱ, ㄴ, ㅁ   ③ ㄴ, ㄹ, ㅂ

④ ㄷ, ㄹ, ㅁ   ⑤ ㄷ, ㄹ, ㅂ

22 「재난 및 안전관리 기본법」상 우리나라 재난관리체계에 대한 설명으로 옳지 않은 것은?

20. 공채·경채

① 재난 및 안전관리에 관한 중요 정책을 심의하기 위하여 국무총리 소속으로 중앙안전관리위원회를 둔다.

② 대통령령으로 정하는 대규모 재난의 대응·복구를 총괄하기 위하여 행정안전부에 중앙재난안전대책본부를 둔다.

③ 소방서는 인명구조, 응급처치 등 긴급 조치를 담당하는 긴급구조지원기관에 해당한다.

④ 시·군·구 재난안전대책본부장은 시장·군수·구청장이며, 시·군·구 긴급구조통제단장은 소방서장이다.

23 「재난 및 안전관리 기본법」상 재난현장에서 시·군·구긴급구조통제단장의 긴급구조현장지휘사항을 모두 고른 것은?

21. 공채·경채

> ㄱ. 재난현장에서 인명의 탐색·구조
> ㄴ. 추가 재난의 방지를 위한 응급조치
> ㄷ. 사상자의 응급처치 및 의료기관으로의 이송
> ㄹ. 긴급구조에 필요한 재난관리자원의 관리

① ㄱ, ㄴ   ② ㄱ, ㄴ, ㄷ

③ ㄴ, ㄷ, ㄹ   ④ ㄱ, ㄴ, ㄷ, ㄹ

24 「재난 및 안전관리 기본법」 및 같은 법 시행령상 효율적인 재난관리를 위해 실시하는 예방, 대비, 대응 및 복구 활동에 대한 내용으로 옳지 않은 것은? 20. 소방간부

① 국무총리는 국가안전관리기본계획을 5년마다 수립하여야 한다.

② 안전점검의 날은 매월 4일로 하고, 방재의 날은 매년 5월 25일로 한다.

③ 훈련주관기관의 장은 관계 기관과 합동으로 참여하는 재난대비훈련을 각각 소관 분야별로 주관하여 연 1회 이상 실시하여야 한다.

④ 행정안전부장관은 5년마다 재난 및 안전관리에 관한 과학기술의 진흥을 위하여 재난 및 안전관리 기술개발종합계획을 수립하여야 한다.

⑤ 긴급구조지원기관에서 긴급구조업무와 재난관리업무를 담당하는 부서의 담당자 및 관리자는 신규교육을 받은 후 3년마다 정기적으로 긴급구조교육을 받아야 한다.

정답 및 해설

21 긴급구조대응계획의 수립

ㄱ. 긴급구조대응계획의 기본방침과 절차, ㄴ. 긴급구조대응계획의 목적 및 적용범위, ㅁ. 긴급구조대응계획의 운영책임에 관한 사항은 모두 기본계획에 포함되어야 하는 내용이다.

> **■ 재난유형별 긴급구조대응계획**
> 1. 재난 발생 단계별 주요 긴급구조대응활동 사항
> 2. 주요 재난유형별 대응 매뉴얼에 관한 사항
> 3. 비상경고 방송메시지 작성 등에 관한 사항

22 긴급구조기관

소방서는 긴급구조기관에 해당한다.
· 소방청, 해양경찰청
· 소방본부, 지방해양경찰청
· 소방서, 해양경찰서

23 재난현장지휘사항

· 재난현장에서 인명의 탐색·구조
· 긴급구조기관 및 긴급구조지원기관의 긴급구조요원·긴급구조지원요원 및 재난관리자원의 배치와 운용
· 추가 재난의 방지를 위한 응급조치
· 긴급구조지원기관 및 자원봉사자 등에 대한 임무의 부여
· 사상자의 응급처치 및 의료기관으로의 이송
· 긴급구조에 필요한 재난관리자원의 관리
· 현장접근 통제, 현장 주변의 교통정리, 그 밖에 긴급구조활동을 효율적으로 하기 위하여 필요한 사항

24 긴급구조에 관한 교육

3년이 아니라 2년마다 정기적으로 긴급구조교육을 받아야 한다.

> **■ 긴급구조에 관한 교육**
> 1. 긴급구조지원기관에서 긴급구조업무와 재난관리업무를 담당하는 부서의 담당자 및 관리자는 법 제55조 제3항에 따라 다음의 구분에 따른 긴급구조에 관한 교육(이하 '긴급구조교육'이라 한다)을 받아야 한다.
> · 신규교육: 해당 업무를 맡은 후 1년 이내에 받는 긴급구조교육
> · 정기교육: 신규교육을 받은 후 2년마다 받는 긴급구조교육
> 2. 1.에서 규정한 사항 외에 재난관리업무에 종사하는 사람의 교육에 필요한 세부 사항은 행정안전부령으로 정한다.

정답 21 ⑤ **22** ③ **23** ④ **24** ⑤

CHAPTER 7 재난의 대응 **549**

25 「긴급구조대응활동 및 현장지휘에 대한 규칙」상 통제단이 설치·운영되는 경우에 긴급구조지휘대를 구성하는 사람과 배치되는 해당 부서의 연결이 옳은 것만을 [보기]에서 있는 대로 고른 것은? 22. 소방간부

─────────────── [보기] ───────────────
ㄱ. 상황조사요원 – 대응계획부
ㄴ. 통신지원요원 – 현장지휘부
ㄷ. 안전담당요원 – 현장통제반
ㄹ. 경찰파견 연락관 – 연락공보담당

① ㄱ, ㄴ   ② ㄱ, ㄷ   ③ ㄱ, ㄴ, ㄹ
④ ㄴ, ㄷ, ㄹ   ⑤ ㄱ, ㄴ, ㄷ, ㄹ

26 「재난 및 안전관리 기본법」과 「수상에서의 수색·구조 등에 관한 법률」상 해상에서의 긴급구조 및 항공기 등 조난사고 시의 긴급구조에 관한 설명으로 옳지 않은 것은? 24. 소방간부

① 해상에서 발생한 선박이나 항공기 등의 조난사고의 긴급구조활동에 관하여는 「수상에서의 수색·구조 등에 관한 법률」 등 관계 법령에 따른다.

② 해수면에서의 수난구호는 구조본부의 장이 수행하고, 내수면에서의 수난구호는 소방관서의 장이 수행한다.

③ 국방부장관은 항공기 조난사고가 발생한 경우 항공기 수색과 인명구조를 위하여 항공기 수색·구조계획을 수립·시행하여야 한다.

④ 국방부장관은 항공기나 선박의 조난사고가 발생하면 관계 법령에 따라 긴급구조업무에 책임이 있는 기관의 긴급구조활동에 대한 군의 지원을 신속하게 할 수 있도록 조치를 취하여야 한다.

⑤ 국방부장관이 설치하는 탐색구조본부의 구성과 운영에 필요한 사항은 국방부령으로 정한다.

정답 및 해설

25 긴급구조지휘대
긴급구조지휘대를 구성하는 자는 통제단이 설치·운영되는 경우 통제단의 해당 부서로 배치된다.

긴급구조지휘대	통제단
현장지휘요원	현장지휘부
자원지원요원	자원지원부
통신지원요원 ⇨	현장지휘부
안전관리요원	현장지휘부
상황조사요원	대응계획부
구급지휘요원	현장지휘부

26 조난사고 시의 긴급구조
소방청장은 항공기 조난사고가 발생한 경우 항공기 수색과 인명구조를 위하여 항공기 수색·구조계획을 수립·시행하여야 한다. 다만, 다른 법령에 항공기의 수색·구조에 관한 특별한 규정이 있는 경우에는 그 법령에 따른다.

정답 25 ① 26 ③

CHAPTER 8 재난의 복구

■ 복구에 관한 활동 내역
1. 재난피해 신고 및 조사
2. 재난복구계획의 수립·시행
3. 특별재난지역 선포 및 지원

출제 POINT

01 재난피해 신고 및 조사 ★☆☆
02 특별재난지역 선포 기준 ★★★
03 특별재난지역 지원 ★☆☆

영철쌤 tip

재난이 끝나면
1. 재난피해를 조사하고 복구계획을 세운다.
2. 복구계획을 세우는 데 있어 지자체예산으로 복구가 힘들면 특별재난지역으로 선포할 수 있다.

1 재난피해 신고 및 조사

1. 재난피해 신고 및 조사

(1) 재난으로 피해를 입은 사람은 피해상황을 행정안전부령으로 정하는 바에 따라 시장·군수·구청장(시·군·구대책본부가 운영되는 경우에는 해당 본부장을 말한다. 이하 같다)에게 신고할 수 있으며, 피해신고를 받은 시장·군수·구청장은 피해상황을 조사한 후 중앙대책본부장에게 보고하여야 한다.

(2) 재난관리책임기관의 장은 재난으로 인하여 피해가 발생한 경우에는 피해상황을 신속하게 조사한 후 그 결과를 중앙대책본부장에게 **통보**하여야 한다.

(3) 중앙대책본부장은 재난피해의 조사를 위하여 필요한 경우에는 대통령령으로 정하는 바에 따라 관계 중앙행정기관 및 관계 재난관리책임기관의 장과 합동으로 중앙재난피해합동조사단을 편성하여 재난피해 상황을 조사할 수 있다.

(4) 중앙대책본부장은 (3)에 따른 중앙재난피해합동조사단을 편성하기 위하여 관계 재난관리책임기관의 장에게 소속 공무원이나 직원의 파견을 요청할 수 있다. 이 경우 요청을 받은 관계 재난관리책임기관의 장은 특별한 사유가 없으면 요청에 따라야 한다.

(5) (1) 및 (2)에 따른 피해상황 조사의 방법 및 기준 등 필요한 사항은 중앙대책본부장이 정한다.

2. 중앙재난피해합동조사단의 구성·운영

(1) 법 제58조 제3항에 따른 중앙재난피해합동조사단(이하 "재난피해조사단"이라 한다)의 단장은 행정안전부 소속 공무원으로 한다.

(2) 재난피해조사단의 단장은 중앙대책본부장의 명을 받아 재난피해조사단에 관한 사무를 총괄하고 재난피해조사단에 소속된 직원을 지휘·감독한다.

(3) 중앙대책본부장은 재난 피해의 유형·규모에 따라 전문조사가 필요한 경우 전문조사단을 구성·운영할 수 있다.

(4) 재난피해조사단의 편성 및 운영 등에 필요한 사항은 행정안전부령으로 정한다.

> **📖핵심정리 재난피해 신고 및 조사**
>
> 1. 재난으로 피해를 입은 사람은 시장·군수·구청장에게 신고할 수 있으며, 피해신고를 받은 시장·군수·구청장은 피해 상황을 조사한 후 중앙대책본부장에게 보고하여야 한다.
> 2. 재난관리책임기관의 장은 피해 상황을 신속하게 조사한 후 그 결과를 중앙대책본부장에게 통보하여야 한다.

2 재난복구계획의 수립·시행

(1) **재난관리책임기관의 장**은 사회재난으로 인한 피해[사회재난 중 제60조 제2항에 따라 특별재난지역으로 선포된 지역의 사회재난으로 인한 피해(이하 '특별재난지역 피해'라 한다)는 제외한다]에 대하여 제58조 제2항에 따른 **피해조사**를 마치면 **지체 없이 자체복구계획을 수립·시행**하여야 한다.

(2) **시·도지사 또는 시장·군수·구청장**은 특별재난지역 피해에 대하여 관할구역의 피해상황을 종합하는 **재난복구계획을 수립한 후** 수습본부장 및 관계 중앙행정기관의 장과 협의를 거쳐 **중앙대책본부장에게 제출**하여야 한다.

(3) (2)에도 불구하고 긴급하게 복구를 실시하여야 하는 등 대통령령으로 정하는 특별한 사유가 있는 경우에는 수습본부장이 특별재난지역 피해에 대한 재난복구계획을 직접 수립하여 중앙대책본부장에게 제출할 수 있다.

(4) 중앙대책본부장은 (2) 또는 (3)에 따라 제출받은 재난복구계획을 제14조 제3항 본문에 따른 중앙재난안전대책본부회의의 심의를 거쳐 확정하고, 이를 관계 재난관리책임기관의 장에게 통보하여야 한다.

(5) 재난관리책임기관의 장은 (4)에 따라 재난복구계획을 통보받으면 그 재난복구계획에 따라 지체 없이 재난복구를 시행하여야 한다. 이 경우 지방자치단체의 장은 재난복구를 위하여 필요한 경비를 지방자치단체의 예산에 계상(計上)하여야 한다.

3 자체복구계획 및 재난복구계획

(1) 법 제59조에 따른 자체복구계획 및 재난복구계획에는 피해시설별·관리주체별 복구 내용, 일정 및 복구비용 등이 포함되어야 한다.

(2) 법 제59조 제3항에서 "대통령령으로 정하는 특별한 사유"란 다음 각 호의 어느 하나에 해당하는 경우로서 법 제15조의2 제2항에 따른 수습본부의 장이 직접 재난복구계획을 수립할 필요성이 있다고 판단하는 경우를 말한다.
① 사회재난 중 법 제60조 제2항에 따라 특별재난지역으로 선포된 지역의 사회재난으로 인한 피해(이하 "특별재난지역 피해"라 한다)에 대하여 긴급하게 복구를 실시하여야 하는 경우
② 2개 이상의 시·도에 걸쳐 특별재난지역 피해가 발생한 경우
③ 항공사고, 해상사고, 철도사고, 화학사고, 원전사고 또는 이에 준하는 사고로 인하여 발생한 특별재난지역 피해로서 국가적 차원에서 복구할 필요성이 큰 경우

4 재난복구계획에 따라 시행하는 사업의 지도·점검 대상 등

(1) 법 제59조의2 제2항 전단에서 "대통령령으로 정하는 사업"이란 법 제59조 제4항에 따른 재난복구계획에 따라 시행하는 사업(이하 이 조에서 "재난복구사업"이라 한다) 중 다음 각 호의 어느 하나에 해당하는 재난관리책임기관이 관리하는 시설에 대한 재난복구사업을 말한다.
① 중앙행정기관 및 지방자치단체(「제주특별자치도 설치 및 국제자유도시조성을 위한 특별법」 제10조 제2항에 따른 행정시를 포함한다)
② 별표 1의2에 따른 재난관리책임기관 중 지방행정기관
③ 별표 1의2에 따른 재난관리책임기관(제2호에 따른 지방행정기관은 제외한다) 중 재난복구사업의 규모 및 파급효과 등을 고려하여 해당 재난복구사업에 대한 지도·점검이 필요하다고 행정안전부장관이 인정하는 재난관리책임기관

(2) 중앙대책본부장은 법 제59조의2 제2항 전단에 따른 재난복구사업의 지도·점검(이하 "지도·점검"이라 한다)을 하려는 경우에는 다음 각 호의 사항이 포함된 지도·점검 계획을 수립하여 지도·점검 5일 전까지 대상 기관에 통지하여야 한다.
① 지도·점검의 목적
② 지도·점검의 일시 및 대상
③ 그 밖에 지도·점검을 위하여 중앙대책본부장이 필요하다고 인정하는 사항

(3) 중앙대책본부장은 지도·점검의 효율적 수행을 위하여 필요한 경우 관계 중앙행정기관 및 행정안전부 소속 공무원으로 이루어진 합동점검반을 구성·운영할 수 있다.

(4) (2) 및 (3)에서 규정한 사항 외에 지도·점검에 필요한 사항은 행정안전부장관이 정하여 고시한다.

1. 특별재난지역의 선포

(1) 특별재난지역의 선포 목적

지방자치단체의 대처능력을 초과하는 대규모 재난발생으로 인하여 국가안보나 국민생활에 중대한 영향을 미치는 경우 특별재난지역으로 선포하여 범국가적으로 대처하도록 함으로써 국민의 생활을 조속히 안정시키고 효과적인 사후수습과 복구를 도모할 수 있도록 특별재난지역으로 선포한다.

(2) 특별재난지역으로 선포된 지역의 혜택

특별재난지역으로 선포된 지역에 대하여는 대규모 재난발생으로 인한 국민생활의 피해를 고려하여 재난구호는 물론 복구에 필요한 행정·재정·금융·세제·의료상의 특별지원을 함으로써 신속하게 안녕과 질서를 유지하고 생활을 안정시키도록 한다.

(3) 특별재난의 범위(대통령령으로 정하는 규모의 재난)

① 자연재난으로서 국고 지원 대상 피해 기준금액의 2.5배를 초과하는 피해가 발생한 재난

② 자연재난으로서 국고 지원 대상에 해당하는 시·군·구의 관할 읍·면·동에 국고 지원 대상 피해 기준금액의 4분의 1을 초과하는 피해가 발생한 재난

③ 사회재난 중 재난이 발생한 해당 지방자치단체의 행정능력이나 재정능력으로는 재난의 수습이 곤란하여 국가적 차원의 지원이 필요하다고 인정되는 재난

④ 그 밖에 재난 발생으로 인한 생활기반 상실 등 극심한 피해의 효과적인 수습 및 복구를 위하여 국가적 차원의 특별한 조치가 필요하다고 인정되는 재난 (**예** 대구지역은 코로나바이러스19 확산으로 인해 지방자치단체에서 복구하는 것이 힘들기 때문에 특별재난지역으로 선포되었다. 감염병으로는 첫 특별재난지역으로 선포되었다)

(4) 특별재난지역 선포 기준 등

① 중앙대책본부장은 대통령령으로 정하는 규모의 재난이 발생하여 국가의 안녕 및 사회질서의 유지에 중대한 영향을 미치거나 피해를 효과적으로 수습하기 위하여 특별한 조치가 필요하다고 인정하거나 지역대책본부장의 요청이 타당하다고 인정하는 경우에는 **중앙위원회의 심의**를 거쳐 해당 지역을 특별재난지역으로 선포할 것을 대통령에게 건의할 수 있다. 건의를 받은 **대통령**은 해당 지역을 **특별재난지역**으로 선포할 수 있다.

② ①에 따라 **대통령령**으로 재난의 규모를 정할 때에는 다음 각 호의 사항을 고려하여야 한다.

  ㉠ 인명 또는 재산의 피해 정도

  ㉡ 재난지역 관할 지방자치단체의 재정 능력

  ㉢ 재난으로 피해를 입은 구역의 범위

영철쌤 tip

재난사태지역의 범위 안에 있으면 특별재난지역으로 선포할 수 있다.

영철쌤 tip

특별재난의 범위

재정력 지수	국고지원 기준액	선포기준액	
		시·군·구	읍·면·동
0.1 미만	20억원	50억원	5억원
0.1 이상 ~0.2 미만	26억원	65억원	6.5억원
0.2 이상 ~0.4 미만	32억원	80억원	8억원
0.4 이상 ~0.6 미만	38억원	95억원	9.5억원
0.6 이상	44억원	110억원	11억원

③ ①에 따라 특별재난지역의 선포를 건의받은 대통령은 해당 지역을 특별재난지역으로 선포할 수 있다.

④ 지역대책본부장은 관할지역에서 발생한 재난으로 인하여 ①에 따른 사유가 발생한 경우에는 중앙대책본부장에게 특별재난지역의 선포 건의를 요청할 수 있다.

　　㉠ **특별재난지역 건의권자**: 중앙대책본부장(행정안전부장관)

　　㉡ **특별재난지역 심의기구**: 중앙위원회

　　㉢ **특별재난지역 선포권자**: 대통령

| 🏠 **핵심정리** **재난사태 및 특별재난지역** |

구분	재난사태지역	특별재난지역
재난관리	대응	복구
심의	중앙안전관리위원회	중앙안전관리위원회
선포	행정안전부장관	대통령

2. 특별재난지역에 대한 지원

(1) 특별재난지역에 대한 지원자

국가, 지방자치단체

(2) 재난지역에 대한 국고보조 등의 지원

① 국가는 다음 각 호의 어느 하나에 해당하는 재난의 원활한 복구를 위하여 필요하면 대통령령으로 정하는 바에 따라 그 비용(제65조 제1항에 따른 보상금을 포함한다)의 전부 또는 일부를 국고에서 부담하거나 지방자치단체, 그 밖의 재난관리책임자에게 보조할 수 있다. 다만, 제39조 제1항(제46조 제1항에 따라 시·도지사가 하는 경우를 포함한다) 또는 제40조 제1항의 대피명령을 방해하거나 위반하여 발생한 피해에 대하여는 그러하지 아니하다.

　　㉠ 자연재난

　　㉡ 사회재난 중 제60조 제3항에 따라 특별재난지역으로 선포된 지역의 재난

② ①에 따른 재난복구사업의 재원은 대통령령으로 정하는 재난의 구호 및 재난의 복구비용 부담기준에 따라 국고의 부담금 또는 보조금과 지방자치단체의 부담금·의연금 등으로 충당하되, 지방자치단체의 부담금 중 시·도 및 시·군·구가 부담하는 기준은 행정안전부령으로 정한다.

③ 국가와 지방자치단체는 재난으로 피해를 입은 시설의 복구와 피해주민의 생계 안정 및 피해기업의 경영 안정을 위하여 다음 각 호의 지원을 할 수 있다. 다만, 다른 법령에 따라 국가 또는 지방자치단체가 같은 종류의 보상금 또는 지원금을 지급하거나, 제3조 제1호 나목에 해당하는 재난으로 피해를 유발한

원인자가 보험금 등을 지급하는 경우에는 그 보상금, 지원금 또는 보험금 등에 상당하는 금액은 지급하지 아니한다.

㉠ 사망자·실종자·부상자 등 피해주민에 대한 구호

㉡ 주거용 건축물의 복구비 지원

㉢ 고등학생의 학자금 면제

㉣ 자금의 융자, 보증, 상환기한의 연기, 그 이자의 감면 등 관계 법령에서 정하는 금융지원

㉤ 세입자 보조 등 생계안정 지원

㉥ 「소상공인기본법」 제2조에 따른 소상공인에 대한 지원

㉦ 관계 법령에서 정하는 바에 따라 국세·지방세, 건강보험료·연금보험료, 통신요금, 전기요금 등의 경감 또는 납부유예 등의 간접지원

㉧ 주 생계수단인 농업·어업·임업·염생산업(鹽生産業)에 피해를 입은 경우에 해당 시설의 복구를 위한 지원

㉨ 공공시설 피해에 대한 복구사업비 지원

㉩ 그 밖에 제14조 제3항 본문에 따른 중앙재난안전대책본부회의에서 결정한 지원 또는 제16조 제2항에 따른 지역재난안전대책본부회의에서 결정한 지원

④ ③에 따른 지원의 기준은 ①의 세부내용의 어느 하나에 해당하는 재난에 대해서는 대통령령으로 정하고, 사회재난으로서 제60조 제3항에 따라 특별재난지역으로 선포되지 아니한 지역의 재난에 대해서는 해당 지방자치단체의 조례로 정한다.

⑤ 국가와 지방자치단체는 재난으로 피해를 입은 사람에 대하여 심리적 안정과 사회 적응을 위한 상담 활동을 지원할 수 있다. 이 경우 구체적인 지원절차와 그 밖에 필요한 사항은 대통령령으로 정한다.

⑥ 국가 또는 지방자치단체는 ③의 세부내용에 따른 지원의 원인이 되는 사회재난에 대하여 그 원인을 제공한 자가 따로 있는 경우에는 그 원인제공자에게 국가 또는 지방자치단체가 부담한 비용의 전부 또는 일부를 청구할 수 있다.

⑦ ③의 세부내용에 따라 지원되는 금품 또는 이를 지급받을 권리는 양도·압류하거나 담보로 제공할 수 없다.

| 참고 | 책임별 각종 권한 |

책임별	권한
대통령	특별재난지역 선포권자
국무총리	· 중앙안전관리위원회 위원장 · 국가안전관리기본계획 수립 · 안전관리헌장 제정 · 고시자
행정안전부장관	· 중앙재난안전대책 본부장 · 중앙안전관리위원회 간사 · 안전정책조정위원회 위원장 · 중앙안전관리민관협력위원회 구성 · 운영권자 · 재난안전상황실 설치 · 운영권자 · 정부합동안전점검단 실시권자 · 국가재난관리기준 제정 · 고시자 · 재난사태 선포권자 · 특별재난지역 건의권자
재난안전관리본부장	· 안전정책조정위원회 간사 · 실무위원회 위원장 · 중앙안전관리민관협력위원회 공동위원장
소방청장	· 중앙긴급구조통제단장 · 긴급구조 권역현장지휘대 설치 · 운영권자
소방청 차장	중앙긴급구조통제 부단장
시 · 도지사	시 · 도 지역 관련 재난안전상황실 설치 · 운영권자
시장 · 군수 · 구청장	시 · 군 · 구 지역 관련 재난안전상황실 설치 · 운영권자
소방본부장	시 · 도긴급구조통제단장
소방서장	시 · 군 · 구긴급구조통제단장

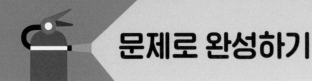
01 「재난 및 안전관리 기본법」과 관련하여 (   ) 안에 들어갈 내용으로 옳은 것은?

> (ㄱ)은 대통령령으로 정하는 규모의 재난이 발생하여 국가의 안녕 및 사회질서의 유지에 중대한 영향을 미치거나 피해를 효과적으로 수습하기 위하여 특별한 조치가 필요하다고 인정하는 경우에는 중앙안전관리위원회(중앙위원회)의 심의를 거쳐 해당 지역을 (ㄴ)으로 선포할 것을 대통령에게 건의할 수 있다.

	ㄱ	ㄴ
①	중앙대책본부장	특별재난지역
②	중앙통제단장	특별재난지역
③	중앙대책본부장	특별재해지역
④	중앙통제단장	특별재해지역

02 특별재난사태 건의, 심의 및 선포권자가 옳게 연결된 것은?

① 국무총리 – 조정위원회 – 행정안전부장관
② 국무총리 – 중앙위원회 – 대통령
③ 국무총리 – 조정위원회 – 행정안전부장관
④ 행정안전부장관 – 중앙위원회 – 대통령

03 다음은 「재난 및 안전관리 기본법」상 특별재난지역의 선포와 관련된 내용이다. (   ) 안에 들어갈 내용으로 옳은 것은?

> (ㄱ)은/는 대통령령으로 정하는 규모의 재난이 발생하여 특별한 조치가 필요하다고 인정하거나 지역대책본부장의 요청이 타당하다고 인정하는 경우에는 (ㄴ)의 심의를 거쳐 해당 지역을 특별재난지역으로 선포할 것을 대통령에게 건의할 수 있다.

	ㄱ	ㄴ
①	중앙재난안전대책본부장	안전정책조정위원회
②	중앙안전관리위원회	중앙사고수습본부
③	중앙안전관리위원회	중앙재난안전대책본부장
④	중앙재난안전대책본부장	중앙안전관리위원회

04 재난 및 안전관리 기본법령상 특별재난지역 선포에 관한 사항으로 옳지 않은 것은? 24. 소방간부

① 특별재난지역의 선포권자는 대통령이다.

② 중앙대책본부장은 특별재난지역의 선포를 대통령에게 건의할 수 있다.

③ 특별재난지역의 선포를 위해서는 중앙대책본부의 심의를 거쳐야 한다.

④ 지역대책본부장은 관할지역에서 발생한 재난에 대해 중앙대책본부장에게 특별재난지역의 선포 건의를 요청할 수 있다.

⑤ 특별재난지역을 선포하는 경우에 중앙대책본부장은 특별재난지역의 구체적인 범위를 정하여 공고하여야 한다.

정답 및 해설

01 특별재난지역의 선포
중앙대책본부장은 대통령령으로 정하는 규모의 재난이 발생하여 국가의 안녕 및 사회질서의 유지에 중대한 영향을 미치거나 피해를 효과적으로 수습하기 위하여 특별한 조치가 필요하다고 인정하는 경우에는 중앙안전관리위원회(중앙위원회)의 심의를 거쳐 해당 지역을 특별재난지역으로 선포할 것을 대통령에게 건의할 수 있다.

02 특별재난지역의 건의·심의·선포권자
중앙대책본부장(행정안전부장관)은 중앙위원회의 심의를 거쳐 해당 지역을 특별재난지역으로 선포할 것을 대통령에게 건의하고, 건의받은 대통령은 해당 지역을 특별재난지역으로 선포할 수 있다.

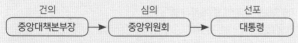

- 특별재난지역 건의권자: 중앙대책본부장
- 특별재난지역 선포권자: 대통령
- 특별재난지역 지원: 국가나 지방자치단체

03 특별재난지역의 선포
중앙재난안전대책본부장은 대통령령으로 정하는 규모의 재난이 발생하여 특별한 조치가 필요하다고 인정하거나 지역대책본부장의 요청이 타당하다고 인정하는 경우에는 중앙안전관리위원회의 심의를 거쳐 해당 지역을 특별재난지역으로 선포할 것을 대통령에게 건의할 수 있다.

04 특별재난지역 선포
특별재난지역의 선포를 위해서는 중앙위원회의 심의를 거쳐야 한다.

정답 01 ① **02** ④ **03** ④ **04** ③

05 재난 및 안전관리 기본법령상 재난사태 선포와 특별재난지역의 선포에 관한 설명으로 옳지 않은 것은? 24. 소방간부

① 재난사태 선포는 재난의 대응 활동에 해당된다.

② 특별재난지역의 선포는 재난의 복구 활동에 해당된다.

③ 재난사태 선포권자는 국무총리이다.

④ 재난사태 선포대상 재난은 재난 중 극심한 인명 또는 재산의 피해가 발생하거나 발생할 것으로 예상되어 시·도지사가 중앙대책본부장에게 재난사태의 선포를 건의하거나 중앙대책본부장이 재난사태의 선포가 필요하다고 인정하는 재난(「노동조합 및 노동관계조정법」 제4장에 따른 쟁의행위로 인한 국가핵심기반의 일시 정지는 제외한다)을 말한다.

⑤ 행정안전부장관 및 지방자치단체의 장은 재난사태가 선포된 지역에 대하여 재난경보의 발령, 인력·장비 및 물자의 동원, 위험구역 설정, 대피명령, 응급지원 등 이 법에 따른 응급조치, 해당 지역에 소재하는 행정기관 소속 공무원의 비상소집, 해당 지역에 대한 여행 등 이동 자제 권고 등의 조치를 할 수 있다.

06 「재난 및 안전관리 기본법」상 재난관리단계별 조치사항의 연결이 옳지 않은 것은? 21. 공채·경채

① 예방단계 – 재난방지시설의 관리

② 대비단계 – 재난현장 긴급통신수단의 마련

③ 대응단계 – 특별재난지역의 선포

④ 복구단계 – 피해조사 및 복구계획 수립·시행

정답 및 해설

05 재난사태 선포권자
재난사태 선포권자는 행정안전부장관이다.

06 재난관리단계별 조치사항
특별재난지역의 선포는 복구단계의 조치사항이다.

정답 05 ③ 06 ③

CHAPTER 9 안전문화 진흥

1 안전문화 진흥을 위한 시책의 추진

(1) 중앙행정기관의 장과 지방자치단체의 장은 소관 재난 및 안전관리업무와 관련하여 국민의 안전의식을 높이고 안전문화를 진흥시키기 위한 다음 각 호의 **안전문화활동을 적극 추진**하여야 한다.

① 안전교육 및 안전훈련(응급상황시의 대처요령을 포함한다)

② 안전의식을 높이기 위한 캠페인 및 홍보

③ 각종 사고를 예방하기 위한 안전신고 활동 장려 · 지원

④ 안전행동요령 및 기준 · 절차 등에 관한 지침의 개발 · 보급

⑤ 안전문화 우수사례의 발굴 및 확산

⑥ 안전 관련 통계 현황의 관리 · 활용 및 공개

⑦ 안전에 관한 각종 조사 및 분석

⑧ 안전취약계층의 안전관리 강화

⑨ 그 밖에 안전문화를 진흥하기 위한 활동

(2) 행정안전부장관은 (1)에 따른 안전문화활동의 추진에 관한 총괄 · 조정 업무를 관장한다.

(3) **지방자치단체의 장**은 지역 내 안전문화활동에 주민과 관련 기관 · 단체가 참여할 수 있는 제도를 마련하여 시행할 수 있다.

(4) 국가와 지방자치단체는 국민이 안전문화를 실천하고 체험할 수 있는 안전체험시설을 설치 · 운영할 수 있다.

(5) 국가와 지방자치단체는 지방자치단체 또는 그 밖의 기관 · 단체에서 추진하는 안전문화활동을 위하여 필요한 예산을 지원할 수 있다.

2 안전정보의 구축 · 활용

(1) 행정안전부장관은 재난 및 각종 사고로부터 국민의 생명과 신체 및 재산을 보호하기 위하여 다음의 정보(이하 '안전정보'라 한다)를 수집하여 체계적으로 관리하여야 한다.

① 재난이나 그 밖의 각종 사고에 관한 통계, 지리정보 및 안전 정책에 관한 정보

② 안전취약계층의 재난 및 각종 사고 피해에 관한 통계

③ 제32조 제1항에 따른 안전 점검 결과

④ 제32조 제4항에 따른 조치 결과

⑤ 제33조의2 제1항부터 제3항까지에 따른 재난관리체계 등에 대한 평가 결과

⑥ 제55조의2 제2항에 따른 긴급구조지원기관의 능력 평가 결과

⑦ 제69조 제1항 및 제2항에 따른 재난원인조사 결과

⑧ 제69조 제5항 후단에 따른 개선권고 등의 조치 결과에 관한 정보

⑨ 그 밖에 재난이나 각종 사고에 관한 정보로서 행정안전부장관이 수집·관리가 필요하다고 인정하는 정보

(2) 행정안전부장관은 안전정보를 체계적으로 관리하고 안전정보 및 다른 법령에 따라 재난관리책임기관의 장이 공개하는 시설 등에 대한 각종 안전점검·진단 등의 결과를 통합적으로 공개하기 위하여 안전정보통합 관리시스템을 구축·운영하여야 한다.

(3) 행정안전부장관은 안전정보통합 관리시스템을 관계 행정기관 및 국민이 안전수준을 진단하고 개선하는 데 활용할 수 있도록 하여야 한다.

(4) 행정안전부장관은 안전정보통합 관리시스템을 구축·운영하기 위하여 관계 행정기관의 장에게 필요한 자료를 요청할 수 있다. 이 경우 요청을 받은 관계 행정기관의 장은 특별한 사유가 없으면 요청에 따라야 한다.

(5) 안전정보 등의 수집·공개·관리, 안전정보통합 관리시스템의 구축·활용 등에 필요한 사항은 대통령령으로 정한다.

3 안전관리헌장

(1) 국무총리는 재난을 예방하고, 재난이 발생할 경우 그 피해를 최소화하기 위하여 재난 및 안전관리업무에 종사하는 자가 지켜야 할 사항 등을 정한 안전관리헌장을 제정·고시하여야 한다.

(2) 재난관리책임기관의 장은 (1)에 따른 안전관리헌장을 실천하는 데 노력하여야 하며, 안전관리헌장을 누구나 쉽게 볼 수 있는 곳에 항상 게시하여야 한다.

> 📖 핵심정리 **안전문화활동**
>
> 1. 행정안전부장관은 안전문화활동의 추진에 관한 총괄·조정업무를 관장한다.
> 2. 행정안전부장관은 효율적인 안전정보의 수집·공개·관리 및 공동이용 활성화 등을 위하여 안전정보공동이용협의회를 설치·운영할 수 있다.
> 3. 국무총리는 안전관리헌장을 제정·고시한다.

4 　안전지수의 공표 및 안전진단의 실시

(1) 행정안전부장관은 지역별 안전수준과 안전의식을 객관적으로 나타내는 지수(이하 "안전지수"라 한다)를 개발·조사하여 그 결과를 공표할 수 있다.

(2) 행정안전부장관은 (1)에 따라 공표된 안전지수를 고려하여 안전수준 및 안전의식의 개선이 필요하다고 인정되는 지방자치단체에 대해서는 안전환경 분석 및 개선방안 마련 등 안전진단(이하 "안전진단"이라 한다)을 실시할 수 있다.

(3) 행정안전부장관은 안전지수의 조사 및 안전진단의 실시를 위하여 관계 행정기관의 장에게 필요한 자료를 요청할 수 있다. 이 경우 요청을 받은 관계 행정기관의 장은 특별한 사유가 없으면 요청에 따라야 한다.

(4) 행정안전부장관은 안전지수의 개발·조사 및 안전진단의 실시에 관한 업무를 효율적으로 수행하기 위하여 필요한 경우 대통령령으로 정하는 기관 또는 단체로 하여금 그 업무를 대행하게 할 수 있다.

(5) 안전지수의 조사 항목, 방법, 공표절차 및 안전진단의 실시 방법, 절차, 기준 등 필요한 사항은 대통령령으로 정한다.

5 　지역축제 개최 시 안전관리조치

(1) 중앙행정기관의 장 또는 지방자치단체의 장은 대통령령으로 정하는 지역축제를 개최하려면 해당 지역축제가 안전하게 진행될 수 있도록 지역축제 안전관리계획을 수립하고, 그 밖에 안전관리에 필요한 조치를 하여야 한다. 다만, 다중의 참여가 예상되는 지역축제로서 개최자가 없거나 불분명한 경우에는 참여 예상 인원의 규모와 장소 등을 고려하여 대통령령으로 정하는 바에 따라 관할 지방자치단체의 장이 지역축제 안전관리계획을 수립하고 그 밖에 안전관리에 필요한 조치를 하여야 한다.

(2) 행정안전부장관 또는 시·도지사는 (1)에 따른 지역축제 안전관리계획의 이행 실태를 지도·점검할 수 있으며, 점검 결과 보완이 필요한 사항에 대해서는 관계 기관의 장에게 시정을 요청할 수 있다. 이 경우 시정 요청을 받은 관계 기관의 장은 특별한 사유가 없으면 요청에 따라야 한다.

(3) 중앙행정기관의 장 또는 지방자치단체의 장 외의 자가 대통령령으로 정하는 지역축제를 개최하려는 경우에는 해당 지역축제가 안전하게 진행될 수 있도록 지역축제 안전관리계획을 수립하여 대통령령으로 정하는 바에 따라 관할 시장·군수·구청장에게 사전에 통보하고, 그 밖에 안전관리에 필요한 조치를 하여야 한다. 지역축제 안전관리계획을 변경하려는 때에도 또한 같다.

(4) (3)에 따른 통보를 받은 관할 시장·군수·구청장은 필요하다고 인정되는 때에는 지역축제 안전관리계획에 대하여 보완을 요구할 수 있다. 이 경우 보완을 요구받은 자는 정당한 사유가 없으면 이에 따라야 한다.

 영철쌤 tip

지역축제 안전관리
1. 중앙행정기관 또는 지방자치단체의 장: 지역축제안전관리계획을 수립, 조치
2. 행정안전부장관 또는 시·도지사: 지역축제안전관리계획 이행 실태를 지도, 점검

대통령령으로 정하는 지역축제
1. 축제기간 중 순간 최대 관람객이 1천명 이상이 될 것으로 예상되는 지역축제
2. 축제장소나 축제에 사용하는 재료 등에 사고 위험이 있는 지역축제로서 다음에 해당하는 지역축제
   · 산 또는 수면에서 개최하는 지역축제
   · 불, 폭죽, 석유류 또는 가연성 가스 등의 폭발성 물질을 사용하는 지역축제

(5) (1)부터 (3)까지에 따른 지역축제의 안전관리를 위하여 필요한 경우 중앙행정기관의 장 또는 지방자치단체의 장 [(3)에 따른 지역축제의 경우에는 관할 시장·군수·구청장을 말한다. 이하 이 항 및 (6)에서 같다]은 관할 경찰관서, 소방관서 및 그 밖에 관계 기관의 장에게 협조 또는 해당 기관의 소관 사항에 대한 역할 분담을 요청할 수 있다. 이 경우 요청을 받은 기관의 장은 특별한 사유가 없으면 이에 따라야 한다.

(6) (1) 또는 (3)에 따른 지역축제의 안전관리를 위하여 필요한 경우 중앙행정기관의 장 또는 지방자치단체의 장은 대통령령으로 정하는 바에 따라 관할 경찰관서, 소방관서 및 그 밖에 관계 기관·단체 등이 참여하는 지역안전협의회를 구성·운영할 수 있다.

(7) (1)부터 (4)까지의 규정에 따른 지역축제 안전관리계획의 내용, 수립절차 및 (5)에 따른 협조 또는 역할 분담의 요청 등에 필요한 사항은 대통령령으로 정한다.

> **참고** **지역축제 안전관리계획**
>
> 1. 지역축제 안전관리계획(이하 '지역축제 안전관리계획'이라 한다)에는 각각 다음 사항이 포함되어야 한다.
>   ① 지역축제의 개요
>   ② 축제 장소·시설 등을 관리하는 사람 및 관리조직과 임무에 관한 사항
>   ③ 화재예방 및 인명피해 방지조치에 관한 사항
>   ④ 안전관리인력의 확보 및 배치계획
>   ⑤ 비상시 대응요령, 담당 기관과 담당자 연락처
> 2. 지역축제를 개최하려는 자가 지역축제 안전관리계획을 수립하려면 개최지를 관할하는 지방자치단체, 소방서 및 경찰서 등 안전관리 유관기관의 의견을 미리 들어야 한다.
> 3. 지역축제를 개최하려는 자는 지역축제 안전관리계획을 수립하여 축제 개최일 3주 전까지 관할 시장·군수·구청장에게 제출해야 한다. 이 경우 지역축제 안전관리계획을 변경하려는 경우에는 해당 축제 개최일 7일 전까지 변경된 내용을 제출해야 한다.

6 국민안전의 날 및 안전점검의 날 등

국민안전의 날	매년 4월 16일 (2014년 4월 16일 발생한 세월호 침몰 사고 이후 안전의 중요성을 되새기자는 의미로 제정된 날)
안전점검의 날	매월 4일
방재의 날	매년 5월 25일
소방의 날	매년 11월 9일
의용소방대의 날	매년 3월 19일

문제로 완성하기

01 다음 중 '안전점검의 날'로 옳은 것은?

① 매년 4월 16일 ② 매월 4일

③ 매년 5월 25일 ④ 매년 11월 9일

02 안전정보통합 관리시스템의 구축·운영자는?

① 대통령 ② 국무총리

③ 행정안전부장관 ④ 소방청장

정답 및 해설

01 안전점검의 날

국민안전의 날	매년 4월 16일 (2014년 4월 16일 발생한 세월호 침몰 사고 이후 안전의 중요성을 되새기자는 의미로 제정된 날)
안전점검의 날	매월 4일
방재의 날	매년 5월 25일
소방의 날	매년 11월 9일
의용소방대의 날	매년 3월 19일

02 안전정보통합 관리시스템

행정안전부장관은 안전정보를 체계적으로 관리하고 안전정보 및 다른 법령에 따라 재난관리책임기관의 장이 공개하는 시설 등에 대한 각종 안전점검·진단 등의 결과를 통합적으로 공개하기 위하여 안전정보통합 관리시스템을 구축·운영하여야 한다.

정답 01 ② **02** ③

CHAPTER 10 보칙

1 재난관리기금의 적립

(1) 지방자치단체는 재난관리에 드는 비용을 충당하기 위하여 매년 재난관리기금을 적립하여야 한다.

(2) 재난관리기금의 매년도 최저적립액은 최근 3년 동안의 「지방세법」에 의한 보통세의 수입결산액의 평균연액의 100분의 1에 해당하는 금액으로 한다.

> **참고** 재난관리기금
>
> 1. 시·도지사 및 시장·군수·구청장은 전용 계좌를 개설하여 매년 적립하는 재난관리기금을 관리하여야 한다.
> 2. 시·도지사 및 시장·군수·구청장은 매년도 최저적립액(이하 '최저적립액'이라 한다)의 100분의 15 이상의 금액(이하 '의무예치금액'이라 한다)을 금융회사 등에 예치하여 관리하여야 한다. 다만, 의무예치금액의 누적 금액이 해당 연도를 기준으로 매년도 최저적립액의 10배를 초과한 경우에는 해당 연도의 의무예치금액을 매년도 최저적립액의 100분의 5로 낮추어 예치할 수 있다.

2 재난관리기금의 운용 등

(1) 재난관리기금에서 생기는 수입은 그 전액을 재난관리기금에 편입하여야 한다.

(2) 매년도 최저적립액 중 대통령령으로 정하는 일정 비율 이상은 응급복구 또는 긴급한 조치에 우선적으로 사용하여야 한다.

(3) 재난관리기금의 용도·운용 및 관리에 필요한 사항은 대통령령으로 정한다.

3 재난원인조사

(1) 행정안전부장관은 재난이나 그 밖의 각종 사고의 발생 원인과 재난 발생 시 대응 과정에 관한 조사·분석·평가(제34조의5 제1항에 따른 위기관리 매뉴얼의 준수 여부에 대한 평가를 포함한다. 이하 '재난원인조사'라 한다)가 필요하다고 인정하는 경우 직접 재난원인조사를 실시하거나, 재난관리책임기관의 장으로 하여금 재난원인조사를 실시하고 그 결과를 제출하게 할 수 있다.

(2) 행정안전부장관은 다음의 어느 하나에 해당하는 재난의 경우에는 재난안전 분야 전문가 및 전문기관 등이 공동으로 참여하는 **정부합동 재난원인조사단을 편성**하고, 이를 현지에 파견하여 재난원인조사를 실시할 수 있다.
   ① 인명 또는 재산의 피해 정도가 매우 크거나 재난의 영향이 사회적·경제적으로 광범위한 재난으로서 대통령령으로 정하는 재난
      ㉠ 특별재난지역을 선포하게 한 재난
      ㉡ 중앙재난안전대책본부, 지역재난안전대책본부 또는 중앙사고수습본부를 구성·운영하게 한 재난
      ㉢ 반복적으로 발생하는 재난으로서 행정안전부장관이 재발 방지를 위하여 재난원인조사가 필요하다고 판단하는 재난
   ② ①에 따른 재난에 준하는 재난으로서 행정안전부장관이 체계적인 재난원인조사가 필요하다고 인정하는 재난

(3) 정부합동 재난원인조사단 및 조사
   ① 정부합동 재난원인조사단은 재난원인조사단의 단장(이하 '조사단장'이라 한다)을 포함한 **50명 이내의 조사단원으로 편성**한다.
   ② 행정안전부장관은 다음의 사람 중에서 조사단원을 선발하고, 조사단원 중에서 조사단장을 지명한다.
      ㉠ 행정안전부 소속 재난 및 안전관리 업무 담당 공무원
      ㉡ 관계 중앙행정기관 소속 재난 및 안전관리 업무 담당 공무원 중에서 해당 중앙행정기관의 장이 추천하는 공무원
      ㉢ 국립재난안전연구원 또는 국립과학수사연구원에서 해당 재난 및 사고 분야의 업무를 담당하는 연구원
      ㉣ 발생한 재난 및 사고 분야에 대하여 학식과 경험이 풍부한 사람
      ㉤ 그 밖에 재난원인조사의 공정성 및 전문성을 확보하기 위하여 행정안전부장관이 필요하다고 인정하는 사람
   ③ 조사단장은 조사단원을 지휘하고, 재난원인조사단의 운영을 총괄한다.
   ④ 재난원인조사는 행정안전부령으로 정하는 바에 따라 예비조사와 본조사로 구분하여 실시할 수 있으며, 본조사의 경우 조사단장은 재난발생지역 지방자치단체 또는 관계 기관 등에 정밀분석을 하도록 하거나 관계 기관과 합동으로 조사 또는 연구를 실시할 수 있다.

⑤ 재난원인조사단은 최종적인 조사를 마쳤을 때에는 다음의 사항을 포함한 조사결과보고서를 작성하여야 하고, 조사결과의 공정성 및 신뢰성을 확보하기 위하여 지방자치단체, 관계 기관 및 관계 전문가 등을 참여시켜 그 조사결과보고서를 검토하게 할 수 있다.
　㉠ 조사목적, 피해상황 및 현장정보
　㉡ 현장조사 내용
　㉢ 재난원인 분석 내용
　㉣ 재난대응과정에 대한 조사·분석·평가(법 제34조의5 제1항에 따른 위기관리 매뉴얼의 준수 여부에 대한 평가를 포함한다)에 대한 내용
　㉤ 권고사항 및 개선대책 등 조치사항
　㉥ 그 밖에 재난의 재발방지 등을 위하여 필요한 내용
⑥ 재난원인조사단은 조사결과보고서 작성을 완료한 날부터 3개월 이내에 그 결과를 조정위원회에 보고하여야 한다.

4　재난상황의 기록 관리

(1) 재난관리책임기관의 장은 다음의 사항을 기록하고, 이를 보관하여야 한다. 이 경우 시장·군수·구청장을 제외한 재난관리책임기관의 장은 그 기록사항을 시장·군수·구청장에게 통보하여야 한다.
① 소관 시설·재산 등에 관한 피해상황을 포함한 재난상황
② 재난 발생 시 대응과정 및 조치사항
③ 재난원인조사(재난관리책임기관의 장이 실시한 재난원인조사에 한정한다) 결과
④ 재난원인조사 결과에 따른 개선권고 등의 조치결과
⑤ 그 밖에 재난관리책임기관의 장이 기록·보관이 필요하다고 인정하는 사항

(2) 행정안전부장관은 매년 재난상황 등을 기록한 재해연보 또는 재난연감을 작성하여야 한다.

(3) 행정안전부장관은 (2)에 따른 재해연보 또는 재난연감을 작성하기 위하여 필요한 경우 재난관리책임기관의 장에게 관련 자료의 제출을 요청할 수 있다. 이 경우 요청을 받은 재난관리책임기관의 장은 요청에 적극 협조하여야 한다.

(4) 재난관리주관기관의 장은 대규모 재난과 특별재난지역으로 선포된 사회재난 또는 재난상황 등을 기록하여 관리할 특별한 필요성이 인정되는 재난에 관하여 재난수습 완료 후 수습상황과 재난예방 및 피해를 줄이기 위한 제도 개선의견 등을 기록한 재난백서를 작성하여야 한다. 이 경우 관계 기관의 장이 재난대응에 참고할 수 있도록 재난백서를 통보하여야 한다.

(5) 재난관리주관기관의 장은 (4)에 따른 재난백서를 신속히 국회 소관 상임위원회에 제출·보고하여야 한다.

(6) 재난상황의 작성·보관 및 관리에 필요한 사항은 대통령령으로 정한다.

(7) 재난관리책임기관의 장은 피해시설물별로 다음의 사항이 포함된 재난상황의 기록을 작성·보관 및 관리하여야 한다.

① 피해상황 및 대응 등
　　㉠ 피해일시 및 피해지역
　　㉡ 피해원인, 피해물량 및 피해금액
　　㉢ 동원 인력·장비 등 응급조치 내용
　　㉣ 피해지역 사진 및 도면·위치 정보
　　㉤ 인명피해 상황 및 피해주민 대처상황
　　㉥ 자원봉사자 등의 활동사항

② 복구상황
　　㉠ 자체복구계획 또는 재난복구계획에 따라 시행하는 사업의 종류별 복구물량 및 복구금액의 산출내용
　　㉡ 복구공사의 명칭·위치, 공사발주 및 복구추진 현황

③ 그 밖에 미담·모범사례 등 기록으로 작성하여 보관·관리할 필요가 있는 사항

(8) 시·도지사 및 시장·군수·구청장은 (7)에 따라 작성된 재난상황의 기록을 재난복구가 끝난 해의 다음 해부터 5년간 보관하여야 한다.

(9) 작성하는 재해연보 및 재난연감은 책자 형태 또는 전자적 형태의 기록물로 발행할 수 있으며, 발행한 재해연보 및 재난연감은 관계 재난관리책임기관의 장에게 송부하거나 전자적 방법으로 게시하여 열람할 수 있도록 하여야 한다.

5　재난 및 안전관리기술개발 종합계획의 수립 등

(1) **행정안전부장관**은 재난 및 안전관리에 관한 과학기술의 진흥을 위하여 **5년마다** 관계 중앙행정기관의 재난 및 안전관리기술개발에 관한 계획을 종합하여 **조정위원회의 심의**와 「국가과학기술자문회의법」에 따른 **국가과학기술자문회의의 심의**를 거쳐 **재난 및 안전관리기술개발 종합계획**(이하 '개발계획'이라 한다)을 수립하여야 한다.

(2) 관계 중앙행정기관의 장은 개발계획에 따라 소관 업무에 관한 해당 연도 시행계획을 수립하고 추진하여야 한다.

(3) 개발계획 및 시행계획에 포함하여야 할 사항 및 계획수립의 절차 등에 관하여는 대통령령으로 정한다.

영철쌤 tip

재난 및 안전관리기술개발 종합계획
행정안전부장관은 재난 및 안전관리기술개발 종합계획을 조정위원회의 심의와 국가과학기술자문회의의 심의를 거쳐 5년마다 수립하여야 한다.

국가안전관리기본계획
국무총리는 국가안전관리기본계획을 중앙안전관리위원회 심의를 거쳐 5년마다 수립하여야 한다.

재난 및 안전관리기술개발 종합계획과 국가안전관리기본계획 비교

구분	수립	년도	심의
재난 및 안전관리 기술개발 종합계획	행정 안전부 장관	5년 마다	(안전정책) 조정위원회 및 국가과학기술 자문회
국가안전 관리기본 계획	국무 총리	5년 마다	중앙(안전관리) 위원회

6 **안전책임관** [시행일: 2025.3.20.]

재난관리책임기관의 장은 해당 기관의 재난 및 안전관리업무를 총괄하는 안전책임관 및 담당 직원을 소속 공무원 또는 임직원 중에서 임명할 수 있다.

(1) 안전책임관은 해당 기관의 재난 및 안전관리업무와 관련하여 다음의 사항을 담당한다.
    ① 재난이나 그 밖의 각종 사고가 발생하거나 발생할 우려가 있는 경우 초기대응 및 보고에 관한 사항
    ② 위기관리 매뉴얼의 작성·관리에 관한 사항
    ③ 재난 및 안전관리와 관련된 교육·훈련에 관한 사항
    ④ 그 밖에 해당 중앙행정기관의 장이 재난 및 안전관리업무를 위하여 필요하다고 인정하는 사항
(2) 안전책임관의 임명 및 운영에 필요한 사항은 대통령령으로 정한다.

7 **재난안전의무보험 종합정보시스템의 구축·운영 등**

(1) 행정안전부장관은 재난안전의무보험 관리·운용의 효율성을 높이고, 재난안전의무보험 관련 자료 또는 정보를 체계적으로 수집하여 종합적으로 관리할 수 있도록 재난안전의무보험 종합정보시스템을 구축·운영할 수 있다.
(2) 재난안전의무보험 종합정보시스템의 구축·운영, 재난안전의무보험 관련 자료 또는 정보의 공동이용 및 제공 등에 필요한 사항은 대통령령으로 정한다.

8 **재난관리정보통신체계의 구축·운영**

(1) 행정안전부장관과 재난관리책임기관·긴급구조기관 및 긴급구조지원기관의 장은 재난관리업무를 효율적으로 추진하기 위하여 대통령령으로 정하는 바에 따라 재난관리정보통신체계를 구축·운영할 수 있다.
(2) 재난관리책임기관·긴급구조기관 및 긴급구조지원기관의 장은 (1)에 따른 재난관리정보통신체계의 구축에 필요한 자료를 관계 재난관리책임기관·긴급구조기관 및 긴급구조지원기관의 장에게 요청할 수 있다. 이 경우 요청을 받은 기관의 장은 특별한 사유가 없으면 요청에 따라야 한다.
(3) 행정안전부장관은 재난관리책임기관·긴급구조기관 및 긴급구조지원기관의 장이 (1)에 따라 구축하는 재난관리정보통신체계가 연계 운영되거나 표준화가 이루어지도록 종합적인 재난관리정보통신체계를 구축·운영할 수 있으며, 재난관리책임기관·긴급구조기관 및 긴급구조지원기관의 장은 특별한 사유가 없으면 이에 협조하여야 한다.

문제로 완성하기

01 다음 중 ( ) 안에 들어갈 내용으로 옳은 것은?

- 지방자치단체는 재난관리에 드는 비용에 충당하기 위하여 매년 재난관리기금을 적립하여야 한다.
- 재난관리기금의 매년도 최저적립액은 최근 (ㄱ) 동안의 「지방세법」에 의한 보통세의 수입결산액의 평균연액의 (ㄴ)에 해당하는 금액으로 한다.

	ㄱ	ㄴ		ㄱ	ㄴ
①	6개월	1분의 100	②	1년	1분의 100
③	2년 6개월	100분의 1	④	3년	100분의 1

02 「재난 및 안전관리 기본법」 및 동법 시행령에 따라 수립해야 하는 계획의 내용이다. ( ) 안에 들어갈 내용으로 옳은 것은?

22. 소방간부

- (ㄱ)은/는 재난 및 안전관리에 관한 과학기술의 진흥을 위하여 (ㄴ)년마다 관계중앙행정기관의 재난 및 안전관리기술개발에 관한 계획을 종합하여 조정위원회의 심의와 「국가과학기술자문회의법」에 따른 국가과학기술자문회의의 심의를 거쳐 재난 및 안전관리기술개발 종합계획을 수립하여야 한다.
- (ㄷ)은/는 국가안전관리기본계획을 (ㄹ)년마다 수립해야 한다.

	ㄱ	ㄴ	ㄷ	ㄹ
①	국무총리	1	행정안전부장관	1
②	과학기술정보통신부장관	5	행정안전부장관	5
③	행정안전부장관	1	국무총리	1
④	국무총리	5	국무총리	5
⑤	행정안전부장관	5	국무총리	5

정답 및 해설

01 재난관리기금의 적립
- 지방자치단체는 재난관리에 드는 비용에 충당하기 위하여 매년 재난관리기금을 적립하여야 한다.
- 재난관리기금의 매년도 최저적립액은 최근 3년 동안의 「지방세법」에 의한 보통세의 수입결산액의 평균연액의 100분의 1에 해당하는 금액으로 한다.

02 계획의 수립
- 행정안전부장관은 재난 및 안전관리에 관한 과학기술의 진흥을 위하여 5년마다 관계중앙행정기관의 재난 및 안전관리기술개발에 관한 계획을 종합하여 조정위원회의 심의와 「국가과학기술자문회의법」에 따른 국가과학기술자문회의의 심의를 거쳐 재난 및 안전관리기술개발 종합계획을 수립하여야 한다.
- 국무총리는 국가안전관리기본계획을 5년마다 수립해야 한다.

정답 01 ④ 02 ⑤

CHAPTER 11 벌칙

1 3년 이하의 징역 또는 3,000만원 이하의 벌금

법 제31조 제1항에 따른 안전조치명령을 이행하지 아니한 자는 3년 이하의 징역 또는 3,000만원 이하의 벌금에 처한다.

> **참고** 벌칙(법 제31조 제1항)
>
> 행정안전부장관 또는 재난관리책임기관(행정기관만을 말한다)의 장은 안전점검 결과 또는 제30조에 따른 긴급안전점검 결과 재난 발생의 위험이 높다고 인정되는 시설 또는 지역에 대하여는 대통령령으로 정하는 바에 따라 그 소유자·관리자 또는 점유자에게 다음의 안전조치를 할 것을 명할 수 있다.
>
> 1. 정밀안전진단(시설만 해당한다). 이 경우 다른 법령에 시설의 정밀안전진단에 관한 기준이 있는 경우에는 그 기준에 따르고, 다른 법령의 적용을 받지 아니하는 시설에 대하여는 행정안전부령으로 정하는 기준에 따른다.
> 2. 보수(補修) 또는 보강 등 정비
> 3. 재난을 발생시킬 위험요인의 제거

2 2년 이하의 징역 또는 2,000만원 이하의 벌금

제74조의3 제5항을 위반하여 재난 예방·대비·대응 이외의 목적으로 정보를 사용하거나 업무가 종료되었음에도 해당 정보를 파기하지 아니한 자는 2년 이하의 징역 또는 2천만원 이하의 벌금에 처한다.

3 1년 이하의 징역 또는 1,000만원 이하의 벌금

다음의 어느 하나에 해당하는 사람은 1년 이하의 징역 또는 1,000만원 이하의 벌금에 처한다.

(1) 정당한 사유 없이 제30조 제1항에 따른 긴급안전점검을 거부 또는 기피하거나 방해한 자

(2) 정당한 사유 없이 제41조 제1항 제1호(제46조 제1항에 따른 경우를 포함한다)에 따른 위험구역에 출입하는 행위나 그 밖의 행위의 금지명령 또는 제한명령을 위반한 자

(3) 정당한 사유 없이 제74조의3 제1항에 따른 행정안전부장관, 시·도지사 또는 시장·군수·구청장의 요청에 따르지 아니한 자

(4) 정당한 사유 없이 제74조의3 제2항에 따른 행정안전부장관, 시·도지사 또는 시장·군수·구청장의 요청에 따르지 아니한 자

(5) 제75조의3 제7항을 위반하여 다른 사람에게 자격증을 빌려주거나 빌린 자 또는 이를 알선한 자

(6) 제76조의4 제4항을 위반하여 업무상 알게 된 재난안전의무보험 관련 자료 또는 정보를 누설하거나 권한 없이 다른 사람이 이용하도록 제공하는 등 부당한 목적으로 사용한 자

4   500만원 이하의 벌금

다음의 어느 하나에 해당하는 사람은 500만원 이하의 벌금에 처한다.

(1) 정당한 사유 없이 제45조(제46조 제1항에 따른 경우를 포함한다)에 따른 토지·건축물·인공구조물, 그 밖의 소유물의 일시 사용 또는 장애물의 변경이나 제거를 거부 또는 방해한 자

(2) 제74조의2 제3항을 위반하여 직무상 알게 된 재난관리정보를 누설하거나 권한 없이 다른 사람이 이용하도록 제공하는 등 부당한 목적으로 사용한 자

(3) 정당한 사유 없이 제74조의3 제7항에 따른 행정안전부장관 또는 지방자치단체의 장의 요청에 따르지 아니한 자

 영철쌤 tip

1. 2년 이하의 징역 또는 2,000만원 이하의 벌금: 재난예방·대비·대응 이외의 목적으로 ~

2. 1년 이하의 징역 또는 1,000만원 이하의 벌금: 재난안전의무보험 관련 자료 또는 정보를 누설 ~

3. 500만원 이하의 벌금: 직무상 알게 된 재난관리정보를 누설 ~

5   300만원 이하의 과태료

(1) 제76조의5 제2항을 위반하여 보험 또는 공제에 가입하지 아니한 자

(2) 제76조의5 제5항을 위반하여 재난취약시설보험등의 가입에 관한 계약의 체결을 거부한 보험사업자

6 200만원 이하의 과태료

다음 어느 하나에 해당하는 사람에게는 200만원 이하의 과태료를 부과한다.

(1) 다중이용시설 등의 위기상황 매뉴얼을 작성·관리하지 아니한 소유자·관리자 또는 점유자

(2) 위기상황 매뉴얼에 따른 훈련을 실시하지 아니한 소유자·관리자 또는 점유자

(3) 위기상황 매뉴얼에 따른 개선명령을 이행하지 아니한 소유자·관리자 또는 점유자

(4) 대피명령을 위반한 사람

(5) 위험구역에서의 퇴거명령 또는 대피명령을 위반한 사람

01 「재난 및 안전관리 기본법」상 징역형에 처할 수 없는 자는?

① 정당한 사유 없이 긴급안전점검을 거부 또는 기피하거나 방해한 자

② 정당한 사유 없이 중앙대책본부장 또는 지역대책본부장의 요청에 따르지 아니한 자

③ 정당한 사유 없이 위험구역에 출입한 자

④ 직무상 알게 된 재난관리정보를 누설한 자

02 다음 [보기]의 벌칙에 대한 내용으로 옳은 것만을 모두 고른 것은?

─────────[보기]─────────

ㄱ. 재난 대응 이외의 목적으로 정보를 사용하거나 업무가 종료되었음에도 해당 정보를 파기하지 아니한 자는 2년 이하의 징역 또는 2,000만원 이하의 벌금에 처한다.

ㄴ. 업무상 알게 된 재난안전의무보험 관련 자료 또는 정보를 누설하거나 권한 없이 다른 사람이 이용하도록 제공하는 등 부당한 목적으로 사용한 자는 1년 이하의 징역 또는 1,000만원 이하의 벌금에 처한다.

ㄷ. 재난취약시설 보험 또는 공제에 가입하지 않은 자는 300만원 이하의 벌금에 처한다.

ㄹ. 대피명령을 위반한 자에게는 500만원 이하의 과태료를 부과한다.

① ㄱ, ㄴ

② ㄱ, ㄷ

③ ㄱ, ㄴ, ㄷ

④ ㄱ, ㄴ, ㄷ, ㄹ

정답 및 해설

01 벌칙

재난관리정보의 처리를 하는 종사자가 직무상 알게 된 재난관리정보를 누설한 경우는 500만원 이하의 벌금에 처한다.

■ **1년 이하의 징역 또는 1,000만원 이하의 벌금**

1. 정당한 사유 없이 긴급안전점검을 거부 또는 기피하거나 방해한 자
2. 정당한 사유 없이 위험구역에 출입하는 행위나 그 밖의 행위의 금지명령 또는 제한명령을 위반한 자
3. 정당한 사유 없이 중앙대책본부장 또는 지역대책본부장의 요청에 따르지 아니한 자
4. 업무상 알게 된 재난안전의무보험 관련 자료 또는 정보를 누설하거나 권한 없이 다른 사람이 이용하도록 제공하는 등 부당한 목적으로 사용한 자

02 벌칙

ㄷ. 재난취약시설 보험 또는 공제에 가입하지 않은 자에게는 300만원 이하의 과태료를 부과한다.

ㄹ. 대피명령을 위반한 자에게는 200만원 이하의 과태료를 부과한다.

정답 **01** ④ **02** ①

🚨 다시 학습하기   p.420

1 　재난관리 이론

1. 현행법상 재난의 분류

자연재난	태풍, 홍수, 호우(豪雨), 강풍, 풍랑, 해일(海溢), 대설, 한파, 낙뢰, 가뭄, 폭염, 지진, 황사(黃砂), 조류(藻類) 대발생, 조수(潮水), 화산활동, 「우주개발 진흥법」에 따른 자연우주물체의 추락·충돌, 그 밖에 이에 준하는 자연현상으로 인하여 발생하는 재해
사회재난	화재·붕괴·폭발·교통사고(항공사고 및 해상사고를 포함한다)·화생방사고·환경오염사고·다중운집인파사고 등으로 인하여 발생하는 대통령령으로 정하는 규모 이상의 피해와 국가핵심기반의 마비, 「감염병의 예방 및 관리에 관한 법률」에 따른 감염병 또는 「가축전염병예방법」에 따른 가축전염병의 확산, 「미세먼지 저감 및 관리에 관한 특별법」에 따른 미세먼지, 「우주개발 진흥법」에 따른 인공우주물체의 추락·충돌 등으로 인한 피해

2. 재난관리 단계

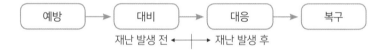

예방 → 대비 → 대응 → 복구

재난 발생 전 ←｜→ 재난 발생 후

3. 하인리히 법칙과 프랭크 버드 법칙

하인리히 법칙 (하인리히의 1 : 29 : 300의 법칙)	· 중대한 위기 1건 · 경미한 사건 29건 · 잠재적인 위험요인 300건
프랭크 버드 법칙 (버드의 1 : 10 : 30 : 600의 법칙)	· 상해 또는 질병 1 · 경상(물적·인적 상해) 10 · 무상해 사고(물적 손실 발생) 30 · 무상해 무사고 고장(위험순간) 600

🚨 다시 학습하기   p.437

2 　「재난 및 안전관리 기본법」의 개설

1. 긴급구조기관

① 소방청, 해양경찰청

② 소방본부, 지방해양경찰청

③ 소방서, 해양경찰서

2. 재난 및 사고의 유형별 재난관리주관기관

재난관리 주관기관	재난 및 사고의 유형
행정안전부	· 공동구(共同溝) 재난(국토교통부가 관장하는 공동구는 제외한다) · 정부중요시설 사고 · 내륙에서 발생한 유도선 등의 수난 사고 · 풍수해(조수는 제외한다) · 지진 · 화산 · 낙뢰 · 가뭄 · 한파 · 폭염으로 인한 재난 및 사고로서 다른 재난관리주관기관에 속하지 아니하는 재난 및 사고
소방청	· 화재 · 위험물 사고 · 다중 밀집시설 대형사고
보건복지부	보건의료 사고
보건복지부 질병관리청	감염병 재난

🚨 **다시 학습하기**   p.449

3   안전관리기구 및 기능

1. 중앙위원회 심의 기구

설치 목적	재난 및 안전관리를 심의하기 위하여 국무총리 소속으로 중앙안전관리위원회(중앙위원회)를 설치한다.
소속	국무총리실 소속의 행정위원회
위원장	국무총리
위원	대통령령으로 정하는 중앙행정기관 또는 관계 기관 · 단체의 장
간사	행정안전부장관
위원장 권한	중앙위원회를 대표하며, 중앙위원회 업무를 총괄한다.

2. 조정위원회 심의 기구

설치 목적	중앙위원회에 상정될 안건을 사전에 검토하고 사무를 수행하기 위하여 중앙위원회에 안전정책조정위원회(조정위원회)를 둔다.
소속	중앙위원회
위원장	행정안전부장관
위원	대통령령으로 정하는 중앙행정기관의 차관 또는 차관급 공무원과 재난 및 안전관리에 관한 지식과 경험이 풍부한 사람 중에서 위원장이 임명하거나 위촉하는 사람
간사	재난안전관리본부장

3. 실무위원회 구성

설치 목적	조정위원회의 업무를 효율적으로 처리하기 위하여 조정위원회에 실무위원회를 설치한다.
소속	조정위원회
구성	위원장 1명을 포함한 50명 내외의 위원
위원장	재난안전관리본부장(행정안전부의 재난안전관리사무를 담당하는 본부장)
위원	성별을 고려하여 행정안전부장관이 임명하거나 위촉하는 사람

4. 중앙재난안전대책본부

설치 목적	대통령령으로 정하는 대규모 재난의 대응·복구(수습) 등에 관한 사항을 총괄·조정하고 필요한 조치를 하기 위하여 행정안전부에 중앙대책본부를 둔다.
소속	행정안전부
본부장	행정안전부장관
차장, 총괄조정관, 대변인, 통제관, 담당관	행정안전부 소속 공무원 중에서 행정안전부장관이 지명하는 사람
부대변인	재난관리주관기관 소속 공무원 중에서 소속 기관의 장의 추천을 받아 행정안전부장관이 지명하는 공무원
특별대응단장 등	해당 재난과 관련한 민간전문가 중에서 행정안전부장관이 위촉하는 사람

5. 중앙사고수습본부

설치 목적	재난관리주관기관의 장은 재난이 발생하거나 발생할 우려가 있는 경우에는 재난상황을 효율적으로 관리하고 재난을 수습하기 위한 중앙사고수습본부(수습본부)를 신속하게 설치·운영하여야 한다.
설치·운영권자	재난관리주관기관의 장
수습본부장	재난관리주관기관의 장

6. 상시재난안전상황실

행정안전부장관	중앙재난안전상황실
시·도지사	시·도별 재난안전상황실
시장·군수·구청장	시·군·구별 재난안전상황실

4 안전관리계획

📢 다시학습하기   p.476

1. 국가안전관리기본계획과 집행계획의 비교

구분	국가안전관리기본계획	집행계획
기간	5년	1년(매년 10월 31일까지 작성)
수립지침	국무총리	–
작성	국무총리	관계 중앙행정기관의 장
심의	중앙위원회	조정위원회
승인	–	국무총리
확정	국무총리	관계 중앙행정기관의 장

2. 시·도 안전관리계획의 수립지침 작성

행정안전부장관이 작성한다.

3. 시·군·구 안전관리계획의 수립지침 작성

시·도지사가 작성한다.

5 재난의 예방

📢 다시학습하기   p.483

1. 국가핵심기반의 지정 및 관리 등

국가핵심기반	에너지, 정보통신, 교통수송, 보건의료 등 국가경제, 국민의 안전·건강 및 정부의 핵심기능에 중대한 영향을 미칠 수 있는 시설, 정보기술 시스템 및 자산 등을 말한다.
지정기준	· 다른 국가핵심기반 등에 미치는 연쇄효과 · 둘 이상의 중앙행정기관의 공동대응 필요성 · 재난이 발생하는 경우 국가안전보장과 경제·사회에 미치는 피해 규모 및 범위 · 재난의 발생 가능성 또는 그 복구의 용이성
심의 기구	조정위원회
지정 및 취소권자	관계 중앙행정기관의 장

2. 특정관리대상지역의 지정 및 관리 등

특정관리대상 지역의 지정 및 해제권자	중앙행정기관의 장 또는 지방자치단체의 장
특정관리대상지역 등 조치권자	재난관리책임기관의 장

3. 재난예방을 위한 긴급안전점검 등

실시권자	행정안전부장관 또는 재난관리책임기관의 장(행정기관만을 말한다)
실시자	소속 공무원

4. 재난예방을 위한 안전조치

안전조치 명령권자	행정안전부장관 또는 재난관리책임기관의 장(행정기관만을 말한다)
안전조치 명령	· 정밀안전진단(시설만 해당한다). 이 경우 다른 법령에 시설의 정밀안전진단에 관한 기준이 있는 경우에는 그 기준에 따르고, 다른 법령의 적용을 받지 아니하는 시설에 대하여는 행정안전부령으로 정하는 기준에 따른다. · 보수(補修) 또는 보강 등을 정비한다. · 재난을 발생시킬 위험요인을 제거한다.

5. 정부합동 안전점검

실시권자	행정안전부장관
단장	행정안전부장관이 지명한다.

🚨 다시 학습하기   p.503

6   재난의 대비

1. 재난관리

재난관리자원	재난관리를 위하여 필요한 물품, 재산 및 인력 등의 물적·인적 자원
국가재난관리기준의 제정·고시자	행정안전부장관
기능별 재난대응 활동계획의 작성·활용, 위기관리 매뉴얼을 작성·운용하는 사람	재난관리책임기관의 장
재난안전통신망의 구축·운영자	행정안전부장관
재난안전통신망의 사용자	재난관리책임기관, 긴급구조기관, 긴급구조지원기관

2. 재난대비훈련

훈련주관기관 및 장	· 행정안전부: 행정안전부장관 · 중앙행정기관: 중앙행정기관의 장 · 시 · 도: 시 · 도지사 · 시 · 군 · 구: 시장 · 군수 · 구청장 · 긴급구조기관: 긴급구조기관의 장
훈련참여기관	· 재난관리책임기관 · 긴급구조지원기관 · 군부대 등 관련 기관

7 재난의 대응

☀ 다시 학습하기   p.516

1. 재난사태선포

선포 및 해제권자	행정안전부장관(중앙대책본부장)
심의 · 승인	중앙위원회
조치권자	· 행정안전부장관(중앙대책본부장) · 지방자치단체의 장(시 · 도지사, 시장 · 군수 · 구청장)

2. 지역통제단장의 응급조치사항

① 진화
② 긴급수송 및 구조 수단의 확보
③ 현장지휘통신체계의 확보

3. 위기경보발령 등

위기경보발령 및 해제권자	재난관리주관기관의 장
위기경보의 구분	관심 → 주의 → 경계 → 심각

4. 재난대응 선포권자 · 발령권자 · 조치권자 · 명령권자 · 요청권자 등

재난사태 선포 및 해제권자	행정안전부장관(중앙대책본부장)
응급조치	시장 · 군수 · 구청장, 지역통제단장
위기경보 발령권자	재난관리주관기관의 장
동원명령 등	중앙대책본부장, 시장 · 군수 · 구청장
대피명령	시장 · 군수 · 구청장, 지역통제단장
위험구역의 설정	시장 · 군수 · 구청장, 지역통제단장
강제대피조치	시장 · 군수 · 구청장, 지역통제단장

통행제한 등	시장·군수·구청장, 지역통제단장
응원	시장·군수·구청장
응급부담	시장·군수·구청장, 지역통제단장

5. 중앙긴급구조통제단

설치 목적	긴급구조에 관한 사항의 총괄·조정, 긴급구조기관 및 긴급구조지원기관이 하는 긴급구조활동의 역할 분담과 지휘·통제를 위하여 소방청에 중앙긴급구조통제단(이하 '중앙통제단'이라 한다)을 둔다.
구성	· 소속: 소방청 · 단장: 소방청장 · 부단장: 소방청 차장 · 중앙통제단의 부서 구성 　- 대응계획부 　- 현장지휘부 　- 자원지원부
기능	· 국가 긴급구조대책의 총괄·조정 · 긴급구조활동의 지휘·통제(긴급구조활동에 필요한 긴급구조기관의 인력과 장비 등의 동원을 포함한다) · 긴급구조지원기관간의 역할분담 등 긴급구조를 위한 현장활동계획의 수립 · 긴급구조대응계획의 집행 · 그 밖에 중앙통제단장이 필요하다고 인정하는 사항

6. 지역긴급구조통제단

설치 목적	지역별 긴급구조에 관한 사항의 총괄·조정, 해당 지역에 소재하는 긴급구조기관 및 긴급구조지원기관 간의 역할분담과 재난현장에서의 지휘·통제를 위하여 시·도의 소방본부에 시·도긴급구조통제단을 두고, 시·군·구의 소방서에 시·군·구긴급구조통제단을 둔다.
구성	· 소속 　- 시·도의 소방본부: 시·도긴급구조통제단 　- 시·군·구의 소방서: 시·군·구긴급구조통제단 · 단장 　- 시·도통제단 단장: 소방본부장 　- 시·군·구통제단 단장: 소방서장

7. 긴급구조지휘대 구성 및 구분

구성	· 현장지휘요원 · 자원지원요원 · 통신지원요원 · 안전관리요원 · 상황조사요원 · 구급지휘요원

구분	· 소방서현장지휘대: 소방서별로 설치 · 운영
	· 방면현장지휘대: 2개 이상 4개 이하의 소방서별로 소방본부장이
	  1개를 설치 · 운영
	· 소방본부현장지휘대: 소방본부별로 현장지휘대 설치 · 운영
	· 권역현장지휘대: 2개 이상 4개 이하의 소방본부별로 소방청장이
	  1개를 설치 · 운영

8. 긴급구조지휘대 - 통제단의 배치

긴급구조지휘대를 구성하는 자는 통제단이 설치 · 운영되는 경우 통제단의 해당 부서로 배치된다.

긴급구조지휘대	통제단
현장지휘요원	현장지휘부
자원지원요원	자원지원부
통신지원요원	현장지휘부
안전관리요원	현장지휘부
상황조사요원	대응계획부
구급지휘요원	현장지휘부

---

8   재난의 복구

 다시학습하기   p.551

1. 특별재난지역 선포 기준

특별재난지역 건의권자	중앙대책본부장(행정안전부장관)
특별재난지역 심의기구	중앙위원회
특별재난지역 선포권자	대통령

2. 재난사태 선포 → 중앙위원회 심의 → 행정안전부장관 선포(중앙대책본부장)

3. 특별재난지역 선포 → 중앙위원회 심의 → 대통령 선포

해커스소방 **이영철 소방학개론** 기본서

PART 6

소방시설

해커스소방 학원·인강 **fire.Hackers.com**

CHAPTER 1 소방시설의 개설

✏️ 출제 POINT

소방시설의 종류　★★★

영철쌤 tip

소방시설의 종류는 소화설비, 경보설비, 피난구조설비, 소화용수설비, 소화활동설비가 있다.

영철쌤 tip

간이 스프링클러설비
다중이용업소(노래방 등)에 사용한다.

화재조기진압용 스프링클러설비
진압용으로 사용하므로 물이 많이 나온다.

물분무등 소화설비
1. 질식소화가 가능한 설비를 물분무등 소화설비라고 한다(옥내소화전, 옥외소화전, 스프링클러설비는 질식소화가 되지 않으므로 물분무등 소화설비가 아니다).
2. 수계 소화설비는 물분무, 미분무, 포, 강화액 설비이며, 가스계 소화설비는 이산화탄소, 할론, 할로겐화합물 및 불활성기체, 분말, 고체에어로졸소화설비이다.

1 소화설비

물 또는 그 밖의 소화약제를 사용하여 소화하는 기계·기구 또는 설비이다.

(1) 소화기구
　① 소화기
　② 간이소화용구: 에어로졸식 소화용구, 투척용 소화용구, 소공간용 소화용구 및 소화약제 외의 것을 이용한 간이소화용구
　③ 자동확산소화기

(2) 자동소화장치
　① 주거용 주방자동소화장치
　② 상업용 주방자동소화장치
　③ 캐비닛형 자동소화장치
　④ 가스자동소화장치
　⑤ 분말자동소화장치
　⑥ 고체에어로졸자동소화장치

(3) 옥내소화전설비(호스릴옥내소화전설비를 포함한다)

(4) 스프링클러설비등
　① 스프링클러설비
　② 간이 스프링클러설비(캐비닛형 간이스프링클러설비를 포함한다)
　③ 화재조기진압용 스프링클러설비

(5) 물분무등 소화설비
　① 물분무소화설비
　② 미분무소화설비
　③ 포소화설비
　④ 이산화탄소소화설비
　⑤ 할론소화설비
　⑥ 할로겐화합물 및 불활성기체(다른 원소와 화학반응을 일으키기 어려운 기체를 말한다) 소화설비
　⑦ 분말소화설비
　⑧ 강화액소화설비
　⑨ 고체에어로졸소화설비

(6) 옥외소화전설비

2   경보설비

화재 발생 사실을 통보하는 기계·기구 또는 설비이다.

(1) 단독경보형 감지기

(2) 비상경보설비
  ① 비상벨설비
  ② 자동식사이렌설비

(3) 시각경보기

(4) 자동화재탐지설비

(5) 화재알림설비

(6) 비상방송설비

(7) 자동화재속보설비

(8) 통합감시시설

(9) 누전경보기

(10) 가스누설경보기

영철쌤 tip

단독경보형감지기
주택화재 예방차원에서 사용하는 감지기이다.

화재알림설비
전통시장 등에 사용하는 설비이다.
＊IOT 화재알림설비로서 화재발생 시 시장
  상인에게 화재통보 및 소방서로 통보하는
  설비

자동화재속보설비
문화재 등 중요한 건물에 화재발생 시 소방서
로 통보하는 설비이다.

통합감시시설
지하공동구에 설치하는 시설이다.

3   피난구조설비

화재가 발생할 경우 피난하기 위하여 사용하는 기구 또는 설비이다.

(1) 피난기구
  ① 피난사다리
  ② 구조대
  ③ 완강기
  ④ 그 밖에 화재안전기준으로 정하는 것

(2) 인명구조기구
  ① 방열복, 방화복(안전모, 보호장갑 및 안전화를 포함한다)
  ② 공기호흡기
  ③ 인공소생기

영철쌤 tip

그 밖에 화재안전기준으로 정하는 것
[예] 공기안전매트, 미끄럼대, 다수인피난장
  비, 승강식피난기, 피난교 등

(3) 유도등
　① 피난유도선
　② 피난구유도등
　③ 통로유도등
　④ 객석유도등
　⑤ 유도표지

(4) 비상조명등 및 휴대용비상조명등

4　소화용수설비

화재를 진압하는 데 필요한 물을 공급하거나 저장하는 설비이다.

(1) 상수도소화용수설비

(2) 소화수조 · 저수조, 그 밖의 소화용수설비

5　소화활동설비

화재를 진압하거나 인명구조활동을 위하여 사용하는 설비이다.

(1) 제연설비

(2) 연결송수관설비

(3) 연결살수설비

(4) 비상콘센트설비

(5) 무선통신보조설비

(6) 연소방지설비

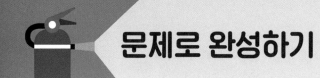

문제로 완성하기

01 「소방시설 설치·유지 및 안전관리에 대한 법률 시행령」에서 정하는 소방시설에 해당되지 않는 것은?

① 소화설비

② 경보설비

③ 비상구

④ 피난구조설비

02 소방시설의 종류에 따른 분류가 옳게 짝지어진 것은?

① 경보설비 – 비상조명등

② 소화설비 – 연소방지설비

③ 피난구조설비 – 비상방송설비

④ 소화활동설비 – 비상콘센트설비

03 「소방시설 설치·유지 및 안전관리에 대한 법률 시행령」에서 정하는 소방시설의 종류 중 물분무등 소화설비는?

① 스프링클러설비

② 캐비닛형 자동소화설비

③ 이산화탄소소화설비

④ 옥내소화전설비

정답 및 해설

01 소방시설의 종류
· 소화설비
· 경보설비
· 피난구조설비
· 소화용수설비
· 소화활동설비

02 소방시설의 종류
① 피난구조설비 - 비상조명등
② 소화활동설비 – 연소방지설비
③ 경보설비 – 비상방송설비

03 물분무등 소화설비
물분무등 소화설비는 소화설비 중 산소를 차단하는 질식소화를 가질 수 있는 설비를 말한다.

수계	물분무소화설비
	미분무소화설비
	포소화설비
	강화액소화설비
가스계	이산화탄소소화설비
	할론소화설비
	할로겐화합물 및 불활성기체 소화설비
	분말소화설비
	고체에어로졸소화설비

* 물분무등 소화설비에는 옥내, 옥외, 스프링클러(SP)가 없다.

정답 01 ③ **02** ④ **03** ③

04 「소방시설 설치·유지 및 안전관리에 대한 법률 시행령」상 소방시설의 설비 분류가 다른 것은? 21. 소방간부

① 상수도소화용수설비   ② 연결송수관설비

③ 연결살수설비   ④ 연소방지설비

⑤ 무선통신보조설비

05 「소방시설 설치·유지 및 안전관리에 대한 법률 시행령」상 소방시설에 대한 설명으로 옳지 않은 것만을 모두 고르면?

> ㄱ. 소화활동설비에는 연소방지설비, 제연설비, 비상콘센트설비, 비상경보설비 등이 있다.
> ㄴ. 소화용수설비에는 상수도소화용수설비, 소화수조, 저수조, 정화조가 있다.
> ㄷ. 피난구조설비 중 피난기구에는 피난사다리, 구조대, 완강기가 있다.
> ㄹ. 소화설비에는 소화기구, 자동소화장치, 옥내소화전, 스프링클러설비 등이 있다.

① ㄱ   ② ㄱ, ㄴ

③ ㄱ, ㄴ, ㄷ   ④ ㄴ, ㄷ, ㄹ

06 소방시설의 분류와 해당 소방시설의 종류가 옳게 연결된 것은? 20. 공채·경채

① 소화설비 - 옥내소화전설비, 포소화설비, 간이스프링클러설비

② 경보설비 - 자동화재속보설비, 자동화재탐지설비, 제연설비

③ 소화용수설비 - 상수도소화용수설비, 소화수조, 연결살수설비

④ 소화활동설비 - 시각경보기, 연결송수관설비, 무선통신보조설비

07 「소방시설 설치·유지 및 안전관리에 대한 법률 시행령」상 특정소방대상물에 설치하는 소방시설에 대한 설명으로 옳은 것은?

20. 소방간부

> ㄱ. 주택용 소방시설이란 소화기 및 단독경보형 감지기를 말한다.
> ㄴ. 비상콘센트설비, 제연설비는 소방시설 중 소화활동설비에 포함된다.
> ㄷ. 스프링클러설비, 연결송수관설비는 소방시설 중 소화설비에 포함된다.
> ㄹ. 분말형태의 소화약제를 사용하는 소화기의 내용연수는 10년으로 한다.
> ㅁ. 옥내소화전설비, 자동화재탐지설비, 스프링클러설비, 물분무등소화설비는 내진설계대상 소방시설이다.

① ㄱ, ㄴ, ㄷ   ② ㄱ, ㄴ, ㄹ   ③ ㄱ, ㄹ, ㅁ

④ ㄴ, ㄷ, ㄹ   ⑤ ㄴ, ㄹ, ㅁ

08 「소방시설 설치·유지 및 안전관리에 관한 법률 시행령」상 소방시설의 연결이 옳은 것만을 [보기]에서 있는 대로 고른 것은?

22. 소방간부

┌─────────────────── [보기] ───────────────────┐

ㄱ. 소화설비: 자동소화장치, 옥내소화전설비, 물분무등소화설비

ㄴ. 경보설비: 통합감시시설, 시각경보기, 단독경보형 감지기

ㄷ. 피난구조설비: 피난기구, 인명구조기구, 제연설비

ㄹ. 소화활동설비: 연결송수관설비, 비상콘센트설비, 무선통신보조설비

└──┘

① ㄱ, ㄴ   ② ㄷ, ㄹ   ③ ㄱ, ㄴ, ㄹ

④ ㄴ, ㄷ, ㄹ   ⑤ ㄱ, ㄴ, ㄷ, ㄹ

정답 및 해설

04 소방시설의 분류

· 소화용수설비: 화재를 진압하는 데 필요한 물을 공급하거나 저장하는 설비
 – 상수도소화용수설비
 – 소화수조·저수조, 그 밖의 소화용수설비
· 소화활동설비: 화재를 진압하거나 인명구조활동을 위하여 사용하는 설비
 – 제연설비
 – 연결송수관설비
 – 연결살수설비
 – 비상콘센트설비
 – 무선통신보조설비
 – 연소방지설비

05 소방시설의 분류

ㄱ. 비상경보설비는 경보설비의 종류이다.
ㄴ. 소화용수설비의 종류는 상수도소화용수설비, 소화수조, 저수조, 소화전, 급수탑으로 분류된다.

06 소방시설의 분류

· 소화설비
 – 소화기구
 – 자동소화장치
 – 옥내소화전설비(호스릴옥내소화전설비를 포함한다)
 – 스프링클러설비등
 – 물분무등소화설비
 – 옥외소화전설비

· 경보설비
 – 단독경보형 감지기　　　– 비상경보설비
 – 시각경보기　　　　　　– 자동화재탐지설비
 – 비상방송설비　　　　　– 자동화재속보설비
 – 통합감시시설　　　　　– 누전경보기
 – 가스누설경보기　　　　– 화재알림설비
· 소화용수설비
 – 상수도소화용수설비
 – 소화수조·저수조, 그 밖의 소화용수설비
· 소화활동설비
 – 제연설비　　　　　　　– 연결송수관설비
 – 연결살수설비　　　　　– 비상콘센트설비
 – 무선통신보조설비　　　– 연소방지설비

07 특정소방대상물에 설치하는 소방시설

ㄷ. 스프링클러설비는 소화설비, 연결송수관설비는 소화활동설비에 해당한다.
ㅁ. 내진설계대상 소방시설은 옥내소화전설비, 스프링클러설비, 물분무등소화설비이다.

08 소방시설

제연설비는 소화활동설비에 해당한다.

정답 04 ① **05** ② **06** ① **07** ② **08** ③

09 「소방시설 설치 및 관리에 관한 법률 시행령」상 소방시설의 내용으로 옳은 것만을 [보기]에서 고른 것은? 24. 소방간부

──────────────── [보기] ────────────────

ㄱ. 소화설비: 소화기구, 스프링클러설비등, 연소방지설비 등

ㄴ. 경보설비: 자동화재속보설비, 누전경보기, 가스누설경보기 등

ㄷ. 피난구조설비: 유도등, 비상조명등 및 휴대용비상조명등, 비상방송설비 등

ㄹ. 소화용수설비: 상수도소화용수설비, 소화수조 · 저수조, 그 밖의 소화용수설비

ㅁ. 소화활동설비: 비상콘센트설비, 제연설비, 연결살수설비 등

① ㄱ, ㄴ, ㄷ   ② ㄱ, ㄴ, ㄹ   ③ ㄱ, ㄷ, ㅁ

④ ㄴ, ㄷ, ㅁ   ⑤ ㄴ, ㄹ, ㅁ

10 소방시설은 소화설비, 경보설비, 피난구조설비, 소화용수 설비, 소화활동설비로 분류된다. 다음 정의로 분류되는 소방시설로 옳지 않은 것은? 23. 공채 · 경채

화재를 진압하거나 인명구조활동을 위하여 사용하는 설비

① 제연설비   ② 인명구조설비

③ 연결살수설비   ④ 무선통신보조설비

정답 및 해설

09 소방시설

ㄱ. 소화설비: 소화기구, 스프링클러설비등. 소화활동설비: 연소방지설비

ㄷ. 피난구조설비: 유도등, 비상조명등 및 휴대용비상조명등. 경보설비: 비상방송설비

10 소방시설

② 인명구조설비 – 피난구조설비에 해당된다.

■ **소화활동설비**

화재를 진압하거나 인명구조활동을 위하여 사용하는 설비로서 종류는 제연설비, 연결송수관설비, 연결살수설비, 비상콘센트설비, 무선통신보조설비, 연소방지설비가 있다.

정답 09 ④ 10 ②

---

1 소화기구

1. 소화기 및 자동소화장치

(1) 정의

① **소화약제**: 소화기구에 사용되는 소화성능이 있는 고체·액체 및 기체의 물질을 말한다.

② **소화기**: 소화약제를 압력에 따라 방사하는 기구로서 사람이 수동으로 조작하여 소화하는 다음의 것을 말한다.

　㉠ **소형소화기**: 능력단위가 1단위 이상이고 대형소화기의 능력단위 미만인 소화기를 말한다.

　㉡ **대형소화기**: 화재 시 사람이 운반할 수 있도록 운반대와 바퀴가 설치되어 있고 능력단위가 A급 10단위 이상, B급 20단위 이상인 소화기를 말한다.

A급: 10단위
←　　　　→
B급: 20단위

▲ 소형소화기　　　　　▲ 대형소화기

▲ 소형소화기 내부

영철쌤 tip

1. 분말소화기의 내용연수는 10년(1회에 한하여 3년 연장가능)이다.
2. 가스계소화기 내용연수는 없다.

참고 분말 소화기

내용연수 : 10년(1회에 한하여 3년 연장 가능)

▲ 가압식 소화기

지시압력계

▲ 축압식 소화기

1. **가압식소화기:** 지시압력계 없음
2. **축압식소화기:** 지시압력계 있음

색 구분	내용
황색	압력부족
녹색	정상
적색	압력과다

3. 가압식소화기는 폭발의 우려가 있으므로 1999년부터 생산이 중단되었으며, 현재 사용하고 있는 소화기는 축압식소화기이다.

(2) 설치기준

① 각 층마다 설치하되, 특정소방대상물의 각 부분으로부터 1개의 소화기까지의 보행거리[1]가 소형소화기의 경우에는 20m 이내, 대형소화기의 경우에는 30m 이내가 되도록 배치하여야 한다.

② 특정소방대상물의 각 층이 2 이상의 거실로 구획된 경우에는 ①의 규정에 따라 각 층마다 설치하는 것 외에 바닥면적이 33m² 이상으로 구획된 각 거실에도 배치한다.

용어사전

❶ 보행거리: 걸어서 가는 거리를 말한다.
  * 보행거리마다: 기계·기구 중심의 양방향 거리를 말한다.
  * 수평거리: 포획하고 있는 유효반경(대각선 거리)을 말한다.
  * 이격거리: 기준점에서 떨어져 있는 거리를 말한다.

(3) 대형소화기의 약제 충전량

종별	소화약제의 충전량
물·포(화학포)	80L
강화액	60L
포(기계포)	20L
이산화탄소	50kg
할론(할로겐)	30kg
분말	20kg

영철쌤 tip

소방기구의 능력단위기준
건축물의 주요구조부가 내화구조이고, 벽 및 반자의 실내 면하는 부분이 불연재료, 준불연료, 난연재료인 경우 표의 기준의 2배이다.
예 위락시설: 30m² × 2 = 60m²마다 능력단위 1단위 이상

예제

업무시설 바닥면적의 350m² 중 구획된 거실면적이 50m²일 때 분말소화기의 개수는?

해설
능력단위를 계산하면, 350m²/100m² = 3.5 능력단위 이상의 소화기를 배치하고(분말소화기 2대 배치), 구획된 거실은 33m² 이상이므로(분말소화기 1대 배치) 총 분말소화기 3대를 배치한다.

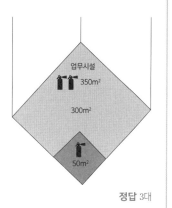

정답 3대

2. 주거용(주방용) 자동소화장치

(1) 정의

주거용 주방자동소화장치란 주거용 주방에 설치된 열발생 조리기구의 사용으로 인한 화재 발생 시 열원(전기 또는 가스)을 자동으로 차단하며 소화약제를 방출하는 소화장치를 말한다.

영철쌤 tip

장치는 작은 개념이고, 설비는 큰 개념이다.

(2) 구성

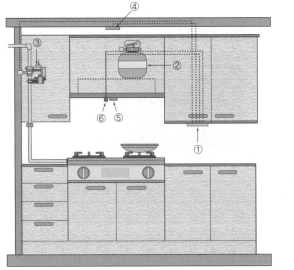

▲ 탐지부

아파트의 각 세대별 주방, 오피스텔의 각 실별 주방에 설치하며, ① 수신부, ② 자동식 소화기, ③ 가스차단장치, ④ 탐지부, ⑤ 노즐, ⑥ 감지부로 구성되어 있다.

(3) 동작설명

① <가스누설자동탐지> 탐지부 → 수신부(경보음, 가스차단장치 동작)
② <화재자동감지> 감지부 → 수신부(1차온도: 경보음, 가스차단장치 동작)
　　　　　　　　　　　　　　　　　　(2차온도: 자동식 소화기 소화약제 방출)

3. 캐비넷형 자동소화장치

캐비넷형 자동소화장치란 열, 연기 또는 불꽃 등을 감지하여 소화약제를 방사하여 소화하는 캐비넷 형태의 소화장치를 말한다.

▲ 캐비넷형 자동소화장치

4. 소공간 자동소화장치

(1) 정의

소공간 자동소화장치에는 가스식 자동소화장치, 분말식 자동소화장치, 고체에어로졸식 자동소화장치가 있다.

(2) 종류

① **가스식 자동소화장치**: 열, 연기 또는 불꽃 등을 감지하여 가스계 소화약제를 방사하여 소화하는 소화장치이다.

② **분말식 자동소화장치**: 열, 연기 또는 불꽃 등을 감지하여 분말의 소화약제를 방사하여 소화하는 소화장치이다.

③ **고체에어로졸식 자동소화장치**: 열, 연기 또는 불꽃 등을 감지하여 에어로졸 소화약제를 방사하여 소화하는 장치이다.

▲ 고체에어로졸식 자동소화장치   ▲ 고체에어로졸식 소화약제

5. 간이소화용구

(1) 정의

간이소화용구란 에어로졸식 소화용구, 투척용 소화용구, 소공간용 소화용구 및 소화약제 외의 것을 이용한 소화용구를 말한다.

(2) 종류

① 에어로졸식 소화용구
② 투척용 소화용구
③ 소공간용 소화용구
④ 마른 모래
⑤ 팽창질석 및 팽창진주암

▲ 에어로졸식 소화용구   ▲ 투척용 소화용구

▲ 소공간용 소화용구(부착식)

▲ 마른 모래   ▲ 팽창질석   ▲ 팽창진주암

영철쌤 tip

소화약제 외의 것을 이용한 소화용구

1. 마른 모래가 해당한다.
2. 팽창질석(Vermiculite)은 운모가 풍화 또는 변질되어 생성된 것으로 함유하고 있는 수분이 탈수되면 팽창하여 늘어나는 성질을 가지고 있다. 색깔은 금색, 은색, 갈색 등이 있으며 내화성(내화온도 1400℃ 정도)을 가지고 있다.
3. 팽창진주암(Perlite)은 천연유리를 조각으로 분쇄한 것을 말한다. 팽창진주암 조각에 형성된 얇은 공기막으로부터 반사에 의해 진주와 같은 빛을 발하기도 한다. 평상시는 백색가루로 보인다. 팽창진주암은 3~4%의 수분을 함유하고 있고, 화재 시에 820~1,100℃의 온도에 노출되면 체적이 약 15~20배 정도 팽창하는 특성이 있다.

(3) 투척용 소화기 설치기준

    ① 투척용 소화기 등은 거주자 등이 손쉽게 사용할 수 있는 장소에 설치하여야 한다.

    ② 바닥으로부터 1.5m 이하에 설치하고 '투척용 소화기 등'이라고 표시한 표지를 설치하여야 한다.

6. 자동확산소화기

(1) 정의

    자동확산소화기란 화재를 감지하여 자동으로 소화약제를 방출확산시켜 국소적 (일부분)으로 소화하는 소화기를 말한다.

(2) 자동확산소화기 종류

    ① **일반화재용자동확산소화기**: 보일러실, 건조실, 세탁소, 대량화기취급소 등에 설치되는 자동확산소화기를 말한다.

    ② **주방화재용자동확산소화기**: 음식점, 다중이용업소, 호텔, 기숙사, 의료시설, 업무시설, 공장 등의 주방에 설치되는 자동확산소화기를 말한다.

    ③ **전기설비용자동확산소화기**: 변전실, 송전실, 변압기실, 배전반실, 제어반, 분전반등에 설치되는 자동확산소화기를 말한다.

(3) 자동확산소화기의 소화 과정

    화재 발생 → 열감지 → 휴즈블링크의 녹음(72℃) → 노즐의 열림 → ABC 분말 약제의 분사 → 소화이다.

자동확산소화기 종류
1. 일반화재용
2. 주방화재용
3. 전기설비용

▲ 일반용 자동확산소화기

📖 **핵심정리 소화기구**

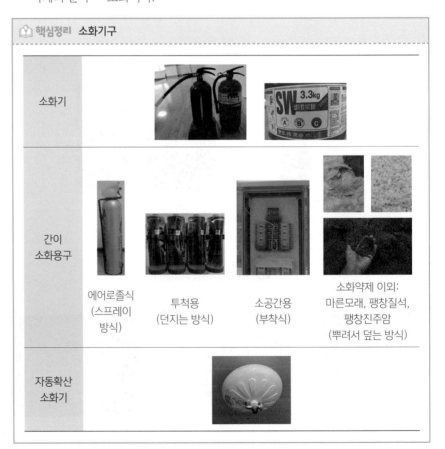

소화기	
간이 소화용구	에어로졸식 (스프레이 방식) / 투척용 (던지는 방식) / 소공간용 (부착식) / 소화약제 이외: 마른모래, 팽창질석, 팽창진주암 (뿌려서 덮는 방식)
자동확산 소화기	

2 옥내소화전설비

1. 개요

(1) 정의

건축물에 화재가 발생하는 경우, 화재 발생 초기에 자체 요원(거주자 또는 근무자)에 의하여 신속하게 화재를 진압할 수 있도록 건축물 내에 설치하는 고정식 물소화설비이다.

방수량(물의 양)	방수압(물의 압력)
130L/min 이상	• 0.17MPa 이상 • 0.7MPa 이하

▲ 옥내소화전 내부

(2) 옥내소화전 계통도

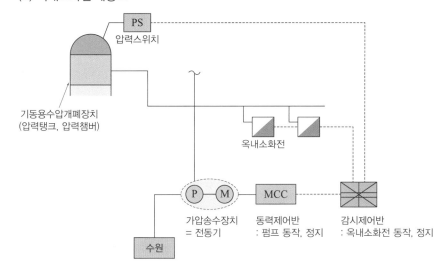

영철쌤 tip

압력의 단위(MPa, 메가파스칼)
1. 0.17[MPa]은 17[m] 낙차 압이다.
2. 0.7[MPa]은 70[m] 낙차 압이다.

1[L] 크기
우유 1팩을 생각하면 된다.

기동용수압개폐장치
1. 압력탱크(챔버) 방식
2. 전자식기동용압력스위치 방식

참고

P형복합식 수신기 (P형수신기 +감시제어반)	동력제어반

옥내소화전 펌프방식

1. 수압개폐방식(자동)

기동표시등
(적색등)

2. ON-OFF 방식(수동): 동결의 우려가 있는 장소에 사용

OFF S/W

기동표시등
(적색등)   ON S/W

토출량과 토출압력

펌프(P)를 중심으로 토출측과 흡입측으로 구분한다.

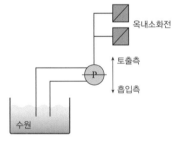

옥내소화전

토출측

흡입측

수원

1. 토출량 = 방수량이다.
2. 토출압력 = 방수압이다.

📖 용어사전

❶ 진공계: 대기압 이하의 압력[음(−)압력]을 측정하는 계측기
  * 압력계: 대기압 이상의 압력[양(+)압력]을 측정하는 계측기
❷ 연성계: 대기압 이상의 압력과 대기압 이하의 압력을 측정하는 계측기

📖 핵심정리 **동작순서**

1. **수압개폐방식(자동)**
   ① 화재 발생
   ② 소화전밸브(방수구)를 시계반대방향으로 돌려서 개방하면 압력탱크의 압이 떨어지고, 압력스위치가 작동하여 감시제어반에 신호를 보내고 동력제어반이 동작하여 펌프기동
   ③ 펌프기동등이 점등되고, 노즐을 잡고 화점을 향해 방수
   ④ 진화 후 소화전밸브(방수구)를 잠그고 펌프정지, 펌프기동등 소등
2. **ON-OFF방식(수동)**
   ① 화재 발생
   ② 소화전함을 열고 호스를 화재지점 가까이 전개
   ③ 소화전밸브(방수구)를 시계반대방향으로 돌려서 개방하고 소화전함에 부착된ON스위치를 누르면 감시제어반에 신호를 보내고 동력제어반이 동작하여 펌프기동
   ④ 진화 후 OFF스위치를 누르고 소화전밸브(방수구)를 잠그면 펌프정지, 펌프기동등 소등

2. 용어의 정의

(1) 고가수조
구조물 또는 지형지물 등에 설치하여 **자연낙차의 압력으로 급수하는 수조**를 말한다.

(2) 압력수조
소화용수와 공기를 채우고 일정압력 이상으로 가압하여 그 **압력으로 급수하는 수조**를 말한다.

(3) 충압펌프
배관 내 압력손실에 따른 **주펌프의 빈번한 기동을 방지하기 위하여 충압역할을 하는 펌프**를 말한다.

(4) 정격토출량
정격토출압력에서의 **펌프의 토출량**을 말한다.

(5) 정격토출압력
정격토출량에서의 **펌프의 토출측 압력**을 말한다.

(6) 진공계❶
대기압 이하의 압력을 측정하는 계측기를 말한다.

(7) 연성계❷
대기압 이상의 압력과 대기압 이하의 압력을 측정할 수 있는 계측기를 말한다.

(8) 체절운전
펌프의 성능시험을 목적으로 펌프 토출측의 **개폐밸브를 닫은 상태**에서 펌프를 운전하는 것을 말한다.

(9) 기동용 수압개폐장치

소화설비의 배관 내 압력변동을 검지하여 자동적으로 펌프를 기동 및 정지시키는 것으로서 압력챔버 또는 기동용 압력스위치 등을 말한다.

(10) 급수배관

수원 및 송수구 등으로부터 옥내소화전방수구에 급수하는 배관을 말한다.

(11) 개폐표시형 밸브

밸브의 개폐 여부에 대해 외부에서 식별이 가능한 밸브를 말한다.

(12) 가압수조

가압원인 압축공기 또는 불연성 고압기체에 따라 소방용수를 가압시키는 수조를 말한다.

(13) 주펌프

구동장치의 회전 또는 왕복운동으로 소화용수를 가압하여 그 압력으로 급수하는 주된 펌프를 말한다.

(14) 예비펌프

주펌프와 동등 이상의 성능이 있는 별도의 펌프를 말한다.

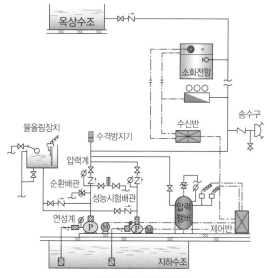

▲ 옥내소화전 상세계통도

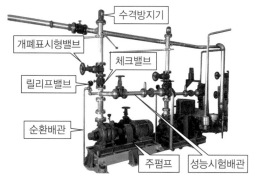

▲ 옥내소화전 주배관

 영철쌤 tip

기동용 수압개폐장치
1. 압력챔버(압력탱크), 기동용 압력스위치 방식이 있다.
2. 물을 사용하는 설비에 설치한다.
   예 옥·내외소화전설비, 스프링클러설비 등

 영철쌤 tip

펌프
주펌프, 예비펌프, 충압펌프가 있다. 예비펌프가 있으면 옥상수조가 면제 된다.

 영철쌤 tip

1. 수원의 수위가 펌프의 위치보다 높은 경우
   [정압(+)압력]: 물올림장치, 풋밸브, 연성계 또는 진공계를 설치하지 아니할 수 있다.

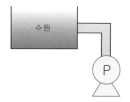

2. 수원의 수위가 펌프의 위치보다 낮은 경우
   [부압(−)압력]: 물올림장치, 풋밸브, 연성계 또는 진공계를 설치한다.

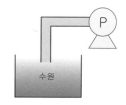

3. 가압송수장치

(1) 가압송수방식

압을 가하여 물을 송수하는 방식으로 **고가수조방식, 펌프수조방식, 압력수조방식, 가
압수조방식**이 있다.

① **고가수조방식(자연낙차)**
　㉠ 구조물 또는 지형지물 등에 설치하여 자연낙차의 압력으로 급수하는 방식을
　　말한다(전원 필요 없음).
　㉡ **구성기기**: 고가수조, 급수관, 배수관, 수위계, 맨홀, 오버플로우관 등

② **펌프수조(지하수조)방식**
　㉠ 펌프의 **토출압력**을 이용하여 가압송수하는 방식을 말한다(전원 필요 있음).
　㉡ **구성기기**: 지하수조, 모터 등

③ **압력수조방식(1/3: 공기, 2/3: 물)**
　㉠ 소화용수와 공기를 채우고 **일정압력 이상**으로 가압하여 그 압력으로 급수하
　　는 방식을 말한다(전원 필요 있음).
　㉡ **구성기기**: 압력수조, 급수관, 배수관, 맨홀, 압력계, 급기관, 안전장치, 자동
　　식공기압축기

④ **가압수조방식(기체가압)**
　㉠ 가압원인 압축공기 또는 불연성 고압기체에 따라 소방용수를 가압시켜 급수
　　하는 방식을 말한다(전원 필요 없음).
　㉡ **구성기기**: 가압수조, 압력계, 급기관, 안전장치

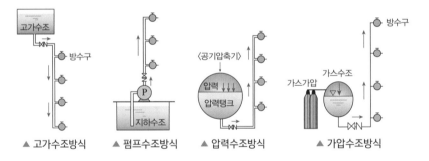

▲ 고가수조방식　　▲ 펌프수조방식　　▲ 압력수조방식　　　▲ 가압수조방식

(2) 방수량 및 방수압력 기준

① **규정 방수량**: 130L/min 이상
② **규정 방수압력**: 0.17MPa 이상 0.7MPa 이하
③ 단, 하나의 옥내소화전을 사용하는 노즐선단에서의 방수압력이 0.7MPa을 초
　과할 경우에는 호스접결구의 인입측에 감압장치를 설치하여야 한다.
④ 펌프의 토출량은 옥내소화전이 가장 많이 설치된 층의 설치개수(옥내소화전이
　2개 이상 설치된 경우에는 2개)에 130L/min 이상을 곱한 양 이상이 되도록 하
　여야 한다.

4. 수원의 설계기준

(1) 29층 이하의 건축물 수원의 저수량

$$수원의 저수량 = N(최대 2개) \times 방수량 \times 방사시간$$
$$= N(최대 2개) \times 130\text{L/min} \times 20\text{min}(2600\text{L})$$
$$= N(최대 2개) \times 2.6\text{m}^3$$

(2) 30층 이상 49층 이하(준고층건축물)

$$수원의 저수량 = N(최대 5개) \times 방수량 \times 방사시간$$
$$= N(최대 5개) \times 130\text{L/min} \times 40\text{min}(5200\text{L})$$
$$= N(최대 5개) \times 5.2\text{m}^3 \ [(1)에서 \ \times 2 \ 한다]$$

(3) 50층 이상(초고층건축물)

$$수원의 저수량 = N(최대 5개) \times 방수량 \times 방사시간$$
$$= N(최대 5개) \times 130\text{L/min} \times 60\text{min}(7800\text{L})$$
$$= N(최대 5개) \times 7.8\text{m}^3 \ [(1)에서 \ \times 3 \ 한다]$$

(4) 방수압 측정에 의한 방수량 산정방법

$$Q = 2.065 \times D^2 \times \sqrt{P}$$

여기서, Q: 분당 방수량[L/min]
D: 관경(노즐의 구경)[mm]
P: 방수압력[MPa]

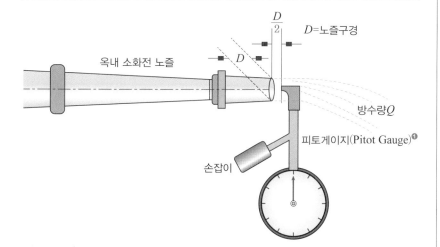

 영철쌤 tip

수원의 저수량

29층 이하의 건축물에는 소화전 개수가 많아도 2개까지 사용한다는 가정 하에 수원의 저수량을 계산하므로 옥내소화전 설비는 최대 5.2m³ 수원의 양을 저장한다.

방사시간

옥내소화전 방사시간 20분, 40분, 60분은 비상전원용량의 기준이다.

 영철쌤 tip

$1\text{L} = 0.001\text{m}^3$

예 $2600\text{L} = 2.6\text{m}^3$

용어사전

❶ 피토게이지(Pitot Gauge): 방수압력측정계를 말한다.

5. 부속장치의 설계기준

(1) 물올림장치(호수조, Priming Tank)

수원의 수위가 펌프보다 낮은 경우에 한하여 설치한다.

① **분기위치**: 펌프 토출측 개폐밸브 이전

② **물올림탱크 용량**: 전용의 탱크이며, 유효수량 100L 이상

③ **급수배관 구경**: 15mm 이상

④ **설치이유**: 펌프 흡입측 배관 및 펌프에 물이 없을 경우 펌프가 공회전을 하게 되는 것을 방지하기 위해 **보충수를 공급하는 역할**을 한다. 즉, 보충수 공급, 흡입측 배관에서 공동현상 발생을 방지하기 위함이다.

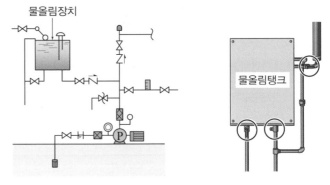

▲ 물올림탱크 주변배관

(2) 순환배관

펌프(가압송수장치)의 체절운전 시 수온의 상승을 방지하기 위하여 설치한다.

① **분기위치**: 펌프 토출측 체크밸브 이전

② **순환배관 구경**: 20mm 이상

③ **순환배관에 설치하는 릴리프밸브의 작동압력**: 체절압력 이하

(3) 펌프성능시험배관

정기적으로 펌프의 성능을 시험하여 펌프의 성능곡선의 양부 및 펌프의 방수압(토출압) 및 토출량(방수량)을 검사하기 위하여 설치한다.

① **펌프성능시험배관의 설치기준**

   ㉠ **분기위치**: 펌프의 토출측 개폐밸브 이전

   ㉡ 유량측정장치를 기준으로 전단 직관부에는 개폐밸브를, 후단 직관부에는 유량조절밸브를 설치할 것

   ㉢ 유량측정장치는 성능시험배관의 직관부에 설치하되 펌프의 정격토출량의 **175% 이상 측정할 수 있는 성능**이 있을 것

② **펌프성능시험기준**: 소화펌프의 성능은 **체절운전 시 정격토출압력의 140%를 초과하지 아니하고 정격토출량의 150%로 운전 시 정격토출압력의 65% 이상**이 되어야 한다.

▲ 펌프성능시험배관

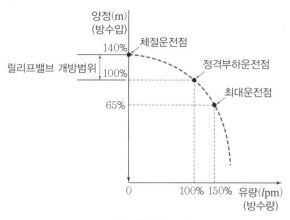

▲ 펌프성능시험곡선

(4) 기동용 수압개폐장치(압력챔버, 압력탱크)

기동용 수압개폐장치란 소화설비의 배관 내 압력변동을 검지하여 자동적으로 펌프를 기동 및 정지시키는 것으로서 압력챔버 또는 기동용 압력스위치 등을 말한다.

① **펌프기동방식**
 ㉠ **수동기동방식(원격기동방식)**: ON - OFF 버튼을 이용하여 펌프를 원격으로 기동하는 방식이다.
 ㉡ **자동기동방식**
  ⓐ 수압개폐장치(압력챔버, 압력탱크)를 이용하여 펌프를 자동으로 기동하는 방식이다.
  ⓑ 수압개폐장치(압력챔버, 압력탱크)와 동등 이상의 성능이 있는 것을 이용할 수 있다.

② **기동용 수압개폐장치의 설치기준**
 ㉠ **분기위치**: 펌프 토출측 개폐밸브 이후
 ㉡ **압력챔버용량**: 100L 이상

③ **기동용 수압개폐장치의 기능**
 ㉠ 배관 내 설정압력 유지(펌프의 자동기동 및 정지)
 ㉡ 압력변화의 완충작용(상부의 공기가 완충작용을 하여 공기의 압축 및 팽창으로 인하여 급격한 압력변화 방지)
 ㉢ 압력변동에 따른 설비의 보호(상부의 공기가 완충역할을 하여 주변기기의 충격과 손상 방지)

ON-OFF 방식(수동)
동결의 우려가 있는 장소에 사용한다.

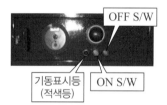

수압개폐방식(자동)

$<$압축공기: $\frac{1}{3}$, 물: $\frac{2}{3}>$

▲ 기동용 수압개폐방식(압력챔버) ▲ 기동용 수압개폐방식(기동용 압력스위치)

▲ 압력스위치 ▲ 압력스위치 내부

📖 용어사전

❶ 수격: 물이 벽면을 치는 현상이다.

(5) 수격방지기(Water Hammer Cushion)

배관 내 유체가 제어될 때 발생하는 수격❶ 또는 압력변동현상을 질소가스로 충전된 합성고무 재질의 벨로우즈가 흡수하여 배관을 보호할 목적으로 설치한다.

① 설치위치: 배관의 굴절지점, 펌프 토출측 및 입상관 상층부

② 기능: 배관 내 압력변동 또는 수격흡수

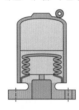

▲ 펌프 주변도(수격방지기 등)

> **참고** 수격현상(Water hammer)
>
> 1. 개념
>   ① 물이 파이프 속에 꽉 차서 흐를 때, 정전 등의 원인으로 유속이 급격히 변하면서 물에 심한 압력 변화가 생기고 큰 소음이 발생하는 현상이다.
>   ② 펌프의 급정지, 또는 밸브 급폐쇄 등으로 인해 물의 흐름이 정지되면 물의 관성력 때문에 급격한 압력변동이 발생하여 부압과 고압이 번갈아 발생한다.

2. 원인
① 정전 등으로 갑자기 펌프가 정지할 경우
② 밸브를 급폐쇄할 경우

3. 방지방법
① 배관 내 유속을 감소시켜 압력변동치를 감소시킨다.
② 밸브 조작을 완만히 한다.
③ 플라이휠을 달아 펌프 속도 변화를 완만히(억제) 한다.
④ 서지탱크를 관로에 설치한다.
⑤ 밸브를 가능한 펌프 송출구 가까이에 달고 밸브조작을 적절히 한다.
⑥ 수격을 흡수하는 수격방지기를 설치한다.

6. 펌프의 이상현상

(1) 공동현상(Cavitation)

① 수원의 위치가 펌프보다 낮을 경우에만 발생한다. 빠른 속도로 액체가 운동할 때 액체의 압력이 증기압 이하로 낮아져서 액체 내에 증기 기포가 발생하는 현상을 말한다. 즉, 펌프에 기포가 생성되는 현상(기체부형성)으로, 기포가 고속회전하는 날개와 부딪치면서 날개에 마모가 생기며, 날개가 부러지면서 토출량과 토출압이 나오지 않는다.

② 발생원인 및 방지책

발생원인	방지책
수원의 위치가 펌프보다 낮을 경우	수원의 위치가 펌프보다 높게 한다.
유체가 고온일 경우(배관 내 온도가 높은 경우)	배관 내 온도를 낮게 한다.
펌프의 흡입압력이 액체의 증기압보다 낮을 경우	펌프의 흡입압력이 액체의 증기압보다 높을 경우
펌프의 흡입측 수두(양정)가 긴 경우	펌프의 흡입측 수두(양정)를 짧게 한다.
펌프의 흡입측 수두(양정)❶관경❷의 마찰 손실이 큰 경우(펌프의 흡입관경이 작은 경우)	펌프의 흡입관경을 크게 한다.
펌프의 임펠러속도(회전속도)가 큰 경우	펌프의 회전속도를 작게 한다.
단흡입펌프 사용	양흡입펌프 사용

(2) 수격작용❸(Water Hammer)

펌프 운전 중 정전 등으로 펌프가 정지하는 경우 또는 밸브를 급 폐쇄하는 경우로서 운동에너지를 압력에너지로 변환하여 배관 내의 벽면을 치는 현상을 말한다.

영철쌤 tip

원심펌프(볼류트펌프, 터빈펌프)
소방에서 사용하는 펌프는 원심펌프(볼류트펌프, 터빈펌프)이다.
1. 볼류트펌프는 안내날개가 없다.
2. 터빈펌프는 안내날개가 있다.

공동현상
1. 펌프에 기포가 발생하는 현상을 말한다. 토출측이란 문구는 없다.
2. 발생원인은 배관 내 압력과 배관 내 관경만 작고, 나머지는 크기 때문이다.
3. 방지방법은 배관 내 압력과 배관 내 관경을 높이고, 나머지는 작게 하는 것이다.

용어사전

❶ 수두(양정): 물의 높이, 배관의 길이를 말한다.
❷ 관경: 배관의 지름(직경)을 말한다.
❸ 수격작용: 물이 배관 내 벽면을 치는 현상을 말한다.

(3) 맥동현상(Surging)

펌프의 입구와 출구에 부착된 진공계와 압력계의 지침이 흔들리고 동시에 토출 유량이 변화를 가져오는 현상을 말한다. 펌프 운전 중에 **압력과 토출량이 주기적으로 변동**하고, 흡입 및 토출 배관의 주기적인 **진동과 소음을 수반**한다.

> **참고** **펌프의 주변배관**

1. 펌프 흡입측 설비

① 후드(풋)밸브
- **기능**: 체크밸브기능(물이 한쪽 방향으로만 흐르게 하는 기능)과 여과기능
- **설치목적**: 수원의 위치가 펌프보다 아래에 설치되어 있을 경우 즉시 물을 공급할 수 있도록 유지시켜 준다.

▲ 후드밸브

② 개폐밸브(개폐표시형)
- **기능**: 배관의 개·폐기능
- **설치목적**: 후드밸브 보수 시 사용한다.

▲ OS&Y형 개폐밸브

- 펌프 흡입측 배관에는 버터플라이밸브(볼형식은 제외) 외의 개폐표시형 밸브를 설치한다.

③ 스트레이너
- **기능**: 이물질 제거기능(여과기능)
- **설치목적**: 펌프의 기동 시 흡입측 배관 내의 이물질을 제거하여 임펠러를 보호한다.

④ 플렉시블죠인트
- **기능**: 충격흡수기능
- **설치목적**: 펌프의 진동이 펌프의 흡입측 배관으로 전달되는 것을 흡수하여, 흡입측 배관을 보호하는 데 목적이 있다.

▲ Y형 스트레이너   ▲ 플렉시블죠인트

⑤ 연성계(또는 진공계)
- **기능**: 흡입압력 표시기능
- **설치목적**: 펌프의 흡입양정을 알기 위해서 설치한다.
  (실제는 펌프실의 흡입측에서 원활하게 물이 공급되는지를 확인하기 위함이다)
- **설치 제외**: 수원의 수위가 펌프의 위치보다 높거나 수직회전축펌프의 경우에는 연성계 또는 진공계를 설치하지 않을 수 있다.

---

2. 펌프 토출측 설비

① 펌프
- **원심펌프**: 펌프 회전 시의 토출량이 부하에 따라 일정하지 않은 비용적(Turbo)형의 펌프이다. 임펠러의 회전으로 유체에 회전운동을 주어, 이때 발생하는 원심력에 의한 속도에너지를 압력에너지로 변환하는 방식의 펌프이다.
- **종류**
  - **볼류트펌프(Volute Pump)**: 안내날개가 없으며, 임펠러가 직접 물을 케이싱으로 유도하는 펌프로서 저양정 펌프에 사용한다.
  - **터빈펌프(Turbin Pump)**: 안내날개가 있어, 임펠러 회전운동 시 물을 일정하게 유도하여 운동에너지를 효과적으로 압력에너지로 변환할 수 있으므로 고양정 펌프에 사용한다.

② 플렉시블 죠인트
- **기능**: 충격흡수
- **설치목적**: 펌프의 진동이 펌프의 토출측 배관으로 전달되는 것을 흡수하여, 토출측 배관을 보호하는 데 목적이 있다.

③ 체크밸브
- **기능**: 물의 역류방지기능(물이 한쪽 방향으로만 흐르게 하는 기능)
- **설치목적**: 펌프 토출측 배관 내 압력을 유지하며, 또한 기동 시 펌프의 기동부하를 줄이기 위해서 설치한다.
- 스모렌스키체크밸브의 경우 바이패스밸브가 있어 필요시 펌프측 진공 발생 시에 진공상태를 풀어줄 수도 있고, 펌프 토출측 배관의 배수(2차압력 퇴수)도 할 수 있다.

▲ 스모렌스키체크밸브

④ 압력계
- **기능**: 펌프의 토출측 압력을 표시하는 기능
- **설치목적**: 펌프의 토출측 압력을 알기 위해서 설치한다.
- **설치위치**: 펌프와 토출측 게이트밸브 사이에 설치한다.

▲ 압력계

⑤ 개폐밸브(개폐표시형)
- **기능**: 배관의 개·폐기능
- **설치목적**: 펌프의 수리·보수 시 밸브 2차측의 물을 배수시키지 않기 위해서이며, 또한 펌프성능시험 시에 사용하기 위함이다.
- 개폐표시형 밸브란 밸브의 개·폐 여부를 외부에서 보았을 때 한눈에 열렸는지 또는 닫혔는지를 알아볼 수 있는 밸브를 말한다.

 영철쌤 tip

계측기
1. 펌프흡입측에 설치하는 계측기: 연성계, 진공계
2. 펌프토출측에 설치하는 계측기: 압력계, 유량계

7. 옥내소화전함 및 방수구의 설계기준

(1) 옥내소화전함

① **함의 재질**: 두께 1.5mm 이상의 강판 또는 두께 4mm 이상의 합성수지재

② **문짝의 면적(수납공간 확보)**: 0.5m² 이상

(2) 옥내소화전 방수구

① 소방대상물 층마다 설치한다.

② **수평거리(방호반경)**: 당해 소방대상물의 각 부분으로부터 하나의 옥내소화전방수구까지의 수평거리가 25m 이하가 되도록 하여야 한다. 다만, 복층형 구조의 공동주택의 경우에는 세대의 출입구가 설치된 층에만 설치할 수 있다.

③ **설치높이**: 바닥으로부터의 높이가 1.5m 이하가 되도록 설치한다.

④ **호스구경**: 40mm 이상의 크기로 한다.

⑤ **호스길이**: 소방대상물의 각 부분에 물이 유효하게 뿌려질 수 있는 길이로 설치한다.

(3) 위치표시등

① 함의 상부에 설치한다.

② 그 불빛은 부착면으로부터 15° 이상의 범위 안에서 부착지점으로부터 10m 이내의 어느 곳에서도 쉽게 식별할 수 있는 적색등으로 설치한다.

영철쌤 tip

위치표시등
1. 위치표시등은 항상 적색등으로 점등한다.
2. 기동표시등은 평소 소등, 펌프작동 시 적색등으로 점등한다.

관창
1. 방사형관창은 봉상, (분)무상주수한다.
2. 직사형관창은 봉상주수한다.

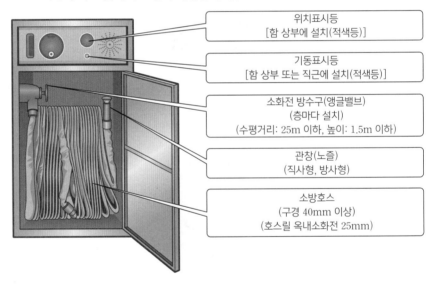

위치표시등
[함 상부에 설치(적색등)]

기동표시등
[함 상부 또는 직근에 설치(적색등)]

소화전 방수구(앵글밸브)
(층마다 설치)
(수평거리: 25m 이하, 높이: 1.5m 이하)

관창(노즐)
(직사형, 방사형)

소방호스
(구경 40mm 이상)
(호스릴 옥내소화전 25mm)

1. 개요

(1) 정의

스프링클러설비는 물을 소화약제로 하는 **자동식 소화설비**로서, 화재가 발생한 경우에 소방대상물의 **천장·반자 및 벽** 등에 설치되어 있는 스프링클러헤드가 자동으로 적상주수에 의해 화재를 진압할 수 있는 고정식 소화설비이다.

(2) 습식 스프링클러설비의 계통도

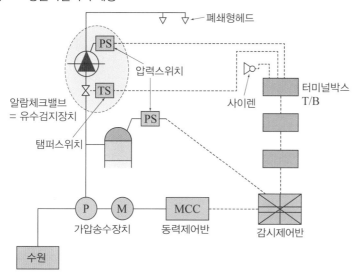

영철쌤 tip

1. 옥내소화전설비: 수동식 소화설비
2. 스프링클러설비: 자동식 소화설비

영철쌤 tip

스프링클러설비 동작원리
1. 습식, 건식 스프링클러설비는 동작원리가 비슷하다.
2. 준비작동식, 일제살수식 스프링클러설비는 동작원리가 비슷하다.

습식·건식 스프링클러설비의 밸브류 장치 구성
1. PS = 압력스위치 = 밸브개방확인
2. TS = 탬퍼스위치 = 밸브주의

참고 알람(체크)밸브 = 유수검지장치

📖 **핵심정리 습식 스프링클러설비 동작순서**

1. 화재 발생
2. 스프링클러헤드 개방
3. 알람(체크)밸브 개방
4. 압력스위치 작동
5. 수신반에 밸브개방확인등 점등 및 사이렌 경보

영철쌤 tip

준비작동식·일제살수식 스프링클러설비의
밸브류 장치구성

1. PS = 압력스위치 = 밸브개방확인
2. TS = 탬퍼스위치 = 밸브주의
3. SV = 솔레노이드밸브(전자밸브) = 밸브기동

▲ 수동기동장치, 준비작동식밸브

 영철쌤 tip

스프링클러설비의 장점에서 복구의 의미는
설비복구가 용이하다는 뜻이다.

(3) 준비작동식 스프링클러설비의 계통도

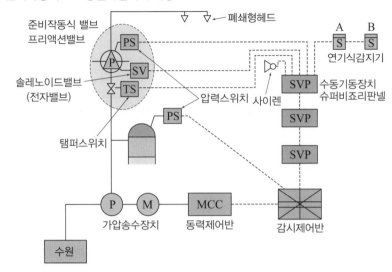

🏠 핵심정리 준비작동식 스프링클러설비 동작순서

1. 화재 발생
2. 감지기(A, B) 동시 작동
3. 수신반에 화재등, 지구등 점등
4. 전자밸브(솔레노이드밸브) 작동
5. 준비작동식(프리액션) 밸브 개방
6. 압력스위치 작동
7. 수신반에 밸브기동등, 밸브개방확인등 점등
8. 사이렌 경보

(4) 스프링클러설비의 장·단점

장점	단점
· 초기 화재의 진압에 절대적이다. · 소화약제가 물이므로 경제적이고 소화 후 복구가 용이하다. · 감지부의 구조가 기계적이므로 오보 및 오동작이 적다. · 시설이 반영구적이다. · 완전자동으로 사람이 없는 야간에도 자동으로 화재를 제어한다. · 조작이 쉽고 안전하다.	· 초기에 시설비용이 많이 든다. · 타 설비보다 시공이 비교적 복잡하다. · 물로 인한 수손피해가 크다. · 유지관리에 유의해야 한다.

2. 용어의 정의

(1) 고가수조

구조물 또는 지형지물 등에 설치하여 자연낙차의 압력으로 급수하는 수조를 말한다.

(2) 압력수조

소화용수와 공기를 채우고 일정압력 이상으로 가압하여 그 압력으로 급수하는 수조를 말한다.

(3) 충압펌프

배관 내 압력손실에 따른 주펌프의 빈번한 기동을 방지하기 위하여 충압역할을 하는 펌프를 말한다.

(4) 정격토출량

펌프의 정격부하운전 시 토출량으로서 정격토출압력에서의 토출량을 말한다.

(5) 정격토출압력

펌프의 정격부하운전 시 토출압력으로서 정격토출량에서의 토출측 압력을 말한다.

(6) 진공계

대기압 이하의 압력을 측정하는 계측기를 말한다.

(7) 연성계

대기압 이상의 압력과 대기압 이하의 압력을 측정할 수 있는 계측기를 말한다.

(8) 체절운전

펌프의 성능시험을 목적으로 펌프 토출측의 개폐밸브를 닫은 상태에서 펌프를 운전하는 것을 말한다.

(9) 기동용수압개폐장치

소화설비의 배관 내 압력변동을 검지하여 자동적으로 펌프를 기동 및 정지시키는 것으로서 압력챔버 또는 기동용압력스위치 등을 말한다.

(10) 개방형스프링클러헤드

감열체 없이 방수구가 항상 열려 있는 헤드를 말한다.

(11) 폐쇄형스프링클러헤드

정상상태에서 방수구를 막고 있는 감열체가 일정온도에서 자동적으로 파괴·용융 또는 이탈됨으로써 방수구가 개방되는 헤드를 말한다.

(12) 조기반응형 스프링클러헤드

표준형 스프링클러헤드 보다 기류온도 및 기류속도에 빠르게 반응하는 헤드를 말한다.

(13) 측벽형스프링클러헤드

가압된 물이 분사될 때 헤드의 축심을 중심으로 한 반원상에 균일하게 분산시키는 헤드를 말한다.

 영철쌤 tip

개방형·폐쇄형 스프링클러헤드
감열체 유무에 따라 개방형, 폐쇄형으로 구분된다.

▲ 개방형　　　▲ 폐쇄형

(14) 건식스프링클러헤드

물과 오리피스가 분리되어 동파를 방지할 수 있는 스프링클러헤드를 말한다.

(15) 유수검지장치

유수현상을 자동적으로 검지하여 신호 또는 경보를 발하는 장치를 말한다.

(16) 일제개방밸브

일제살수식스프링클러설비에 설치되는 유수검지장치를 말한다.

(17) 가지배관

헤드가 설치되어 있는 배관을 말한다.

(18) 교차배관

가지배관에 급수하는 배관을 말한다.

(19) 주배관

가압송수장치 또는 송수구 등과 직접 연결되어 소화수를 이송하는 주된 배관을 말한다.

(20) 신축배관

가지배관과 스프링클러헤드를 연결하는 구부림이 용이하고 유연성을 가진 배관을 말한다.

(21) 급수배관

수원 송수구 등으로부터 소화설비에 급수하는 배관을 말한다.

(22) 분기배관

배관 측면에 구멍을 뚫어 둘 이상의 관로가 생기도록 가공한 배관으로서 다음 각 목의 분기배관을 말한다.
① 확관형 분기배관: 배관의 측면에 조그만 구멍을 뚫고 소성가공으로 확관시켜 배관 용접이음자리를 만들거나 배관 용접이음자리에 배관이음쇠를 용접 이음한 배관을 말한다.
② 비확관형 분기배관: 배관의 측면에 분기호칭내경 이상의 구멍을 뚫고 배관이음쇠를 용접 이음한 배관을 말한다.

(23) 습식스프링클러설비

가압송수장치에서 폐쇄형스프링클러헤드까지 **배관 내에 항상 물이 가압되어 있다**가 화재로 인한 열로 폐쇄형스프링클러헤드가 개방되면 배관 내에 유수가 발생하여 습식유수검지장치가 작동하게 되는 스프링클러설비를 말한다.

(24) 부압식스프링클러설비

가압송수장치에서 준비작동식유수검지장치의 1차 측까지는 항상 정압의 물이 가압되고, 2차 측 **폐쇄형 스프링클러헤드까지는 소화수가 부압으로 되어 있다**가 화재 시 감지기의 작동에 의해 정압으로 변하여 유수가 발생하면 작동하는 스프링클러설비를 말한다.

영철쌤 tip

가지배관
스프링클러헤드 8개 이하로 부착한다.

(25) 준비작동식스프링클러설비

가압송수장치에서 준비작동식유수검지장치 1차 측까지 배관 내에 항상 물이 가압되어 있고, 2차 측에서 폐쇄형스프링클러헤드까지 대기압 또는 저압으로 있다가 화재발생시 감지기의 작동으로 준비작동식밸브가 개방되면 폐쇄형스프링클러헤드까지 소화수가 송수되고, 폐쇄형스프링클러헤드가 열에 의해 개방되면 방수가 되는 방식의 스프링클러설비를 말한다.

(26) 건식스프링클러설비

건식유수검지장치 2차 측에 압축공기 또는 질소 등의 기체로 충전된 배관에 폐쇄형스프링클러헤드가 부착된 스프링클러설비로서, 폐쇄형스프링클러헤드가 개방되어 배관 내의 압축공기 등이 방출되면 건식유수검지장치 1차 측의 수압에 의하여 건식유수검지장치가 작동하게 되는 스프링클러설비를 말한다.

(27) 일제살수식스프링클러설비

가압송수장치에서 일제개방밸브 1차 측까지 배관 내에 항상 물이 가압되어 있고 2차 측에서 개방형스프링클러헤드까지 대기압으로 있다가 화재 시 자동감지장치 또는 수동식 기동장치의 작동으로 일제개방밸브가 개방되면 스프링클러헤드까지 소화수가 송수되는 방식의 스프링클러설비를 말한다.

(28) 반사판(디플렉터)

스프링클러헤드의 방수구에서 유출되는 물을 세분시키는 작용을 하는 것을 말한다.

(29) 개폐표시형밸브

밸브의 개폐 여부를 외부에서 식별이 가능한 밸브를 말한다.

(30) 연소할 우려가 있는 개구부

각 방화구획을 관통하는 컨베이어·에스컬레이터 또는 이와 유사한 시설의 주위로서 방화구획을 할 수 없는 부분을 말한다.

(31) 가압수조

가압원인 압축공기 또는 불연성 기체의 압력으로 소화용수를 가압하여 그 압력으로 급수하는 수조를 말한다.

(32) 소방부하

법 제2조 제1항 제1호에 따른 소방시설 및 방화·피난·소화활동을 위한 시설의 전력부하를 말한다.

(33) 소방전원 보존형 발전기

소방부하 및 소방부하 이외의 부하(이하 비상부하라 한다)겸용의 비상발전기로서, 상용전원 중단 시에는 소방부하 및 비상부하에 비상전원이 동시에 공급되고, 화재 시 과부하에 접근될 경우 비상부하의 일부 또는 전부를 자동적으로 차단하는 제어장치를 구비하여, 소방부하에 비상전원을 연속 공급하는 자가발전설비를 말한다.

(34) 건식유수검지장치

건식스프링클러설비에 설치되는 유수검지장치를 말한다.

(35) 습식유수검지장치

습식스프링클러설비 또는 부압식스프링클러설비에 설치되는 유수검지장치를 말한다.

(36) 준비작동식유수검지장치

준비작동식스프링클러설비에 설치되는 유수검지장치를 말한다.

(37) 패들형유수검지장치

소화수의 흐름에 의하여 패들이 움직이고 접점이 형성되면 신호를 발하는 유수검지장치를 말한다.

(38) 주펌프

구동장치의 회전 또는 왕복운동으로 소화수를 가압하여 그 압력으로 급수하는 주된 펌프를 말한다.

(39) 예비펌프

주펌프와 동등 이상의 성능이 있는 별도의 펌프를 말한다.

참고 스프링클러설비 구성 등

1. **폐쇄형 헤드의 구성:** 프(후)레임, 반사판(디플렉타), 감열체로 구성된다.

▲ 유리밸브　　　　　　　　　▲ 퓨즈블링크

2. **교차배관 및 가지배관**

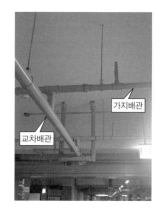

3. **가지배관(회향식):** 배관 내의 이물질에 의한 헤드 막힘을 방지한다.

4. **신축배관:** 구부림이 용이하고 유연성을 가진 배관이다.

5. **유수검지장치:** 습식 밸브 등

▲ 유수검지장치실　　　▲ 유수검지장치실 내부

3. 스프링클러설비의 작동원리

(1) 습식 배관(Wet Pipe) 시스템

① 습식 스프링클러설비란 가압송수장치에서 폐쇄형 스프링클러헤드까지 배관 내에 항상 물이 가압되어 있다가 화재로 인한 열로 폐쇄형 스프링클러헤드가 개방되면 배관 내에 유수가 발생하여 습식 유수검지장치가 작동하게 되는 스프링클러설비를 말한다.

② 습식 스프링클러설비는 동파의 우려가 없는 장소에 주로 설치되며, 펌프에서 헤드에 이르기까지 가압된 물로 채워져 있어 화재 시 열에 의해 헤드가 개방되면 개방된 헤드를 통해 즉시 가압수를 방출하여 화재를 진압하는 가장 신뢰성이 있는 방식이다.

유수검지장치 종류	배관(1차/2차 측)	헤드	감지기 유무	수동기동장치(SVP)
알람체크밸브	가압수/가압수	폐쇄형	×	×

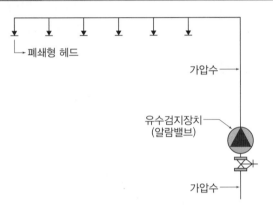

▲ 습식(Wet System)

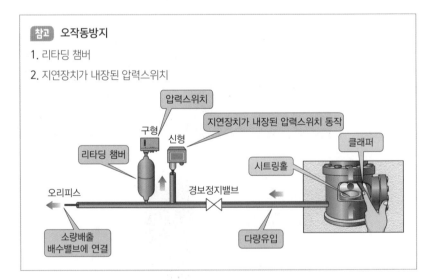

참고 **오작동방지**

1. 리타딩 챔버
2. 지연장치가 내장된 압력스위치

(2) 건식 배관(Dry Pipe) 시스템

건식 스프링클러설비란 압축된 공기(또는 질소가스)가 들어있는 배관에 폐쇄형 스프링클러헤드가 부착되고, 화재로 인한 열로 폐쇄형 스프링클러헤드가 개방되면 압축된 공기 또는 질소가스가 방사되고 건식 유수검지장치가 작동하게 되는 스프링클러설비를 말한다.

유수검지장치 종류	배관(1차/2차 측)	헤드	감지기 유무	수동기동장치(SVP)
드라이밸브	가압수/압축공기	폐쇄형	×	×

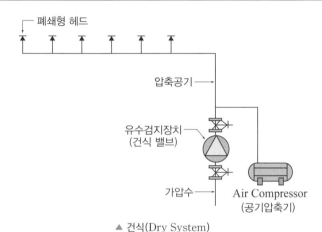

▲ 건식(Dry System)

(3) 준비작동식(Preaction) 시스템

준비작동식 스프링클러설비란 가압송수장치에서 준비작동식 유수검지장치 1차 측까지 배관에 항상 물이 가압되어 있고 2차 측에서 폐쇄형 스프링클러헤드까지 대기압 또는 저압으로 있다가 화재 발생 시 감지기의 작동으로 준비작동식 유수검지장치가 작동하여 폐쇄형 스프링클러헤드까지 소화용수가 송수되어 폐쇄형 스프링클러헤드가 열에 따라 개방되는 방식의 스프링클러설비를 말한다.

유수검지장치 종류	배관(1차/2차 측)	헤드	감지기 유무	수동기동장치(SVP)
프리액션밸브	가압수/대기압	폐쇄형	○	○

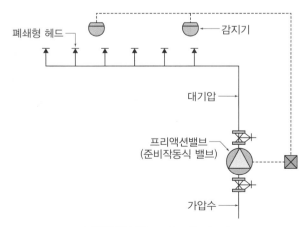

▲ 준비작동식(Preaction System)

영철쌤 tip

긴급(급속)개방장치
1. 엑셀레이터(가속기): 2차 측 압력이 떨어지면 헤드가 개방되어 2차 측 압축공기가 클래퍼를 밀어올린다.
2. 익죠스터(공기배출기): 2차 측 압력이 떨어지더라도 2차 측에 남아있는 잔여공기를 대기로 방출한다.

(4) 일제살수식(Deluge) 시스템

일제살수식 설비란 스프링클러헤드와 같은 장소에 설치된 화재 감지기의 동작에 의하여 개방되는 일제개방밸브를 통하여 소화수 공급계통으로부터 개방형 스프링클러헤드가 부착된 시스템배관에 소화수가 공급되고 **개방형 스프링클러헤드로부터 방수되는 스프링클러설비**를 말한다. 하나의 방수구역 내의 설치된 모든 헤드로부터 동시에 살수시키는 방식으로 대량의 물을 살수하므로 물에 의한 피해가 크다. 주로 천장이 높아 기류의 영향으로 폐쇄형 헤드가 개방되기 어려운 공연장, 무대부, 수손의 우려가 없는 곳, 필름이나 페인트의 제조소 등 화재가 급격히 확산될 우려가 있는 장소에 설치한다.

일제개방밸브	배관(1차/2차 측)	헤드	감지기 유무	수동기동장치(SVP)
델류지밸브	가압수/대기압	개방형	○	○

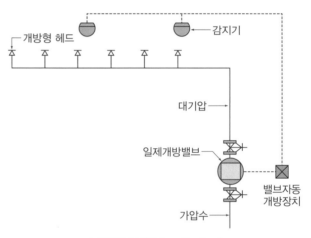

▲ 일제살수식(Deluge System)

참고 준비작동식 및 일제살수식 구성기기 등

1. 수동기동장치(슈퍼비죠리판넬, SVP): 화재를 수동으로 작동시키는 장치이다.
2. 감지기(교차회로방식): 화재를 자동으로 작동시키는 장치이다.

▲ 감지기   ▲ 수동기동장치

(5) 부압식(Preaction) 시스템

준비작동식 유수검지장치의 1차 측 배관에는 항상 정압의 물이 가압되고, 2차 측 배관에는 가압수가 **부압**으로 되어 있다가, 화재 시 감지기의 작동에 의해 정압으로 변환된 후, 유수가 발생하여 소화하는 방식을 말한다. 구성은 준비작동식 유수검지장치, 부압제어부, 진공펌프, 진공밸브 등이 있다.

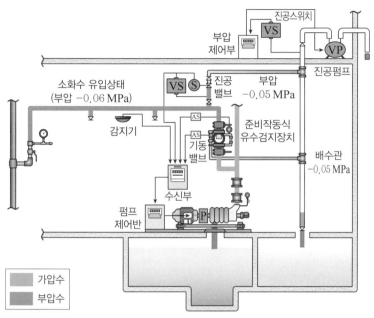

▲ 부압식(Preaction System)

4. 스프링클러설비의 종류

(1) 스프링클러설비의 비교

설비종류	밸브류	배관(1차/2차 측)	헤드	감지기
습식 설비	습식 밸브 알람체크밸브	가압수/가압수	폐쇄형	×
건식 설비	건식 밸브 드라이밸브	가압수/ 압축공기 · 질소가스	폐쇄형	×
준비작동식 설비	준비작동식 밸브 프리액션밸브	가압수/ 저압 · 무압 · 대기압	폐쇄형	○ (교차회로방식)
일제살수식 설비	일제개방밸브 델류지밸브	가압수/대기압	개방형	○ (교차회로방식)
부압식 설비	준비작동식 밸브 프리액션밸브	가압수/부압	폐쇄형	○ (교차회로방식 아님)

 영철쌤 tip

스프링클러헤드와 감지기 둘 다 감열체가 있는 것은 준비작동식, 부압식 스프링클러설비이다.

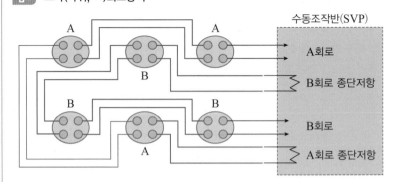

참고 교차(가위, ×)회로방식

1. **설치 목적:** 감지기 오동작으로 인한 소화설비 작동을 방지하기 위함이다.
2. **사용하는 설비:** 스프링클러소화설비(준비작동식, 일제살수식), 가스계 소화설비(이산화탄소, 할론, 할로겐화합물 및 불활성기체), 분말, 고체에어졸소화설비, 미분무소화설비(개방형 헤드)
3. **사용하지 못하는 8가지 감지기:** 불꽃 감지기, 정온식 감지선형 감지기, 분포형 감지기, 복합형 감지기, 광전식 분리형 감지기, 아날로그방식 감지기, 다신호방식 감지기, 축적방식 감지기

(2) 스프링클러설비별 장·단점

① 습식 설비

장점	단점
· 다른 스프링클러설비보다 구조가 간단하고 공사비가 저렴하여 경제성이 높다. · 다른 방식에 비해 유지관리가 용이하다. · 헤드 개방 시 즉시 살수가 개시된다.	· 동결 우려가 있는 장소는 사용이 제한된다. · 헤드 오동작 시에는 수손의 피해가 크다. · 층고가 높을 경우 헤드 개방이 지연되어 초기 화재에 즉시 대처할 수 없다.

② 건식 설비

장점	단점
· 동결 우려가 있는 장소에도 사용이 가능하다. · 옥외에서도 사용이 가능하다. · 별도의 감지장치가 필요하지 않다.	· 압축공기가 전부 방출된 후에 살수가 개시되므로 살수 개시까지의 시간이 지연된다. · 화재 초기에는 압축공기가 방출되므로 화점 주위에서는 화재를 촉진시킬 우려가 있다. · 일반 헤드의 경우에는 원칙적으로 상향형으로만 사용하여야 한다. · 공기 압축 및 신속한 개방을 위한 부대설비가 필요하다.

③ 준비작동식 설비

장점	단점
· 동결의 우려가 있는 장소에도 사용이 가능하다. · 헤드가 개방되기 전에 경보가 발생하므로 초기에 대응 조치가 가능하다. · 평상시 헤드가 파손 등으로 개방되어도 수손의 우려가 없다.	· 감지장치로 감지기 등을 별도로 설치하여야 한다. · 구조가 복잡하다. · 시공비가 고가이다. · 일반 헤드의 경우에는 원칙적으로 상향형으로만 사용하여야 한다.

④ 일제살수식 설비

장점	단점
· 밸브 개방 시 전 헤드에서 살수가 동시에 개시되므로 대형화재나 급속한 화재에도 신속하게 대처할 수 있다. · 층고가 높은 경우에도 적용할 수 있다.	· 대량의 급수 체계가 필요하다. · 개방형인 관계로 오동작 시에는 수손에 의한 피해가 매우 크다. · 감지장치를 별도로 설치하여야 한다.

⑤ 부압식 설비

장점	단점
배관파손 또는 오동작 시 수손피해를 방지할 수 있다.	· 동결의 우려가 있는 장소에는 사용이 제한된다. · 구조가 복잡하다.

> 📖 **핵심정리 스프링클러설비등**
>
> 1. **개방형 헤드만 사용하는 스프링클러설비:** 일제살수식 스프링클러설비
> 2. **감지기를 사용하지 않는 스프링클러설비:** 습식, 건식 스프링클러설비
> 3. **감지기를 사용하는 스프링클러설비:** 준비작동식, 일제살수식, 부압식 스프링클러설비
> 4. **교차회로방식의 감지기를 사용하는 스프링클러설비:** 준비작동식, 일제살수식 스프링클러설비
> 5. **헤드와 감지기 둘 다 감열체가 있는 스프링클러설비:** 준비작동식, 부압식 스프링클러설비
> 6. **수동기동장치(SVP)를 사용하는 스프링클러설비:** 준비작동식, 일제살수식, 부압식 스프링클러설비
> 7. **전자밸브[솔레노이브밸브(SV)]를 사용하는 스프링클러설비:** 준비작동식, 일제살수식, 부압식 스프링클러설비

5. 스프링클러헤드의 분류

(1) 감도 특성별 분류

① **표준 반응(Standard Response) 헤드:** 가장 일반적인 스프링클러헤드로서 RTI가 80 초과 350 이하인 헤드이다.

② **특수 반응(Special Response) 헤드:** 특수 용도의 방호를 위하여 사용하는 스프링클러헤드로서 RTI가 50 초과 80 이하인 헤드이다.

③ **조기 반응(Fast Response) 헤드:** 속동형에 사용하는 스프링클러헤드로서 RTI가 50 이하인 헤드이다.

😊 **영철쌤 tip**

유수검지장치를 시험할 수 있는 시험장치를 설치해야 하는 스프링클러설비는 습식, 건식, 부압식 스프링클러설비이다.

📖 **용어사전**

❶ RTI[Response Time Index(반응시간지수)]: 기류의 온도, 속도 및 작동시간에 대하여 스프링클러헤드의 반응을 예상한 지수이다.

(2) 감열부별 분류

① **패쇄형**: 감열부가 있어 방수구가 폐쇄되어 있는 구조이다.

② **개방형**: 감열부가 없어 방수구가 개방되어 있는 구조이다.

> **참고** 헤드의 종류[퓨즈브랑크, 글라스(유리)밸브, 플렌지형]
>
>

(3) 설치형태별 분류

① **상향형**(Upright Type)

　㉠ 일반적으로 **반자가 없는 곳**에 적용한다.

　㉡ **하방살수** 목적으로 분사패턴이 가장 우수하다.

　㉢ 준비작동식 및 건식설비가 원칙적으로 상향형 헤드를 사용하여야 하나, 다음의 경우에는 예외(상향형 헤드 설치를 권장하지만, 현장여건에 따라 하향형 헤드 설치)로 한다.

　　ⓐ 드라이펜던트스프링클러헤드를 사용하는 경우

　　ⓑ 스프링클러헤드의 설치장소가 동파의 우려가 없는 곳인 경우

　　ⓒ 개방형 스프링클러헤드를 사용하는 경우

② **하향형**(Pendent Type)

　㉠ 습식 및 부압식 설비에 사용하며 일반적으로 **반자가 있을 경우** 적용한다.

　㉡ **상방살수** 목적으로 분사패턴이 상향형보다 못하다.

③ **측벽형**(Side Wall Type)

　㉠ 실내의 폭이 9m 이하인 경우에 한하여 적용한다.

　㉡ 옥내의 벽체 측면에 설치한다.

▲ 측벽형 헤드 설치

영철쌤 tip

드라이펜던트헤드(Dry Pendent Head)
난방이 되지 않는 장소는 습식을 적용할 수 없으므로 준비작동식이나 건식 설비를 적용하고 상향식 헤드를 설치하는 것이 원칙이다. 그러나 반자가 있을 경우 하향식으로 하여야 하므로 이때는 평소 헤드 입구부분에 물이 유입되지 않는 구조의 헤드를 설치하는 것으로 헤드 접속 부위 배관에 압력공기나 질소 등을 충전한다.

1. 헤드설치 형태에 따른 분류

▲ 상향형 헤드　　　▲ 하향형 헤드　　　▲ 측벽형 헤드

2. 반자가 없는 경우: 상향식(건식, 준비작동식, 일제살수식)

　예 지하주차장, 기계실, 무대부 등

3. 반자가 있는 경우: 하향식(습식, 부압식)

　예 사무실, 거실 등

4. 살수

　① 상향형 헤드: 하방살수

　② 하향형 헤드: 상방살수

6. 가압송수장치

(1) 가압송수방식

① **고가수조방식:** 구조물 또는 지형지물 등에 설치하여 **자연낙차**의 압력으로 급수하는 방식을 말한다.

② **펌프수조(지하수조)방식:** 펌프의 **토출압력**을 이용하여 가압송수하는 방식을 말한다.

③ **압력수조방식:** 소화용수와 공기를 채우고 일정압력 이상으로 가압하여 그 압력으로 급수하는 방식을 말한다.

④ **가압수조방식:** 가압원인 압축공기 또는 불연성 고압기체에 따라 소방용수를 가압시켜 급수하는 방식을 말한다.

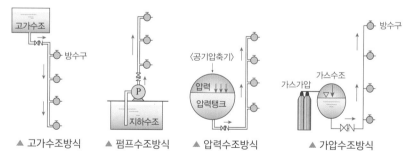

▲ 고가수조방식　　▲ 펌프수조방식　　▲ 압력수조방식　　▲ 가압수조방식

(2) 방수량 및 방수압력 기준

① **규정 방수량:** 80L/min 이상

② **규정 방수압력:** 0.1MPa 이상 1.2MPa 이하

영철쌤 tip

가압송수방식 옥내소화전설비와 동일하다.

7. 수원의 설계기준

(1) 29층 이하의 건축물 수원의 저수량

$$수원의\ 저수량 = N \times 방수량 \times 방사시간$$
$$= N \times 80L/min \times 20min$$
$$= N \times 1.6m^3$$

(2) 30층 이상 49층 이하(준고층건축물)

$$수원의\ 저수량 = N \times 방수량 \times 방사시간$$
$$= N \times 80L/min \times 40min$$
$$= N \times 3.2m^3 \ [(1)에서 \ \times 2 \ 한다]$$

(3) 50층 이상(초고층건축물)

$$수원의\ 저수량 = N \times 방수량 \times 방사시간$$
$$= N \times 80L/min \times 60min$$
$$= N \times 4.8m^3 \ [(1)에서 \ \times 3 \ 한다]$$

8. 배관의 설계기준

(1) 가지배관의 설치기준

① 가지배관 최소 구경은 25mm 이상이다.

② 토너먼트(Tournament)방식이 아니어야 한다. 그 이유는 유체의 마찰손실이 너무 크므로 압력손실을 최소화하고 수격작용을 방지하기 위해서이다.

③ 교차배관에서 분기되는 지점을 기점으로 한 쪽 가지배관에 설치되는 헤드의 개수(반자 아래와 반자 속의 헤드를 하나의 가지배관상에 병설하는 경우에는 반자 아래에 설치하는 헤드의 개수)는 8개 이하로 해야 한다.

(2) 교차배관의 위치 · 청소구 및 가지배관의 헤드의 설치기준

① **교차배관의 위치**: 가지배관과 수평으로 설치하거나 또는 가지배관 밑에 설치한다.

② **교차배관의 구경**: 최소 40mm 이상이어야 한다.

영철쌤 tip

1. 토너먼트(Tournament)방식은 월드컵 경기방식으로 대진표와 비슷하다.

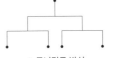

▲ 토너먼트 방식

2. 스프링클러소화설비는 토너먼트방식으로 하면 안 된다.

3. 가스계소화설비는 토너먼트방식으로 할 수 있다.

9. 헤드의 설치기준

(1) 스프링클러헤드의 수평거리

① 무대부·특수가연물을 저장 또는 취급하는 장소에 있어서는 수평거리가 1.7m 이하이어야 한다.

② 비내화건축물은 수평거리가 2.1m 이하이어야 한다.

③ 내화건축물은 수평거리가 2.3m 이하이어야 한다.

④ 랙크식 창고에 있어서는 수평거리가 2.5m 이하이어야 한다. 다만, 특수가연물을 저장 또는 취급하는 랙크식 창고의 경우에는 수평거리가 1.7m 이하이어야 한다.

⑤ 공동주택(아파트) 세대 내의 거실에 있어서는 수평거리가 3.2m 이하이어야 한다.

(2) 개방형 스프링클러헤드의 설치장소

무대부 또는 연소할 우려가 있는 개구부에 있어서는 개방형 스프링클러헤드를 설치하여야 한다.

(3) 조기반응형 스프링클러헤드의 설치장소

① 공동주택·노유자시설의 거실

② 오피스텔·숙박시설의 침실, 병원의 입원실

(4) 폐쇄형스프링클러헤드는 그 설치장소의 평상시 최고 주위온도에 따라 다음 표에 따른 표시온도의 것으로 설치하여야 한다. 다만, 높이가 4m 이상인 공장 및 창고(랙크식창고를 포함한다)에 설치하는 스프링클러헤드는 그 설치장소의 평상시 최고 주위온도에 관계없이 표시온도 121℃ 이상인 것으로 할 수 있다.

설치장소의 최고 주위온도	표시온도
39℃ 미만	79℃ 미만
39℃ 이상 64℃ 미만	79℃ 이상 121℃ 미만
64℃ 이상 106℃ 미만	121℃ 이상 162℃ 미만
106℃ 이상	162℃ 이상

영철쌤 tip

개방형 스프링클러헤드의 설치장소
1. 무대부는 밀폐된 공간 안에 사람, 조명설비, 나무 등 인테리어가 많아서 위험하다.
2. 연소할 우려가 있는 개구부는 창문, 에스컬레이터 등은 중앙을 관통하므로 위험하다.

설치 시 주의사항
조기반응형 스프링클러헤드를 설치하는 경우에는 습식유수검지장치를 설치하여야 한다.

1. 개요

(1) 정의

스프링클러설비의 방수압력보다 고압으로 방사하여 물의 입자를 미세하게 분무시켜서 물방울의 표면적을 넓게 함으로써 유류화재, 전기화재 등에도 적응성이 뛰어나도록 한 소화설비이다.

(2) 물분무소화설비의 장·단점

장점	단점
· 소량의 물로 소화하므로 저장 및 방사량을 줄일 수 있다. · 무상주수(부도체)이므로 인화성 액체 또는 고압전기 등 화재에 유효하다. · 폭발제어 및 가스화재에 사용 가능하다. · 연소확대 방지에 효과적이다.	· 가벼워서 바람의 영향을 받는다. · 무상주수이므로 파괴소화가 불가능하다. · 봉상에 비해 높은 압력이 필요하다. · 헤드 가격이 고가이다.

(3) 소화 효과

질식, 냉각, 유화, 희석소화한다(물리적 소화).

2. 물분무헤드의 종류

물분무헤드는 화재 시 직선류, 나선류의 물을 충돌·확산시켜 미립상태로 분무함으로써 소화하는 헤드이다.

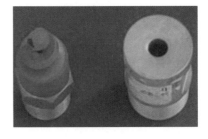

(1) 충돌형

유수와 유수의 충돌에 의해 미세한 물방울을 만들도록 되어 있으며 내부 구조는 와류형 직류형태의 기구가 부착되어 분무하는 헤드이다.

(2) 분사형

소구경의 오리피스 또는 사각형 오리피스를 통하여 물을 고압으로 방사하는 것으로서 부채꼴 형태를 이루면서 분무하는 헤드이다.

(3) 디플렉터형

수류를 디플렉터판에 충돌시켜 미세한 물방울을 분무하는 헤드이다.

(4) 슬리트형

수류가 슬리트를 타면서 방출되어 수막상의 분무를 하는 헤드이다.

영철쌤 tip

드렌처 설비
창문 등에 설치하여 화재가 확대되는 것을 방지하기 위한 설비이다.

주수형태
1. 봉상·무상은 고압이다.
2. 적상은 저압이다.

설비
1. 봉상 및 무상주수는 옥·내외소화전설비, 연결송수관설비에 사용한다.
2. 적상주수는 스프링클러설비, 연결살수설비, 연소방지설비에 사용한다.
3. 무상주수는 물분무소화설비, 미분무소화설비(water spray)에 사용한다.

참고 미분무 소화설비 용어 정의

1. **미분무소화설비**: 가압된 물이 헤드 통과 후 미세한 입자로 분무됨으로써 소화성능을 가지는 설비로서, 소화력을 증가시키기 위해 강화액 등을 첨가할 수 있다.

2. **미분무**: 물만을 사용하여 소화하는 방식으로 최소설계압력에서 헤드로부터 방출되는 물입자 중 99%의 누적체적분포가 400μm 이하로 분무되고 A, B, C급 화재에 적응성을 갖는 것을 말한다.

3. **미분무헤드**: 하나 이상의 오리피스를 가지고 미분무소화설비에 사용되는 헤드를 말한다.

4. **개방형 미분무헤드**: 감열체 없이 방수구가 항상 열려져 있는 헤드를 말한다.

5. **폐쇄형 미분무헤드**: 정상상태에서 방수구를 막고 있는 감열체가 일정온도에서 자동적으로 파괴·용융 또는 이탈됨으로써 방수구가 개방되는 헤드를 말한다.

6. **저압 미분무소화설비**: 최고사용압력이 1.2Mpa 이하인 미분무소화설비를 말한다.

7. **중압 미분무소화설비**: 사용압력이 1.2Mpa을 초과하고 3.5Mpa 이하인 미분무소화설비를 말한다.

8. **고압 미분무소화설비**: 최저사용압력이 3.5Mpa을 초과하는 미분무소화설비를 말한다.

9. **폐쇄형 미분무소화설비**: 배관 내에 항상 물 또는 공기 등이 가압되어 있다가 화재로 인한 열로 폐쇄형 미분무헤드가 개방되면서 소화수를 방출하는 방식의 미분무소화설비를 말한다.

10. **개방형 미분무소화설비**: 화재감지기의 신호를 받아 가압송수장치를 동작시켜 미분무수를 방출하는 방식의 미분무소화설비를 말한다.

11. **유수검지장치(패들형을 포함한다)**: 유수현상을 자동적으로 검지하여 신호 또는 경보를 발하는 장치를 말한다.

12. **전역방출방식**: 고정식 미분무소화설비에 배관 및 헤드를 고정 설치하여 구획된 방호구역 전체에 소화수를 방출하는 설비를 말한다.

13. **국소방출방식**: 고정식 미분무소화설비에 배관 및 헤드를 설치하여 직접 화점에 소화수를 방출하는 설비로서 화재발생 부분에 집중적으로 소화수를 방출하도록 설치하는 방식을 말한다.

14. **호스릴방식**: 소화수 또는 소화약제 저장용기 등에 연결된 호스릴을 이용하여 사람이 직접 화점에 소화수 또는 소화약제를 방출하는 방식을 말한다.

15. **교차회로방식**: 하나의 방호구역 내에 2 이상의 화재감지기회로를 설치하고 인접한 2 이상의 화재감지기에 화재가 감지되어 작동되는 때에 소화설비가 작동하는 방식을 말한다.

16. **가압수조**: 가압원인 압축공기 또는 불연성 기체의 압력으로 소화용수를 가압하여 그 압력으로 급수하는 수조를 말한다.

17. **개폐표시형밸브**: 밸브의 개폐 여부를 외부에서 식별이 가능한 밸브를 말한다.

18. **연소할 우려가 있는 개구부**: 각 방화구획을 관통하는 컨베이어·에스컬레이터 또는 이와 유사한 시설의 주위로서 방화구획을 할 수 없는 부분을 말한다.

19. **설계도서**: 점화원, 연료의 특성과 형태 등에 따라서 건축물에서 발생할 수 있는 화재의 유형이 고려되어 작성된 것을 말한다.

20. **호스릴**: 원형의 소방호스를 원형의 수납장치에 감아 정리한 것을 말한다.

1. 개요

(1) 정의

화재 발생 시 천장에 부착된 스프링클러헤드의 감열 부분과 감지기에 의해 감지되면, 자동밸브(알람밸브)에 의하여 포말이 물과 혼합하여 가연물질의 연소표면에 엷은 막을 형성함으로써 산소의 공급을 차단하여 질식소화하는 설비로, 초기 소화를 목적으로 한다. 포소화설비는 물에 의해서 소화효과가 적거나 화재의 확대 우려가 있는 가연성 액체 또는 위험물저장탱크에 주로 설치하며 대규모화재의 소화나 옥외소화에 효력이 있다.

(2) 포소화설비의 동작개요 및 구성요소

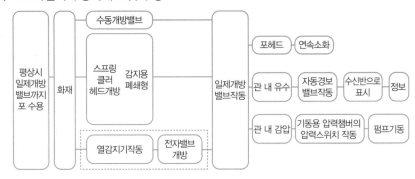

(3) 포소화설비의 특징

① 포의 내화성이 커서 대규모 화재에 적합하다.
② 실외에서 옥외소화전보다 소화효력이 크다.
③ 화재의 확대를 방지하여 화재를 최소한으로 줄일 수 있다.
④ 약제는 유독성 가스 발생이 없으므로 인체에 무해하다.
⑤ 기계포약제는 혼합기구가 복잡하다.

(4) 포(Foam)의 정의

포(Foam)는 물 또는 기름(Oil)보다 낮은 밀도의 작은 거품의 안정된 집합체로서 평면을 덮는 끈끈한 성질을 갖는 물질이다.

(5) 포(Foam)의 소화효과

① **가연성 가스로부터 공기(산소)차단**: 질식소화효과가 있다.
② **함유된 물의 액체표면 냉각**: 냉각소화효과가 있다.
③ 유류표면에서 기화 생성방지(유화효과) 및 희석효과(수용성)가 있다.

(6) 공기포(Air Foam) 생성원리

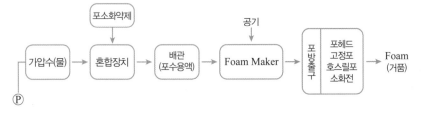

영철쌤 tip

포소화설비 소화효과
질식소화, 냉각소화, 유화소화, 희석소화가
있다. 즉, 물리적소화한다.

2. 용어의 정의

(1) 고가수조
구조물 또는 지형지물 등에 설치하여 자연낙차의 압력으로 급수하는 수조를 말한다.

(2) 압력수조
소화용수와 공기를 채우고 일정압력 이상으로 가압하여 그 압력으로 급수하는 수조를 말한다.

(3) 충압펌프
배관 내 압력손실에 따른 주펌프의 빈번한 기동을 방지하기 위하여 충압역할을 하는 펌프를 말한다.

(4) 연성계
대기압 이상의 압력과 대기압 이하의 압력을 측정할 수 있는 계측기를 말한다.

(5) 진공계
대기압 이하의 압력을 측정하는 계측기를 말한다.

(6) 정격토출량
펌프의 정격부하운전 시 토출량으로서 정격토출압력에서의 토출량을 말한다.

(7) 정격토출압력
펌프의 정격부하운전 시 토출압력으로서 정격토출량에서의 토출측 압력을 말한다.

(8) 전역방출방식
소화약제 공급장치에 배관 및 분사헤드 등을 고정 설치하여 밀폐 방호구역 내에 소화약제를 방출하는 방식을 말한다.

(9) 국소방출방식
소화약제 공급장치에 배관 및 분사헤드를 등을 설치하여 직접 화점에 소화약제를 방출하는 방식을 말한다.

(10) 팽창비
최종 발생한 포 체적을 원래 포 수용액 체적으로 나눈 값을 말한다.

(11) 개폐표시형밸브
밸브의 개폐 여부를 외부에서 식별이 가능한 밸브를 말한다.

(12) 기동용수압개폐장치
소화설비의 배관 내 압력변동을 검지하여 자동적으로 펌프를 기동 및 정지시키는 것으로서 압력챔버 또는 기동용압력스위치 등을 말한다.

(13) 포워터스프링클러설비
포워터스프링클러헤드를 사용하는 포소화설비를 말한다.

▲ 포헤드

▲ 포소화전설비

(14) 포헤드설비

포헤드를 사용하는 포소화설비를 말한다.

(15) 고정포방출설비

고정포방출구를 사용하는 설비를 말한다.

(16) 호스릴포소화설비

호스릴포방수구 · 호스릴 및 이동식 포노즐을 사용하는 설비를 말한다.

(17) 포소화전설비

포소화전방수구 · 호스 및 이동식포노즐을 사용하는 설비를 말한다.

(18) 송액관

수원으로부터 포헤드 · 고정포방출구 또는 이동식포노즐 등에 급수하는 배관을 말한다.

(19) 급수배관

수원 및 옥외송수구로부터 포소화설비의 헤드 또는 방출구에 급수하는 배관을 말한다.

(20) 분기배관

배관 측면에 구멍을 뚫어 둘 이상의 관로가 생기도록 가공한 배관으로서 다음의 분기배관을 말한다.

(21) 펌프 프로포셔너방식

펌프의 토출관과 흡입관 사이의 배관도중에 설치한 흡입기에 펌프에서 토출된 물의 일부를 보내고, 농도 조정밸브에서 조정된 포 소화약제의 필요량을 포 소화약제 저장탱크에서 펌프 흡입측으로 보내어 이를 혼합하는 방식을 말한다.

(22) 프레셔 프로포셔너방식

펌프와 발포기의 중간에 설치된 벤추리관의 벤추리작용과 펌프 가압수의 포 소화약제 저장탱크에 대한 압력에 따라 포 소화약제를 흡입 · 혼합하는 방식을 말한다.

(23) 라인 프로포셔너방식

펌프와 발포기의 중간에 설치된 벤추리관의 벤추리작용에 따라 포 소화약제를 흡입 · 혼합하는 방식을 말한다.

(24) 프레셔사이드 프로포셔너방식

펌프의 토출관에 압입기를 설치하여 포 소화약제 압입용펌프로 포 소화약제를 압입시켜 혼합하는 방식을 말한다.

(25) 가압수조

가압원인 압축공기 또는 불연성 기체의 압력으로 소화용수를 가압하여 그 압력으로 급수하는 수조를 말한다.

(26) 압축공기포소화설비

압축공기 또는 압축질소를 일정 비율로 포수용액에 강제 주입 혼합하는 방식을 말한다.

(27) 주펌프

구동장치의 회전 또는 왕복운동으로 소화용수를 가압하여 그 압력으로 급수하는 주된 펌프를 말한다.

(28) 호스릴

원형의 형태를 유지하고 있는 소방호스를 수납장치에 감아 정리한 것을 말한다.

(29) 압축공기포 믹싱챔버방식

물, 포 소화약제 및 공기를 믹싱챔버로 강제주입시켜 챔버 내에서 포수용액을 생성한 후 포를 방사하는 방식을 말한다.

참고 소방대상물별 적용설비	
소방대상물	**적용 포소화설비**
특수가연물을 저장·취급하는 공장 또는 창고	· 포워터스프링클러설비 · 포헤드설비 · 고정포방출설비(고발포) · 압축공기포소화설비
차고 또는 주차장	· 포워터스프링클러설비 · 포헤드설비 · 고정포방출설비(고발포) · 압축공기포소화설비 · 호스릴포소화설비 · 옥내포소화전설비
항공기 격납고	· 포워터스프링클러설비 · 포헤드설비 · 고정포방출설비(고발포) · 압축공기포소화설비 · 호스릴포소화설비
발전기실, 엔진펌프실, 변압기, 전기케이블실, 유압설비	압축공기포소화설비

3. 고정포 방출구

(1) Ⅰ형 방출구

통계단(활강로, 미끄럼판) 등에 설치한 방출구 방식이고, 콘루프탱크(CRT: Cone Roof Tank)에 사용된다.

(2) Ⅱ형 방출구

반사판(디플렉터) 방출구 방식이고, 콘루프탱크(CRT: Cone Roof Tank)에 사용된다.

영철쌤 tip

1. I형 방출구 및 II형 방출구는 탱크상부에 주입하는 방식(상부포주입방식)이므로 대형위험물탱크에 적합하지 않다.
2. III형 방출구 및 IV형 방출구는 탱크하부에 주입하는 방식이므로 대형위험물탱크에 적합하다.

(3) 특형 방출구

플루팅루프탱크(FRT; Floating Roof Tank)의 측면과 굽도리 판(방지턱)에 의하여 형성된 환상부분에 포를 방출하는 방식이다.

📖 **핵심정리 위험물탱크(Tank)**

CRT (Cone Roof Tank)	콘루프탱크 사용(중질유 사용)	I형 방출구, II형 방출구, III형(표면하 주입식 방출구), IV형(반표면하 주입식 방출구)
FRT (Floating Roof Tank)	플루팅루프탱크(부상식 탱크) 사용(경질유 사용)	특형 포방출구

4. 포 혼합방식

(1) 펌프 프로포셔너 방식

농도조절밸브에서 조정된 포소화약제의 필요량을 펌프 흡입측으로 보내어 이를 혼합하는 방식을 말한다.

(2) 라인 프로포셔너 방식

벤츄리관의 벤츄리 작용에 따라 포소화약제를 흡입하여 혼합하는 방식을 말한다.

(3) 프레져 프로포셔너 방식

벤츄리관의 벤츄리 작용과 펌프가압수의 포소화약제 저장탱크에 대한 압력에 따라 포소화약제를 흡입하여 혼합하는 방식을 말한다.

(4) 프레져사이드 프로포셔너 방식

포소화약제 압입용 펌프로 포소화약제를 압입시켜 혼합하는 방식을 말한다.

(5) 압축공기포 믹싱챔버방식

포원액 + 물 + 공기를 일정 비율로 혼합하는 방식을 말한다.

> **참고 기계포 소화약제의 혼합장치**
> 1. 비례혼합장치: 지정농도의 범위 내로 방사 유량에 비례하여 혼합하는 장치를 말한다.
> 2. 정량혼합장치: 지정농도에 관계없이 일정한 양을 혼합하는 장치를 말한다.

1. 개요

옥외소화전은 건축물의 화재를 진압하는 외부에 설치된 고정된 설비로서 자체소화 또는 인접건물로의 연소방지를 목적으로 설치되며 건축물 1, 2층 부분 정도의 화재소화에 유효하다. 설비에서 수원 · 가압송수장치 · 제어반 등은 옥내소화전설비의 구조 원리와 동일하게 적용되며, 옥외소화전 및 소화전함, 방수구의 규격 등이 다를 뿐이다.

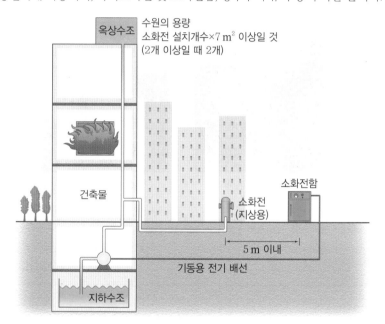

2. 수원

(1) 방수량은 **최소 350L/min**이다.

(2) 방수압은 **최소 0.25MPa 이상 ~ 최대 0.7MPa 이하**이다.

(3) 수원의 저수량은 N(최대 2개)×7m³이다.

3. 배관등

(1) 수평거리는 40m 이하이다.

(2) 호스구경은 65mm이다.

 영철쌤 tip

옥외소화전설비의 방수량은 소화설비 중 가장 크다.

▲ 옥외소화전과 옥외소화전함 5m 이내 설치

▲ 옥외소화전함

▲ 옥외소화전함

참고 옥내소화전설비, 옥외소화전설비, 스프링클러설비 비교

구분	방수압 [MPa]	방수량 [L/min]	토출량 [L/min]	저수량[m³]
옥내소화전설비	0.17 ~ 0.7	130	$N \times 130$ (N: 최대 2개)	$N \times 2.6$
옥외소화전설비	0.25 ~ 0.7	350	$N \times 350$ (N: 최대 2개)	$N \times 7$
스프링클러설비	0.1 ~ 1.2	80	$N \times 80$	$N \times 1.6$

1. 개요

(1) 정의

불연성 가스인 이산화탄소(CO_2) 가스를 고압가스용기에 저장해 두었다가 화재 발생 시 수동조작 또는 자동기동을 통해 화재지점에 배관으로 이산화탄소(CO_2) 가스를 이동 및 방출·분사시켜 화재를 소화하는 고정소화설비이다. 대기 중의 산소를 차단(산소를 15% 이하로 감소)하여 **질식 및 냉각작용**으로 소화한다. 소화약제의 저장에 따라 고압식과 저압식이 있지만, 일반적으로 고압식이 주로 사용되고 있다. 따라서 유지관리상 소화약제의 오방출 등에 대한 사고방지책 등 특히 안전측면에서의 주의가 필요하다.

(2) 이산화탄소소화설비의 계통도

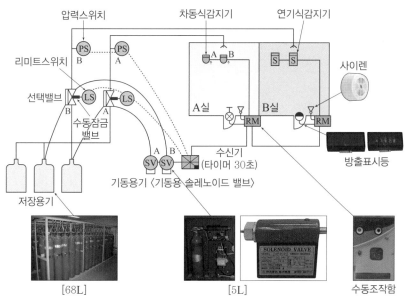

[68L]　　　　[5L]　　　　수동조작함

기구	설치위치	설치목적
수동조작함(RM) [기동스위치]	조작자 누르고 쉽게 피난할 수 있는 위치 (실외 출입구 근처)	약제를 수동으로 기동
수동조작함(RM) [방출지연스위치]	기동스위치 근처에 설치	약제를 지연하기 위해서
음향경보장치 (사이렌)	실 안(방호구역 안)	약제가 방출되니 실외로 대피경보
방출표시등	실외 출입구 상부	약제가 방출되니 실내 진입금지

영철쌤 tip

1. 수계(스프링클러설비등)설비는 물의 마찰 때문에 압력이 떨어지므로 가지배관을 토너먼트방식을 사용하면 안 된다.
2. 그러나 가스계(이산화탄소설비 등)설비는 기체이므로 가지배관을 토너먼트방식을 사용한다.

영철쌤 tip

1. 기동용기 가스는 선택밸브와 저장용기를 개방하는 역할이다.
2. 압력스위치는 방출표시등을 점등시키는 역할이다.

(3) 이산화탄소소화설비의 동작순서도

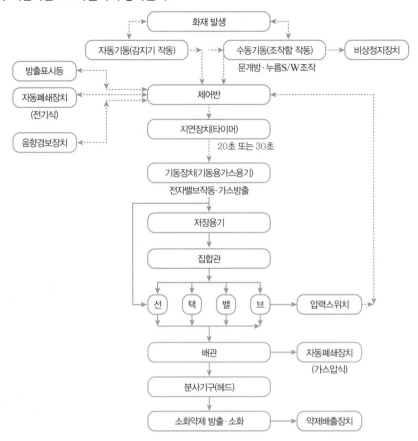

영철쌤 tip

가스계 소화설비의 계통도 및 동작순서는 동일(이산화탄소, 할론, 할로겐화합물 및 불활성기체, 분말)하다.

핵심정리 동작순서

1. 화재 발생
2. 감지기(A, B) 동시 작동 또는 수동기동장치
3. 수신반에 화재등, 지구등 점등
4. 사이렌경보
5. t초 후 기동용 솔레노이드밸브 작동(전자밸브 작동)
6. 약제방출
7. 압력스위치 작동
8. 수신반 신호 후 방출표시(확인)등 점등

(4) 이산화탄소소화설비의 적용

특수한 위험이 있는 곳이나 고가의 장치가 있는 장소, 불활성·비전도성 소화약제가 필수적인 장소 또는 다른 소화약제를 사용하기 어려운 곳에 많이 사용되고 있다.

① 적응대상(B, C급은 물론 A급도 가능)

　　㉠ 인화성 액체(B급)

　　㉡ 변압기, 스위치, 회로차단기, 회전기기, 발전기 등의 전기설비(C급)

ⓒ 일반가연물(A급)

ⓔ 인화성 액체를 사용하는 엔진(B급)

ⓜ 고체 위험물 등(A급)

② 비적응대상(사람이 있는 장소, 제3류, 제5류)

　　ⓐ 금속수소화합물(SiH_4 등)을 저장한 장소(제3류)

　　ⓑ 나트륨(Na), 칼륨(K), 마그네슘(Mg), 티타늄(Ti) 및 지르코늄(Zr) 등 반응성 금속을 저장한 장소(제3류)

　　ⓒ 사람의 수용인원이 많고 2분 이내에 사람이 대피할 수 없는 장소(사람이 있는 장소)

　　ⓓ 니트로셀룰로오즈와 같은 내부연소(자기연소)성 물질을 취급하는 장소 등(제5류)

(5) 이산화탄소소화설비의 장·단점

장점	단점
· 화재 진화 후 깨끗하다. · 심부화재에 적합하다. · 증거보존이 양호하여 화재 원인 조사가 쉽다. · 비전도성이므로 전기화재에 적응성이 있다. · 피연소물에 피해가 적다.	· 설비가 고압이므로 특별한 주의가 요구된다. · 이산화탄소 방사 시 동상의 우려가 있다. · 인체에 질식의 우려가 있다. · 이산화탄소 방사 시 소음이 심하고, 시야를 가리게 된다.

2. 용어의 정의

(1) 전역방출방식

소화약제 공급장치에 배관 및 분사헤드 등을 설치하여 밀폐 방호구역 전체에 소화약제를 방출하는 방식을 말한다.

(2) 국소방출방식

소화약제 공급장치에 배관 및 분사헤드를 등을 설치하여 직접 화점에 소화약제를 방출하는 방식을 말한다.

(3) 호스릴방식

소화수 또는 소화약제 저장용기 등에 연결된 호스릴을 이용하여 사람이 직접 화점에 소화수 또는 소화약제를 방출하는 방식을 말한다.

(4) 충전비

소화약제 저장용기의 내부 용적과 소화약제의 중량과의 비(용적/중량)를 말한다.

(5) 심부화재

목재 또는 섬유류와 같은 고체가연물에서 발생하는 화재형태로서 가연물 내부에서 연소하는 화재를 말한다.

(6) 표면화재

가연성물질의 표면에서 연소하는 화재를 말한다.

 영철쌤 tip

심부화재
이산화탄소소화설비의 화재안전성능기준(NFPC 106)에서 "심부화재"란 종이·목재·석탄·섬유류 및 합성수지류와 같은 고체가연물에서 발생하는 화재형태로서 가연물 내부에서 연소하는 화재를 말한다.

(7) 교차회로방식

하나의 방호구역 내에 2 이상의 화재감지기회로를 설치하고 인접한 2 이상의 화재감지기에 화재가 감지되는 때에 소화설비가 작동하는 방식을 말한다.

(8) 방화문

「건축법 시행령」제64조의 규정에 따른 60분+ 방화문, 60분 방화문 또는 30분 방화문을 말한다.

(9) 방호구역

소화설비의 소화범위 내에 포함된 영역을 말한다.

(10) 선택밸브

2 이상의 방호구역 또는 방호대상물이 있어 소화수 또는 소화약제를 해당하는 방호구역 또는 방호대상물에 선택적으로 방출되도록 제어하는 밸브를 말한다.

(11) 설계농도

방호대상물 또는 방호구역의 소화약제 저장량을 산출하기 위한 농도로서 소화농도에 안전율을 고려하여 설정한 농도를 말한다.

(12) 소화농도

규정된 실험 조건의 화재를 소화하는 데 필요한 소화약제의 농도(형식승인대상의 소화약제는 형식승인된 소화농도)를 말한다.

(13) 호스릴

원형의 소방호스를 원형의 수납장치에 감아 정리한 것을 말한다.

영철쌤 tip

저장용기의 충전비는 고압식은 1.5 이상 1.9 이하, 저압식은 1.1 이상 1.4 이하로 할 것

📋 **예제**

용기의 용적이 68L이고, 중량이 45kg일 때의 충전비는?

해설

$$\text{충전비} = \frac{\text{용기의 용적}(\ell)}{\text{소화약제저장중량}(kg)} = \frac{68(\ell)}{45(kg)} = 1.51 = 1.5$$

▲ 이산화탄소 용기

정답 1.5

---

3. 이산화탄소소화설비의 소화약제 방출방식

(1) 전역방출방식

고정식 이산화탄소 공급장치에 배관 및 분사헤드를 고정 설치하여 밀폐 방호구역 내에 이산화탄소를 방출하는 설비를 말한다.

영철쌤 tip

가스계소화설비 방출방식 중 전역방출방식에서 환기장치는 가스계소화설비가 방사되기 전에 정지되어야 한다.

(2) 국소방출방식

고정식 이산화탄소 공급장치에 배관 및 분사헤드를 설치하여 직접 화점에 이산화 탄소를 방출하는 설비로 화재 발생 부분에만 집중적으로 소화약제를 방출하도록 설 치하는 방식을 말한다.

(3) 호스릴방식

분사헤드가 배관에 고정되어 있지 않고 소화약제 저장용기에 호스를 연결하여 사람 이 직접 화점에 소화약제를 방출하는 이동식 소화설비를 말한다.

4. 이산화탄소소화설비의 소화약제 저장방식

(1) 고압식

(2) 저압식

5. 이산화탄소소화약제 저장용기의 개방밸브 개방방식

(1) 기계식

(2) 전기식

(3) 가스압력식

6. 이산화탄소 저장용기의 적합한 장소

(1) 방호구역 외의 장소에 설치할 것

(2) 온도가 40°C 이하이고, 온도변화가 적은 곳에 설치할 것

(3) 저장용기의 폭발을 방지하기 위해 방화문으로 구획된 실에 설치할 것

---

8 할론소화설비

1. 개요

(1) 정의

할론(HALON)소화설비란 할론소화약제를 사용하여 화재의 연소반응을 억제 함으로써 소화하는 설비이다. 할론화합물은 지방족 포화탄화수[C_nH_{2n+2}, 주로 CH_4(메탄), C_2H_6(에탄)]에 할로겐원소인 F(불소), Cl(염소), Br(브롬)을 치환하 여 제조한 것으로 연소의 **연쇄반응 억제작용**이 우수하여 소화약제로 사용한다.

(2) 할론소화설비의 동작순서도

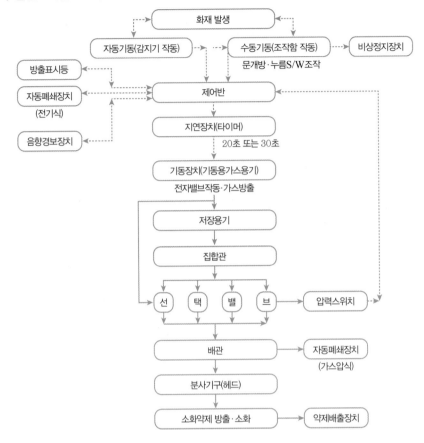

(3) 할론소화설비의 적응성과 비적응성
① 적응성(B, C급 물론 A급도 가능)
ㄱ 전기 및 전자시설 등의 화재위험지역
ㄴ 원격통신설비
ㄷ 인화성·가연성 액체나 기체류
ㄹ 기타 고가의 시설물, 장치 등
② 비적응성(제3류, 제5류)
ㄱ 자체에서 산소를 공급하는 화합물
ㄴ 반응성 금속류
ㄷ 금속수소화합물
ㄹ 자체의 열로 분해를 일으킬 수 있는 화합물

(4) 할론소화설비의 장·단점

장점	단점
· 저농도로 소화가 가능하므로 질식의 우려가 없다. · 전기의 부도체로서 C급 화재에 매우 효과적이다. · 약제에 관련된 독성이나 부식성이 매우 낮다. · 소화약제는 물질의 내부까지 침투가 가능하며 소화 후 잔존물이 없다.	· CFC 계열의 물질로서 오존층 파괴를 일으키는 등 환경에 영향을 미친다. · 가격이 이산화탄소 등에 비해 매우 고가이다.

2. 할론소화설비의 분류(방출방식에 의한 분류)

(1) 전역방출방식

고정식 할론 공급장치에 배관 및 분사헤드를 고정 설치하여 밀폐 방호구역 내에 할론을 방출하는 설비방식이다.

(2) 국소방출방식

고정식 할론 공급장치에 배관 및 분사헤드를 설치하여 직접 화점에 할론을 방출하는 설비로 화재 발생 부분에만 집중적으로 소화약제를 방출하도록 설치하는 방식이다.

(3) 호스릴방식(이동식)

분사헤드가 배관에 고정되어 있지 않고 소화약제 저장용기에 호스를 연결하여 사람이 직접 화점에 소화약제를 방출하는 이동식 소화설비방식이다.

3. 할론소화약제 저장용기의 개방밸브 개방방식

(1) 기계식

(2) 전기식

(3) 가스압력식

4. 할론 저장용기의 적합한 장소

(1) 방호구역 외의 장소에 설치할 것

(2) 온도가 40℃ 이하이고, 온도변화가 적은 곳에 설치할 것

(3) 저장용기의 폭발을 방지하기 위해 방화문으로 구획된 실에 설치할 것

1. 개요

(1) 정의

할로겐화합물 및 불활성기체 소화약제 소화설비는 물분무등소화설비로 분류되며, 특수한 위험이 있는 곳이나 고가의 장치가 있는 장소, 불활성 비전도성 소화약제가 필수적인 장소 또는 다른 소화약제를 사용하기 어려운 장소에 많이 사용되고 있다. 구성요소로는 소화약제저장용기, 소화약제, 화재감지장치, 분사헤드, 기동장치, 음향경보장치, 자동폐쇄장치, 제어반, 비상전원, 선택밸브, 환기설비, 방출표시장치, 방송경보장치 등이 있다.

(2) 할로겐화합물 및 불활성기체 소화약제 소화설비의 동작순서도

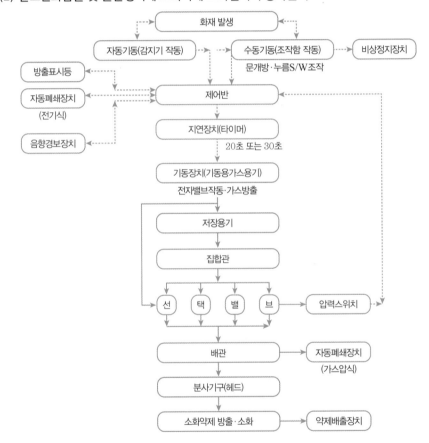

(3) 할로겐화합물 및 불활성기체 소화약제 소화설비의 설치목적

할로겐화합물 및 불활성기체 소화약제 소화설비는 건축물 내의 화재 시 자동으로 화재를 감지하여 화재가 발생한 방호구역에 할로겐화합물 및 불활성기체 소화약제를 방사하여 신속하게 화재를 진압할 수 있도록 하기 위함이다.

(4) 할로겐화합물 및 불활성기체 소화약제의 특징

① 취소(브롬)가 함유되어 있지 않은 수소화염화불화탄소(HCFC)가 주체가 되는 할론 대체물질이다.

② 피연소물질에 피해를 주지 않으며, 소화 후 잔유물이 남지 않는다.

③ 화학적으로 안정하여 저장성이 좋다.

④ 이산화탄소에 비해 약제 방사 시 산소의 농도를 급격히 저하시키지 않는다.

⑤ 할론약제에 비해 소화성능은 약하나 오존층 파괴지수가 적다.

⑥ 전기전도성이 낮아 전기화재에도 적합하다.

⑦ 금속에 대한 부식성이 없으며, 합성수지나 고무제품에 대하여 화학변화가 없이 안정적이다.

⑧ 제3류 위험물과 제5류 위험물을 사용하는 장소에는 사용을 금해야 한다.

⑨ 소화효과

　㉠ 할로겐화합물의 주된 소화: 부촉매효과

　㉡ 불활성기체의 주된 소화: 질식효과

⑩ 적응화재: 일반화재(전역방출방식), 유류, 전기, 가스화재 등이다.

(5) 수계 소화약제 대비 할로겐화합물 및 불활성기체 소화약제의 특징

① 상온·상압에서 기체로 존재하기 때문에 소화 후 잔여물을 남기지 않는다. 즉, 소화 후 지방성 부산물❶이 발생하지 않는다.

② 확산속도가 빠르고 침투성이 우수하여 빠른 화재의 진압과 고층화재나 다양한 모양의 방호공간에도 사용이 가능하다.

③ 할로겐화합물 및 불활성기체 소화약제는 전기적으로 비전도성이어서 전기화재의 진압에 유리하다.

④ 가스는 대부분 저장안정성이 높아 장기간 사용이 가능하다.

⑤ 가스계 소화약제는 화재진압뿐만 아니라 폭발방지의 효과도 지니고 있어 가연성·폭발성 물질의 안전한 취급을 도와준다.

▲ 용기저장실 외부

▲ 용기저장실 내부

▲ 분사헤드

영철쌤 tip

Br(브로민, 브롬)은 오존층파괴의 주범이다.

용어사전

❶ 지방성 부산물: 지방과 같은 성질의 생성물을 말한다.

2. 용어의 정의

(1) 할로겐화합물 및 불활성기체 소화약제

할로겐화합물(할론 1301, 할론 2402, 할론 1211 제외) 및 불활성기체로서 전기적으로 비전도성이며, 휘발성이 있거나 증발 후 잔여물을 남기지 않는 소화약제를 말한다.

(2) 할로겐화합물 소화약제

불소, 염소, 브롬 또는 요오드 중 하나 이상의 원소를 포함하고 있는 유기화합물을 기본성분으로 하는 소화약제를 말한다.

(3) 불활성기체 소화약제

헬륨, 네온, 아르곤 또는 질소가스 중 하나 이상의 원소를 기본성분으로 하는 소화약제를 말한다.

▲ 할로겐화합물(HFC - 125)　　▲ 불활성기체(IG - 541)

(4) 충전밀도

소화약제의 중량과 소화약제 저장용기의 내부 용적과의 비(중량/용적)를 말한다.

(5) 방호구역

소화설비의 소화범위 내에 포함된 영역을 말한다.

(6) 별도 독립방식

소화약제 저장용기와 배관을 방호구역별로 독립적으로 설치하는 방식을 말한다.

(7) 집합관

개별 소화약제(가압용 가스 포함) 저장용기의 방출관이 연결되어 있는 관을 말한다.

(8) 최대허용 설계농도

사람이 상주하는 곳에 적용하는 소화약제의 설계농도로서, 인체의 안전에 영향을 미치지 않는 농도를 말한다.

3. 설치 제외 장소

(1) 사람이 상주하는 곳으로서 최대 허용설계농도[1]를 초과하는 장소는 제외한다.

(2) 「위험물안전관리법 시행령」 별표 1의 제3류 위험물 및 제5류 위험물을 사용하는 장소는 제외한다. 다만, 소화성능이 인정되는 위험물은 제외한다.

4. 할로겐화합물 및 불활성기체 소화약제의 종류

(1) 국가화재안전기준에 제정된 할로겐화합물 및 불활성기체 소화약제는 모두 14종이며, 10종은 할로겐화합물 소화약제이고, 4종은 불활성기체(Inert Gas) 소화약제이다.

소화약제	화학식
퍼플루오로부탄 (FC - 3 - 1 - 10)	C_4F_{10}
도데카플루오로 - 2 - 메틸펜탄 - 3 - 원 (FK - 5 - 1 - 12)	$CF_3CF_2C(O)CF(CF_3)_2$
하이드로클로로플루오로카본혼화제 (HCFC BLEND A)	HCFC - 123($CHCl_2CF_3$): 4.75% HCFC - 22($CHClF_2$): 82% HCFC - 124($CHClFCF_3$): 9.5% $C_{10}H_{16}$: 3.75%
클로로테트라플루오르에탄 (HCFC - 124)	$CHClFCF_3$
펜타플루오로에탄 (HFC - 125)	CHF_2CF_3
헵타플루오로프로판 (HFC - 227ea)	CF_3CHFCF_3
트리플루오로메탄 (HFC - 23)	CHF_3
헥사플루오로프로판 (HFC - 236fa)	$CF_3CH_2CF_3$
트리플루오로이오다이드 (FIC - 13I1)	CF_3I
불연성 · 불활성기체혼합가스 (IG - 01)	Ar
불연성 · 불활성기체혼합가스 (IG - 100)	N_2
불연성 · 불활성기체혼합가스 (IG - 541)	N_2: 52%, Ar: 40%, CO_2: 8%
불연성 · 불활성기체혼합가스 (IG - 55)	N_2: 50%, Ar: 50%

용어사전

[1] 최대 허용설계농도: 사람이 견딜 수 있는 농도를 말한다.

(2) 우리나라에서 현재까지 설계 및 시공되어 온 소화약제의 종류

① HCFC Blend A(NAFS-Ⅲ)

② IG-541(Inergen)

③ HFC-227ea(FM-200)

④ HFC-23(FE-13)

⑤ HFC-125

⑥ FK-5-1-12

5. 할로겐화합물 및 불활성기체 저장용기의 적합한 장소

(1) 방호구역 외의 장소에 설치할 것

(2) 온도가 55℃ 이하이고, 온도변화가 적은 곳에 설치할 것

(3) 저장용기의 폭발을 방지하기 위해 방화문으로 구획된 실에 설치할 것

참고 고체에어졸 소화설비의 용어의 정의

1. 고체에어로졸 소화설비란 설계밀도 이상의 고체에어로졸을 방호구역 전체에 균일하게 방출하는 설비로서 분산(Dispersed)방식이 아닌 압축(Condensed)방식을 말한다.
2. 고체에어로졸 화합물이란 과산화물질, 가연성물질 등의 혼합물로서 화재를 소화하는 비전도성의 미세입자인 에어로졸을 만드는 고체화합물을 말한다.
3. 고체에어로졸이란 고체에어로졸 화합물의 연소과정에 의해 생성된 직경 10μm 이하의 고체 입자와 기체 상태의 물질로 구성된 혼합물을 말한다.
4. 고체에어로졸 발생기란 고체에어로졸 화합물, 냉각장치, 작동장치, 방출구, 저장용기로 구성되어 에어로졸을 발생시키는 장치를 말한다.
5. 소화밀도란 방호공간 내 규정된 시험조건의 화재를 소화하는데 필요한 단위체적(m³)당 고체에어로졸 화합물의 질량(g)을 말한다.
6. 안전계수란 설계밀도를 결정하기 위한 안전율을 말하며 1.3으로 한다.
7. 설계밀도란 소화설계를 위하여 필요한 것으로 소화밀도에 안전계수를 곱하여 얻어지는 값을 말한다.
8. 상주장소란 일반적으로 사람들이 거주하는 장소 또는 공간을 말한다.
9. 비상주장소란 짧은 기간 동안 간헐적으로 사람들이 출입할 수는 있으나 일반적으로 사람들이 거주하지 않는 장소 또는 공간을 말한다.
10. 방호체적이란 벽 등의 건물 구조 요소들로 구획된 방호구역의 체적에서 기둥 등 고정적인 구조물의 체적을 제외한 체적을 말한다.
11. 열 안전 이격거리란 고체에어로졸 방출 시 발생하는 온도에 영향을 받을 수 있는 모든 구조·구성요소와 고체에어로졸 발생기 사이에 안전확보를 위해 필요한 이격거리를 말한다.

10 분말소화설비

1. 개요

(1) 정의

분말소화설비는 분말약제탱크에 저장된 분말약제를 **가압가스용기의 질소 또는 이 산화탄소가스의 압력**으로 밀어내어 배관을 통하여 그 말단에 분사헤드 또는 호스 릴로 방호대상물에 방사하여 소화하는 설비이다. 주로 기름이나 전기로 인한 화재 에 대한 소화이지만, 일부의 약제는 일반화재에도 유효한 것으로 알려져 있다. 일 반적으로 주차장, 통신기기실, 제4류 위험물, 변전설비 및 발전설비에서 이용된다.

일반적으로 가스계소화설비는 외부동력원이 필요없지만, 분말소화설비는 외부동력원이 필요하다.

(2) 분말소화설비의 동작순서도

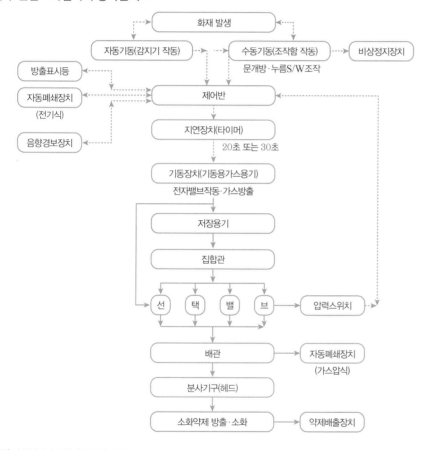

(3) 분말소화설비 구성기기

가스계소화설비 주요구성요소에 **정압작동장치, 압력조정기, 클리닝장치**만 추가하면 된다.

감시제어반 및 동력제어반
수계소화설비 및 제연설비에만 해당된다.

(4) 분말소화설비의 장·단점

장점	단점
·소화능력이 우수하며 인체에 무해하다. ·포말과 같은 타 소화약제를 첨가하여 병용하여 사용할 수 있다(CDC 분말소화약제). ·전기에 대해 비전도성(절연성)으로 C급 화재에 매우 효과적이다. ·소화약제의 수명이 반영구적이며 경제성이 매우 높다. ·동결의 우려가 없다.	·소화약제의 잔존물로 인해 2차 피해가 발생한다(고체미립자). ·분말약제의 특성상 고압의 가압원이 필요하다(외부동력원 필요). ·금속류에 효과가 없다(D급 화재에 효과가 없다). ·침투성이 나쁘다. ·설치가 복잡하다.

2. 분말소화설비의 분류

(1) 저장방식에 의한 분류

① 가압식: 용기 내부 또는 외부에 별도의 압력용기(가압용기)를 설치한 후 화재 시 압력용기의 가스 압력에 의해 분말약제를 방사시키는 방식이다.

② 축압식: 용기 내부에 분말약제를 방사시키기 위한 압력원(가스)을 축압시킨 후 화재 시 작동되는 축압된 가스 압력에 의해 소화약제를 방사시키는 방식이다.

(2) 방출방식에 의한 분류

① 전역방출방식: 소화약제 공급장치에 배관 및 분사헤드 등을 설치하여 밀폐 방호구역 내에 분말소화약제를 방출하는 방식을 말한다.

② 국소방출방식: 소화약제 공급장치에 배관 및 분사헤드 등을 설치하여 직접 화점에 분말소화약제를 방출하는 방식을 말한다.

③ 호스릴방식: 소화수 또는 소화약제 저장용기 등에 연결된 호스릴을 이용하여 사람이 직접 화점에 소화수 또는 소화약제를 방출하는 방식을 말한다.

3. 분말소화약제 저장용기의 개방밸브 개방방식

(1) 기계식

(2) 전기식

(3) 가스압력식

4. 분말 저장용기의 적합한 장소

(1) 방호구역 외의 장소에 설치할 것

(2) 온도가 40℃ 이하이고, 온도변화가 적은 곳에 설치할 것

(3) 저장용기의 폭발을 방지하기 위해 방화문으로 구획된 실에 설치할 것

5. 분말소화설비의 배관설계기준

방사압력과 방사량을 균일하게 방사하기 위하여 배관을 토너먼트(균등)방식으로 분기하여야 한다.

> **참고** **정압작동장치**
>
> 1. **정의:** 가압용 질소가스가 약제 저장용기 내 유입되면, 분말약제와 가스가 소화하기 적당한 상태로 혼합된 후에 내압이 소정의 방출압력에 도달하는 시간이 보통 15 ~ 30초 정도 소요되는데, 이 시간이 경과한 후 주밸브를 자동적으로 개방시키기 위하여 설치하는 작동장치를 말한다.
> 2. **방식:** 압력스위치방식, 스프링방식, 릴레이방식이 있다.

 영철쌤 tip

1. 제1종 분말: 탄산수소나트륨을 주성분으로 한 분말소화약제를 말한다.
2. 제2종 분말: 탄산수소칼륨을 주성분으로 한 분말소화약제를 말한다.
3. 제3종 분말: 인산염을 주성분으로 한 분말소화약제를 말한다.
4. 제4종 분말: 탄산수소칼륨과 요소가 화합된 분말소화약제를 말한다.

1 소화기구

01 대형소화기의 능력단위 기준 및 보행거리 배치기준이 적절하게 표시된 것은?

① A급 10단위 이상, B급 20단위 이상, 보행거리 30m 이내

② A급 20단위 이상, B급 20단위 이상, 보행거리 30m 이내

③ A급 10단위 이상, B급 20단위 이상, 보행거리 40m 이내

④ A급 20단위 이상, B급 20단위 이상, 보행거리 40m 이내

02 소방대상물의 각 층이 2 이상의 거실로 구획된 경우, 구획된 실마다 소화기를 배치하여야 하는 면적은 얼마인가?

① 10m² 이상   ② 6m² 이상

③ 33m² 이상   ④ 50m² 이상

03 소화기를 설치할 때에는 바닥으로부터 몇 m 이하의 높이에 설치하는 것이 가장 이상적인가?

① 1.5m 이하   ② 1.75m 이하

③ 2.0m 이하   ④ 2.5m 이하

04 주거용 주방 자동소화장치의 설치대상으로 옳은 것은?

① 보일러실

② 아파트 각 세대별 거실

③ 아파트 각 세대별 주방

④ 밀폐된 거실로서 그 바닥면적이 20m² 미만의 장소

05 간이소화용구의 종류로 옳지 않은 것은?

① 에어로졸식 소화용구

② 투척용 소화용구

③ 자동확산소화기

④ 마른 모래

정답 및 해설

1 소화기구

01 대형소화기의 능력단위 및 보행거리 기준
· 능력단위: A급 10단위 이상, B급 20단위 이상
· 보행거리: 30m 이내

02 소화기의 설치기준
소방대상물의 각 층이 2 이상의 거실로 구획된 경우에는 바닥면적 33m² 이상으로 구획된 거실(아파트의 경우에는 각 세대를 말한다)에도 배치하여야 한다.

03 소화기의 설치기준
소화기구(자동소화장치를 제외한다)는 거주자 등이 손쉽게 사용할 수 있는 장소에 바닥으로부터 높이 1.5m 이하의 곳에 설치하여야 한다.

04 주방용 자동소화장치
주방용 자동소화장치는 아파트의 각 세대별로 주방 및 오피스텔의 각 실별 주방에 설치하여야 한다.

05 간이소화용구의 종류
· 에어로졸식 소화용구
· 투척용 소화용구
· 소공간용 소화용구
· 마른 모래
· 팽창질석 및 팽창진주암

정답 01 ① **02** ③ **03** ① **04** ③ **05** ③

2 옥내소화전설비

01 화재 발생 초기에 자체 관리자 또는 재실자에 의하여 신속하게 화재를 진압할 수 있도록 복도에 설치된 함에 소방호스를 연결하여 화재를 진압하는 소화설비는?

① 옥내소화전설비   ② 옥외소화전설비

③ 연결송수관설비   ④ 연결살수설비

02 수계 소화설비에서 펌프를 자동으로 기동 및 정지시키는 장치로 옳은 것은?

① 펌프성능시험배관에 설치된 유량계

② 순환배관에 설치된 릴리프밸브

③ 물올림장치에 설치된 물올림탱크

④ 기동용 수압개폐장치(압력챔버)

03 가압송수장치의 체절운전 시 수온의 상승을 방지하기 위하여 설치하는 밸브는?

① 펌프성능시험배관에 설치된 유량계

② 순환배관에 설치된 릴리프밸브

③ 물올림장치에 설치된 물올림탱크

④ 기동용 수압개폐장치(압력챔버)의 압력스위치

04 수계 소화설비에 대한 설명으로 옳지 않은 것은?

① 가압송수방식은 고가수조방식, 옥상수조방식, 펌프수조방식, 압력수조방식, 가압수조방식으로 구분한다.

② 펌프기동방식 중 자동기동방식은 압력챔버 및 압력스위치를 이용하여 펌프를 자동으로 기동하는 방식이다.

③ 펌프성능시험배관에 설치하는 유량측정장치는 펌프의 정격토출량의 175%를 측정할 수 있는 성능이 있어야 한다.

④ 가압송수장치에는 체절운전 시 수온의 상승을 방지하기 위하여 순환배관을 설치한다.

05 옥내소화전설비의 가압송수장치 펌프성능시험에 관한 설명이다. ( ) 안에 들어갈 내용으로 옳은 것은? 23. 소방간부

> 펌프의 성능은 체절운전 시 정격토출압력의 (㉠)%를 초과하지 않고 정격토출량의, (㉡)%로 운전 시 정격토출압력의 (㉢)% 이상이 되어야 하며, 펌프의 성능을 시험할 수 있는 성능시험배관을 설치할 것

	㉠	㉡	㉢
①	65	150	140
②	140	65	150
③	140	150	65
④	150	65	140
⑤	150	140	65

정답 및 해설

2 옥내소화전설비

01 옥내소화전설비
일반적으로 거실에서 화재 시 거실에서 가장 가까운 통로인 복도에 설치하는 초기 소화설비는 옥내소화전설비이다. 어느 정도 화재가 진행 중인 경우에 사용하는 본격소화활동설비인 연결송수관설비는 계단실이나, 전실 등에 설치한다.

02 기동용 수압개폐장치(압력챔버)
압력챔버는 상시 배관 내 압력을 압력스위치에서 검지하여 설정된 압력을 유지하기 위하여 펌프를 자동으로 기동 및 정지시키는 장치이다.

03 가압송수장치
가압송수장치의 체절운전 시 수온의 상승을 방지하기 위하여 체크밸브와 펌프 사이에서 분기한 구경 20mm 이상의 배관에 체절압력 미만에서 개방되는 릴리프밸브를 설치하여야 한다.

04 수계 소화설비
① 가압송수방식은 고가수조방식, 펌프수조방식, 압력수조방식, 가압수조방식으로 구분한다.
② 펌프기동방식은 ON - OFF 버튼을 이용하여 펌프를 원격으로 기동하는 방식인 수동기동방식과 압력챔버 및 압력스위치를 이용하여 펌프를 자동으로 기동하는 방식인 자동기동방식이 있다.
③ 유량측정장치는 성능시험배관 직관부에 설치하되, 펌프의 정격토출량의 175% 이상 측정할 수 있는 성능이 있어야 한다.

05 펌프성능시험
펌프의 성능은 체절운전 시 정격토출압력의 140%를 초과하지 않고 정격토출량의, 150% 로 운전 시 정격토출압력의 65% 이상이 되어야 하며, 펌프의 성능을 시험할 수 있는 성능시험배관을 설치하여야 한다.

정답 01 ① 02 ④ 03 ② 04 ① 05 ③

06 옥내소화전설비에서 가압송수장치의 기동을 명시하는 표시등에 대한 설명으로 옳은 것은?

① 위치표시등, 적색　　　　　　　　　　② 위치표시등, 황색

③ 기동표시등, 적색　　　　　　　　　　④ 기동표시등, 황색

07 펌프의 공동현상(Cavitation)을 방지하기 위한 방법에 대한 사항으로 옳지 않은 것은?

① 펌프의 위치를 낮추어 흡입고를 작게 한다.　　② 양(+)흡입 펌프를 사용한다.

③ 펌프의 흡입관경을 크게 한다.　　　　　　　④ 펌프의 회전수를 크게 한다.

08 소방펌프 및 관로에서 발생되는 수격현상(Water hammering)의 방지책으로 옳지 않은 것은?　　　23. 공채·경채

① 수격을 흡수하는 수격방지기를 설치한다.

② 관로에 서지 탱크(Surge tank)를 설치한다.

③ 플라이휠(Flywheel)을 부착하여 펌프의 급격한 속도 변화를 억제한다.

④ 관경의 축소를 통해 유체의 유속을 증가시켜 압력 변동치를 감소시킨다.

09 설정압력 이상의 압력이 가해질 때 밸브의 시트를 지지하고 있는 스프링이 풀어지며 열리는 구조로서 펌프 내의 체절운전으로 인한 공회전으로 내부 수온의 상승을 방지하는 밸브는?

① 체크밸브　　　　　　　　　　　　　② 게이트밸브

③ 릴리프밸브　　　　　　　　　　　　④ 개폐밸브

10 소방대상물이 어느 층에 있어도 당해 층의 옥내소화전을 동시에 사용할 경우 각 소화전의 노즐선단의 방수 압력 – 방수량은 얼마 이상의 성능이 있어야 하는가?

① 0.1MPa – 80L/min　　　　　　　　② 0.15MPa – 90L/min

③ 0.17MPa – 130L/min　　　　　　　④ 0.2MPa – 180L/min

11 자동기동방식의 펌프가 수원의 수위보다 높은 곳에 설치된 옥내소화전설비의 구성요소를 있는 대로 모두 고른 것은?

22. 공채·경채

> ㄱ. 기동용수압개폐장치   ㄴ. 릴리프밸브
> ㄷ. 동력제어반   ㄹ. 솔레노이드밸브
> ㅁ. 물올림장치

① ㄱ, ㄴ, ㅁ

② ㄷ, ㄹ, ㅁ

③ ㄱ, ㄴ, ㄷ, ㄹ

④ ㄱ, ㄴ, ㄷ, ㅁ

정답 및 해설

06 옥외소화전설비 표시등
가압송수장치의 기동을 표시하는 표시등은 옥내소화전함의 상부 또는 그 직근에 설치하되 적색등으로 하여야 한다.

07 펌프의 공동현상(Cavitation) 방지법
· 펌프의 설치높이를 될 수 있는 대로 낮추어 흡입양정을 짧게 한다.
· 수직펌프를 사용하고 회전차(Impeller)를 수중에 완전히 감기게 한다.
· 회전수를 낮추어 흡입속도를 줄이고, 흡입측 관경을 크게 한다.
· 양흡입 펌프를 사용한다.
· 2대 이상의 펌프를 사용한다.
· 흡입측 마찰손실수두를 줄인다.

08 수격현상(Water hammer)

개념	· 물이 파이프 속에 꽉 차서 흐를 때, 정전 등의 원인으로 유속이 급격히 변하면서 물에 심한 압력 변화가 생기고 큰 소음이 발생하는 현상이다. · 펌프의 급정지, 또는 밸브 급폐쇄 등으로 인해 물의 흐름이 정지되면 물의 관성력 때문에 급격한 압력변동이 발생하여 부압과 고압이 번갈아 발생한다.
수격현상 원인	· 정전 등으로 갑자기 펌프가 정지할 경우 · 밸브를 급폐쇄할 경우
방지방법	· 배관 내 유속을 감소시켜 압력변동치를 감소시킨다. · 밸브 조작을 완만히 한다. · 플라이휠을 달아 펌프 속도 변화를 완만히(억제) 한다. · 서지탱크를 관로에 설치한다. · 밸브를 가능한 펌프 송출구 가까이에 달고 밸브조작을 적절히 한다. · 수격을 흡수하는 수격방지기를 설치한다.

09 순환배관
순환배관에 설치하는 밸브류는 릴리프밸브이며, 작동압력은 체절압력 미만에서 작동한다.

10 소화전의 방수압력·방수량
특정소방대상물이 어느 층에 있어도 해당 층의 옥내소화전(2개 이상 설치된 경우에는 2개의 옥내소화전)을 동시에 사용할 경우 각 소화전의 노즐선단에서의 방수압력이 0.17MPa ~ 0.7MPa(호스릴옥내소화전설비를 포함한다)이고, 방수량이 130L/min(호스릴옥내소화전설비를 포함한다) 이상이 되는 성능의 것으로 하여야 한다.

11 옥내소화전 계통도
옥내소화전설비의 구성요소 중 솔레노이드밸브는 없다.

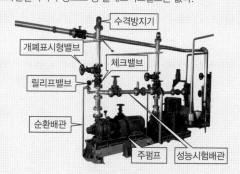

수격방지기
개폐표시형밸브
체크밸브
릴리프밸브
순환배관
주펌프
성능시험배관

정답 06 ③ 07 ④ 08 ④ 09 ③ 10 ③ 11 ④

3 스프링클러설비

01 스프링클러설비에 대한 설명으로 옳지 않은 것은?

① 초기 화재에 절대적이다.

② 소화약제가 물이므로 값이 싸서 경제적이다.

③ 감지부의 구조가 기계적이므로 오동작의 우려가 있다.

④ 시설의 수명이 반영구적이다.

02 습식 스프링클러설비에 대한 설명으로 옳지 않은 것은?

① 오동작 시 수손피해가 크다.

② 대량 살수로 수손피해 우려가 크다.

③ 다른 스프링클러설비보다 구조가 간단하다.

④ 화재 감지 후 가장 신속한 소화가 가능하다.

03 다음 [보기]에 주어진 작동설명에 해당하는 스프링클러소화설비의 종류는?

─────────────────── [보기] ───────────────────

ㄱ. 화재 발생

ㄴ. 화열에 의해 화재 발생 장소 상부의 헤드 개방

ㄷ. 배관 내 소화수가 개방된 헤드로 방수

ㄹ. 알람체크밸브 내 클래퍼 개방

ㅁ. 알람체크밸브의 압력스위치 동작

ㅂ. 제어반의 주경종 동작, 화재표시등, 유수검지장치 동작표시등 점등 및 부저 동작과 해당 구역 음향장치 작동

ㅅ. 배관 내 감압으로 소화펌프 기동

① 습식 스프링클러설비   ② 건식 스프링클러설비

③ 준비작동식 스프링클러설비   ④ 일제살수식 스프링클러설비

04 스프링클러설비의 리타딩 체임버(Retarding Chamber)의 기능으로 옳은 것은? 20. 공채 · 경채

① 역류방지   ② 가압송수

③ 오작동방지   ④ 동파방지

05 교차배관에서 공급되는 소화수를 스프링클러헤드까지 공급하는 역할을 하는 것으로서 스프링클러헤드가 설치되어 있는 배관을 무엇이라고 하는가?

① 주배관   ② 가지배관

③ 신축배관   ④ 수평주행배관

정답 및 해설

3 스프링클러설비

01 스프링클러설비의 장 · 단점
스프링클러설비는 감지부의 구조가 기계적이므로 오보 및 오동작이 적다.

02 일제살수식 스프링클러설비
일제살수식 스프링클러설비는 개방형 헤드를 사용하기 때문에 대량 살수에 따른 수손피해 우려가 크다.

03 습식 스프링클러설비 작동설명
· 화재 발생
· 화열에 의해 화재 발생 장소 상부의 헤드 개방
· 배관 내 소화수가 개방된 헤드로 방수 → 소화
· 알람밸브 내 클래퍼 개방
· 알람밸브의 압력스위치 동작(클래퍼가 개방되면 2차 측 배관으로 가압수가 송수됨과 동식에 시트링의 홀으로도 가압수가 유입되어 압력스위치를 동작시킨다)
· 제어반의 주경종 동작, 화재표시등, 알람밸브 동작표시등 점등 및 부저 동작과 해당 구역 음향장치 작동
· 배관 내 감압으로 기동용수압개폐장치의 압력스위치 작동에 따라 소화펌프 기동

04 리타딩 체임버(리타딩 챔버)
습식이며 리타딩 체임버 또는 지연장치가 내장된 압력스위치는 오동작방지(비화재보방지) 역할을 한다.

05 가지배관
가지배관이란 스프링클러헤드가 설치되어 있는 배관을 말한다.

정답 01 ③   02 ②   03 ①   04 ③   05 ②

06 배관 내의 압축공기나 질소가스를 신속히 배출시켜주기 위한 가속장치가 부속되어 있는 것이 특징인 설비의 종류는?

① 간이 스프링클러설비
② 준비작동식 설비
③ 건식 설비
④ 화재조기진압용 스프링클러설비

07 스프링클러설비 중 화재 감지를 감지기와 감열체를 이용하여 화재를 제어하는 설비의 종류는?

① 습식 설비
② 건식 설비
③ 준비작동식 설비
④ 일제살수식 설비

08 가압송수장치에서 준비작동식 유수검지장치의 1차 측까지는 항상 정압의 물이 가압되고, 2차 측 폐쇄형 스프링클러헤드까지는 소화수가 부압으로 되어 있다가 화재 시 감지기의 작동에 의해 정압으로 변하여 유수가 발생하면 작동하는 스프링클러설비는?

① 습식 스프링클러설비
② 건식 스프링클러설비
③ 일제살수식 스프링클러설비
④ 부압 스프링클러설비

09 스프링클러설비의 교차배관에서 분기되는 지점을 기점으로 한 쪽 가지배관에 설치하는 헤드의 개수는?

① 8개
② 9개
③ 10개
④ 12개

10 다음 내용에 해당하는 스프링클러설비 방식은?
24. 소방간부

- 가압송수장치에서 유수검지장치 1차 측까지 배관 내에 항상 물이 가압되어 있고, 2차 측에서 폐쇄형 스프링클러헤드까지 대기압 또는 저압으로 있다.
- 화재발생 시 감지기의 작동으로 밸브가 개방되면 폐쇄형 스프링클러헤드까지 소화수가 송수되고, 폐쇄형 스프링클러헤드가 열에 의해 개방되면 방수가 된다.

① 습식
② 건식
③ 부압식
④ 준비작동식
⑤ 일제살수식

11 다음 [보기]에서 스프링클러설비 중 감지기와 연동하여 작동하는 것만을 모두 고른 것은?

─────────────[보기]─────────────
ㄱ. 습식 스프링클러　　　　　　　　　　ㄴ. 건식 스프링클러
ㄷ. 준비작동식 스프링클러　　　　　　　ㄹ. 일제살수식 스프링클러
ㅁ. 부압식 스프링클러
──────────────────────────────

① ㄱ, ㄴ, ㄷ　　　② ㄱ, ㄹ, ㅁ　　　③ ㄴ, ㄷ, ㄹ　　　④ ㄷ, ㄹ, ㅁ

12 폐쇄형 스프링클러헤드를 사용하는 스프링클러설비를 [보기]에서 있는 대로 고른 것은?　　21. 소방간부

─────────────[보기]─────────────
ㄱ. 일제살수식 스프링클러설비　　　　　ㄴ. 부압식 스프링클러설비
ㄷ. 준비작동식 스프링클러설비　　　　　ㄹ. 건식 스프링클러설비
ㅁ. 습식 스프링클러설비
──────────────────────────────

① ㄱ　　　② ㄱ, ㄴ　　　③ ㄴ, ㄷ, ㄹ
④ ㄴ, ㄷ, ㄹ, ㅁ　　　⑤ ㄱ, ㄴ, ㄷ, ㄹ, ㅁ

정답 및 해설

06 건식 설비
습식 설비의 단점인 동결을 보완하기 위하여 동결의 우려가 있는 장소를 지나는 배관에 압축공기를 채운 건식 설비는 화재 발생 시 압축공기를 모두 배기하고 난 뒤 소화수가 살수되어 화재 이후에 초기 대응시간이 다른 설비에 비해 길어진 단점이 있다. 이 단점을 조금이라도 보완하기 위하여 건식 밸브의 빠른 작동과 배관의 압축공기를 빨리 배출하기 위하여 급속개방기구인 엑셀레이터나, 익죠스터를 설치한다.

07 준비작동식 설비
준비작동식 설비는 난방이 되지 않는 옥내에 설치하는 스프링클러설비로서 1차 측에는 가압수가, 2차 측에는 대기압 상태로 폐쇄형 헤드가 설치되어 있으며, 유수검지장치는 준비작동식 밸브를 사용한다. 화재가 발생하면 먼저 감지기 동작에 의해 전자밸브가 기동되고 이로 인하여 준비작동식 밸브가 개방된다. 이때 1차 측의 가압수가 2차 측으로 유입되고, 이후 헤드가 열에 의해 개방되면 유입된 물이 방사되는 설비이다.

08 부압 스프링클러설비
부압 스프링클러설비는 가압송수장치에서 준비작동식 유수검지장치의 1차 측까지는 항상 정압의 물이 가압되고, 2차 측 폐쇄형 스프링클러헤드까지는 소화수가 부압으로 되어 있다가 화재 시 감지기의 작동에 의해 정압으로 변하여 유수가 발생하면 작동한다.

09 교차배관
교차배관에서 분기되는 지점을 기점으로 한 쪽 가지배관에 설치되는 헤드의 개수(반자 아래와 반자 속의 헤드를 하나의 가지배관상에 병설하는 경우에는 반자 아래에 설치하는 헤드의 개수)는 8개 이하로 하여야 한다.

10 스프링클러설비 방식
준비작동식 스프링클러설비란 가압송수장치에서 준비작동식 유수검지장치 1차 측까지 배관 내에 항상 물이 가압되어 있고 2차 측에서 폐쇄형 스프링클러헤드까지 대기압 또는 저압으로 있다가 화재발생 시 감지기의 작동으로 준비작동식밸브가 개방되면 폐쇄형 스프링클러헤드까지 소화수가 송수되고 폐쇄형 스프링클러헤드가 열에 의해 개방되면 방수가 되는 방식의 스프링클러설비를 말한다.

11 감지기 작동에 의해 동작하는 스프링클러설비
· 준비작동식 스프링클러설비(교차회로방식)
· 일제살수식 스프링클러설비(교차회로방식)
· 부압식 스프링클러설비(교차회로방식 아님)

12 폐쇄형 스프링클러헤드를 사용하는 방식
· 습식 스프링클러설비
· 건식 스프링클러설비
· 준비작동식 스프링클러설비
· 부압식 스프링클러설비

정답 06 ③ **07** ③ **08** ④ **09** ① **10** ④ **11** ④ **12** ④

13 폐쇄형 헤드를 사용하는 설비 방식의 종류가 아닌 것은?

① 습식

② 건식

③ 드렌쳐

④ 준비작동식

14 스프링클러설비 종류별 주요 구성품의 연결이 옳은 것만을 [보기]에서 있는 대로 고른 것은? 22. 소방간부

──────── [보기] ────────

ㄱ. 습식 스프링클러설비: 알람밸브, 개방형 헤드

ㄴ. 건식 스프링클러설비: 익조스터(Exhauster), 공기 압축기

ㄷ. 준비작동식 스프링클러설비: 선택밸브, SVP(Supervisory Panel)

ㄹ. 일제살수식 스프링클러설비: 일제개방밸브, 개방형 헤드

① ㄱ, ㄷ

② ㄴ, ㄹ

③ ㄱ, ㄴ, ㄷ

④ ㄴ, ㄷ, ㄹ

⑤ ㄱ, ㄴ, ㄷ, ㄹ

4 물분무소화설비

01 물분무소화설비의 장점으로 옳지 않은 것은?

① 소량의 물로 소화하므로 저장 및 방사량을 줄일 수 있다.

② 인화성 액체 또는 고압전기 등 화재에 유효하다.

③ 연소확대 방지에 효과적이다.

④ 헤드 가격이 저렴하다.

02 다음 중 [보기]에 해당하는 소화설비는?

──────── [보기] ────────

· 연소확대방지 효과가 있다.

· B, C급 화재에 유효하다.

· 봉상주수에 비해 높은 압력이 필요하다.

① 옥내소화전설비

② 옥외소화전설비

③ 물분무소화설비

④ 연결송수관설비

5 포소화설비

01 발전기실, 엔진펌프실, 변압기, 전기케이블실, 유압설비 등에 사용할 수 있는 포소화설비는?

① 포워터 스프링클러설비

② 포헤드설비

③ 호스릴포소화설비

④ 압축공기포소화설비

정답 및 해설

13 폐쇄형 헤드를 사용하는 설비

연소할 우려가 있는 개구부에 설치하는 드렌쳐 설비는 개방형 헤드를 사용한다.

14 스프링클러설비 종류별 주요 구성품

ㄱ. 습식 스프링클러설비: 습식밸브(알람밸브), 폐쇄형 헤드

ㄴ. 건식 스프링클러설비: 건식밸브(드라이밸브), 폐쇄형 헤드, 급속개방장치(엑셀레이터, 익조스터), 공기압축기 등

엑셀레이터 (가속기)	2차 측 압력이 떨어지면 헤드가 개방되어 2차 측 압축공기가 클래퍼를 밀어올린다.
익조스터 (공기배출기)	2차 측 압력이 떨어지더라도 2차 측에 남아있는 잔여공기를 대기로 방출하는 기기이다.
Air Compressor (공기 압축기)	2차 측의 배관에 공기압축기로 공기를 불어 넣는다.

ㄷ. 가스계소화설비: 선택밸브
   준비작동식 스프링클러설비: SVP(Supervisory Panel)

ㄹ. 일제살수식 스프링클러설비: 일제개방밸브(델류지밸브), 개방형 헤드, 감지기(교차회로방식), 슈퍼비죠리판넬(SVP) 등

4 물분무소화설비

01 물분무소화설비의 장점

물분무소화설비는 헤드 가격이 저렴하지 않다.

02 물분무소화설비

[보기] 내용에 해당하는 소화설비는 물분무소화설비이다.

■ 물분무소화설비의 장·단점

장점	단점
· 소량의 물로 소화하므로 저장 및 방사량을 줄일 수 있다. · 무상주수(부도체)이므로 인화성 액체 또는 고압전기 등 화재에 유효하다. · 폭발제어 및 가스화재에 사용가능하다. · 연소확대 방지에 효과적이다.	· 가벼워서 바람의 영향을 받는다. · 무상주수이므로 파괴소화가 불가능하다. · 봉상에 비해 높은 압력이 필요하다. · 헤드 가격이 고가이다.

5 포소화설비

01 소화대상물별 적용설비

압축공기포소화설비는 발전기실, 엔진펌프실, 변압기, 전기케이블실, 유압설비 등에 사용한다.

정답 13 ③ **14** ② **4 01** ④ **02** ③ **5 01** ④

02 통계단(활강로, 미끄럼판) 등에 설치한 방출구 방식으로, 콘루프탱크(CRT; Cone Roof Tank)에 사용되는 방출구는?

① Ⅰ형 방출구   ② Ⅱ형 방출구

③ Ⅲ형 방출구   ④ Ⅳ형 방출구

03 플로팅루프탱크(Floating roof tank)의 측면과 굽도리판에 의하여 형성된 환상부분에 포를 방출하여 소화작용을 하도록 된 포소화설비의 고정포 방출구는?

23. 소방간부

① 특형 방출구   ② Ⅰ형 방출구

③ Ⅱ형 방출구   ④ Ⅲ형(표면하 주입 방출구)

⑤ Ⅳ형(반표면하 주입 방출구)

04 포소화설비에 관한 설명으로 옳지 않은 것은?

23. 공채 · 경채

① 팽창비란 최종 발생한 포 수용액 체적을 원래 포 체적으로 나눈 값을 말한다.

② 연성계란 대기압 이상의 압력과 대기압 이하의 압력을 측정할 수 있는 계측기를 말한다.

③ 국소방출방식이란 소화약제 공급장치에 배관 및 분사헤드 등을 설치하여 직접 화점에 소화약제를 방출하는 방식을 말한다.

④ 프레셔사이드 프로포셔너방식이란 펌프의 토출관에 압입기를 설치하여 포소화약제 압입용펌프로 포소화약제를 압입시켜 혼합하는 방식을 말한다.

6 옥외소화전설비

01 옥외소화전설비에 대한 설명으로 옳지 않은 것은?

① 방수량은 최소 350L/min 이상이어야 한다.

② 방수압은 최소 0.25MPa 이상 ~ 최대 0.7MPa 이하이어야 한다.

③ 옥외소화전이 3개 있다고 가정했을 때 수원의 저수량은 14m³ 저장하여야 한다.

④ 건축물의 화재를 진압하는 내부에 설치된 고정된 설비로서 자체소화 또는 인접건물로의 연소방지를 목적으로 설치되며 건축물 1, 2층 부분 정도의 화재소화에 유효하다.

02 다음 중 방수량이 가장 큰 소화설비는?

① 옥내소화전설비
② 옥외소화전설비
③ 스프링클러설비
④ 분말소화설비

정답 및 해설

02 Ⅰ형 방출구

Ⅰ형 방출구는 통계단(활강로, 미끄럼판) 등에 설치한 방출구 방식으로, 콘루프탱크(CRT; Cone Roof Tank)에 사용된다.

03 고정포 방출구

① 특형 방출구: 플루팅루프탱크[FRT(Floating Roof Tank)]의 측면과 굽도리 판(방지턱)에 의하여 형성된 환상부분에 포를 방출하는 방식이다.

② Ⅰ형 방출구: 통계단(활강로,미끄럼판) 등에 설치한 방출구 방식이고, 콘루프탱크[CRT(Cone Roof Tank)]가 사용 된다.

③ Ⅱ형 방출구: 반사판(디플렉터) 방출구 방식이고, 콘루프탱크[CRT (Cone Roof Tank)]가 사용 된다.

CRT (Cone Roof Tank)	콘루프탱크 사용 [중질유사용]	Ⅰ형 방출구, Ⅱ형 방출구, Ⅲ형(표면하 주입식 방출구), Ⅳ형(반표면하 주입식 방출구)
FRT (Floating Roof Tank)	플루팅루프탱크 (부상식탱크) 사용 [경질유사용]	특형 포방출구

04 팽창비

팽창비란 최종 발생한 포 체적을 원래 포 수용액의 체적으로 나눈 값을 말한다.

$$\text{발포배율(팽창비)} = \frac{\text{발포 후 포의 체적L}}{\text{발포 전 포 수용액의 체적L}} = \frac{\text{발포 후 포의 체적L}}{\dfrac{\text{포소화약제 체적L}}{\text{포원액의 농도}}}$$

6 옥외소화전설비

01 옥외소화전설비

건축물의 화재를 진압하는 외부에 설치된 고정된 설비로서 자체소화 또는 인접건물로의 연소방지를 목적으로 설치되며 건축물 1, 2층 부분 정도의 화재소화에 유효하다.

02 옥외소화전설비

방수량이 가장 큰 소화설비는 옥외소화전설비이다.

■ 옥내소화전설비, 옥외소화전설비, 스프링클러설비 비교

구분	방수압 [MPa]	방수량 [L/min]	토출량 [L/min]	저수량 [m³]
옥내소화전설비	0.17 ~ 0.7	130	N × 130 (N: 최대 2개)	N × 2.6
옥외소화전설비	0.25 ~ 0.7	350	N × 350 (N: 최대 2개)	N × 7
스프링클러설비	0.1 ~ 1.2	80	N × 80	N × 1.6

정답 02 ① **03** ① **04** ① **6 01** ④ **02** ②

7 이산화탄소소화설비

01 이산화탄소소화설비에 대한 설명으로 옳지 않은 것은?

① 화재 진화 후 깨끗하다.

③ 소음이 적다.

② 부속에 고압배관, 고압밸브를 사용하여야 한다.

④ 전기, 기계, 유류화재에 효과가 있다.

02 가스계 소화설비에서 소화약제 저장용기의 개방밸브 개방방식이 아닌 것은?

① 기계식

③ 전기식

② 축압식

④ 가스압력식

03 가스계 소화설비에서 소화약제 방출방식이 아닌 것은?

① 국소방출방식

③ 전역방출방식

② 가압식 방출방식

④ 호스릴방식

04 이산화탄소 저장용기의 설치기준에 적합하지 않은 것은?

① 온도가 40℃ 이하인 장소에 설치할 것

② 방호구역 장소 내에 설치할 것

③ 직사광선 및 빗물이 침투할 우려가 없는 곳에 설치할 것

④ 방화문으로 구획된 실에 설치할 것

05 소화설비에 대한 설명으로 옳은 것은?

21. 공채 · 경채

① 산 · 알칼리소화기는 가스계 소화기로 분류된다.

② 이산화탄소(CO_2) 소화설비는 화재감지기, 선택밸브, 방출표시등, 압력스위치 등으로 구성된다.

③ 슈퍼비죠리패널(Supervisory Panel)은 습식 스프링클러설비의 구성요소이다.

④ 순환배관은 옥내소화전설비의 펌프 체절운전 시 수온 하강 방지를 위해 설치한다.

06 이산화탄소소화설비에 대한 일반적인 설명으로 옳지 않은 것은? 22. 공채 · 경채

① 기동용기의 가스는 압력스위치 및 자동폐쇄장치를 작동시키는 역할을 한다.

② 저장용기는 직사광선 및 빗물이 침투할 우려가 없는 곳에 설치한다.

③ 전역방출방식에서 환기장치는 이산화탄소가 방사되기 전에 정지되어야 한다.

④ 전역방출방식에서는 음향경보장치와 방출표시등이 필요하다.

정답 및 해설

7 이산화탄소소화설비

01 이산화탄소소화설비의 특징
이산화탄소소화설비는 방사 시 소음이 크다.

02 가스계 소화설비(이산화탄소, 할론, 할로겐화합물 및 불활성기체, 분말) 저장용기의 개방밸브 개방방식
· 기계식
· 전기식
· 가스압력식

03 가스계 소화설비(이산화탄소, 할론, 할로겐화합물 및 불활성기체, 분말) 소화약제 방출방식
· 전역방출방식
· 국소방출방식
· 호스릴방식

04 이산화탄소소화약제 저장용기에 적합한 장소기준
이산화탄소 저장용기는 방호구역 외의 장소에 설치해야 한다. 다만, 방호구역 내에 설치할 경우에는 피난 및 조작이 용이하도록 피난구 부근에 설치해야 한다.

05 소화설비
① 산 · 알칼리소화기는 수계 소화기로 분류된다.
③ 슈퍼비죠리패널(Supervisory Panel)은 준비작동식 스프링클러설비 및 일제살수식 스프링클러설비의 구성요소이다.
④ 순환배관은 옥내소화전설비의 펌프 체절운전 시 수온 상승 방지를 위해 설치한다.

06 이산화탄소소화설비
이산화탄소소화설비 기동용기의 가스는 선택밸브 및 저장용기를 개방시키는 역할을 한다.

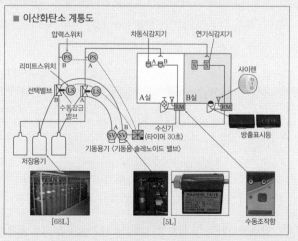

■ 이산화탄소 계통도

정답 **01** ③ **02** ② **03** ② **04** ② **05** ② **06** ①

8 할론소화설비

01 가연물의 화학적 연쇄반응 속도를 줄여 소화하는 설비로 옳은 것은?

① 이산화탄소소화설비

② 할론소화설비

③ 불활성기체 소화설비

④ 미분무소화설비

02 오존층 파괴로 현재 사용하지 않는 소화설비는?

① 이산화탄소소화설비

② 할론소화설비

③ 불활성기체 소화설비

④ 분말소화설비

9 할로겐화합물 및 불활성기체 소화설비

01 할로겐화합물 및 불활성기체 소화설비에 대한 설명으로 옳지 않은 것은?

① 확산속도가 빠르고 침투성이 우수하여 빠른 화재의 진압과 고층화재나 다양한 모양의 방호공간에도 사용이 가능하다.

② 취소(브롬)가 함유되어 있지 않은 수소화염화불화탄소(HCFC)가 주체가 되는 이산화탄소 대체물질이다.

③ 불활성기체인 IG - 01은 아르곤으로 이루어진 소화설비이다.

④ 할로겐화합물 소화설비의 주된 소화는 부촉매소화이며, 불활성기체 소화설비의 주된 소화는 질식소화이다.

02 할로겐화합물 및 불활성기체 저장용기실의 온도로 옳은 것은?

① 40℃ 이하

② 50℃ 이하

③ 55℃ 이하

④ 60℃ 이하

10 분말소화설비

01 분말소화설비의 충전용 가스(가압원)로 사용할 수 있는 것은?

① 질소

② 이산화질소

③ 일산화탄소

④ 수소

02 분말소화설비에 있어서 정압작동장치의 최종 목적으로 옳은 것은?

① 분말소화약제의 압력을 조절하기 위함

② 분말소화약제를 적절히 내보내기 위함

③ 저장용기 내의 압력을 방사압력으로 유지하기 위함

④ 저장용기 내의 압력을 안전하게 유지하기 위함

03 분말소화약제 저장용기의 내부압력이 설정압력이 되었을 때, 주밸브를 개방시키는 장치는?

① 압력조정장치

② 청소장치

③ 정압작동장치

④ 안전장치

정답 및 해설

8 할론소화설비

01 할론소화설비

연소의 4요소 중 연쇄적인 산화반응을 약화시키는 것으로, 할론소화설비, 할로겐화합물소화설비, 분말소화설비, 강화액소화설비 등을 사용한다.

02 할론소화설비

할론소화설비는 1987년 몬트리올 의정서에 의해 규제물질로 지정되었다. 이에 따라 우리나라는 2010년부터 할론의 생산과 수입을 금지한 상태이다.

9 할로겐화합물 및 불활성기체 소화설비

01 할로겐화합물 및 불활성기체 소화약제의 특징

취소(브롬)가 함유되어 있지 않은 수소화염화불화탄소(HCFC)가 주체가 되는 할론 대체물질이다.

02 저장용기실 온도

할로겐화합물 및 불활성기체 저장용기는 온도가 55℃ 이하인 곳에 설치한다.

10 분말소화설비

01 분말소화약제의 특성

분말 소화약제는 유동성을 높이기 위하여 입도가 작은 미분상태로 만들어지나, 그 자체가 유체가 아니므로 분말의 이송을 위해서는 고압의 기체 팽창을 이용하여 분말이 고압기체의 흐름 속에 분산·혼합되어 흐르도록 해야 하는데 이때 고압기체로는 질소 또는 이산화탄소를 사용한다.

02 정압작동장치

정압작동장치는 분말소화약제 저장용기의 내부압력이 설정압력이 되었을 때 주밸브를 개방시키는 장치이며, 최종 목적은 분말소화약제를 적절히 내보내는 것이다. 그 종류로는 압력스위치방식, 피스톤방식, 시한릴레이방식이 있다.

03 정압작동장치

정압작동장치란 가압용 질소가스가 약제 저장용기 내 유입되면 분말약제와 가스가 소화하기 적당한 상태로 혼합된 후, 내압이 소정의 방출압력에 도달하는 시간이 보통 15 ~ 30초의 시간이 소요되며 이 시간 경과 후 주밸브를 자동적으로 개방시키기 위하여 설치하는 작동장치를 말한다.

정답 8 01 ② 02 ② **9** 01 ② 02 ③ **10** 01 ① 02 ② 03 ③

CHAPTER 3 경보설비

👨 **영철쌤 tip**

주택화재에는 (2) 단독경보형감지기, 중요한 건물에는 (7) 자동화재속보설비(화재발생 시 소방서로 통보하는 설비), 지하공동구에는 (8) 통합감시시설, 전통시장에는 (10) 화재알림설비가 설치된다.
*IOT 화재알림설비로서 화재발생 시 시장 상인에게 화재통보 및 소방서로 통보하는 설비

1 경보설비

화재 발생 사실을 통보하는 기계 · 기구 또는 설비로서 다음의 것을 말한다.

(1) 비상경보설비
　① 비상벨설비
　② 자동식 사이렌설비

(2) 단독경보형 감지기

(3) 비상방송설비

(4) 누전경보기

(5) 자동화재탐지설비

(6) 시각경보기

(7) 자동화재속보설비

(8) 통합감시시설

(9) 가스누설경보기

(10) 화재알림설비

2 비상경보설비

(1) 정의

비상경보설비는 화재가 발생하면 **수동**으로 소방대상물 내부에 있는 사람에게 화재 발생 상황을 경보함으로써 초기에 소화 및 비상탈출을 할 수 있도록 하기 위해 설치하는 비상벨, 자동식 사이렌을 말한다. **자동화재탐지설비에서 감지기를 빼면 비상경보설비이다.**

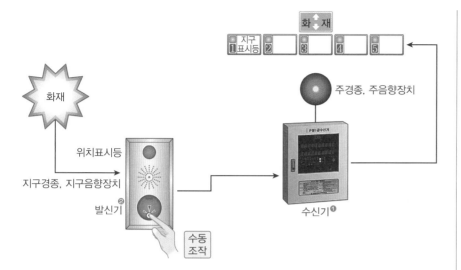

용어사전

❶ 발신기: 화재 시 수동으로 수신기에 발신
하는 장치를 말한다.

❷ 수신기(수신반): 수신을 받는 장치를 말한다.

영철쌤 tip

수신기

수신기의 전원은 직류 24[V]이며 수신기의
전면을 확대하면 다음과 같다.

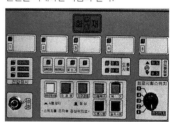

(2) 비상경보설비의 종류

① **비상벨설비**: 화재 발생 상황을 **경종**으로 경보하는 설비이다.

② **자동식 사이렌설비**: 화재 발생 상황을 **사이렌**으로 경보하는 설비이다.

(3) 비상경보설비의 설치기준

① **발신기**: 각 층마다 설치하고 수평거리가 25m 이하이어야 한다.

② **지구경종(지구음향장치)**: 각 층마다 설치하고 수평거리가 25m 이하이어야 한다.

③ **위치표시등**: 부착면으로부터 15° 이상 범위 안에서 10m 거리에 식별이 가능하
여야 한다.

P
누른다.
0.8 ~ 1.5m

B
듣는다.
90dB

L
본다.
10m

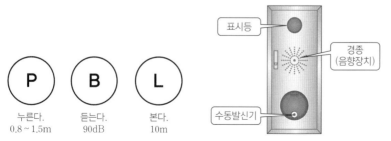

▲ 발신기 종합반(발신기 함, 발신기 세트)

3 단독경보형 감지기(주택화재경보기)

(1) 정의

단독경보형 감지기란 화재 발생 상황을 단독으로 감지하여 자체에 내장된 음향장
치로 경보하는 감지기이다.

(2) 특징

① 단독경보형 감지기는 **별도의 배선작업이 필요 없고 설치가 편리하여 일반인들도**
설치할 수 있다.

② 단독경보형 감지기는 주택화재 예방차원에서 사용하는 감지기이다.

 영철쌤 tip

주택용 소방시설에는 소화기, 단독경보형 감
지기를 설치한다.

4 비상방송설비

(1) 정의

비상방송설비는 자동화재탐지설비 등 화재를 탐지하는 설비와 연동하여 사용하
는 설비로 화재가 탐지되면 확성기를 통하여 소방대상물 내부에 있는 사람에게
안전한 곳으로 긴급히 피난할 수 있도록 경보해주는 기능을 한다.

(2) 구성장치

① 기동장치(발신기, SVP, RM 등)

② 증폭기

③ 조작부

④ 확성기(스피커)

⑤ 음량조절기(볼륨기)

(3) 용어의 정의

① **확성기**: 소리를 크게 하여 멀리까지 전달될 수 있도록 하는 장치로서 일명 스피커를 말한다.

② **음량조절기**: 가변저항을 이용하여 전류를 변화시켜 음량을 크게 하거나 작게 조절할 수 있는 장치이다.

③ **증폭기**: 전압전류의 진폭을 늘려 감도를 좋게 하고 미약한 음성전류를 커다란 음성전류로 변화시켜 소리를 크게 하는 장치이다.

④ **기동장치**: 화재감지기, 발신기 등의 상태변화를 전송하는 장치를 말한다.

(4) 음향장치의 설치기준

① 확성기의 음성입력은 3W(실내에 설치하는 것은 1W) 이상이어야 한다.

② 확성기는 각 층마다 설치하되, 그 층의 각 부분으로부터 하나의 확성기까지의 수평거리는 25m 이하가 되도록 하여야 한다.

③ 음량조정기를 설치하는 경우 음량조정기의 배선은 3선식으로 하여야 한다.

④ 조작부의 조작스위치는 바닥으로부터 0.8m 이상 1.5m 이하의 높이에 설치하여야 한다.

⑤ 다른 방송설비와 공용하는 것에 있어서는 화재 시 비상경보 외의 방송을 차단할 수 있는 구조이어야 한다.

⑥ 필요한 음량으로 화재 발생 상황 및 피난에 유효한 방송이 자동으로 개시될 때까지의 소요시간은 10초 이하로 하여야 한다.

(5) 경보방식(비상방송설비, 자동화재탐지설비)

전층경보방식(일제명동방식)	직상발화 우선경보방식(구분명동방식)
화재 발생 시 전층이 다 울림	화재발생 시 우선적으로 경보를 울림 ⇩ 11층(공동주택의 경우에는 16층) 이상인 특정소방대상물

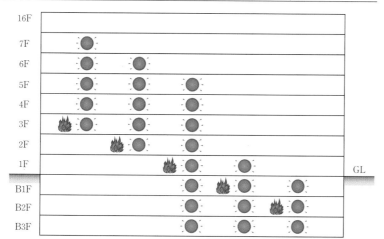

영철쌤 tip

경보방식(비상방송설비, 자동화재탐지설비)

1. 전층경보방식(일제명동방식)은 화재 발생 시 전층이 다 울린다.

2. 직상발화우선경보방식(구분명동방식)은 화재 발생 시 우선적으로 경보가 울린다. 직상발화우선경보방식의 기준은 11층 이상(공동주택 16층 이상) 특정소방대상물이다.

영철쌤 tip

직상발화 우선경보방식(구분명동방식)

2층 이상의 층	발화층 및 그 직상 4개층 경보
1층	발화층·그 직상 4개층 및 지하층 경보
지하층	발화층·그 직상층 및 그 밖의 지하층 경보

5   누전경보기

(1) 정의

내화구조가 아닌 건축물로서 벽, 바닥 또는 천장의 전부나 일부를 불연재료 또는 준불연재료가 아닌 재료에 철망을 넣어 만든 건물의 전기설비로부터 누설전류를 탐지하여 경보를 발하는 기기로서 **변류기와 수신부로 구성**된 것을 말한다.

(2) 구성

① **수신부**: 변류기로부터 검출된 신호를 수신하여 누전의 발생을 당해 소방대상물의 관계인에게 경보하여 주는 것을 말한다.

② **변류기**: 경계전로의 **누설전류를 자동적으로 검출**하여 이를 누전경보기의 수신부에 송신하는 것을 말한다.

(3) 부속회로의 정의

① 경계전로란 누전경보기가 누설전류를 검출하는 대상 전선로를 말한다.

② 과전류차단기란 「전기설비기술기준의 판단기준」 제38조와 제39조에 따른 것을 말한다.

③ 분전반이란 배전반으로부터 전력을 공급받아 부하에 전력을 공급해주는 것을 말한다.

④ 인입선이란 「전기설비기술기준」 제3조 제1항 제9호에 따른 것으로서, 배전선로에서 갈라져서 직접 수용장소의 인입구에 이르는 부분의 전선을 말한다.

⑤ 정격전류란 전기기기의 정격출력 상태에서 흐르는 전류를 말한다.

▲ (영상)변류기

▲ 수신부

▲ 영상변류기 현장사진

6 | 자동화재탐지설비

(1) 정의

화재 발생의 초기에서 발생하는 열 또는 연기 및 불꽃 등을 검출하여 특정소방대상물의 관계자 및 거주자에게 음향장치로 경보하기 위한 것이다. 즉, 특정소방대상물의 거주민이나 출입자의 피난을 신속하게 하기 위한 설비이다.

(2) 자동화재탐지설비의 구성요소

① **감지기**: 화재 시 발생하는 열, 연기, 불꽃 또는 연소생성물을 **자동적으로** 감지하여 수신기에 발신하는 장치이다.

② **발신기**: **수동 누름 버튼** 등의 작동으로 화재신호를 수신기에 발신하는 장치이다.

③ **중계기**: 감지기, 발신기 또는 전기적 접점 등의 작동에 따른 신호를 받아 이를 수신기에 전송하는 장치이다.

④ **수신기**: 감지기나 발신기에서 발하는 화재신호를 직접 수신하거나 중계기를 통하여 수신하여 화재의 발생을 표시 및 경보하여 주는 장치이다.

⑤ **시각경보장치**: 자동화재탐지설비에서 발하는 화재신호를 시각경보기에 전달하여 청각장애인에게 점멸형태의 시각경보를 하는 것이다.

> **📖 핵심정리 자동화재탐지설비 작동원리**
>
>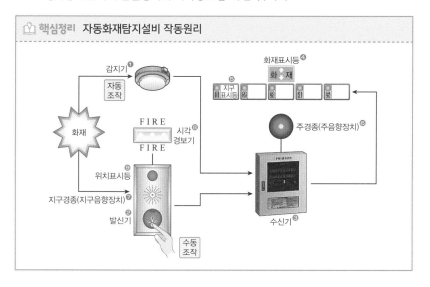

(3) 자동화재탐지설비의 작동체계

① **경계구역**(ZONE) = **지구표시등**

ㄱ 특정소방대상물 중 화재신호를 발신하고 그 신호를 수신 및 유효하게 제어할 수 있는 구역을 말한다.

ㄴ 설정기준

ⓐ 하나의 경계구역이 2개 **이상의 건축물**에 미치지 아니하도록 하여야 한다.

ⓑ 하나의 경계구역이 2개 **이상의 층**에 미치지 아니하도록 하여야 한다(다만, $500m^2$ 이하의 범위 안에서는 2개의 층을 하나의 경계구역으로 할 수 있다).

📖 용어사전

❶ 감지기: 화재를 자동으로 검출한다.

❷ 발신기: 화재를 수동으로 검출한다.

❸ 수신기(수신반): 수신을 받는 장치를 말한다. 전원은 직류 24[V]이다.

❹ 화재표시등: 화재가 발생하면 적색등으로 점등된다.

❺ 지구표시등: 화재가 발생한 구역을 설정하여 적색등으로 점등된다.

❻ 주경종(주음향장치): 관계자가 듣고 화재 발생을 인지한다.

❼ 지구경종(지구음향장치): 거주자가 듣고 피난한다.

❽ 시각경보기: 청각장애인 거주자가 보고 피난한다.

❾ 위치표시등: 발신기의 위치를 알려주는 등을 말한다.

*중계기: 감지기, 발신기 또는 전기적 접점 등의 작동에 따른 신호를 받아 이를 수신기의 제어반에 전송하는 장치를 말한다. 중계기를 거치지 않으면 P형 수신기, 중계기를 거치면 R형 수신기이다.

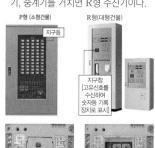

▲ 중계기

ⓒ 하나의 경계구역의 면적은 600m² **이하로** 하고 한 변의 길이는 50m **이하**로 하여야 한다(다만, 해당 특정소방대상물의 주된 출입구에서 그 내부 전체가 보이는 것은 한 변의 길이가 50m의 **범위 내에서** 1,000m² **이하**로 할 수 있다).

ⓓ 터널의 경우 하나의 경계구역의 길이는 100m 이하로 하여야 한다.

ⓔ 계단(직통계단 외의 것에 있어서는 떨어져 있는 상하계단의 상호간의 수평거리가 5m 이하로서 서로간에 구획되지 아니한 것에 한한다. 이하 같다), 경사로(에스컬레이터경사로 포함한다), 엘리베이터 승강로(권상기실이 있는 경우 권상기실), 린넨슈트❶, 파이프피트❷ 및 파이프덕트❸, 기타 이와 유사한 부분에 대하여는 별도로 경계구역을 설정하되, 하나의 **경계구역은 높이** 45m **이하**(계단 및 경사로에 한한다)로 하고, 지하층의 계단 및 경사로(지하층의 층수가 1일 경우는 제외한다)는 별도로 하나의 경계구역으로 하여야 한다.

ⓕ 외기에 면하여 상시 개방된 부분이 있는 차고·주차장·창고 등에 있어서는 외기에 면하는 각 부분으로부터 5m 미만의 범위 안에 있는 부분은 경계구역의 면적에 산입하지 아니한다.

ⓖ 스프링클러설비, 물분무등 소화설비 또는 제연설비의 화재감지장치로서 화재감지기를 설치한 경우의 경계구역은 해당 소화설비의 방호구역 또는 제연구역과 동일하게 설정할 수 있다.

> 📖 **핵심정리 경계구역(ZONE) 설정기준**
>
> **1. 수평적 구역(각 층)**
> ① 2개 이상 건축물에 미치지 않아야 한다.
> ② 2개 이상 층에 미치지 않아야 한다(단, 2개 층 면적이 500m² 이하이면, 하나의 경계구역으로 할 수 있다).
> ③ 면적은 600m² 이하, 한 변의 길이는 50m 이하이어야 한다.
> ④ 면적은 1,000m² 이하(주된 출입구에서 내부 전체가 보임), 한 변의 길이는 50m 이하이어야 한다.
> ⑤ 도로터널은 100m 이하이어야 한다.
>
> **2. 수직적 구역**
> ① 계단, 경사로(에스컬레이터 경사로)는 높이가 45m 이하이어야 한다(지상과 지하는 별도의 구역, 지하1층 제외).
> ② 엘리베이터 승강로(권상기실), 린넨슈트, 파이프피트·덕트는 하나의 구역이어야 한다.
>
> **3. 방호구역·제연구역:** 경계구역은 방호구역 및 제연구역과 동일하게 설정하여야 한다.
>
> **4. 제외구역:** 상시 개방된 차고, 주차장에는 외기에 면하는 부분으로부터 5m 미만이어야 한다.

② **감지기가 작동했을 때(자동):** 화재가 발생하면 감지기가 작동하여 중계기를 거쳐 수신기에 신호를 보내고, 수신기는 수신기에 부착된 화재표시등과 지구표시등을 점등시키고, 동시에 경종과 시각경보기를 동작시킨다.

📖 **용어사전**

❶ **린넨슈트:** 병원 또는 호텔에서 사용한 침대시트나 타올 등을 세탁하기 위해서 아래 층으로 떨어뜨리기 위한 수직통로를 말한다.

❷ **파이프피트:** 통신집합소(TPS실), 전기집합소(EPS실), 유수검지장치실(PS실) 등이 아래층부터 위층까지 통하게 하는 통로를 말한다.

❸ **파이프덕트:** 급배수용 파이프나 전기 등의 배관을 한 군데에 모아 아래층부터 위층까지 통하게 하는 통로를 말한다.

▲ 에스컬레이터 경사로

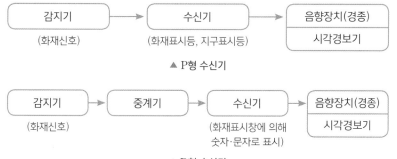

▲ P형 수신기

▲ R형 수신기

③ **발신기가 작동했을 때(수동)**: 사람이 발신기 버튼을 누르면 신호가 중계기를 거쳐 수신기에 전달되고, 수신기는 수신기에 부착된 화재표시등과 지구표시등을 점등시키고, 동시에 경종과 시각경보기를 동작시킨다.

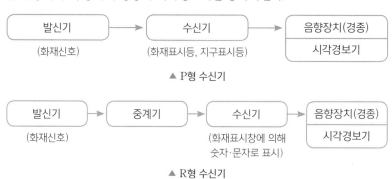

▲ P형 수신기

▲ R형 수신기

또한 자동화재탐지설비는 화재를 감시하는 능력이 있으므로 화재 시 자동으로 작동해야 할 설비를 연동시켜 작동시킨다. 이러한 설비 등에는 비상방송설비, 자동화재속보설비, 3선식 유도등설비 등이 있다.

7 감지기

(1) 정의

화재 감지기는 화재에 의해 발생되는 **열, 연기, 불꽃, 연소생성물** 등을 자동으로 감지하여 수신기 또는 중계기에 전달하는 장치이다. 화재 발생 시 발생하는 물리·화학적인 변화는 연소물질과 환경에 따라 다르므로, 다양한 화재 징후에 따라 화재의 초기에 정확하게 화재를 감지하고 오작동을 줄이기 위해서는 각각의 사용 환경에 적합한 다양한 감지기가 필요하다. 감지기는 감지대상, 감지방식 등에 따라 여러 가지로 분류할 수 있는데 크게 열감지기, 연기감지기 및 불꽃감지기로 구분할 수 있다.

📖 **핵심정리 감지기의 종류**

1. 열감지기

차동식	스포트형	공기팽창방식(1종, 2종)
		열기전력(열전기)방식(1종, 2종)
		열반도체방식(1종, 2종)
	분포형	공기관식(1종, 2종, 3종)
		열전대식(1종, 2종, 3종)
		열반도체식(1종, 2종, 3종)
정온식	스포트형	바이메탈활곡방식(특종, 1종, 2종)
		바이메탈반전방식(특종, 1종, 2종)
		금속팽창계수차방식(특종, 1종, 2종)
		액체 또는 기체팽창방식(특종, 1종, 2종)
		금속의 용융방식(특종, 1종, 2종)
		열반도체소자방식(특종, 1종, 2종)
	감지선형(특종, 1종, 2종)	-
보상식	스포트형(1종, 2종)	-

2. 연기감지기

이온화식(1종, 2종, 3종)	-
광전식	스포트형(1종, 2종, 3종)
	공기흡입형(1종, 2종, 3종)
	분리형(1종, 2종, 3종)

3. 복합형 감지기: 열복합형, 연기복합형, 열·연기복합형이 있다.

4. 특수감지기: 불꽃, 아날로그식, 다신호식 등이 있다.

(2) 열감지기

열감지기는 감지방식에 따라 **차동식, 정온식, 보상식**으로 나눌 수 있다.

① **차동식 감지기**: 감지범위에 따라 스포트형(Sport)과 분포형으로 나눌 수 있다.

　㉠ **차동식 감지기의 종류**

　　ⓐ **스포트형(1종, 2종):** 공기팽창방식, 열기전력방식, 열반도체방식이 있다.

　　ⓑ **분포형(1종, 2종, 3종):** 공기식관식, 열전대식, 열반도체식이 있다.

　㉡ **차동식 스포트형 감지기의 동작원리:** 주위온도가 **일정상승률 이상(급격한 온도변화율)**이 되는 경우에 작동하는 것으로서 **일국소에서의 열효과에 의하여 작동**하는 감지기를 말한다.

　　예 사무실, 거실 등에 설치한다.

참고 차동식스포트형 공기팽창방식

1. **구조**: 감열실, 다이아 프레임, 리크구멍, 접점 등으로 구분
2. **동작원리**: 화재시 온도상승 → 감열실(공기실) 내의 공기가 팽창 → 다이아프램을 압박
→ 회로접점 접촉하여 수신기에 보낸다.

구조	내용
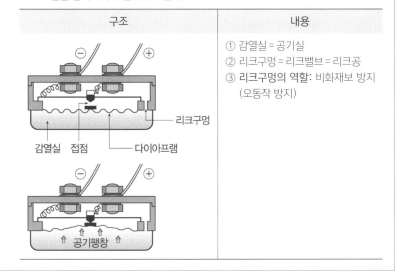	① 감열실 = 공기실 ② 리크구멍 = 리크밸브 = 리크공 ③ **리크구멍의 역할**: 비화재보 방지 (오동작 방지)

ⓒ **차동식 분포형 감지기의 동작원리**: 주위온도가 일정상승률 이상(급격한 온도변
화율)이 되는 경우에 작동하는 것으로서 넓은 범위에서의 열효과의 누적에
의하여 작동되는 것을 말한다.

　예 축전지실 등에 설치한다.

② **정온식 감지기**: 감지범위에 따라 스포트형(Sport)과 감지선형으로 나눌 수 있다.

　㉠ **정온식 감지기의 종류**

　　ⓐ 스포트형(특종, 1종, 2종)

　　ⓑ 감지선형(특종, 1종, 2종)

　㉡ **정온식 스포트형 감지기의 동작원리**: 일국소의 주위온도가 일정한 온도 이상이
되는 경우에 작동하는 것으로서 외관이 전선으로 되어 있지 않은 것을 말하는
것으로, 감지소자는 바이메탈과 열반도체(서미스터) 등을 이용한다.

　　예 주방, 보일러실, 탕비실 등에 설치한다.

　㉢ **정온식 감지선형 감지기**: 일국소의 주위온도가 일정한 온도 이상이 되는 경우
에 작동하는 것으로서 외관이 전선으로 되어 있는 것을 말하며, 감지소자는
가용절연물로 절연한 2개의 전선을 이용한다.

　　예 도로터널, 지하공동구 등에 설치한다.

▲ 정온식 감지기

▲ 정온식 감지선형 감지기

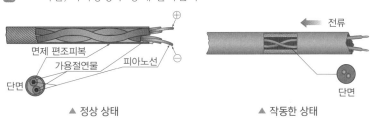

▲ 정상 상태　　　　　　　▲ 작동한 상태

③ **보상식 스포트형 감지기**: 보상식 스포트형 감지기는 **차동식 스포트형 감지기와 정온식 스포트형 감지기의 성능을 겸한 것**으로 두 가지의 성능 중 어느 한 기능이 작동되면 신호를 발하도록 되어 있는 감지기이다. 현재는 시중에 판매가 되고 있지 않다.

> **참고** **공칭작동온도 및 정온점❶**
>
> 1. **정온식 감지기**: 공칭작동온도가 최고 주위온도보다 20℃ 높은 것을 설치하여야 한다. (공칭작동온도 ≥ +20℃)
> 2. **보상식 감지기**: 정온점이 최고 주위온도보다 20℃ 높은 것을 설치하여야 한다. (정온점 ≥ +20℃)

(3) 연기감지기

① **연기감지기의 종류**: 연기감지기는 감지방식에 따라 **이온화식**과 **광전식**으로 나눌 수 있으며, 광전식 감지기는 감지범위에 따라 스포트형, 분리형, 공기흡입형으로 구분할 수 있다.

㉠ **이온화식 연기감지기**: 방사능물질에서 방출되는 α선은 공기를 이온화시키며 이온화된 공기는 연기와 결합하는 성질이 있다. 이를 감지기에 이용한 것이 이온화식 감지기이다. 현재는 시중에 판매가 되고 있지 않다.

예 복도, 계단, 경사로 등에 설치한다.

㉡ **광전식 연기감지기**: 광전식 감지기는 연기가 빛을 차단하거나 반사하는 원리를 이용한 것으로서 빛을 발산하는 발광소자와 빛을 전기로 전환시키는 광전소자를 이용한다. 광전식 감지기에는 **스포트형, 분리형, 공기흡입형**이 있다.

ⓐ **광전식 스포트형 감지기**: 발광소자(송광부)와 수광소자(수광부)를 감지기 내에 구성한 것으로 감지기 주위의 공기가 일정한 농도의 연기를 포함하게 되는 경우에 작동하도록 한 감지기이다. 빛의 산란을 이용하는 산란광식과 빛의 차단을 이용하는 감광식이 있다.

예 복도, 계단, 경사로 등에 설치한다.

▲ 광전식 스포트형 감지기

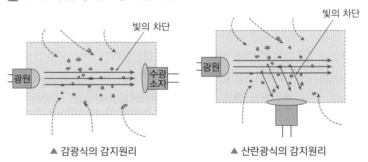

▲ 감광식의 감지원리   ▲ 산란광식의 감지원리

ⓑ **광전식 분리형 감지기:** 광전식 스포트형 감지기의 송광부와 수광부를 분리해 설치하여 넓은 지역에서 연기의 누적에 의한 수광량의 변화에 의해 작동하는 감지기이다.

　예 지하철, 넓은 체육관 등에 설치한다.

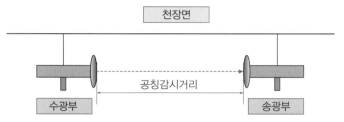

ⓒ **광전식 공기흡입형 감지기:** 연소 초기 단계의 열분해 시 생성된 초미립자의 연기를 감지구역 내에 설치된 흡입배관을 통하여 흡입기에 의해 감지헤드로 흡입시켜 미립자를 분석하여 화재신호를 발생하는 장치이다. 이는 재래식 연기감지기보다 빠른 응답특성을 가지고 있어 조기화재감지기로 분류된다.

　예 전산실, 반도체공장 등에 설치한다.

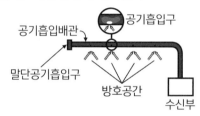
▲ 광전식 공기흡입형 감지기

② 연기감지기의 설치장소

　㉠ 계단·경사로 및 에스컬레이터 경사로

　㉡ 복도(30m 미만의 것을 제외한다)

　㉢ 엘리베이터승강로(권상기실이 있는 경우에는 권상기실), 린넨슈트, 파이프 피트 및 덕트, 기타 이와 유사한 장소

　㉣ 천장 또는 반자의 높이가 15m 이상 20m 미만의 장소

　㉤ 다음의 어느 하나에 해당하는 특정소방대상물의 취침·숙박·입원 등 이와 유사한 용도로 사용되는 거실

　　ⓐ 공동주택·오피스텔·숙박시설·노유자시설·수련시설

　　ⓑ 교육연구시설 중 합숙소

　　ⓒ 의료시설, 근린생활시설 중 입원실이 있는 의원·조산원

　　ⓓ 교정 및 군사시설

　　ⓔ 근린생활시설 중 고시원

영철쌤 tip

보상식, 복합형, 다신호식 감지기 비교

종별	회로 구성	신호출력
보상식	차동식+정온식 둘 중 하나만 동작할 때 작동(OR 회로)	단신호식 (출력1개)
복합형	감지원리가 다른 두 기능이 모두 동작할 때 작동(AND 회로)	단신호식 (출력1개)
	감지원리가 다른 각 기능이 동작할 때 작동(OR 회로)	다신호식 (출력2개)
다신호식	감지원리가 같은 각 기능이 동작할 때 작동(OR 회로)	다신호식 (출력2개)

▲ 불꽃 감지기

영철쌤 tip

일반감지기는 화재를 판단하여 수신기에 신호를 송출하고, 아날로그식 감지기는 수신기에 신호를 송출하여 수신기가 화재를 판단한다.

▲ 아날로그식 감지기

(4) 복합형 감지기

복합형 감지기는 감지방식에 따라 **열복합형, 연기복합형, 열 · 연기복합형**으로 나눌 수 있다.

① **열복합형**: 차동식 스포트형 감지기와 정온식 스포트형 감지기의 성능이 있는 것으로서 두 가지 성능의 감지기능이 **함께 작동될 때** 화재신호를 발신하거나 또는 두 개의 화재신호를 각각 발신하는 것을 말한다.

② **연기복합형**: 이온화식 감지기와 광전식 감지기의 성능이 있는 것으로서 두 가지 성능의 감지기능이 **함께 작동될 때** 화재신호를 발신하거나 또는 두 개의 화재신호를 각각 **발신**하는 것을 말한다.

③ **열 · 연기복합형**: 차동식 스포트형 감지기와 이온화식 감지기, 차동식 스포트형 감지기와 광전식 감지기, 정온식 스포트형감지기와 이온화식 감지기, 정온식 스포트형 감지기와 광전식 감지기의 성능이 있는 것으로서 두 가지 성능의 감지기능이 **함께 작동될 때** 화재신호를 발신하거나 또는 두 개의 화재신호를 각각 발신하는 것을 말한다.

(5) 특수 감지기

① **불꽃 감지기**: 불꽃에서 방사되는 적외선 또는 자외선의 변화가 일정량 이상되었을 때 작동하는 것으로서 일국소의 적외선 또는 자외선에 의하여 수광소자의 수광량 변화에 의해 작동하는 것을 말한다.

② **아날로그식 감지기**: 주위의 온도 또는 연기의 양의 변화에 따라 각각 다른 전류치 또는 전압치 등의 출력을 발하는 방식의 감지기를 말한다. 시시각각 열과 연기의 농도에 대한 정보만을 수신기에 송출하여 수신반이 화재를 판단한다. 즉, 감지기가 화재를 판단하지 않고 수신반이 화재를 판단한다. 고층건축물(30층 이상 건축물)에는 아날로그식 감지기를 설치하여야 한다.

③ **다신호식 감지기**: 감지원리가 같은 1개의 감지기 내에 서로 다른 종별 또는 감도 등의 기능을 갖춘 것으로서 일정시간 간격을 두고 각각 다른 2개 이상의 화재신호를 발하는 감지기를 말한다. 현재는 시중에 판매가 되고 있지 않다.

(6) 감지기 부착높이에 따른 감지기 종류

4m 미만	· 차동식(스포트형, 분포형) · 보상식 스포트형 · 정온식(스포트형, 감지선형) · 이온화식 또는 광전식(스포트형, 분리형, 공기흡입형) · 열복합형 · 연기복합형 · 열연기복합형 · 불꽃 감지기

4m 이상 8m 미만	· 차동식(스포트형, 분포형) · 보상식 스포트형 · 정온식(스포트형, 감지선형) 특종 또는 1종 · 이온화식 1종 또는 2종 · 광전식(스포트형, 분리형, 공기흡입형) 1종 또는 2종 열복합형 · 연기복합형 · 열연기복합형 · 불꽃 감지기
8m 이상 15m 미만	· 차동식 분포형 · 이온화식 1종 또는 2종 · 광전식(스포트형, 분리형, 공기흡입형) 1종 또는 2종 · 연기복합형 · 불꽃 감지기
15m 이상 20m 미만	· 이온화식 1종 · 광전식(스포트형, 분리형, 공기흡입형) 1종 · 연기복합형 · 불꽃 감지기
20m 이상	· 불꽃 감지기 · 광전식(분리형, 공기흡입형) 중 아날로그방식

🔖 **핵심정리 감지기 부착높이에 따른 감지기 종류**

- -

1. **20m 이상**: 불꽃, 광전식 분리형 아날로그방식, 광전식 공기흡입형 아날로그방식

2. **15m 이상 20m 미만**: 불꽃, 연기식 1종, 연기복합형

3. **8m 이상 15m 미만**: 불꽃, 연기식 1·2종, 연기복합형, 차동식 분포형

4. **4m 이상 8m 미만**: 정온식 2종, 연기식 3종 이외 감지기

5. **4m 미만**: 모든 감지기

---

(7) 감지기 배선방식

송배전식(송배선식, 보내기식)으로 해야 한다. 감지기배선을 송배전식으로 하는 이유는 회로도통시험[1]을 하기 위함이다.

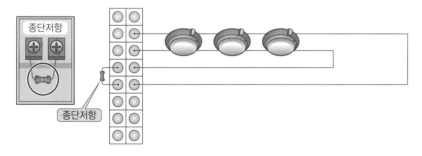

영철쌤 tip

소방에서 사용되는 대표적인 전선 450/750V 저독성 난연 가교폴리올레핀 절연전선(HFIX전선)이 있다.

▲ HFIX전선

📖 **용어사전**

- - - - - - - - - - - - - - - - - - - -

❶ 회로도통시험: 감지기 단선 유무를 확인하는 시험을 말한다.

영철쌤 tip

종단저항을 설치하는 이유는 회로도통시험을 원활히 하기 위함이다.

(1) 정의

발신기는 수동 누름 버튼 등의 작동으로 화재신호를 수신기에 발신하는 장치이다.

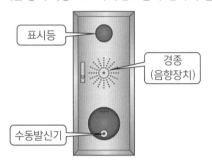

▲ 발신기 세트

▲ 발신기   ▲ 발신기 내부

(2) 구성요소

누름스위치	화재를 수동으로 검출하는 스위치이다.
보호판	누름스위치를 보호하는 판을 말한다.
응답등	누름스위치를 누른 후 수신기에 신호가 잘 전달되었는가를 확인하는 등을 말한다.

9 음향장치(경종)

(1) 주음향장치(주경종)

수신기 내부 또는 측근에 설치하며 화재 발생 시 관계자가 듣고 화재가 발생한 곳을 알 수 있다.

(2) 지구음향장치(지구경종)

각 층(각 경계구역)마다 설치하며 화재 발생 시 거주자가 듣고 피난한다.

(3) 음향장치 구조 및 성능 기준

① 정격전압의 80퍼센트의 전압에서 음향을 발할 수 있는 것으로 할 것. 다만, 건전지를 주전원으로 사용하는 음향장치는 그러하지 아니하다.

② 음량은 부착된 음향장치의 중심으로부터 1미터 떨어진 위치에서 90데시벨 이상이 되는 것으로 할 것

③ 감지기 및 **발신기**의 작동과 연동하여 작동할 수 있는 것으로 할 것

참고 주경종과 지구경종 내부

▲ 주경종　　　　▲ 지구경종

10 위치표시등

(1) 발신기의 위치를 표시하는 표시등은 함의 상부에 설치하되, 그 불빛은 부착면으로부터 15도 이상의 범위 안에서 부착지점으로부터 10미터 이내의 어느 곳에서도 쉽게 식별할 수 있는 적색등으로 하여야 한다.

(2) 항상 적색등으로 점등되어 있어야 한다.

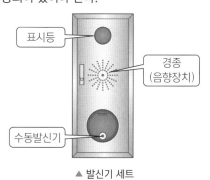

▲ 발신기 세트

표시등
경종
(음향장치)
수동발신기

11 중계기

화재 또는 가스누설이 발생하면 감지기 및 발신기에서 **접점신호를 받아**, 이를 중계기에서 **통신신호로 변환**하여 수신기, 경보장치, 각종 소화설비의 제어반에 전송한다.

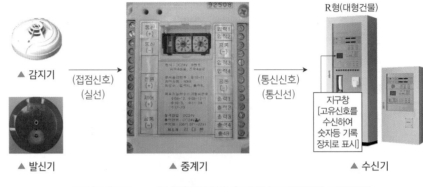

▲ 감지기 (접점신호) (실선) ▲ 중계기 (통신신호) (통신선) ▲ 수신기

R형(대형건물)

지구창 [고유신호를 수신하여 숫자등 기록 장치로 표시]

▲ 발신기

▲ 발신기 세트와 일체인 옥내소화전

12 수신기

(1) 정의

감지기나 발신기에서 발하는 화재신호를 직접 수신하거나 중계기를 통하여 수신하여 화재의 발생을 표시 및 경보하여 주는 장치이다. 수신기의 종류로는 P형과 R형이 있다.

(2) 종류

① P형 수신기(Proprietary) - 소유자형: 가장 일반적으로 설치되고 있는 수신기로서 각 경계구역마다 별도로 수신기와 감지기·발신기간의 회로가 구성되어 있으며, **공통신호방식**으로 운영되는 수신기이다.

② R형 수신기(Record) - 기록형

㉠ 감지기 및 발신기의 작동을 **중계기를 통하여** 수신기에 화재신호를 전달하는
   방식으로서 1개의 회선으로 수많은 정보를 송수신하는 형태의 **다중통신신**
   호방식과 같은 형태의 수신기이다. 일반적으로 R형은 **배선수를 대폭 줄일 수**
   있는 장점이 있어 주로 대형건물에 설치한다.

㉡ R형 수신기의 장·단점

장점	단점
· 선로수가 적어 경제적이다. · 증설 및 이설이 쉽다. · 유지관리가 쉽다. · 신호전달을 숫자, 문자로 표시하여 전 달이 확실하다.	· 시스템이 복잡하다. · 비싸다.

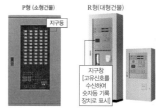

▲ P형 수신기와 R형 수신기

③ P형 수신기와 R형 수신기의 비교

구분	P형 수신기	R형 수신기
시스템 구성	S 연기식감지기 수신기	중계기 차동식감지기 수신기
신호전송 방식	개별신호(1 : 1 접점방식)방식	다중전송방식
신호형태	공통신호	고유신호
화재표시	램프	액정표시
경제성	수신반 가격은 저렴하나 선로 수 가 많아 설치공사비가 크다.	수신반 가격은 고가이나 선로 수 가 적어 설치공사비가 저렴하다.
회로 증설·변경	별도의 배관, 배선, 기기 증설 등 이 어렵다.	증설(변경) 등이 용이하다.
용도	중·소형	대형

▲ P형 복합식 수신기

▲ GR형 복합식 수신기

영철쌤 tip

50층 이상인 건축물에 설치하는 통신·신호 배선은 이중배선을 설치할 것(단선 시에도 고장표시가 되며 정상 작동할 수 있는 성능)
1. 수신기와 수신기 사이의 통신배선
2. 수신기와 중계기 사이의 신호배선
3. 수신기와 감지기 사이의 신호배선

> **참고** 수신기와 단락보호장치

1. 수신기의 종류
   ① G·P형 수신기(Gas-Proprietary): P형 수신기 + 가스누설경보기의 수신부
   ② G·R형 수신기(Gas-Record): R형 수신기 + 가스누설경보기의 수신부
   ③ 복합형 수신기: P, R, G·P, G·R형 수신기 + 자동소화설비의 제어반

종별	성능
P형 복합식	P형 수신기 + 자동소화설비의 제어반
R형 복합식	R형 수신기 + 자동소화설비의 제어반
G·P형 복합식	G·P형 수신기 + 자동소화설비의 제어반
G·R형 복합식	G·R형 수신기 + 자동소화설비의 제어반

2. 단락보호장치 설치
   화재로 인하여 하나의 층의 지구음향장치 또는 배선이 단락되어도 다른 층의 화재통보에 지장이 없도록 각 층 배선 상에 유효한 조치를 하여야 하므로 수신기내부 또는 지구경종에 단락보호장치를 설치한다.

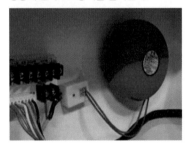

▲ 단락보호장치(하얀색)

13 시각경보기

자동화재탐지설비에서 발하는 화재신호를 시각경보기에 전달하여 청각장애인에게 **점멸형태**의 시각경보를 전달하는 경보기를 말한다. 시각경보기는 청각장애인의 거주 공간이나 로비 등 눈에 잘 띄는 곳에 설치한다.

바닥으로부터
2m~2.5m
[천장으로부터 0.15m]

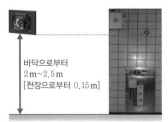
▲ 시각경보기

▲ 시각경보기 전원장치

14 자동화재속보설비

(1) 정의

자동화재속보설비란 자동화재탐지설비의 감지기 또는 수신기로부터 화재신호를 받아 통신망을 통하여 음성신호 등의 방법으로 관계인에게 화재 발생을 알림과 동시에 소방관서에 자동으로 화재 발생과 위치를 신속하게 통보해주는 설비를 말한다.

(2) 용어의 정의

① **속보기**: 화재신호를 통신망을 통하여 음성 등의 방법으로 소방관서에 통보하는 장치이다.

② **통신망**: 유선이나 무선 또는 유무선 겸용 방식을 구성하여 음성 또는 데이터 등을 전송할 수 있는 집합체를 말한다.

③ **데이터전송방식**: 전기·통신매체를 통해서 전송되는 신호에 의하여 어떤 지점에서 다른 수신 지점에 데이터를 보내는 방식을 말한다.

④ **코드전송방식**: 신호를 표본화하고 양자화하여, 코드화한 후에 펄스 혹은 주파수의 조합으로 전송하는 방식을 말한다

(3) 동작원리

자동화재탐지설비와 연동❶하여 작동하며 20초 이내, 3회 이상 반복하여 자동적으로 화재 발생 상황을 신호로써 소방관서에 발한다.

📖 **용어사전**

❶ 연동: 같이 움직인다.

15 가스누설경보기

(1) 가연성가스 경보기

보일러 등 가스연소기에서 액화석유가스(LPG), 액화천연가스(LNG) 등의 가연성가스가 새는 것을 탐지하여 관계자나 이용자에게 경보하여 주는 것을 말한다. 다만, 탐지소자 외의 방법에 의하여 가스가 새는 것을 탐지하는 것, 점검용으로 만들어진 휴대용탐지기 또는 연동기기에 의하여 경보를 발하는 것은 제외한다.

(2) 일산화탄소 경보기

일산화탄소가 새는 것을 탐지하여 관계자나 이용자에게 경보하여 주는 것을 말한다. 다만, 탐지소자 외의 방법에 의하여 가스가 새는 것을 탐지하는 것, 점검용으로 만들어진 휴대용탐지기 또는 연동기기에 의하여 경보를 발하는 것은 제외한다.

(3) 탐지부

가스누설경보기(이하 '경보기'라 한다) 중 가스누설을 탐지하여 중계기 또는 수신부에 가스누설 신호를 발신하는 부분을 말한다.

(4) 수신부

경보기 중 탐지부에서 발하여진 가스누설 신호를 직접 또는 중계기를 통하여 수신하고 이를 관계자에게 음향으로서 경보하여 주는 것을 말한다.

(5) 분리형

탐지부와 수신부가 분리되어 있는 형태의 경보기를 말한다.

(6) 단독형

탐지부와 수신부가 일체로 되어 있는 형태의 경보기를 말한다.

(7) 가스연소기

가스레인지 또는 가스보일러 등 가연성가스를 이용하여 불꽃을 발생하는 장치를 말한다.

16 화재알림설비

전통시장에 설치하는 화재알림설비는 IOT 화재알림설비로서 화재발생 시 시장상인에게 화재통보 및 소방서로 통보하는 설비를 말한다.

1. 화재알림형 감지기

화재 시 발생하는 열, 연기, 불꽃을 자동적으로 감지하는 기능 중 두 가지 이상의 성능을 가진 열·연기 또는 열·연기·불꽃 복합형 감지기로서 화재알림형 수신기에 주위의 온도 또는 연기의 양의 변화에 따라 각각 다른 전류 또는 전압 등(이하 "화재정보값"이라 한다)의 출력을 발하고, 불꽃을 감지하는 경우 화재신호를 발신하며, 자체 내장된 음향장치에 의하여 경보하는 것을 말한다.

2. 화재알림형 중계기

화재알림형 감지기, 발신기 또는 전기적인 접점 등의 작동에 따른 화재정보값 또는 화재신호 등을 받아 이를 화재알림형 수신기에 전송하는 장치를 말한다.

3. 화재알림형 수신기

화재알림형 감지기나 발신기에서 발하는 화재정보값 또는 화재신호 등을 직접 수신하거나 화재알림형 중계기를 통해 수신하여 화재의 발생을 표시 및 경보하는 장치이다. 또한 화재정보값 등을 자동으로 저장하며, 자체 내장된 속보기능으로 화재신호를 통신망을 통하여 소방관서에는 음성 등의 방법으로 통보하고, 관계인에게는 문자로 전달할 수 있는 장치를 말한다.

4. 발신기

수동누름버튼 등의 작동으로 화재신호를 수신기에 발신하는 장치를 말한다.

5. 화재알림형 비상경보장치

발신기, 표시등, 지구음향장치(경종 또는 사이렌 등)를 내장한 것으로 화재발생 상황을 경보하는 장치를 말한다.

6. 원격감시서버

원격지에서 각각의 화재알림설비로부터 수신한 화재정보값 및 화재신호, 상태신호 등을 원격으로 감시하기 위한 서버를 말한다.

7. 공용부분

전유부분 외의 건물부분, 전유부분에 속하지 아니하는 건물의 부속물, 「집합건물의 소유 및 관리에 관한 법률」 제3조 제2항 및 제3항에 따라 공용부분으로 된 부속의 건물을 말한다.

01 경보설비로 옳지 않은 것은?

① 비상방송설비

② 가스누설경보기

③ 시각경보기

④ 비상조명등

02 자동화재탐지설비의 경계구역 설정에 대한 기준이다. (   ) 안에 들어갈 내용으로 옳은 것은?

20. 소방간부

> 하나의 경계구역의 면적은 (ㄱ)m² 이하로 하고 한 변의 길이는 (ㄴ)m 이하로 할 것. 다만, 해당 특정소방대
> 상물의 주된 출입구에서 그 내부 전체가 보이는 것에 있어서는 한 변의 길이가 (ㄷ)m의 범위 내에서 (ㄹ)m²
> 이하로 할 수 있다.

	ㄱ	ㄴ	ㄷ	ㄹ
①	500	50	60	800
②	500	60	50	1,000
③	600	50	50	800
④	600	50	50	1,000
⑤	600	60	60	1,000

03 감지기나 발신기에서 발하는 화재신호를 직접수신하거나 중계기를 통하여 수신하여 화재의 발생을 표시 및 경보하여 주는
장치는?

① 경계구역

② 수신기

③ 중계기

④ 감지기

04 소방시설 중 경보설비에 관한 설명으로 옳지 않은 것은?

① 시각경보기는 청각장애인에게 점멸 형태로 시각경보를 하는 장치이다.

② R형 수신기는 감지기 또는 발신기에서 1:1 접점방식으로 전송된 신호를 수신한다.

③ 비상방송설비는 수신기에 화재신호가 도달하면 방송으로 화재 사실을 알리는 설비이다.

④ 이온화식 감지기와 광전식 감지기는 연기를 감지하여 화재신호를 발하는 장치이다.

정답 및 해설

01 경보설비의 종류

비상조명등 및 휴대용비상조명등, 피난유도선, 유도등 및 유도표지등은 피난설비에 속한다.

02 자동화재탐지설비

하나의 경계구역의 면적은 600m² 이하로 하고 한 변의 길이는 50m 이하로 할 것. 다만, 해당 특정소방대상물의 주된 출입구에서 그 내부 전체가 보이는 것에 있어서는 한 변의 길이가 50m의 범위 내에서 1,000m² 이하로 할 수 있다.

03 수신기

수신기는 감지기나 발신기에서 발하는 화재신호를 직접수신하거나 중계기를 통하여 수신하여 화재의 발생을 표시 및 경보하여 주는 장치를 말한다.

04 R형 수신기

R형 수신기는 감지기 또는 발신기에서 다중전송방식으로 전송된 신호를 수신한다.

■ P형과 R형의 비교

항목	P형	R형
System 구성	중계기[×]	중계기[○]
신호전송 방식	개별신호 (1:1접점방식)방식	다중전송방식
신호형태	공통신호	고유신호
화재표시	램프	액정표시
경제성	수신반 가격이 저렴하나 선로수가 많아 설치공사비는 큼	수신반 가격이 고가이나 선로수가 적어 설치공사비는 저렴
회로 증설·변경	별도의 배관, 배선, 기기 증설 등 어려움	증설(변경) 등 용이함
용도	중·소형	대형
메인테넌스	유지관리 수선 어려움	회로별 모듈화로 유지관리 용이

정답 01 ④ 02 ④ 03 ② 04 ②

05 자동화재탐지설비 감지기의 종류에 대한 설명이다. (   ) 안에 들어갈 내용으로 옳은 것은? 21. 소방간부

주위온도가 일정 상승률 이상이 되는 경우에 작동하는 것으로서 일국소의 열효과에 의하여 작동하는 것을 (ㄱ) 감지기라 하고, 일국소의 주위온도가 일정한 온도 이상이 되는 경우에 작동하는 것으로서 외관이 전선으로 되어 있지 아니한 것을 (ㄴ) 감지기라 한다. 이들 두 감지기의 성능을 겸한 것으로서 두 성능 중 어느 하나가 작동되면 화재신호를 발하는 것을 (ㄷ) 감지기라고 한다.

	ㄱ	ㄴ	ㄷ
①	정온식 스포트형	차동식 스포트형	보상식 스포트형
②	정온식 분포형	차동식 분포형	열복합식
③	차동식 스포트형	정온식 스포트형	보상식 스포트형
④	차동식 분포형	정온식 분포형	열복합식
⑤	차동식 감지선형	정온식 감지선형	열연복합식

06 주위 온도가 일정 상승률 이상 되는 경우에 작동하는 감지기로서 넓은 범위 내에서 열효과 누적에 의해 작동하는 것은? 24. 공채·경채

① 차동식 분포형 감지기   ② 차동식 스포트형 감지기
③ 정온식 스포트형 감지기   ④ 정온식 감지선형 감지기

07 차동식 분포형 감지기의 종류에 해당하지 않는 것은? 23. 공채·경채
① 공기관식   ② 열전대식
③ 열반도체식   ④ 광전식

08 주방·보일러실 등으로서 다량의 화기를 취급하는 장소에 반드시 설치하는 감지기는?

① 연기감지기

② 정온식 감지기

③ 보상식 감지기

④ 차동식 감지기

정답 및 해설

05 열감지기

주위온도가 일정 상승률 이상이 되는 경우에 작동하는 것으로서 일국소의 열효과에 의하여 작동하는 것을 차동식 스포트형 감지기라 하고, 일국소의 주위온도가 일정한 온도 이상이 되는 경우에 작동하는 것으로서 외관이 전선으로 되어 있지 아니한 것을 정온식 스포트형감지기라 한다. 이들 두 감지기의 성능을 겸한 것으로서 두 성능 중 어느 하나가 작동되면 화재신호를 발하는 것을 보상식 스포트형 감지기라고 한다.

> ■ 열감지기의 종류
> 1. **차동식 스포트형**: 주위온도가 일정상승률 이상(급격한 온도변화율)이 되는 경우에 작동하는 것으로서 일국소에서의 열효과에 의하여 작동하는 감지기를 말하며, 신호접점의 종류에 따라 공기식, 열전대식, 열반도체식으로 구분한다.
> 2. **정온식 스포트형**: 일국소의 주위온도가 일정한 온도 이상이 되는 경우에 작동하는 것으로서 외관이 전선으로 되어 있지 않은 것을 말하는 것으로 감지소자는 바이메탈과 열반도체(서미스터) 등을 이용한다.
> 3. **보상식 스포트형**: 차동식 스포트형 감지기와 정온식 스포트형 감지기의 성능을 겸한 것으로 두 가지의 성능 중 어느 한 기능이 작동되면 신호를 발하도록 되어 있는 감지기이다. 현재는 시중에 판매가 되지 않는다.

06 열감지기

① 차동식 분포형 감지기: 주위 온도가 일정 상승률 이상 되는 경우에 작동하는 감지기로서 넓은 범위 내에서 열효과 누적에 의해 작동하는 것을 말한다.

② 차동식 스포트형 감지기: 주위온.도가 일정상승률 이상이 되는 경우에 작동하는 것으로서 일국소에서의 열효과에 의하여 작동하는 감지기를 말한다

③ 정온식 스포트형 감지기: 일국소의 주위온도가 일정한 온도 이상이 되는 경우에 작동하는 것으로서 외관이 전선으로 되어 있지 않은 것을 말한다.

④ 정온식 감지선형 감지기: 일국소의 주위온도가 일정한 온도 이상이 되는 경우에 작동하는 것으로서 외관이 전선으로 되어 있는 것을 말한다.

07 차동식 분포형 감지기

광전식 감지는 연기식 감지기에 해당된다.

> ■ 열감지기 중 차동식 감지기
> 1. 스포트형: 공기팽창방식, 열기전력(열전기)방식, 열반도체방식
> 2. 분포형: 공기관식, 열전대식, 열반도체식

08 열감지기

정온식 감지기는 주위온도가 일정한 온도 이상이 되는 경우에 작동하는 것으로서 주방·보일러 등 다양한 화기를 취급하는 장소에 반드시 설치한다. 그 종류로는 전선으로 되어 있지 않은 스포트형과 외관이 전선으로 되어 있는 감지선형이 있다.

정답 05 ③ **06** ① **07** ④ **08** ②

09 열감지기에 대한 설명 중 가장 옳은 것은?

① 차동식 스포트형 감지기의 동작원리는 주위온도가 일정온도 이상 올라가야 작동한다.

② 정온식 감지기는 감도에 따라 1종, 2종 3종으로 구분한다.

③ 차동식 감지기는 지연화재일수록 감지 능력이 뛰어나다.

④ 정온식 감지선형 감지기는 일국소의 주위온도가 일정한 온도 이상이 되는 경우에 작동하는 것으로서 외관이 전선으로 되어 있는 것을 말한다.

10 열감지기의 종류가 아닌 것은?

① 보상식   ② 정온식

③ 광전식   ④ 차동식

11 연기가 빛을 차단하거나 반사하는 원리를 이용하여 화재를 감지하는 감지기는?

① 정온식감지선형 감지기   ② 이온화식 감지기

③ 복합형 감지기   ④ 광전식 감지기

12 화재 시 발생하는 열, 연기, 불꽃 또는 연소생성물을 자동적으로 감지하여 수신기에 발신하는 장치는?

① 경계구역   ② 수신기

③ 중계기   ④ 감지기

정답 및 해설

09 열감지기

① 차동식 스포트형 감지기의 동작원리는 주위온도가 일정상승률 이상이 되는 경우에 작동하는 것으로서 일국소에서의 열효과에 의하여 작동하는 감지기를 말한다.

② 정온식 감지기는 감도 특성에 따라 특종, 1종, 2종으로 구분한다.

③ 차동식 감지기는 화재 시 온도가 빠르게 증가하면 화재 초기에 화재를 감지할 수 있으나 온도가 빨리 증가하지 않는 지연화재의 경우에는 화재 감지가 늦어질 수 있다는 단점이 있다.

10 열감지기

· 열감지기의 종류: 차동식(스포트형, 분포형), 정온식(스포트형, 감지선형), 보상식(스포트형)

· 연기감지기의 종류: 이온화식(스포트형), 광전식(스포트형, 공기흡입형, 분리형)

11 연기감지기

광전식 감지기는 연기가 빛을 차단하거나 반사하는 원리를 이용한 것으로서 빛을 발산하는 발광소자와 빛을 전기로 전환시키는 광전소자를 이용한다. 종류로는 스포트형, 분리형, 공기흡입형이 있다.

12 감지기

④ 감지기는 화재 시 발생하는 열, 연기, 불꽃 또는 연소생성물을 자동적으로 감지하여 수신기에 발신하는 장치를 말한다.

① 경계구역은 소방대상물 중 화재신호를 발신하고 그 신호를 수신 및 유효하게 제어할 수 있는 구역을 말한다.

② 수신기는 감지기나 발신기에서 발하는 화재신호를 직접수신하거나 중계기를 통하여 수신하여 화재의 발생을 표시 및 경보하여 주는 장치를 말한다.

③ 중계기는 감지기·발신기 또는 전기적 접점 등의 작동에 따른 신호를 받아 이를 수신기의 제어반에 전송하는 장치를 말한다.

정답 09 ④ **10** ③ **11** ④ **12** ④

자동화재탐지설비에서 부착 높이에 따른 감지기로 옳은 것만을 [보기]에서 있는 대로 고른 것은?

───────────── [보기] ─────────────

ㄱ. 부착 높이 4m 미만 : 광전식 스포트형 감지기

ㄴ. 부착 높이 4m 이상 8m 미만: 정온식 감지선형 1종 감지기

ㄷ. 부착 높이 8m 이상 15m 미만: 차동식 스포트형 감지기

ㄹ. 부착 높이 15m 이상 20m 미만 보상식 스포트형 감지기

① ㄱ, ㄴ   ② ㄱ, ㄷ   ③ ㄴ, ㄹ

④ ㄱ, ㄷ, ㄹ   ⑤ ㄴ, ㄷ, ㄹ

14 [보기]에 제시된 건축물 1층에서 발화한 경우, 직상 발화 우선경보방식으로 발하여야 하는 해당 층을 모두 나타낸 것은?

───────────── [보기] ─────────────

지하 3층, 지상 11층, 연면적 10,000m²

① 1층, 2층   ② 1층, 2층, 지하층 전체

③ 1층, 2층, 3층, 4층, 5층   ④ 1층, 2층, 3층, 4층, 5층, 지하층 전체

⑤ 건물 전체 층

15 자동화재탐지설비 수신기의 화재신호와 연동으로 작동하여 관계인에게 화재발생을 경보함과 동시에 소방관서에 자동적으로 통신망을 통한 당해 화재발생 및 당해 소방대상물의 위치 등을 음성으로 통보하여 주는 것은? 22. 소방간부

① 통합감시시설　　　　　　　　　　② 비상경보설비

③ 비상방송설비　　　　　　　　　　④ 자동화재속보설비

⑤ 단독경보형 감지기

정답 및 해설

13 감지기 부착높이에 따른 감지기 종류

부착높이	감지기의 종류
4m 미만	· 차동식 (스포트형, 분포형) · 보상식 스포트형 · 정온식 (스포트형, 감지선형) · 이온화식 또는 광전식 (스포트형, 분리형, 공기흡입형) · 열복합형 · 연기복합형 · 열연기복합형 · 불꽃감지기
4m 이상 8m 미만	· 차동식 (스포트형, 분포형) · 보상식 스포트형 · 정온식 (스포트형, 감지선형) 특종 또는 1종 · 이온화식 1종 또는 2종 · 광전식(스포트형, 분리형, 공기흡입형) 1종 또는 2종 · 열복합형 · 연기복합형 · 열연기복합형 · 불꽃감지기
8m 이상 15m 미만	· 차동식 분포형 · 이온화식 1종 또는 2종 · 광전식(스포트형, 분리형, 공기흡입형) 1종 또는 2종 · 연기복합형 · 불꽃감지기
15m 이상 20m 미만	· 이온화식 1종 · 광전식(스포트형, 분리형, 공기흡입형) 1종 · 연기복합형 · 불꽃감지기
20m 이상	· 불꽃감지기 · 광전식(분리형, 공기흡입형)중 아날로그방식

14 비상방송설비, 자동화재탐지설비
1층에서 발화한 경우: 발화층·그 직상 4개층 및 지하층에 직상 발화 우선경보방식으로 발하여야 한다.

15 자동화재속보설비
· 정의: 자동화재탐지설비의 감지기 또는 수신기로부터 화재신호를 받아 통신망을 통하여 음성신호 등의 방법으로 관계인에게 화재 발생을 알림과 동시에 소방관서에 자동으로 화재 발생과 위치를 신속하게 통보해주는 설비를 말한다.
· 동작원리: 자동화재탐지설비와 연동하여 작동하며 20초 이내, 3회 이상 반복하여 자동적으로 화재 발생 상황을 신호로써 소방관서에 발한다.

정답 13 ① **14** ④ **15** ④

CHAPTER 4 피난구조설비

1 피난구조설비

화재가 발생할 경우 피난하기 위하여 사용하는 기구 또는 설비로서 다음의 것을 말한다.

(1) 피난기구

① 피난사다리

② 구조대

③ 완강기

④ 그 밖에 화재안전기준으로 정하는 것

(2) 인명구조기구

① 방열복, 방화복(안전모, 보호장갑 및 안전화를 포함한다)

② 공기호흡기

③ 인공소생기

(3) 유도등

① 피난유도선

② 피난구유도등

③ 통로유도등

④ 객석유도등

⑤ 유도표지

(4) 비상조명등 및 휴대용비상조명등

2 피난기구

(1) 피난사다리

① **정의:** 화재 시 긴급대피를 위해 사용하는 사다리를 말한다. 고정식 사다리, 올림식 사다리 및 내림식 사다리로 분류된다. 또한 피난사다리의 재질에 따라 금속제 피난사다리와 섬유재·목재·합성수지 등에 의해서 제조되는 금속제 이외의 피난사다리로 구분된다.

② **피난사다리의 종류**

㉠ 고정식 사다리

㉡ 올림식 사다리

㉢ 내림식 사다리

▲ 피난사다리

노대

피난사다리

(2) 완강기

① **정의**: 사용자의 몸무게에 따라 자동적으로 내려올 수 있는 기구 중 사용자가 교대하여 **연속적으로 사용할 수 있는 것**을 말하는데, 사용방법에 따라 1인용 및 다수인용의 것으로 구분된다.

② **구조**: 일반적으로 사용자가 자중에 의해 자동적으로 하강할 수 있는 것으로 **조속기❶, 조속기의 연결부(후크), 로프, 연결금구 및 벨트**의 각 부분으로 구성되어 있다.

(3) 간이완강기

사용자의 몸무게에 따라 자동적으로 내려올 수 있는 기구 중 사용자가 **연속적으로 사용할 수 없는 것**을 말한다.

(4) 구조대

포지 등을 사용하여 **자루형태**로 만든 것으로, 화재 시 사용자가 그 내부에 들어가서 내려옴으로써 대피할 수 있는 것을 말한다.

(5) 공기안전매트

화재 발생 시 사람이 건축물 내에서 외부로 긴급히 뛰어 내릴 때 충격을 흡수하여 안전하게 지상에 도달할 수 있도록 **포지에 공기 등을 주입하는 구조**로 되어 있는 것을 말한다.

(6) 다수인피난장비

화재 시 2인 이상의 피난자가 동시에 해당 층에서 지상 또는 피난층으로 하강하는 피난기구를 말한다.

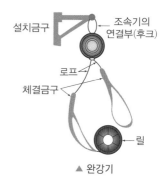

▲ 완강기

😊 **영철쌤 tip**

완강기와 간이완강기 비교

완강기	연속적으로 사용이 가능하다.
간이완강기	연속적으로 사용이 불가(1회용)하다.

😊 **영철쌤 tip**

공기안전매트는 인명구조기구가 아닌 피난기구이다.

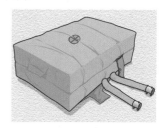

▲ 공기안전매트

▲ 다수인피난장비

▲ 승강식 피난기

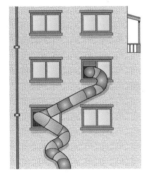

▲ 미끄럼대

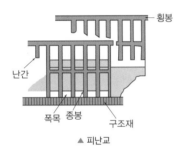

▲ 피난교

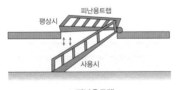

▲ 피난용트랩

▲ 하향식 피난구용 내림식사다리

(7) 승강식 피난기

사용자의 몸무게에 의하여 자동으로 하강하고, 내려서면 스스로 상승하여 연속적으로 사용할 수 있는 **무동력 승강식 기기**를 말한다.

(8) 미끄럼대

사용자가 미끄럼식으로 신속하게 지상 또는 피난층으로 이동할 수 있는 피난기구를 말한다. 장애인복지시설, 노약자수용시설 및 병원 등에 적합하다.

(9) 피난교

인접건축물 또는 피난층과 연결된 다리형태의 피난기구를 말한다.

(10) 피난용트랩

화재 층과 직상 층을 연결하는 계단형태의 피난기구를 말한다.

(11) 하향식 피난구용 내림식사다리

하향식 피난구 해치에 격납하여 보관하고 사용 시에는 사다리 등이 소방대상물과 접촉되지 않는 내림식 사다리를 말한다.

설치 장소별 ＼ 층별	1층	2층	3층	4층 이상 10층 이하
1. 노유자시설	· 미끄럼대 · 구조대 · 피난교 · 다수인피난장비 · 승강식 피난기	· 미끄럼대 · 구조대 · 피난교 · 다수인피난장비 · 승강식 피난기	· 미끄럼대 · 구조대 · 피난교 · 다수인피난장비 · 승강식 피난기	· 구조대¹⁾ · 피난교 · 다수인피난장비 · 승강식 피난기
2. 의료시설·근린 생활시설 중 입원 실이 있는 의원· 접골원·조산원			· 미끄럼대 · 구조대 · 피난교 · 피난용트랩 · 다수인피난장비 · 승강식 피난기	· 구조대 · 피난교 · 피난용트랩 · 다수인피난장비 · 승강식 피난기
3. 「다중이용업소의 안전관리에 관한 특별법 시행령」 제2조에 따른 다 중이용업소로서 영업장의 위치가 4층 이하인 다중 이용업소		· 미끄럼대 · 피난사다리 · 구조대 · 완강기 · 다수인피난장비 · 승강식 피난기	· 미끄럼대 · 피난사다리 · 구조대 · 완강기 · 다수인피난장비 · 승강식 피난기	· 미끄럼대 · 피난사다리 · 구조대 · 완강기 · 다수인피난장비 · 승강식 피난기
4. 그 밖의 것			· 미끄럼대 · 피난사다리 · 구조대 · 완강기 · 피난교 · 피난용트랩 · 간이완강기²⁾ · 공기안전매트³⁾ · 다수인피난장비 · 승강식 피난기	· 피난사다리 · 구조대 · 완강기 · 피난교 · 간이완강기²⁾ · 공기안전매트³⁾ · 다수인피난장비 · 승강식 피난기

참고 설치장소별 피난기구의 적응성

[비고]
1) 구조대의 적응성은 장애인 관련 시설로서 주된 사용자 중 스스로 피난이 불가한 자가 있는 경우 제4조 제2항 제4호에 따라 추가로 설치하는 경우에 한한다.
2), 3) 간이완강기의 적응성은 제4조 제2항 제2호에 따라 숙박시설의 3층 이상에 있는 객실에, 공기안전매트의 적응성은 제4조 제2항 제3호에 따라 공동주택(「공동주택관리법」) 제2조 제1항 제2호 가목부터 라목까지 중 어느 하나에 해당하는 공동주택)에 추가로 설치하는 경우에 한한다.

영철쌤 tip

피난기구의 적응성
1. 간이완강기의 적응성은 숙박시설의 3층 이상에 있는 객실에, 공기안전매트의 적응성은 공동주택(「공동주택관리법 시행령」 제2조의 규정에 해당하는 공동주택)에 한한다.
2. 지하층 및 10층을 초과하는 건축물에는 피난기구의 적응성이 없는 관계로 설치하지 않는다.

3 인명구조기구

인명구조기구란 화열, 화염, 유해성가스 등으로부터 인명을 보호하거나 구조하는데 사용되는 기구를 말한다.

(1) 방열복
고온의 복사열에 가까이 접근하여 소방활동을 수행할 수 있는 내열피복을 말한다.

▲ 방열복

(2) 공기호흡기
소화 활동 시 화재로 인하여 각종 유독가스가 발생하는 상황에서 일정시간 사용할 수 있도록 제조된 압축공기식 개인호흡장비를 말한다.

▲ 공기호흡기

(3) 인공소생기
호흡 부전 상태인 사람에게 인공호흡을 시켜 환자를 보호하거나 구급하는 기구를 말한다.

▲ 인공소생기

(4) 방화복(안전모, 보호장갑 및 안전화를 포함한다)
화재진압 등의 소방활동을 수행할 수 있는 피복을 말한다.

▲ 방화복

4 유도등

(1) 정의

유도등은 화재 시에 피난을 유도하기 위한 등으로서 정상 상태에서는 상용전원에 따라 켜지고 상용전원이 정전되는 경우에는 비상전원으로 자동 전환되어 켜지는 등을 말한다.

(2) 피난구유도등

① 정의: 피난구 또는 피난경로로 사용되는 출입구를 표시하여 피난을 유도하는 등을 말한다.

② 설치장소

㉠ 옥내로부터 직접 지상으로 통하는 출입구 및 그 부속실의 출입구

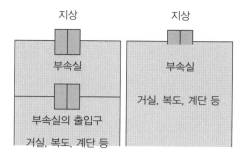

㉡ 직통계단, 직통계단의 계단실 및 그 부속실의 출입구

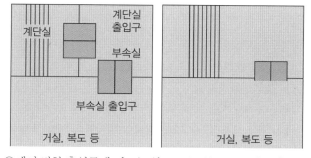

㉢ ㉠ 및 ㉡에서 정한 출입구에 이르는 복도 또는 통로로 통하는 출입구

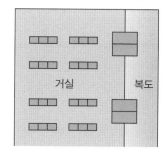

▲ (천장 부착)
피난구유도등

▲ (벽 부착)
피난구유도등

▲ 1.5m 이상 설치

▲ 1.5m 이상의
곳으로서 출입구에
인접 설치

▲ 복도통로유도등
(1m 이하 설치)

▲ 복도통로유도등
(바닥에 설치)

영철쌤 tip

무창층
지상층 중 개구부의 면적 합계가 해당 층 바닥면적의 1/30 이하인 층이다.
1. 개구부의 크기가 지름 50cm 이상의 원이 내접하여야 한다.
2. 바닥면으로부터 개구부 밑부분까지의 높이가 1.2m 이내이어야 한다.

▲ 거실통로유도등
(1.5m 이상 설치)

▲ 거실통로유도등
(기둥에 설치:
1.5m 이하)

② 안전구획된 거실로 통하는 출입구

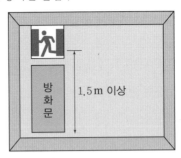

③ 설치기준
　㉠ 피난구의 바닥으로부터 높이 1.5m 이상의 곳으로서 출입구에 인접하도록 설치하여야 한다.
　㉡ 피난구유도등의 표시면은 녹색바탕에 백색문자의 방법으로 비상문, 비상계단 또는 계단등으로 표시한다.

(3) 통로유도등
　피난통로를 안내하기 위한 유도등으로 복도통로유도등, 거실통로유도등, 계단통로유도등을 말한다.
　① 정의
　　㉠ 복도통로유도등: 피난통로가 되는 복도에 설치하는 통로유도등으로서 피난구의 방향을 명시하는 것을 말한다.
　　　ⓐ 복도에 설치할 것
　　　ⓑ 구부러진 모퉁이 및 보행거리의 20m마다 설치할 것
　　　ⓒ 바닥으로부터 높이 1m 이하의 위치에 설치할 것(다만, 지하층 또는 무창층의 용도가 도매시장·소매시장·여객자동차터미널·지하역사 또는 지하상가인 경우에는 복도·통로 중앙부분의 바닥에 설치하여야 한다)
　　　ⓓ 바닥에 설치하는 통로유도등은 하중에 따라 파괴되지 않는 강도의 것으로 할 것
　　㉡ 거실통로유도등: 거주, 집무, 작업, 집회, 오락 그 밖에 이와 유사한 목적을 위하여 계속적으로 사용하는 거실, 주차장 등 개방된 통로에 설치하는 유도등으로 피난의 방향을 명시하는 것을 말한다.
　　　ⓐ 거실의 통로에 설치할 것(다만, 거실의 통로가 벽체 등으로 구획된 경우에는 복도통로유도등을 설치하여야 한다)
　　　ⓑ 구부러진 모퉁이 및 보행거리의 20m마다 설치할 것
　　　ⓒ 바닥으로부터 높이 1.5m 이상의 위치에 설치할 것(다만, 거실 통로에 기둥이 설치된 경우에는 기둥부분의 바닥으로부터 1.5m 이하의 위치에 설치할 수 있다)

ⓒ **계단통로유도등**: 피난통로가 되는 계단이나 경사로에 설치하는 통로유도등으로 바닥면 및 디딤 바닥면을 비추는 것을 말한다.

　　ⓐ 각 층의 경사로참 또는 계단참마다(1개 층에 경사로참 또는 계단참이 2 이상 있는 경우에는 2개의 계단참마다) 설치할 것

　　ⓑ 바닥으로부터 높이 1m 이하의 위치에 설치할 것

② **설치장소**: 소방대상물의 각 거실과 그로부터 지상에 이르는 복도 또는 계단의 통로에 설치한다.

③ **통로유도등**: 백색바탕에 녹색으로 피난방향을 표시한 등이다.

▲ 계단통로유도등
(1m 이하 설치)

(4) 객석유도등

객석의 통로, 바닥 또는 벽에 설치한다.

$$설치\ 개수 = \frac{객석통로\ 직선부분의\ 길이[m]}{4} - 1$$

▲ 객석유도등

📖 **핵심정리 유도등 구분**

1. 피난구유도등
2. 통로유도등(복도, 거실, 계단)
3. 객석유도등

---

(5) 유도표지

① **피난구유도표지**: 피난구 또는 피난경로로 사용되는 출입구를 표시하여 피난을 유도하는 표지를 말하며 출입구 상단에 설치한다.

② **통로유도표지**: 피난통로가 되는 복도, 계단 등에 설치하는 것으로서 피난구의 방향을 표시하는 유도표지를 말한다.

　　㉠ 계단을 제외하고 각 층마다 복도 및 통로의 각 부분으로부터 하나의 유도표지까지의 보행거리가 15m 이하가 되는 곳과 구부러진 모퉁이의 벽에 설치할 것

　　㉡ 바닥으로부터 높이 1m 이하의 위치에 설치할 것

▲ 피난구유도표지　　▲ 통로유도표지(복도)　　▲ 통로유도표지(계단)

👨 **영철쌤 tip**

입체형유도등

1. 입체형이란 유도등 표시면을 2면 이상으로 하고 각 면마다 피난유도표시가 있는 것을 말한다.
2. 피난구유도등의 면과 수직이 되도록 유도등을 추가로 설치해야 한다.
3. 일반유도등보다 입체형유도등을 설치하면 피난방향을 쉽게 알 수 있어 인명피해를 최소화할 수 있다.

유도등 배선

유도등은 '2선식 배선'과 '3선식 배선'이 있다. '3선식 배선'이란 평상시에는 유도등을 소등 상태로 유도등의 비상전원을 충전하고, 화재 등 비상시 점등 신호를 받아 유도등을 자동으로 점등되도록 하는 방식의 배선을 말한다. 원칙적으로는 항상 점등상태를 유지하는 2선식 배선을 사용하여야 하나, 암실 등 어두워야 할 필요가 있는 장소에만 예외적으로 3선식 배선을 사용할 수 있다.

구분	2선식	3선식
평상 시	점등상태	소등상태
화재 시	점등상태	점등상태

유도등

1. 소방서장은 특정소방대상물의 위치·구조 및 설비의 상황을 판단하여 대형피난구유도등을 설치하여야 할 장소에 중형피난구유도등 또는 소형피난구유도등을 설치하게 할 수 있다.

2. 복합건축물과 아파트의 경우, 주택의 세대 내에는 유도등을 설치하지 않을 수 있다.

참고 유도등 및 유도표지의 종류	
설치장소	유도등 및 유도표지의 종류
공연장·집회장(종교집회장 포함)·관람장·운동시설·유흥주점영업시설(카바레, 나이트클럽)	• 대형피난구유도등 • 통로유도등 • 객석유도등
위락시설·판매시설·운수시설·관광숙박업·의료시설·장례식장·방송통신시설·전시장·지하상가·지하철역사	• 대형피난구유도등 • 통로유도등
숙박시설·오피스텔, 지하층·무창층 또는 11층 이상인 특정소방대상물	• 중형피난구유도등 • 통로유도등
근린생활시설·노유자시설·업무시설·발전시설·종교시설(집회장 용도로 사용하는 부분은 제외)·교육연구시설·수련시설·공장·교정 및 군사시설(국방·군사시설 제외)·기숙사·자동차정비공장·운전학원 및 정비학원·다중이용업소·복합건축물·아파트	• 소형피난구유도등 • 통로유도등
그 밖의 것	• 피난구유도표지 • 통로유도표지

(6) 피난유도선

햇빛이나 전등불에 따라 축광(이하 '축광방식'이라 한다)하거나 전류에 따라 빛을 발하는(이하 '광원점등방식'이라 한다) 유도체로서 어두운 상태에서 피난을 유도할 수 있도록 띠 형태로 설치되는 피난유도시설을 말한다.

① 축광방식의 피난유도선
　ㄱ 구획된 각 실로부터 주출입구 또는 비상구까지 설치할 것
　ㄴ 바닥으로부터 높이 50cm 이하의 위치 또는 바닥면에 설치할 것
　ㄷ 피난유도 표시부는 50cm 이내의 간격으로 연속되도록 설치할 것

▲ 축광방식 피난유도선

▲ 축광방식 피난유도선

② 광원점등방식의 피난유도선
　ㄱ 구획된 각 실로부터 주출입구 또는 비상구까지 설치할 것
　ㄴ 피난유도표시부는 바닥으로부터 높이 1m 이하의 위치 또는 바닥면에 설치할 것
　ㄷ 피난유도 표시부는 50cm 이내의 간격으로 연속되도록 설치하되 실내장식물 등으로 설치가 곤란할 경우 1m 이내로 설치할 것

(7) 유도등의 전원

① 유도등의 전원은 축전지, 전기저장장치 또는 교류전압의 옥내간선으로 하고, 전원까지의 배선은 전용으로 하여야 한다.

② 비상전원의 설치기준

㉠ 축전지로 할 것

㉡ 유도등을 20분 **이상** 유효하게 작동시킬 수 있는 용량으로 할 것(다만, 다음의 특정소방대상물의 경우에는 유도등을 60분 **이상** 유효하게 작동시킬 수 있는 용량으로 한다)

ⓐ 지하층을 제외한 층수가 11층 이상의 층

ⓑ 지하층 또는 무창층으로서 용도가 도매시장·소매시장·여객자동차터미널·지하역사 또는 지하상가

참고 유도등 설치기준

1. 유도등의 종류

여기서 불특정다수인은 지하층 또는 무창층의 용도가 도매시장·소매시장·여객자동차터미널·지하역사 또는 지하상가 등을 의미한다.

2. 유도등·유도표지 및 피난유도선 높이

① 피난구유도등: 1.5m 이상
② 거실통로유도등: 1.5m 이상(기둥설치: 1.5m 이하)
③ 복도통로유도등: 1m 이하(불특정다수인: 바닥)
④ 계단통로유도등: 1m 이하
⑤ 객석유도등: 객석의 통로, 바닥, 벽
⑥ 피난구유도표지: 출입구 상단
⑦ 통로유도표지: 1m 이하
⑧ 축광식 피난유도선: 50cm 이하 또는 바닥면
⑨ 광원점등식 피난유도선: 1m 이하 이하 또는 바닥면(매립)

▲ 비상조명등

▲ 휴대용비상조명등

📖 용어사전

❶ 대규모점포: 백화점, 이마트, 홈플러스, 코스트코 등 일정규모 이상의 점포를 말한다.

5 비상조명등 및 휴대용비상조명등

(1) 비상조명등

화재 발생 등에 따른 정전 시 안전하고 원활한 피난활동을 할 수 있도록 거실 및 피난통로 등에 설치되어 자동 점등되는 조명등을 말한다.

(2) 휴대용비상조명등

① 정의: 화재 발생 등에 따른 정전 시 안전하고 원활한 피난을 위하여 피난자가 휴대할 수 있는 조명등을 말한다.

② 설치장소
  ㉠ 숙박시설 또는 다중이용업소에는 객실 또는 영업장 안의 구획된 실마다 잘 보이는 곳(외부에 설치 시 출입문 손잡이로부터 1m 이내 부분)에 1개 이상 설치한다.
  ㉡ 「유통산업발전법」 제2조 제3호에 따른 대규모점포❶(지하상가 및 지하역사를 제외한다)와 영화상영관에는 보행거리 50m 이내마다 3개 이상 설치한다.
  ㉢ 지하상가 및 지하역사에는 보행거리 25m 이내마다 3개 이상 설치한다.

③ 설치기준
  ㉠ 설치높이는 바닥으로부터 0.8m 이상 1.5m 이하의 높이에 설치하여야 한다.
  ㉡ 어둠 속에서 위치를 확인할 수 있도록 하여야 한다.
  ㉢ 사용 시 자동으로 점등되는 구조이어야 한다.
  ㉣ 외함은 난연성능이 있어야 한다.
  ㉤ 건전지를 사용하는 경우에는 방전방지조치를 하여야 하고, 충전식 배터리를 사용하는 경우에는 상시 충전되도록 하여야 한다.
  ㉥ 건전지, 충전식 배터리의 용량은 20분 이상 유효하게 사용할 수 있는 것으로 하여야 한다.

참고 휴대용비상조명등 설치장소

1. 휴대용비상조명등 사용 시 자동으로 점등되는 구조이어야 한다.

2. 휴대용비상조명등
   ① 숙박시설 또는 다중이용업소: 객실마다 1개 이상 설치한다.
   ② 대규모점포 · 영화상영관: 보행거리 50m마다 3개 이상 설치한다.
   ③ 지하상가 · 지하역사: 보행거리 25m마다 3개 이상 설치한다.

참고 유도등 및 비상조명등 비교

구분	유도등	비상조명등
평상시	점등상태	소등상태
화재 시	점등상태	점등상태
비상전원 종류	축전지❶	축전지, 전기저장장치❷, 자가발전설비❸

비상전원 용량	· 60분 이상
	   - 11층 이상의 층
	   - 도매시장, 소매시장, 여객자동차터미널, 지하역사, 지하상가
	· 20분 이상: 60분 이상에 해당하는 곳 이외(기타)		

영철쌤 tip

유도등은 항상 점등상태이며, 비상조명등은 평소에는 소등상태이다가 화재 시 점등상태가 된다.

용어사전

❶ 축전지: 배터리를 말한다.

❷ 전기저장장치: 여러 개의 배터리를 하나로 묶어서 컨테이너 안에 넣어 저장하는 장치를 말한다.

❸ 자가발전설비: 자가용 원동기로 전기를 생산하는 전력설비를 말한다.

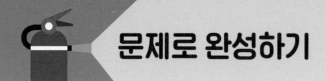

01 피난구조설비가 아닌 것은?

① 연소방지설비   ② 완강기

③ 구조대   ④ 공기안전매트

02 유도등 및 유도표지에 대한 화재안전기준(NFSC 303) 중 통로유도등에 해당하지 않는 것은?

① 복도통로유도등   ② 거실통로유도등

③ 계단통로유도등   ④ 객석유도등

03 피난구유도등에 대한 설명으로 옳지 않은 것은?

① 피난통로를 안내하기 위한 유도등을 말한다.

② 옥내로부터 직접 지상으로 통하는 출입구 및 그 부속실의 출입구에 설치한다.

③ 직통계단·직통계단의 계단실 및 그 부속실의 출입구에 설치한다.

④ 안전구획된 거실로 통하는 출입구에 설치한다.

04 다음 피난기구 중 화재 시 2인 이상의 피난자가 동시에 해당 층에서 지상 또는 피난층으로 하강하는 기구는?

① 승강식 피난기구

② 하향식 피난구용 내림식 사다리

③ 다수인피난장비

④ 완강기

05 피난구조설비에 대한 설명으로 옳지 않은 것은?

21. 공채·경채

① 인공소생기란 호흡 부전 상태인 사람에게 인공호흡을 시켜 환자를 보호하거나 구급하는 기구이다.

② 피난구유도등이란 피난구 또는 피난경로로 사용되는 출입구를 표시하여 피난을 유도하는 등을 말한다.

③ 복도통로유도등이란 피난통로가 되는 복도에 설치하는 통로유도등으로서 피난구의 방향을 명시하는 것을 말한다.

④ 구조대란 사용자의 몸무게에 의하여 자동으로 하강하고 내려서면 스스로 상승하여 연속적으로 사용할 수 있는 무동력 피난기구를 말한다.

정답 및 해설

01 피난구조설비

피난구조설비는 화재가 발생할 경우 피난하기 위하여 사용하는 기구 또는 설비로서, 다음의 것을 말한다.

· 미끄럼대, 피난사다리, 구조대, 완강기, 피난교, 공기안전매트, 다수인피난장비, 그 밖의 피난기구

· 방열복, 방화복, 공기호흡기 및 인공소생기

· 피난유도선, 유도등 및 유도표지

· 비상조명등 및 휴대용비상조명등

02 통로유도등

유도등은 피난구유도등, 통로유도등(복도, 거실, 계단), 객석유도등으로 구분한다.

03 피난구유도등

피난구유도등이라 함은 피난구 또는 피난경로로 사용되는 출입구를 표시하여 피난을 유도하는 등을 말한다.

04 다수인피난장비

③ 다수인피난장비: 화재 시 2인 이상의 피난자가 동시에 해당 층에서 지상 또는 피난층으로 하강하는 피난기구를 말한다.

① 승강식 피난기구: 사용자의 몸무게에 의하여 자동으로 하강하고 내려서면 스스로 상승하여 연속적으로 사용할 수 있는 무동력 승강식 피난기를 말한다.

② 하향식 피난구용 내림식 사다리: 하향식 피난구 해치에 격납하여 보관하고 사용 시에는 사다리 등이 소방대상물과 접촉되지 않는 내림식 사다리를 말한다.

④ 완강기: 사용자의 몸무게에 따라 자동적으로 내려올 수 있는 기구 중 사용자가 연속적으로 사용할 수 있는 것을 말한다.

05 피난구조설비

사용자의 몸무게에 의하여 자동으로 하강하고 내려서면 스스로 상승하여 연속적으로 사용할 수 있는 무동력 피난기구는 승강식 피난기이다.

정답 01 ① **02** ④ **03** ① **04** ③ **05** ④

출제POINT

소화활동설비의 종류 ★★☆

영철쌤 tip

소화설비와 소화활동설비 비교
1. 소화설비는 일반적으로 관계인이 사용하는 초기소화설비이다.
2. 소화활동설비는 소방관들이 사용하는 본격소화설비이다.

연결살수설비와 연소방지설비 비교
1. 연결살수설비는 지하가 등에 설치한다.
2. 연소방지설비는 지하공동구 등에 설치한다.

제연설비 구분
거실제연과 특별피난계단의 계단실 및 부속실제연(전실제연 또는 부속실제연)으로 구분된다.

---

1 소화활동설비

화재를 진압하거나 인명구조활동을 위하여 사용하는 설비로서 다음의 것을 말한다.

(1) 제연설비

(2) 연결송수관설비

(3) 연결살수설비

(4) 비상콘센트설비

(5) 무선통신보조설비

(6) 연소방지설비

---

2 제연설비

(1) 정의

소방설비 중 피난을 원활하게 하는 것으로서 화재에 의하여 발생하는 연기가 피난을 방해하지 않도록 방호구역 내에 가두어 그 연기를 제어·배출하거나, 피난통로로 연기가 침입하는 것을 방지시켜 연기로부터 피난을 안전하게 할 수 있도록 확보하는 설비이다.

① **제연구역**: 제연경계(제연경계가 면한 천장 또는 반자를 포함한다)에 의해 구획된 건물 내의 공간을 말한다.

② **제연경계**: 연기를 예상제연구역 내에 가두거나 이동을 억제하기 위한 보 또는 제연경계벽 등을 말한다.

③ **제연경계벽**: 제연경계가 되는 가동형 또는 고정형의 벽을 말한다.

④ **제연경계의 폭**: 제연경계가 면한 천장 또는 반자로부터 그 제연경계의 수직하단 끝부분까지의 거리를 말한다.

⑤ **수직거리**: 제연경계의 하단 끝으로부터 그 수직한 하부 바닥면까지의 거리를 말한다.

⑥ **예상제연구역**: 화재 시 연기의 제어가 요구되는 제연구역을 말한다.

⑦ **공동예상제연구역**: 2개 이상의 예상제연구역을 동시에 제연하는 구역을 말한다.

⑧ **통로배출방식**: 거실 내 연기를 직접 옥외로 배출하지 않고 거실에 면한 통로의 연기를 옥외로 배출하는 방식을 말한다.

⑨ **보행중심선**: 통로 폭의 한 가운데 지점을 연장한 선을 말한다.

⑩ **유입풍도**: 예상제연구역으로 공기를 유입하도록 하는 풍도를 말한다.

⑪ **배출풍도**: 예상 제연구역의 공기를 외부로 배출하도록 하는 풍도를 말한다.

⑫ **방화문**: 「건축법 시행령」 제64조의 규정에 따른 60분+ 방화문, 60분 방화문 또는 30분 방화문으로써 언제나 닫힌 상태를 유지하거나 화재감지기와 연동하여 자동적으로 닫히는 구조를 말한다.

⑬ **불연재료**: 「건축법 시행령」 제2조 제10호에 따른 기준에 적합한 재료로서, 불에 타지 않는 성질을 가진 재료를 말한다.

⑭ **난연재료**: 「건축법 시행령」 제2조 제9호에 따른 기준에 적합한 재료로서, 불에 잘 타지 않는 성능을 가진 재료를 말한다.

(2) 설치목적

제연설비는 소화활동설비의 일종으로 건축물의 화재 초기 단계에서 발생하는 연기 등을 감지하여 화재실(거실)의 연기는 배출하고 피난경로인 복도, 계단 등에는 연기가 확산되지 않도록 함으로써 거주자를 연기로부터 보호하고 안전하게 피난할 수 있도록 함과 동시에 소방대가 소화활동을 할 수 있도록 연기를 제어하는 데 그 목적이 있다.

(3) 구성요소

제연설비는 송풍기, 배풍기(배출기), 풍도, 급기구, 배기구, 급기댐퍼, 배기댐퍼, 감지기, 수동기동장치, 수신기 등으로 구성되어 있다.

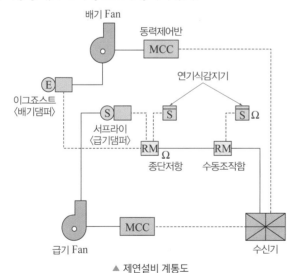

▲ 제연설비 계통도

▲ 댐퍼

▲ 수동조작함

▲ 창·배연구에 의한 자연제연방식

▲ 스모크타워 제연방식

▲ 제1종 기계제연방식

▲ 제2종 기계제연방식

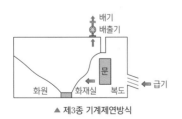

▲ 제3종 기계제연방식

(4) 제연방식의 종류

① 자연제연방식

ⓒ **창·배연구에 의한 자연제연방식:** 가연물질의 연소생성물인 연기가 연기류의 부력 또는 외부의 바람에 의한 흡출효과에 의해서 실의 상부에 설치된 창·발코니 및 전용 배연구에 의해서 옥외로 배출되는 제연방식이다.

자연배연방식은 높은 천장 고를 가지고 **배연구의 위치가 외부 풍향이나 풍속에 영향을 받지 않는 경우에 효과적으로 작동한다.** 또한 피난 거점으로 비교적 장시간 체류되는 공간인 경우에는 방연구획이 확실하다는 점을 전제로 하여 자연배연을 채택해야 한다

ⓒ **스모크타워(Smoke tower) 제연방식:** 소방대상물에 제연 샤프트를 설치하고, 난방 등에 의한 소방대상물 내·외부의 온도차나 화재로 인한 온도상승에 의해 발생한 부력 및 최상부에 설치한 **루프모니터 등의 외풍에 의한 흡인력**을 통기력으로 하여 제연하는 방식이다.

② 기계제연방식

기계제연방식은 송풍기를 사용하여 각 제연구역까지 풍도를 설치하고 기계적인 힘을 이용하여 강제배연을 하므로 확실하게 설정된 용량을 배출할 수 있는 제연방식이다. 송풍기의 설치 위치에 따라 **제1종, 제2종 및 제3종 기계제연방식으로 구분된다.**

ⓒ **제1종 기계제연방식**

ⓐ 화재가 발생한 실의 급기구에 송풍기를 설치하여 새로운 공기를 화재실로 유입해주며, 화재실의 상부에 설치된 배기구에 배출기를 설치하여 실 내부에 충만되어 있는 연기를 옥외로 배출하도록 설치된 제연설비이다 **(급기구에 송풍기 + 배기구에 배출기).**

ⓑ 이 방식은 화재실의 연기가 누설되지 않게 하여 계단전실 등의 피난로를 확보할 수 있다는 장점이 있으나, **급기와 배기 모두 기계력에 의존하기 때문에 장치가 복잡하고 풍량의 조절에 주의를 하여야 한다**는 단점이 있다 (**예** 대형건물 등에 사용하는 제연방식).

ⓒ **제2종 기계제연방식**

ⓐ 화재 발생 시 화재실의 급기구에 설치된 송풍기에 의해서 외부로부터의 신선한 공기를 피난통로인 복도·계단전실(부속실)·계단 등에 공급하고 그 부분의 압력을 화재지역의 압력보다 높여 연기의 침입을 방지하는 제연방식이다(급기구에 송풍기 + 배기구에 배출구).

ⓑ 이 방식을 **가압방연방식 또는 가압차연방식**이라고도 부르며, **과잉공기가 공급되면 화재실의 화재를 확대시킬 우려가 있으며 열기류나 연기류가 복도로 역류하여 위험하게 되므로 일반적으로 사용되고 있지 않다**(**예** 특별피난계단, 비상용 승강기 승강장 등에 사용하는 제연방식).

ⓒ **제3종 기계제연방식**

ⓐ 화재실의 상부에 설치된 배기구에 배출기를 설치하여 화재실 내에 충만되어 있는 가연물질의 연소생성물인 연기를 강제로 소방대상물의 외부로 배출시키는 방식의 제연설비이다(급기구에 송풍구 + 배기구에 배출기).

ⓑ 이 설비가 설치되어 있는 경우에는 화재실의 천장 등에 제연경계벽을 수직으로 설치하여 연기의 유동을 방지함으로써 배출기로의 흡입력을 증대시킨다. 또한 자연제연방식, 스모크타워제연방식과 함께 국내의 소방법·건축법에서 요구하고 있는 제연설비의 형태이다(**예** 일반건물, 작은 공장 등에 사용하는 제연방식).

📖 **핵심정리 기계제연방식**

1. 제1종 제연방식: 급기(송풍기 – 기계) + 배기(배출기 – 기계)
2. 제2종 제연방식: 급기(송풍기 – 기계) + 배기(배출구 – 자연)
3. 제3종 제연방식: 급기(송풍구 – 자연) + 배기(배출기 – 기계)

~ 구	~ 기
자연[송풍구, 배출구(배풍구)]	기계[송풍기, 배출기(배풍기)]

참고 기계제연방식

종류	내용	화재안전기준
제1종 제연설비	배출기를 설치하여 실내의 연기를 밖으로 배기함과 동시에, 송풍기를 사용하여 외부의 신선한 공기를 화재실 내로 불어넣는 방식이다.	지하층, 무창층, 지하가, 무대부 등에 설치한다.
제2종 제연설비	송풍기를 사용하여 외부의 신선한 공기를 화재실 내로 불어넣는 방식이다.	특별피난계단, 비상용 승강기 승강장에 설치한다.
제3종 제연설비	배출기를 설치하여 실내의 연기를 밖으로 배기하는 방식이다.	일반건물에 설치한다.

참고 자연배연과 기계제연의 비교

구분	자연배연(창문)	기계제연(팬)
개념	건축적(Passive) 제연방식	설비적(Active) 제연방식
환기시스템	자연환기(자연급기, 자연배기)	기계환기(제1종, 제2종, 제3종)
동력	불필요	필요
배연량 제어	불가능	가능
외부환경	풍압, 온도, 압력의 영향을 크게 받는다.	풍압, 온도, 압력의 영향을 적게 받는다.

③ **밀폐제연방식**: 밀폐도가 높은 벽이나 문으로 화재실을 밀폐하고 연기의 유출 및 신선한 공기의 유입을 억제하여 방연하는 방식이다(아파트, 호텔 등 구획을 적게 할 수 있는 장소에 적합).

(5) 제연설비 설치장소의 제연구역 기준

① 하나의 제연구역의 면적은 1,000m² 이내로 하여야 한다.

② 거실과 통로(복도를 포함한다)는 상호 제연구획하여야 한다.

③ 통로상의 제연구역은 보행중심선❶의 길이가 60m를 초과하지 않아야 한다.

④ 하나의 제연구역은 직경 60m 원 내에 들어갈 수 있어야 한다.

⑤ 하나의 제연구역은 2개 이상 층에 미치지 않아야 한다. 다만, 층의 구분이 불분명한 부분은 그 부분을 다른 부분과 별도로 제연구획하여야 한다.

(6) 제연구역의 구획기준

① 종류

㉠ 보 · 제연경계벽(제연경계)

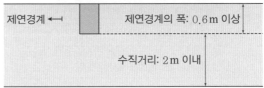

㉡ 벽(화재 시 자동으로 구획되는 가동벽 · 셔터 · 방화문)

② 설치기준

㉠ 재질은 내화재료, 불연재료 또는 제연경계벽으로 성능을 인정받은 것으로서 화재 시 쉽게 변형 · 파괴되지 않고 연기가 누설되지 않는 기밀성 있는 재료로 하여야 한다.

㉡ 제연경계는 제연경계의 폭❷이 0.6m 이상이고, 수직거리❸는 2m 이내이어야 한다. 다만, 구조상 불가피한 경우는 2m를 초과할 수 있다.

(7) 거실제연설비

일정 규모 이상의 소방대상물에 예상제연구역을 구획하고 송풍기 및 배출기를 설치하여 연기의 이동 및 확산을 제어하기 위하여 사용되는 설비이다.

(8) 특별피난계단의 계단실 및 부속실 제연설비

급기가압제연설비는 특별피난계단의 계단실과 그 계단으로 통하는 부속실, 비상용 승강기의 승강장을 제연구역으로 설정하고 그 제연구역 내에 신선한 공기를 주입하여 옥내(화재 발생 부분)보다 압력을 높게 함으로써 화재 시 발생한 연기 또는 열기가 제연구역으로 확산 침투되지 못하도록 하여 피난자의 피난과 소화종사자의 소화활동을 원활하게 하기 위하여 설치한다.

참고 **용어의 정의**

1. "제연구역"이란 제연하고자 하는 계단실 또는 부속실을 말한다.

2. "방연풍속"이란 옥내로부터 제연구역 내로 연기의 유입을 유효하게 방지할 수 있는 풍속을 말한다.

3. "급기량"이란 제연구역에 공급해야 할 공기의 양을 말한다.

4. "누설량"이란 틈새를 통하여 제연구역으로부터 흘러나가는 공기량을 말한다.

5. "보충량"이란 방연풍속을 유지하기 위하여 제연구역에 보충해야 할 공기량을 말한다.

6. "플랩댐퍼"란 제연구역의 압력이 설정압력범위를 초과하는 경우 제연구역의 압력을 배출하여 설정압력 범위를 유지하게 하는 과압방지장치를 말한다.

7. "유입공기"란 제연구역으로부터 옥내로 유입하는 공기로서 차압에 따라 누설하는 것과 출입문의 개방에 따라 유입하는 것 등을 말한다.

8. "거실제연설비"란 「제연설비의 화재안전성능기준(NFPC 501)」에 따른 옥내의 제연설비를 말한다.

9. "자동차압급기댐퍼"란 제연구역과 옥내 사이의 차압을 압력센서 등으로 감지하여 제연구역에 공급되는 풍량의 조절로 제연구역의 차압 유지를 자동으로 제어할 수 있는 댐퍼를 말한다.

10. "자동폐쇄장치"란 제연구역의 출입문 등에 설치하는 것으로서 화재 시 화재감지기의 작동과 연동하여 출입문을 자동으로 닫히게 하는 장치를 말한다.

11. "과압방지장치"란 제연구역의 압력이 설정압력을 초과하는 경우 자동으로 압력을 조절하여 과압을 방지하는 장치를 말한다.

12. "굴뚝효과"란 건물 내부와 외부 또는 두 내부 공간 상하간의 온도 차이에 의한 밀도 차이로 발생하는 건물 내부의 수직 기류를 말한다.

13. "기밀상태"란 일정한 공간에 있는 유체가 누설되지 않는 밀폐 상태를 말한다.

14. "누설틈새면적"이란 가압 또는 감압된 공간과 인접한 사이에 공기의 흐름이 가능한 틈새의 면적을 말한다.

15. "송풍기"란 공기의 흐름을 발생시키는 기기를 말한다.

16. "수직풍도"란 건축물의 층간에 수직으로 설치된 풍도를 말한다.

17. "외기취입구"란 옥외로부터 옥내로 외기를 취입하는 개구부를 말한다.

18. "제어반"이란 각종 기기의 작동 여부 확인과 자동 또는 수동 기동 등이 가능한 장치를 말한다.

참고 **급기가압제연설비**

제연구역 내 압력을 화재실보다 높게 하여 화재실에서 발생한 연기가 제연구역으로 유입되는 것을 차단하는 설비를 말한다. 즉, 급기가압제연설비는 출입문이 개방되지 않은 상태에서 차압을 유지하기 위한 개념이다.

(9) 제연구역의 선정

① 계단실 및 그 부속실을 동시에 제연하는 것

② 부속실만을 단독으로 제연하는 것

③ 계단실을 단독 제연하는 것

④ 비상용 승강기 승강장을 단독 제연하는 것

---

3 연결송수관설비

(1) 건축물의 옥외에 설치된 송수구에 소방차로부터 가압수를 송수하고 소방관이 건축물 내에 설치된 방수기구함에 비치된 호스를 방수구에 연결하여 화재를 진압하는 소화활동설비를 말한다.

(2) 높은 건물에 화재가 발생했을 경우에는 소방대가 도착하여 화재를 진압하기 위해 화재가 발생한 층까지 소방차에서 호스를 연결하는 어려움과 이에 따른 많은 시간이 소요되어 화재진압을 하기가 까다롭다. 따라서 소방대의 원활한 소화활동을 위해 건물 내 배관을 연결하여 지상에서 소방차가 송수구로 소화용수를 송수하면 각 층별로 방수구에서 쉽게 소화용수를 사용하여 소화할 수 있도록 한 설비이다.

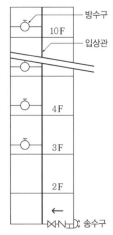

▲ 소화전 등

4 연결살수설비

지하가, 건축물의 지하층은 화재가 발생할 경우 연소생성물인 연기가 외부로 쉽게 배출되지 않아 소화활동에 지장을 초래하므로 건축물의 1층 벽에 설치된 연결살수설비용의 송수구로 수원을 공급받아 사용하도록 한 설비이다.

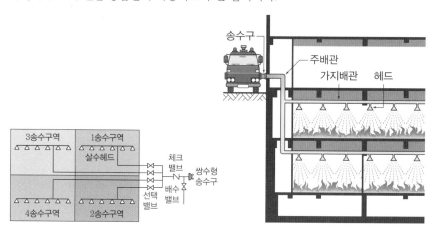

▲ 옥외 송수구

▲ 연결살수헤드

5 비상콘센트설비

(1) 정의

① 화재 시 소화활동 등에 필요한 전원을 전용회선으로 공급하는 설비를 말한다.

② 화재 발생 시 상용전원은 화재로 인하여 건물 내부에 설치되어 있는 전선의 연소, 개폐기의 단락 또는 파괴 등의 이유로 정전이 된다. 특히, 야간의 경우에는 건물 내부가 어두워지기 때문에 진화에 어려움을 초래하게 된다. 11층 이하의 층에서는 어느 정도 소화활동을 할 수 있으나, 그 이상의 층에서는 소방차에 적재하고 있는 발전시설을 이용하여야 조명기구, 파괴기구 및 배연기 등 소화활동상 필요한 기구를 제대로 이용할 수 있다.

따라서 비상콘센트설비❶는 사전에 11층 이상의 층에 설치하여 화재 시 조명기, 파괴기 및 배연기 등의 소화활동상 필요한 전기설비를 소방관이 필요한 층까지 운반하여 소화활동을 원활히 하기 위한 전원을 확보하는 설비이다. 즉, **소방관들이 동력장비를 활용하기 위한 설비이다.**

▲ 비상콘센트설비   ▲ 발신기 세트와 일체인 옥내소화전

(2) 비상콘센트 전원

구분	전압	용량	극수
단상	220V	1.5KVA 이상	접지형 2극 플럭접속기

참고 직류와 교류 전압 비교

직류 유형	전압 범위	교류 유형	전압 범위
직류저압	1.5kV 이하(1,500V 이하)	교류저압	1kV 이하(1,000V 이하)
직류고압	1.5kV 초과 7kV 이하 (1,500V 초과 7,000V 이하)	교류고압	1kV 초과 7kV 이하 (1,000V 초과 7,000V 이하)
직류특고압	7kV 초과(7,000V 초과)	교류특고압	7kV초과(7,000V 초과)

6 무선통신보조설비

(1) 정의

지하층이나 지하상가 등은 구조상 무선교신이 용이하지 않아 화재진압이나 구조현장에서 소방대원간의 무선교신이 어렵기 때문에 누설동축케이블이나 안테나를 설치하여 무선교신을 할 수 있도록 하는 것이 무선통신보조설비이다.

(2) 구성요소

① **누설동축케이블**: 동축케이블의 외부도체에 가느다란 홈을 만들어서 전파가 외부로 새어나갈 수 있도록 한 케이블을 말한다.

② **분배기**: 신호의 전송로가 분기되는 장소에 설치하는 것으로 임피던스 매칭과 신호의 균등분배를 위해 사용하는 장치이다.

③ **분파기**: 서로 다른 주파수의 합성된 신호를 분리하기 위해서 사용하는 장치이다.

④ **혼합기**: 2개 이상의 입력신호를 원하는 비율로 조합한 출력이 발생하도록 하는 장치를 말한다.

⑤ **증폭기**: 전압, 전류의 진폭을 늘려 감도 등을 개선하는 장치를 말한다.

⑥ **무선중계기**: 안테나를 통하여 수신된 무전기의 신호를 증폭한 후 음영지역에 재방사하여 무전기 상호간 송수신이 가능하도록 한 장치를 말한다.

⑦ **옥외안테나**: 감시제어반 등에 설치된 무선중계기의 입력과 출력포트에 연결되어 송수신 신호를 원활하게 방사·수신하기 위해 옥외에 설치하는 장치를 말한다.

(3) 방식

① 누설동축케이블방식

② 안테나(Antenna)방식

③ 누설동축케이블과 안테나 혼합방식

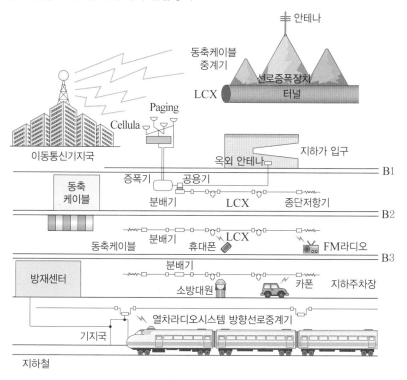

▲ 무선통신보조설비의 구성

7 연소방지설비

연소방지설비는 **지하구의 연소방지를 위한 것**으로, 화재 발생 시 지상의 송수구를 통하여 소방펌프차로 송수를 하며, 천장 또는 벽면에 설치된 연소방지 전용헤드나 스프링클러헤드를 통하여 **지하구의 화재를 방지하는** 설비이다.

> **참고** 지하구의 용어의 정의
>
> 지하구란 영 [별표 2] 제28호에서 규정한 지하구를 말한다.
>
> 1. 전력 또는 통신사업용 지하 인공구조물로서 전력구(케이블 접속부가 없는 경우에는 제외한다) 또는 통신구 방식으로 설치된 것
> 2. 1. 외의 지하 인공구조물로서 폭이 1.8m 이상이고 높이가 2m 이상이며 길이가 50m 이상인 것

> **참고** 도로터널 용어의 정의
>
> 1. **도로터널**: 「도로법」 제10조에 따른 도로의 일부로서 자동차의 통행을 위해 지붕이 있는 구조물을 말한다.
> 2. **설계화재강도**: 터널 내 화재 시 소화설비 및 제연설비 등의 용량산정을 위해 적용하는 차종별 최대열방출률(MW)을 말한다.
> 3. **횡류환기방식**: 터널 안의 배기가스와 연기 등을 배출하는 환기방식으로서 기류를 횡방향(바닥에서 천장)으로 흐르게 하여 환기하는 방식을 말한다.
> 4. **대배구구방식**: 횡류환기방식의 일종으로 배기구에 개방/폐쇄가 가능한 전동댐퍼를 설치하여 화재 시 화재지점 부근의 배기구를 개방하여 집중적으로 배연할 수 있는 제연방식을 말한다.
> 5. **종류환기방식**: 터널 안의 배기가스와 연기 등을 배출하는 환기방식으로서 기류를 종방향(출입구 방향)으로 흐르게 하여 환기하는 방식을 말한다.
> 6. **반횡류환기방식**: 터널 안의 배기가스와 연기 등을 배출하는 환기방식으로서 터널에 수직배기구를 설치해서 횡방향과 종방향으로 기류를 흐르게 하여 환기하는 방식을 말한다.
> 7. **양방향터널**: 하나의 터널 안에서 차량의 흐름이 서로 마주보게 되는 터널을 말한다.
> 8. **일방향터널**: 하나의 터널 안에서 차량의 흐름이 하나의 방향으로만 진행되는 터널을 말한다.
> 9. **연기발생률**: 일정한 설계화재강도의 차량에서 단위 시간당 발생하는 연기량을 말한다.
> 10. **피난연결통로**: 본선터널과 병설된 상대터널 또는 본선터널과 평행한 피난대피터널을 연결하는 통로를 말한다.
> 11. **배기구**: 터널 안의 오염공기를 배출하거나 화재 시 연기를 배출하기 위한 개구부를 말한다.
> 12. **배연용 팬**: 화재 시 연기 및 열기류를 배출하기 위한 팬을 말한다.

8 | 기타설비 등

1. 건설현장의 화재안전기준 – 용어의 정의

(1) 임시소방시설

법 제15조 제1항에 따른 설치 및 철거가 쉬운 화재대비시설을 말한다.

(2) 소화기

「소화기구 및 자동소화장치의 화재안전기술기준(NFTC 101)」 1.7.1.2에서 정의하는 소화기를 말한다.

(3) 간이소화장치

건설현장에서 화재발생 시 신속한 화재 진압이 가능하도록 물을 방수하는 형태의 소화장치를 말한다.

(4) 비상경보장치

발신기, 경종, 표시등 및 시각경보장치가 결합된 형태의 것으로서 화재위험작업 공간 등에서 수동조작에 의해서 화재경보상황을 알려줄 수 있는 비상벨 장치를 말한다.

(5) 가스누설경보기

건설현장에서 발생하는 가연성가스를 탐지하여 경보하는 장치를 말한다.

(6) 간이피난유도선

화재발생 시 작업자의 피난을 유도할 수 있는 케이블형태의 장치를 말한다.

(7) 비상조명등

화재발생 시 안전하고 원활한 피난활동을 할 수 있도록 계단실 내부에 설치되어 자동 점등되는 조명등을 말한다.

(8) 방화포

건설현장 내 용접·용단 등의 작업 시 발생하는 금속성 불티로부터 가연물이 점화되는 것을 방지해주는 차단막을 말한다.

2. 공동주택의 화재안전기준

(1) 거실에는 조기반응형 스프링클러헤드를 설치할 것

(2) 세대 내 거실(취침용도로 사용될 수 있는 통상적인 방 및 거실을 말한다)에는 연기감지기를 설치할 것

(3) 아날로그방식의 감지기, 광전식 공기흡입형 감지기 또는 이와 동등 이상의 기능·성능이 인정되는 것으로 설치할 것

(4) 아파트등의 경우 실내에 설치하는 확성기 음성입력은 2W 이상일 것

(5) 피난기구는 아파트등의 경우 각 세대마다 설치할 것

(6) 유도등은 소형 피난구 유도등을 설치하고(세대 내에는 유도등을 설치하지 않을 수 있다), 주차장으로 사용되는 부분은 중형 피난구유도등을 설치할 것

(7) 비상문자동개폐장치가 설치된 옥상 출입문에는 대형 피난구유도등을 설치할 것

3. 전기저장시설의 화재안전기준 – 용어의 정의

(1) 전기저장장치

생산된 전기를 전력 계통에 저장했다가 전기가 가장 필요한 시기에 공급해 에너지 효율을 높이는 것으로 배터리(이차전지에 한정한다. 이하 같다), 배터리 관리 시스템, 전력 변환 장치 및 에너지 관리 시스템 등으로 구성되어 발전·송배전·일반 건축물에서 목적에 따라 단계별 저장이 가능한 장치를 말한다.

(2) 옥외형 전기저장장치 설비

컨테이너, 패널 등 전기저장장치 설비 전용 건축물의 형태로 옥외의 구획된 실에 설치된 전기저장장치를 말한다.

(3) 옥내형 전기저장장치 설비

전기저장장치 설비 전용 건축물이 아닌 건축물의 내부에 설치되는 전기저장장치로 '옥외형 전기저장장치 설비'가 아닌 설비를 말한다.

(4) 배터리실

전기저장장치 중 배터리를 보관하기 위해 별도로 구획된 실을 말한다.

(5) 더블인터락(Double-Interlock) 방식

준비작동식스프링클러설비의 작동방식 중 화재감지기와 스프링클러헤드가 모두 작동되는 경우 준비작동식유수검지장치가 개방되는 방식을 말한다.

4. 창고시설의 화재안전기준

(1) 용어의 정의

① **창고시설**: 영 별표 2 제16호에서 규정한 창고시설을 말한다.

② **랙식 창고**: 한국산업표준규격(KS)의 랙(rack) 용어(KS T 2023)에서 정하고 있는 물품 보관용 랙을 설치하는 창고시설을 말한다.

③ **적층식 랙**: 한국산업표준규격(KS)의 랙 용어(KS T 2023)에서 정하고 있는 선반을 다층식으로 겹쳐 쌓는 랙을 말한다.

④ **라지드롭형(large-drop type) 스프링클러헤드**: 동일 조건의 수압력에서 큰 물방울을 방출하여 화염의 전파속도가 빠르고 발열량이 큰 저장창고 등에서 발생하는 대형화재를 진압할 수 있는 헤드를 말한다.

⑤ **송기공간**: 랙을 일렬로 나란하게 맞대어 설치하는 경우 랙 사이에 형성되는 공간(사람이나 장비가 이동하는 통로는 제외한다)을 말한다.

(2) 설치기준

① 창고시설 내 배전반 및 분전반마다 가스자동소화장치·분말자동소화장치·고체에어로졸자동소화장치 또는 소공간용 소화용구를 설치해야 한다.

② 창고시설에 설치하는 스프링클러설비는 라지드롭형 스프링클러헤드를 습식으로 설치할 것. 다만, 다음의 어느 하나에 해당하는 경우에는 건식스프링클러설비로 설치할 수 있다.

    ㉠ 냉동창고 또는 영하의 온도로 저장하는 냉장창고

    ㉡ 창고시설 내에 상시 근무자가 없어 난방을 하지 않는 창고시설

③ 피난구유도등과 거실통로유도등은 대형으로 설치해야 한다.

문제로 완성하기

01 다음 [보기] 중 소화활동설비로 옳은 것만을 모두 고른 것은?

─────────────[보기]─────────────
ㄱ. 연소방지설비   ㄴ. 피난구조설비
ㄷ. 연결송수관설비   ㄹ. 스프링클러설비
ㅁ. 제연설비   ㅂ. 연결살수설비
─────────────────────────────

① ㄱ, ㄴ, ㄹ, ㅁ   ② ㄱ, ㄴ, ㅁ, ㅂ
③ ㄱ, ㄷ, ㅁ, ㅂ   ④ ㄱ, ㄹ, ㅁ, ㅂ

02 화재를 진압하거나 인명구조활동을 위하여 사용하는 설비는?

① 옥내소화전설비   ② 할로겐화합물 소화설비
③ 소화용수설비   ④ 제연설비

03 실의 상부에 설치된 창·발코니 또는 전용의 제연구에 의해서 옥외로 배출되는 방식의 제연방식은?

① 강제제연방식   ② 스모크타워제연방식
③ 자연제연방식   ④ 밀폐제연방식

정답 및 해설

01 소화활동설비
소화활동설비는 화재를 진압하거나 인명구조활동을 위하여 사용하는 설비로서 제연설비, 연결송수관설비, 연결살수설비, 비상콘센트설비, 무선통신보조설비, 연소방지설비가 있다.

02 소화활동설비
화재를 진압하거나 인명구조활동을 위하여 사용하는 설비는 소화활동설비이며, 제연설비가 이에 해당한다.

03 자연제연방식
자연제연방식은 가연물질의 연소생성물인 연기가 연기류의 부력 또는 외부의 바람에 의한 흡출효과에 의해서 실의 상부에 설치된 창·발코니 또는 전용의 제연구에 의해서 옥외로 배출되는 제연방식이다.

정답 01 ③ **02** ④ **03** ③

04 제연 전용의 샤프트를 설치하고, 난방 등에 의한 건물 내·외의 온도차나 화재로 인한 온도상승에 의해 생긴 부력 및 그 정부(頂部)에 설치한 루프모니터 등의 외풍에 의한 흡인력을 통기력으로 하여 제연하며 고층빌딩에 적합한 방식은?

① 밀폐제연방식

② 자연제연방식

③ 스모크타워제연방식

④ 기계제연방식

05 가압방연방식 또는 가압차연방식이라고도 부르며 복도, 계단전실, 계단실 등 피난통로로서 중요한 부분에 송풍기를 통하여 신선한 공기를 급기하고, 그 부분의 압력을 화재실보다도 상대적으로 높여서 연기의 침입을 방지하는 방식은?

① 제1종 기계제연방식

② 자연제연방식

③ 제2종 기계제연방식

④ 스모크타워제연방식

정답 및 해설

04 스모크타워제연방식
스모크타워제연방식은 자연제연방식의 일종으로, 루프모니터의 흡인력과 공기와의 밀도차에 의해 연기를 배출하는 방식이다.

05 제2종 기계제연방식
제2종 기계제연방식은 송풍기를 이용하여 공기를 유입하고, 연기를 공기와의 밀도차에 의해 배출구로 자연적으로 배기하는 방식을 말한다.

정답 04 ③ 05 ③

CHAPTER 6 소화용수설비

소화용수설비는 화재를 진압하는 데 필요한 물을 공급하거나 저장하는 설비로서, 다음의 것을 말한다.

(1) 상수도소화용수설비

(2) 소화수조·저수조[1], 그 밖의 소화용수설비

▲ 상수도소화용수설비(소화전)　　　▲ 소화수조

▲ 저수조

▲ 급수탑(그 밖의 소화용수설비)

✏ **출제 POINT**

소화용수설비의 종류 ★☆☆

📖 **용어사전**

❶ 소화수조·저수조: 수조를 설치하고 여기에 소화에 필요한 물을 항시 채워두는 것으로서, 소화수조는 소화용수의 전용 수조를 말하고, 저수조란 소화용수와 일반 생활용수의 겸용 수조를 말한다.

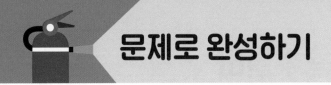
01 화재를 진압하는 데 필요한 물을 공급하거나 저장하는 설비로 옳은 것은?

① 스프링클러설비

② 연결송수관설비

③ 상수도소화용수설비

④ 연소방지설비

02 소방시설의 종류로 옳지 않은 것은?

① 소화설비 - 물분무등소화설비

② 경보설비 - 자동화재탐지설비, 단독경보형감지기

③ 피난설비 - 인명구조기구, 휴대용비상조명등

④ 소화용수설비 - 연소방지설비, 급수탑

정답 및 해설

01 상수도소화용수설비
화재를 진압하는 데 필요한 물을 공급하거나 저장하는 설비는 상수도소화용수설비, 소화수조·저수조, 그 밖의 소화용수설비를 말한다.

02 소화용수설비
소화용수설비의 종류는 상수도소화용수설비, 소화수조, 저수조, 소화전, 급수탑으로 분류된다.

정답 01 ③ 02 ④

한눈에 정리하기

1 소화기구

 다시 학습하기   p.593

소화약제	소화기구에 사용되는 소화성능이 있는 고체·액체 및 기체의 물질을 말한다.
소화기	소화약제를 압력에 따라 방사하는 기구로서 사람이 수동으로 조작하여 소화하는 것을 말한다.
소형소화기 및 대형소화기	· 소형소화기: 능력단위가 1단위 이상이고 대형소화기의 능력단위 미만인 소화기를 말한다. · 대형소화기: 화재 시 사람이 운반할 수 있도록 운반대와 바퀴가 설치되어 있고 능력단위가 A급 10단위 이상, B급 20단위 이상인 소화기를 말한다.

2 옥내소화전설비

다시 학습하기   p.599

1. 옥내소화전설비의 방수량 및 방수압

방수량	130[L/min]
방수압	0.17[MPa] 이상 0.7[MPa] 이하

2. 옥내소화전설비의 가압송수장치

① 고가수조방식
② 펌프(지하)수조방식
③ 압력수조방식
④ 가압수조방식

3. 옥내소화전설비 수원의 저수량 설계기준

29층 이하	$N \times 2.6 m^3$
30층 이상 49층 이하	$N \times 5.2 m^3$
50층 이상	$N \times 7.8 m^3$

소방시설

6

해커스소방 이영철 소방학개론 기본서

4. 옥내소화전설비의 순환배관 및 펌프성능시험배관의 설치목적

순환배관 설치목적	· 펌프(가압송수장치)의 체절운전 시 수온의 상승을 방지하기 위하여 설치한다. · 체절운전: 펌프의 성능시험을 목적으로 펌프 토출측의 개폐밸브를 닫은 상태에서 펌프를 운전하는 것을 말한다.
펌프성능시험배관 설치목적	정기적으로 펌프의 성능을 시험하여 펌프의 성능곡선의 양부 및 펌프의 방수압(토출압) 및 토출량(방수량)을 검사하기 위하여 설치한다.

5. 옥내소화전설비의 기동용 수압개폐장치(압력챔버, 압력탱크)

기동용 수압개폐장치	소화설비의 배관 내 압력변동을 검지하여 자동적으로 펌프를 기동 및 정지시키는 것을 말한다.
압력챔버용량	100L 이상
기동용 수압개폐장치의 기능	· 배관 내 설정압력유지 · 압력변화의 완충작용 · 압력변동에 따른 설비의 보호

🚨 다시 학습하기　　　　　p.611

3　스프링클러설비

1. 스프링클러설비의 방수량 및 방수압

방수량	80[L/min]
방수압	0.1[MPa] 이상 1.2[MPa] 이하

2. 스프링클러설비의 가압송수장치

① 고가수조방식
② 펌프(지하)수조방식
③ 압력수조방식
④ 가압수조방식

3. 스프링클러설비 수원의 저수량 설계기준

29층 이하	$N \times 1.6m^3$
30층 이상 49층 이하	$N \times 3.2m^3$
50층 이상	$N \times 4.8m^3$

4. 스프링클러설비의 비교

설비종류	밸브류	배관(1차/2차 측)	헤드	감지기
습식 설비	습식 밸브 알람체크밸브	가압수/가압수	폐쇄형	×
건식 설비	건식 밸브 드라이밸브	가압수/ 압축공기·질소 가스	폐쇄형	×
준비작동식 설비	준비작동식 밸브 프리액션밸브	가압수/저압·무 압·대기압	폐쇄형	○ (교차회로방식)
일제살수식 설비	일제개방밸브 델류지밸브	가압수/대기압	개방형	○ (교차회로방식)
부압식 설비	준비작동식 밸브 프리액션밸브	가압수/부압	폐쇄형	○ (교차회로방식 아님)

5. 스프링클러설비별 장·단점

설비종류	장점	단점
습식 설비	헤드 개방 시 즉시 살수가 개시된다.	동결의 우려가 있는 장소에는 사용이 제한된다.
건식 설비	동결의 우려가 있는 장소에도 사용이 가능하다.	압축공기가 전부 방출된 후에 살수가 개시되므로 살수 개시까지의 시간이 지연된다.
준비작동식 설비	헤드가 개방되기 전에 경보가 발생하므로 초기에 대응 조치가 가능하다.	감지장치로 감지기 등을 별도로 설치하여야 한다.
일제살수식 설비	밸브 개방 시 전 헤드에서 살수가 동시에 개시되므로 대형화재나 급속한 화재에도 신속하게 대처할 수 있다.	개방형인 관계로 오동작 시에는 수손에 의한 피해가 매우 크다.
부압식 설비	배관 파손 또는 오동작 시 수손피해를 방지할 수 있다.	동결의 우려가 있는 장소에는 사용이 제한된다.

6. 스프링클러설비별 정리

① 개방형 헤드만 사용하는 스프링클러설비: 일제살수식 스프링클러설비
② 감지기를 사용하지 않는 스프링클러설비: 습식 스프링클러설비
③ 감지기를 사용하는 스프링클러설비: 준비작동식, 일제살수식, 부압식 스프링클러설비
④ 교차회로방식의 감지기를 사용하는 스프링클러설비: 준비작동식, 일제살수식 스프링클러설비

⑤ 헤드와 감지기 둘 다 감열체가 있는 스프링클러설비: 준비작동식, 부압식 스프링클러설비

⑥ 수동기동장치(SVP)를 사용하는 스프링클러설비: 준비작동식, 일제살수식, 부압식 스프링클러설비

⑦ 전자밸브[솔레노이드밸브(SV)]를 사용하는 스프링클러설비: 준비작동식, 일제살수식, 부압식 스프링클러설비

🔔 다시 학습하기   p.635

4   옥외소화전설비

1. 옥외소화전설비 방수량 및 방수압

방수량	$350[\text{L/min}]$
방수압	$0.25[\text{MPa}]$ 이상 $0.7[\text{MPa}]$ 이하

2. 옥외소화전설비 수원의 저수량 설계기준: $N \times 7\text{m}^3$

🔔 다시 학습하기   p.637

5   가스계 소화설비(이산화탄소, 할론, 할로겐화합물 및 불활성기체, 분말)

1. 가스계 소화설비의 구성기구

기구	설치위치	설치목적
수동조작함(RM) [기동스위치]	조작자가 누르고 쉽게 피난할 수 있는 위치 (실외 출입구 근처)	약제를 수동으로 기동
수동조작함(RM) [방출지연스위치]	기동스위치 근처에 설치	약제를 지연하기 위함
음향경보장치 (사이렌)	실 안(방호구역 안)	약제가 방출되니 실외로 대피경보
방출표시등	실외 출입구 상부	약제가 방출되니 실내 진입금지

2. 가스계 소화설비의 소화약제 방출방식(이산화탄소, 할론, 할로겐화합물 및 불활성기체, 분말)

① 전역방출방식
② 국소방출방식
③ 호스릴방식

3. 가스계 소화설비의 소화약제 저장용기의 개방방식(이산화탄소, 할론, 할로겐화합물 및 불활성기체, 분말)

① 기계식

② 전기식

③ 가스압력식

4. 가스계 소화설비의 소화약제 저장용기의 적합한 장소 기준

① 방호구역 외의 장소에 설치할 것

② 온도가 40℃ 이하이고, 온도변화가 적은 곳에 설치할 것

ⓐ 이산화탄소, 할론, 분말소화약제의 저장용기: 온도가 40℃ 이하

ⓑ 할로겐화합물 및 불활성기체 소화약제의 저장용기: 온도가 55℃ 이하

③ 저장용기의 폭발을 방지하기 위해 방화문으로 구획된 실에 설치할 것

---

6 경보설비

🚨 다시 학습하기   p.670

1. 비상경보설비

정의	화재 발생 시 수동으로 경보해 주는 설비이다.
종류	· 비상벨설비: 화재 발생 상황을 경종으로 경보하는 설비이다. · 자동식 사이렌설비: 화재 발생 상황을 사이렌으로 경보하는 설비이다. ▲ 비상벨설비 ▲ 자동식 사이렌설비

2. 단독경보형 감지기

화재 발생 상황을 단독으로 감지하여 자체에 내장된 음향장치로 경보하는 감지기(건전지, 음향장치 내장)이다.

3. 비상방송설비

화재 발생 상황을 방송으로 알려 안전한 곳으로 긴급히 피난할 수 있도록 경보해 주는 설비이다.

4. 누전경보기

건물에 누전 발생 시 관계인에게 경보해 주는 설비이다.

5. 자동화재탐지설비

정의	화재 발생 시 수동 및 자동으로 경보해 주는 설비이다.
구성요소	수신기, 감지기, 발신기, 중계기, 경종(음향장치) 등으로 구성된다.
수신기	· P형 수신기: 감지기나 발신기에서 발하는 화재신호를 직접수신한다. · R형 수신기: 감지기나 발신기에서 발하는 화재신호를 중계기를 통하여 수신한다.
감지기	화재를 자동으로 검출하는 기기이다. · 열감지기: 차동식, 정온식, 보상식이 있다. · 연기감지기: 이온화식, 광전식이 있다.
발신기	화재를 수동으로 검출하는 기기로서 누름스위치, 보호판, 응답등으로 구성된다.
중계기	화재 발생 시 감지기 또는 발신기에서 접점신호를 통신신호로 변환하여 수신기에 전송하는 장치이다.

6. 자동화재속보설비

화재 발생 시 소방서로 통보해주는 설비이다.

🔔 다시 학습하기   p.700

7   피난구조설비

1. 피난기구

완강기	연속적으로 사용할 수 있다.
간이완강기	연속적으로 사용할 수 없다(1회용).

2. 인명구조기구

① 방열복
② 공기호흡기
③ 인공소생기
④ 방화복

3. 유도등

피난구유도등	출입문 위에 설치한다.
통로유도등	· 복도통로유도등: 복도에 설치한다. · 거실통로유도등: 거실에 설치한다. · 계단통로유도등: 계단에 설치한다.
객석유도등	객석의 통로, 바닥, 벽에 설치한다.

MEMO

해커스소방 **이영철 소방학개론** 기본서

PART 7

소방조직 및 역사

해커스소방 학원·인강 **fire.Hackers.com**

CHAPTER 1 한국소방의 역사 및 소방조직

1 조직의 개념

'조직이란 인간의 집합체로서 특정한 목적의 추구를 위하여 의식적으로 구성된 사회적 단위'라고 할 수 있다. 이에 의거할 때 소방조직이란 「소방기본법」상 목적을 달성하기 위하여 소방공무원으로 구성된 조직을 의미한다.

2 소방의 이념과 상징성

1. 불이 지니고 있는 특성 중 소방인이 실천해야 할 사항

(1) 정의성(정화성)
불이 물질을 태우는 것과 같이 인간의 마음 속에 도사리고 있는 죄성·독성·악성과 시기·질투·미움 등 온갖 더러운 것들을 완전히 태워버려 선량하고 신성한 사회를 이룩하는 데 앞장서야 한다.

(2) 광명성(조명성)
불이 물질을 녹이고 어둠을 비추는 것과 같이 차고 강박한 마음을 부드럽게 녹여서 어둡고 그늘진 곳에서 소외받으며 신음하는 사람들을 위하여 빛과 온정을 제공해 주어야 한다.

(3) 창의성(생산성)
불이 열과 빛과 또 다른 물질을 만들어내는 것과 같이 신지식과 정보를 수시로 생성해내고 혼탁한 사회분위기를 정화시키며 서로의 지혜와 잠재력을 통합하여 바른 길로의 추진력을 키워나가야 한다.

(4) 화합성(단결성)
불이 제련을 통하여 도구를 만드는 것과 같이 위의 이념을 제대로 추구하고 실천하려면 먼저 자신의 언행심사가 용광로 속의 쇠붙이처럼 강력한 연단과정을 슬기롭게 통과해야 한다.

2. 물이 지니고 있는 특성 중 소방인이 실천해야 할 사항

(1) 필수성

물이 동물과 식물, 그리고 모든 물체를 구성·유지시키는 필수요소인 것처럼 인간관계와 공동체 상호간에 없어서는 아니 될 귀중한 존재가 되어야 한다.

(2) 유연성

물이 물리적 삼태현상을 보이듯이 어떠한 어려움과 고통이 따르더라도 신축적이고 온유한 자세로 대응하여야 한다.

(3) 포용성

물이 광활한 지면을 덮고 물질을 쉽게 받아들여 용해시키고 물질의 반응을 촉진시키는 것과 같이 상대방의 허물과 잘못을 관대히 덮어주고 용서해주는 생활의 활력소 역할을 하여 서로 화평하게 해야 한다.

(4) 윤리성

물이 높은 곳에서 낮은 곳으로 흐름과 같이 윗사람을 공경하는 등 자연과 사회현상 속 순리에 순응하여야 한다.

3. 태극이 지니고 있는 특성 중 소방인이 실천해야 할 사항

(1) 주인성(국민성)

태극기의 중심부를 차지한 태극은 국민을 의미하고, 국민이 국가의 가장 핵심적인 요소이듯이 뚜렷한 국가관과 자랑스러운 국민성을 갖고 국민을 위한 진정한 봉사자가 되어야 한다.

(2) 자주성(능동성)

태극을 국민에 비교한 깊은 이유에서 찾을 수 있듯이 능동적이고 자발적이며 국가형성의 모체가 되고 자율적인 권력과 의타심이 없이 자주적인 국민이 되어야 한다.

4. 월계잎이 지니고 있는 특성 중 소방인이 실천해야 할 사항

(1) 경쟁성(성취성)

월계잎이 승리를 의미하듯이 제반 경쟁에서 이길 수 있는 강력한 힘(경쟁력)을 부단히 길러 나가야 한다.

(2) 모범성(방향성)

월계잎이 심록색이고 잎을 자르면 맑은 향기를 풍기듯이 근면·성실하고 생활 속에 싱그러움과 아름다운 향기를 유지하면서 살아야 한다.

참고 각 물질에 대한 상징성
1. 불: 정의성(정화성), 광명성(조명성), 창의성(생산성), 화합성(단결성)
2. 물: 필수성, 유연성, 포용성, 윤리성
3. 태극: 주인성(국민성), 자주성(능동성)
4. 월계잎: 경쟁성(성취성), 모범성(방향성)
5. 새매: 고공성, 용감성, 정확성, 신속성

1. 조선시대

(1) (세종 8년) 1426년 2월 금화도감

(2) (세종 8년) 1426년 6월 수성금화도감

(3) 1925년 경성소방서 설치(현 종로소방서)

2. 해방 및 대한민국 정부 수립 이후

(1) 과도기

① **중앙:** 소방위원회(중앙소방청)

② **지방:** 도 소방위원회(지방소방청)

③ **시·읍·면:** 소방부

(2) 초창기

① **기구**

　㉠ **중앙:** 내무부(현 행정안전부) 치안국 소방과

　㉡ **지방:** 경찰국 소방과, 소방서

② **법제:** 1958년 3월 「소방법」 제정

③ **신분:** 「경찰공무원법」 적용

(3) 발전기

① **체제:** 서울·부산 자치소방

② **기구:** 1975년 8월 내무부 소방국 설치

③ **신분**

　㉠ 1978년 3월 「소방공무원법」 제정

　㉡ 1978년 7월 중앙소방학교 설치

(4) 현재

① **체제:** 시·도 책임으로 일원화

② **기구:** 1992년 4도 소방본부 설치

③ **신분:** 1995년 1월 시·도 지방직으로 전환

　㉠ 「소방기본법」 등 4개 법률 제정(2003.5.30.)

　㉡ 「재난 및 안전관리기본법」 제정(2004.3.11.)

　㉢ 소방방재청 개청(2004.6.1.)

　㉣ 국민안전처 소속 중앙소방본부 설치
　　(2014.11.19.)

　㉤ 소방청 개청(2017.7.26.)

　㉥ 국가직 소방공무원(2020.4.1.)

　㉦ 「소방기본법」 등 6개 법률 제정(2022.12.1.)

조선(세종 8년) ~ 일제치하
↓
미군정시대(1945 ~ 48년) 자치소방체제
↓
정부수립 이후(1948 ~ 70년) 국가소방체제
↓
1970 ~ 92년 국가+자치소방
↓
1992년 이후 광역시·도 자치소방
↓
2020년 이후 국가직 소방공무원

영철쌤 tip

소방역사 흐름

1. 삼국시대
2. 통일신라시대
3. 고려시대
4. 조선시대(전기)
5. 조선시대(후기) ~ 갑오경장 전후[광무시대, 구한말(1894년 ~ 1910년)]
6. 일제강점기(1910년 ~ 1945년)
7. 미군정시대(1945년 ~ 1948년)
8. 대한민국정부수립 이후 ~ 현재

4 우리나라 소방행정의 발달

1. 삼국시대

도시와 성곽이 발달하기 시작하면서 대형화재도 발생하였고 화재를 사회적 재앙으로 인식하여 국가적 관심사로 보았다.

(1) 삼국시대의 기록

① 신라시대 미추이사금 원년(서기 262년)에 금성 서문에서 화재가 발생하여 민가 100여 구가 소실되었다는 기록이 있다.

② 진평왕 18년(서기 596년)에는 영흥사에 불이 나 왕이 친히 이재민을 위문하고 구제하였다는 기록이 있다.

③ 화재가 사회적 재앙으로 등장하게 된 시기이다.

④ 화재가 국가적 관심사였던 시기이다.

(2) 삼국시대의 소방조직 및 제도

① 소방이 전문적인 행정 분야로 분화되지 않았다.

② 부락 단위로 소방활동이 이루어졌을 것으로 보인다.

2. 통일신라시대

도시는 물론 상업의 발달과 함께 화재도 증가하였으며 특히 사찰이나 민가 밀집지 등에서의 화재가 많았다. "초가를 기와로 교체하고 나무를 사용하지 않고 숯을 사용하여 밥을 지었다." 등과 같은 기록은 방화활동과 무관하지 않다.

(1) 통일신라시대의 기록

① 문무왕 2년, 6년, 8년에 경주의 영화사에서 각각 화재가 발생하였던 기록이 있다.

② 헌강왕 6년(서기 880년)에 기록을 보면 초옥으로 하지 않고 기와로 하고 나무를 때지 않고 숯을 써서 밥을 지었다는 것은 당시 사회가 안정되고 경주가 번창하였다는 의미와 더불어 또 다른 측면에서 보면 화재에 대한 방화 의식이 높았음을 알 수 있다.

(2) 통일신라시대의 소방조직 및 제도

① 소방이 전문적인 행정 분야로 분화되지 않았다.

② 군대나 일반 백성들이 소화활동을 하였을 것으로 보인다.

 영철쌤 tip

우리나라 소방행정
1. 우리나라 최초의 소방행정의 근원: 고려시대
2. 우리나라에서 소방이 전문적인 행정 분야로 분화되는 시기: 조선시대 전기(세종대왕)

용어사전

❶ 금화관서: 소방관서를 말한다.
❷ 금화조직: 소방관을 말한다.

3. 고려시대의 금화제도(1009 ~ 1399년)

소방을 소재라고 하였다. 인구증가와 도심밀집, 전란 등으로 대형화재가 많이 발생하였고 큰 창고에도 화재가 증가하여 정부에 별도의 금화관서❶와 금화조직❷을 두지는 않았으나, 금화제도는 시행하였다. 소방, 즉 화재사고를 담당하게 하였다. 화재가 발생하면 그날의 당직관 또는 그 장에게 책임이 주어지고 실화자에 대해서는 그 형벌로 전야를 소실한 자는 답 50, 인가·재물을 연소한 경우는 장 80, 그리고 관부, 묘사, 및 사가, 사택의 재물에 방화한 자는 가실의 칸수와 재물의 소실 정도에 구분 없이 징역 3년형을 주었다. 문종 20년 영흥사 화재 이후 창고에 금화라는 관리를 특별히 두었으며, 어사대가 수시로 점검을 실시하고, 그날의 일직을 결하는 자는 관품의 고하를 막론하고 금고하였다.

> **참고 고려시대의 기록(918 ~ 1392년)**
>
> 1. 현종 12년(1012) 2월에는 인수문 외 민가 2천여 호가 전소하였다.
> 2. 현종 19년(1028) 3월에는 구주관사 및 민가 840여 호가 소실되었다.
> 3. 정종 4년(1038) 2월에는 개성 중부에서 불이 나 860호가 전소하였다.
> 4. 고종 21년(1234) 1월, 3월에는 개성 궐남리에서 대형화재가 발생하여 수 천 호가 소실되었다.
> 5. 충열왕 2년(1276) 윤 3월에는 감정동에서 불이 나 민가 1천 호가 전소하는 등 200호 이상 연소가 확대된 민가 화재만도 20건 이상으로, 막대한 재산과 인명피해가 있었음을 고려사(전 53) 오행지에서 살펴볼 수 있다.

> **핵심정리 고려시대의 소방조직 및 제도**
>
> 1. 별도의 소방조직(금화조직)은 없었으나, 금화제도는 시행하였다.
> 2. **금화관리자 배치**: 각 관아에 화재를 예방하기 위한 대창(큰 창고)에 금화관리자를 두었다.
> 3. 금화제도 및 금화관리자를 둔 것으로 우리나라 최초의 소방행정의 근원이다.
> 4. **실화 및 방화자에 대한 처벌**: 태형 및 징역형을 선고하였다.
> 5. **건축 및 시설개선**: 화약제조 및 사용량 증가에 따라 화통도감을 신설하여 특별관리하였다.

영철쌤 tip

고려시대 소방조직 및 제도
1. 금화제도가 시행되었다.
2. 금화관리자 배치는 당직의 개념이다.

조선시대 소방제도
1. 금화령은 1417년(현재 소방관계법규를 의미함)에 시행되었다.
2. 금화조건은 1423년(궁중화재 진압)에 시행되었다.
3. 금화도감은 1426년 2월(최초 소방관서)에 시행되었다.
4. 수성금화도감은 1426년 6월(수성 + 금화도감)에 시행되었다.
5. 금화군은 1431년(금화도감 이후 인원 충원)에 시행되었다.
6. 멸화군은 1467년(금화군을 멸화군으로 개편, 상설소방대)에 시행되었다.
7. 수성금화사는 1481년에 부활되었다.

4. 조선시대(1400 ~ 1910년)

(1) 조선시대 전기의 소방제도

① 조선왕조 태종 17년(1417년)에 금화법령은 경국대전의 편찬으로 그 골격을 갖추었다. 경국대전의 금화관계법령에는 제1권 이전(吏典)에 경관직(京官職) 정4품 수성금화사에 관하여 규정하고, 제4권 병전에서는 행순(行巡), 방화, 금화에 관하여 규정하며, 제5권 형전에서는 율령(用律)의 규정에 따라 대명률(大明律)을 준용하도록 규정하고 있다.

② 금화라 함은 병조, 의금부, 형조, 한성부, 수성금화사 및 오부(五部)에 숙직하는 관원이 행순(行巡)하여 화재를 단속하는 일을 말한다. 또한 화재 시 타종, 화재감시, 순찰한계, 구화시설(口話施設) 등에 대하여 정하였다.

보고체계는 화재 시 와가 3칸, 초가 5칸 이상의 건축물이 소실 또는 인명피해가 있을 때에는 왕에게 서면으로 보고하였다. 그 후 정조 6년 6월에는 실화건물이 10호 이상이거나 사상자가 5 ~ 6명 이상이면 승정원을 통하여 왕에게 보고하였다.

③ 금화도감의 설치는 1426년 세종 8년 2월 한성부 내에서 두 번의 대화재가 발생하여 같은 해 2월 26일 이조에서 도성 안 금화의 법을 전담하는 기관이 없어 일부 지각없는 무리들이 화재를 발생시켜 가옥과 재산 및 백성의 생명을 잃음이 애석하여 따로 금화도감을 설치할 것을 건의하여 병조에 금화도감을 설치하게 되었다.

④ 6월에는 성문도감과 금화도감을 병합하여 수성금화도감이라 하여 성을 수리하고 화재를 금하며 하천을 소통시키고 길과 다리를 수리하는 일을 맡아보게 하였다. 그 후 1460년 세조 6년 5월에 기구를 폐지하고 관원 수를 감하는 관제의 개편이 있었는데, 이때 수성은 공조로, 금화는 한성부로 사무이관이 되었다.

⑤ 금화도감은 34년간 존속하다가 폐지되었다.

(2) 조선시대의 소방조직

① 1423년 6월(세종 5년): 금화조건(병조에 속함)

궁중화재를 진압하는 조직을 만들어 놓고 관리나 군인에게 역할 분담을 하였다.

② 1426년 2월(세종 8년): 금화도감(병조에 속함) → 우리나라 최초 소방관서

   ㉠ **금화도감의 조직**: 제조 7명, 사 5명, 부사 6명, 판관 6명으로 구성된다.

   ㉡ **구성**

      ⓐ **제조(提調)**: 다른 직에 있는 당상관을 겸임시켰을 때 붙이는 이름으로 병조판서와 의금부 최고책임자인 도제조가 그 우두머리가 되고, 한성부 판사 등이 사무를 맡았다.

      ⓑ **사(使)**: 의금부가 우두머리가 되고 진무(鎭撫), 군기판사(軍器判事), 선공판사(繕工判事), 사재판사(司宰判事)로 임명하였다.

      ⓒ **부사(副使)**: 3군의 호군(護軍)과 사복(司僕)이 우두머리가 되고 소윤(小尹)과 월차소(月差所)가 호군(護軍)이 된다.

      ⓓ **판관(判官)**: 공조(工曹)의 우두머리가 정랑(正郎)이 되고 판관을 임명하였다.

   ㉢ **금화도감에서 시행한 진압대책**

      ⓐ **신패(信牌)발급**: 통행금지시간에 불을 끄러 가는 사람에게 증명을 발급하여 화재를 신속하게 진압하였다.

      ⓑ **진압대원**: 각처의 군인은 병조에서, 각방의 노예는 한성부에서 사찰하도록 제도화하였다.

      ⓒ **화재전파**: 의금부가 종루를 맡아 관공서 화재 시 종을 쳐서 담당관원이나 군인들에게 화재를 전파하였다. 화재 시 종을 치도록 하는 것은 이때부터 시작된 것으로 추측된다.

구분	금화도감조직	수성금화도감조직
제조	7명	4명
사	5명	2명
부사	6명	2명
판관	6명	2명

③ 1426년 6월(세종 8년): 수성금화도감(공조에 속함)

금화도감기구가 다른 직을 겸하고 있는 자들로만 구성됨으로써 업무의 계속성을 유지하지 못하고 실제적 방화대책을 강구할 수 없기 때문에 금화도감 설치 4개월만에 성문도감(城門都監)과 금화도감을 병합하여 수성금화도감을 설치하고 금화사(禁火事)를 전직(專職)으로 하는 관리를 배치하게 되었다.

㉠ 기구

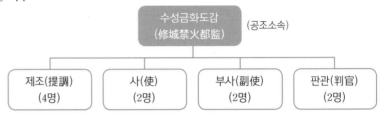

수성금화도감 (修城禁火都監)	(공조소속)
제조(提調) (4명)	사(使) (2명)	부사(副使) (2명)	판관(判官) (2명)

㉡ 수성금화도감의 기능

ⓐ 성을 수리하게 하였다.

ⓑ 하천(도랑, 삼거)을 소통시키게 하였다.

ⓒ 길과 다리를 수리하는 일을 맡아보게 하였다.

ⓓ 화재를 금하게 하였다.

④ 1460년 5월(세조 6년): 기구를 폐지하고 관원수를 감하는 관제의 개편이 있었는데 이때 수성은 공조로, 금화은 한성부로 사무이관되었다.

⑤ 구화(救火)조직: 금화도감이 설치되기 전에도 궁중화재를 진압하기 위하여 금화조건(禁火條件)이 있었다. 금화도감이 설치된 후에는 궁중뿐만 아니라 관아·민가를 구화(救火)하기 위한 금화도감제도와 5가 작통제도가 실시되었는데 금화도감이 없어진 후에는 멸화군(滅火軍) 조직으로 이어져 내려오다 임진왜란 이후에 없어졌다.

㉠ 금화조건제도(禁火條件制度): 금화도감이 설치되기 전인 세종 5년에 병조에서 궁중화재에 대비하여 금화조건을 만들어 시행하였다. 공조에서는 구화사다리, 저수기, 급수기와 같은 구화기구를 만들어 궐내 각처에 비치하고, 형조에서 급수하는 일을 맡았다. 궐내에서 화재가 발생하면 불을 끌 때까지 종을 치게 하고 미리 편성된 군사로 하여금 불을 끄게 하였다. 화세가 심할 경우에는 내신이 아패(牙牌)를 가지고 외인을 인솔하여 불을 끄고 각 관은 지정된 장소에 모여서 명령을 기다리도록 하였으며 경복궁, 창덕궁 등 중요한 지역의 화재진압은 미리 정하여 놓은 바에 따르도록 하였다. 군사는 병조의 진무소(鎭撫所)에서, 각 사(司)는 사헌부에서, 방리(坊里)들은 한성부에서 불을 끄러 왔는지 확인하였다.

㉡ 금화군(禁火軍)·멸화군(滅火軍): 금화군은 금화도감의 지휘하에 사전에 편성된 조직인데 금화군이 없어진 후에는 멸화군으로 이어졌다.

ⓐ 금화군(세종 13년, 1431년)

편성	금화도감 설치 후에도 화재가 그치지 않았으며 이에 의금부, 육조, 한성부, 금화도감제조 등이 논의하여 노비 등을 충원하여 금화군을 편성하였다.
구화작업	· 화재위치를 알리고자 기를 세우고 북을 울렸다. · 각 사에서는 관원들이 금화군을 거느리고 와서 도감의 지휘에 따라 행동하였다. · 바람이 어지럽게 부는 날에 불이 크게 일어나 종을 치면, 관원들이 글로 써서 임금께 아뢰지 않고 보충군 등을 거느리고 와서 지원하였다. · 표가 없으나 불을 끄기 위하여 출입하는 자는 금하지 않고 난잡하게 날뛰는 자는 금지시켰으며 불을 끈 뒤에 공로가 있는 자에게는 포상하고, 늦게 출동한 관원에게는 죄를 주었다.

ⓑ 멸화군(세조 13년, 1467년) – 상설소방대

편성	금화군을 멸화군으로 개편하여 50인으로 일정하게 편성하고 도끼 20, 철구 15, 열마견 5, 망루 1개를 의무적으로 비치하였다.
감독	도총부와 승정원에서 멸화기구와 숙직, 순행상황을 수시 확인하였다.
방화장 (防火墻)	문서와 양곡을 보존하는 제사(諸司)에서는 방화장(방화담)을 쌓도록 하였다.
한성부	각 방(坊) 대호(大戶)에는 도끼 3, 철구 2, 사다리 1개, 중호(中戶)에서는 도끼 2, 철구 1, 사다리 1개, 소호(小戶)에서는 각각 1, 3호가 합하여 사다리 1개를 구비하도록 하였으며 한성부 부관과 직원이 수시 확인하였다.
화재감시인 배치	망루에는 의금부 나장(羅將)과 사복시(司僕寺) 및 군기시(軍器寺)에서 1명을 화재감시인으로 배치하여 관망하게 하되 관아나 관부에서 불이 났을 때 종을 치도록 하였다.

⑥ **5가(家) 작통제와 금화**: 세종 8년 대화재를 전후하여 화적들이 횡행하므로 각 방과 각 동 각 호의 5명이 교대로 파수를 보도록 한 것에서 비롯되어 매 5가(家)를 1통으로 만들고 모두 물통을 준비하였다가 화재 시 그 집을 구하도록 하였으며, 세종 13년에는 각 통에 소방종사자의 증표인 금화패(禁火牌) 1개씩을 발급하여 주었음이 경국대전 병조 금화조에 기록되어 있다.

⑦ **지방의 의용소방조직**: 세종 19년에 전국 각지에서 흉년으로 인해 도적과 화적이 심하자, 각 고을에서 자체적으로 지혜 있고 근검한 사람을 뽑아서 두목으로 정하고 동리 청장년으로 무리를 지어 순경(巡警)을 돌게 하여 도적과 화재가 있으면 구제하고, 가까운 동리(洞理)까지 지원활동을 하였는데 이러한 경방조직은 현재의 의용소방대와 흡사한 것으로 보인다.

영철쌤 tip

조선시대 전기의 소방제도
1423년 6월(세종 5년) 금화조건 → 1426년 2
월(세종 8년) 금화도감 → 1426년 6월(세종 8
년) 수성금화도감 → 1431년(세종 13년) 금
화군 → 1467년(세조 13년) 멸화군 → 1481
년(성종 12년) 수성금화사 순이다.

📖 **핵심정리** 조선시대 전기의 소방제도

1. **세종 8년 2월(1426년): 금화도감 설치(병조 소속)**
   ① 화재를 방비하는 독자 기구였다는 점에서 한국 최초의 소방관서(현 소방본부의 역할)이다.
   ② 직무: 제조(提調) 7인, 사(使) 5인, 부사 6인, 판관 6인의 관원을 두어 방화범의 체포·구금과 소방업무를 위한 사람들의 동원, 이재민구호 등의 업무를 담당하였다.

2. **세종 8년 6월(1426년): 수성금화도감 설치(공조 소속)**
   ① 수성금화도감(修城禁火都監)은 금화도감(禁火都監)과 성문도감(城門都監)을 합친 관서이다.
   ② 직무: 금화와 더불어 도성의 수리와 도로·교량의 수리까지 담당하게 하였다. 병조 소속의 관청이던 것이 후일 공조 소속으로 이관되었다.
   ③ 금화군(세종 13년, 1431년) 편성: 금화도감 설치 후에도 화재가 그치지 아니하여 의금부, 육조, 한성부, 금화도감제조 등이 논의하여 노비 등을 충원하여 금화군을 편성하였다.

3. **세조 6년 5월(1460년)**
   ① 우리나라 최초의 소방관서인 수성금화도감을 폐지(34년 만)하였고 수성은 공조로, 금화는 한성부로 사무이관되었다.
   ② 멸화군(세조 13년, 1467년) 편성: 금화군을 멸화군으로 개편하여 50인으로 일정하게 편성하고 도끼 20, 철구 15, 열마견 5, 망루 1개를 의무적으로 비치하였다.

4. **성종 12년 3월(1481년):** 수성금화도감 폐지 후 다시 정식 관청인 수성금화사로 부활하였다.

(3) **조선시대 후기(갑오경장 전후, 광무시대, 구한말)의 소방제도**

① **경찰제도와 소방제도**

   ㉠ **갑오경장 전후:** 1894년 갑오경장을 계기로 일본은 포도청(捕盜廳)을 없애고 한성 5부의 경찰사무를 합쳐 **경무청을 설치**하게 하고 1895년 관제를 개혁하면서 내부(內部)에 경찰관계 내국을 신설하였으며 **경찰과 소방은 내무지방국에서 관장하도록** 하였다. 그리고 1894년에 설치된 경무청은 그대로 두고 한성부 내의 경찰사무를 담당하도록 하였는데 소방사무는 경무청 직제에 의거 총무국으로 분류하였다. 이때 경무청 처무세칙에서 '수화소방(水火消防)은 난파선 및 출화(出火), 홍수(洪水) 등에 계(係)하는 구호에 관한 사항'으로 성격을 지웠는데 여기에서 **소방이라는 용어를 역사상 처음 쓰게 되었다.**

   ㉡ **광무시대:** 1896년 종전의 내각제를 폐지하면서 의정부를 부활하고 지방을 13개 도로 고쳤는데 지방경찰기구는 축소되었지만 경무청 기구는 변경이 없었다. 그러다가 광무 4년(1900년) 경부관제(警部官制) 공포로 경찰이 국무부서로 승격하였으며, 경무국 경무과에서 수화, 감식, 소방에 관한 사항을 관장하였다. 그러나 경부관제 실시 1년 만에 다시 경무청으로 환원되었고, 경무청은 다시 수도 경찰로 국한되었다. 이때에는 신설된 정보과에서 소방을 관장하였다. 이후 경무청은 경시청으로 개편되었고 소방사무를 보안과에서 분장하였으며 각 도에는 경찰부를 설치하였다.

② **새로운 소방제도의 도입**: 문호의 개방으로 외래문물이 들어오면서 새로운 소방제도가 들어왔는데 이때부터 소방장비를 갖추고 훈련을 실시하게 되었으며, 수도의 개설로 소화전이 설치되고, 화재보험제도가 실시되었다. 특히 소화전은 1909년 수도급수규칙을 제정하면서 수도를 설치할 때 소화전을 설치하도록 하였는데, 이 제도는 현재 「수도법」 제30조(消火栓)에서 규정한 내용(일반수도사업자는 당해 수도(水道)에 공공(公共)의 소방(消防)을 위하여 필요한 소화전을 설치하여야 한다)과 동일한 성격이다. 또한 공설 소화전 외에 사설 소화전을 설치할 수 있도록 하였으며, 사설 소화전을 공용에 사용하고자 할 때에는 이를 거절하지 못하도록 하였다.

📖 **핵심정리 갑오경장 전후(1894년 전후, 광무시대, 구한말)**

1. 1894년 갑오경장을 통하여 경찰사무를 담당한 경무청에서 화재에 관한 사무 담당 1895년 4월 29일 경무청 직제를 제정하면서 경무청처리세칙에서 '수화 · 소방은 난파선 및 출화 · 홍수 등에 계하는 구호에 관한 사항'이라고 정했는데 여기에서 소방이라는 용어가 처음으로 등장하였다.
2. **새로운 소방제도 도입**: 소방장비를 갖추고 훈련을 실시하였다.
3. 1908년 일본 통감부가 우리나라 최초의 화재보험회사를 설립하였다.
4. 1909년 수도의 개설: 소화전을 설치하였다.
5. 공설 소화전 외에 사설 소화전을 설치하였다.

---

5. 일제시대의 소방조직

(1) 1910년 6월 설치한 경무총감부는 총독제 실시 후에도 총독부의 외청격으로 존재하여 일제무단통치의 궁극적인 역할을 담당하였으며, 경무총감부에는 경무총장을 두고 독립하여 부령을 발할 수 있도록 하였다. 경무총감부의 기구로는 총장관방 외에 기밀과, 경무과, 보안과의 3과를 두었는데 소방업무는 보안과 내 소방계에서 전담하였다.

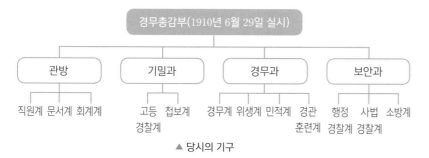

경무총감부(1910년 6월 29일 실시)

관방	기밀과	경무과	보안과
직원계 문서계 회계계	고등 첩보계 경찰계	경무계 위생계 민적계 경관 훈련계	행정 사법 소방계 경찰계 경찰계

▲ 당시의 기구

영철쌤 tip

최초의 소방용어 및 소방장비
1. 최초의 소방용어는 고려시대 '소재' → 조선시대 '금화' → 갑오경장 '소방'이다.
2. 최초의 소방장비는 경종 3년(1723년) 6월에 중국에서 수총기가 도입되었는데 이는 기록상 최초의 소방장비로, 이를 본떠 제작한 수총기를 각 군문(군대)에 비치하게 하였다.

▲ 수총기

▲ 경성소방서직제

> **참고** 일제시대의 소방조직

1. 경성소방서의 직급별 정원(1931 ~ 1937년)

연도별	합계	경부	경부보	순사	소방수			파출소 수
					계	한국인	일본인	
1931	142	1	1	2	138	59	79	5
1932	173	1	2	2	168	68	100	6
1933	173	1	2	2	168	68	100	6
1934	173	1	2	2	168	68	100	6
1935	–	–	–	–	–	–	–	–
1936	–	–	–	–	–	–	–	–
1937	208	1	2	2	203	–	–	–

2. 일본통치시대의 소방관서 설치 현황

소방관서	개서일자
경성소방서	1925.4.1.
부산소방서	1939.4.11.
평양소방서	1939.4.17.
청진소방서	1941.10.11.
경성소방서용산분서	1942.11.1.
용산소방서	1944.6.20.
인천소방서	1944.9.1.
함흥소방서	1944.11.1.
성동소방서	1945.5.15.

(2) 이후 1939년 조선총독부령 제104호로 소방조와 수방단을 해체하여 경방단으로 통합하여 평시에는 수화재, 전시에는 공습에 의한 화재를 경계·방어하는 업무를 하였다.

같은 해 총독부령에 의해 경무국 내에 방호과를 설치함과 동시에 도 경찰부에도 방호과를 두고 도 소방사무관할을 방호과에서 전담하였으며, 1943년 경무국 방호과를 경비과로 개편함에 따라 도 경찰부에도 경비과를 두고 경비과에서 소방사무를 전담하였다. 일제시대의 자치소방체제는 일본국 내의 민간소방조직체인 소방조 제도를 모방하여 1915년 제정·공포된 조선총독부령 제65호 소방조 규칙에 의거하여 자치제적인 조직으로 사회안전의 봉사정신을 진작하기 위하여 각 지방 청년을 중심으로 민간 소방대를 조직하였다. 이러한 조직이 우리나라 소방조직의 모체가 된 시발점으로 본다.

(3) 소방조의 조직은 일제통치가 시작된 뒤에도 계속 이어져 왔으나, 이것은 일본이 침략정책을 펴기 위한 수단으로 일본의 보호하에 전국 각지에서 조직되어 1914년 말에는 전국에 635개의 조직과 인원이 56,567명에 달할 정도의 조직체를 확보할 수 있었다. 그 후 1922년 5월 23일 경기도 훈령 제15호 경기도소방규칙에 의하여 경성부에 소방서를 설치하였다.

(4) 1925년 조선총독부 지방관제를 개정, 같은 해 총독부에서 소방관서의 명칭, 위치, 관할구역에 관한 조선총독부령이 공포되어 현재의 남산에 경성소방서가 설치되었다. 경성소방서의 직제는 1925년 4월 1일 경기도 훈령으로 경성소방서 규정을 제정·시행하였다. 상위직위는 경찰 간부직으로 보하고 하위직위는 소방직으로 보하도록 하였다. 이 직제는 정부수립 이후까지 계속되었다. 경성소방서가 개서된 지 14년 후인 1939년에 부산소방서와 평양소방서가 설치되었고 그 후 청진, 인천, 용산, 성동, 함흥소방서가 설치되었다.

> 📖 **핵심정리 일제강점기(1910~1945년, 일제침략시대)**
> ──────────────────────────────
> 1. 상비소방수제도를 시행(소방관 배치)하였다.
>   ① 소방조 소속 상비소방수
>   ② 도 경무부 소속 상비소방수
>   1910년 합일합방이전부터 상비소방수가 있었고, 소방조 명문화는 1915년 6월 23일 소방조 규칙을 제정하면서 부터이다.
> 2. 1915년 제정·공포된 조선총독부령 제65호 소방조 규칙에 의거하여 자치제 조직으로 사회안전의 봉사정신을 가지고 각 지방청년을 중심으로 민간 소방대를 조직하였다. 이러한 조직이 우리나라 소방조직의 모체가 된 시발점으로 본다.
> 3. 1912년 스톡홀롬제의 가솔린 펌프 1대를 구입하였는데 이것은 우리나라에 들어온 소방장비(소방차)로서 최초이다.
> 4. 1925년 경성(현 종로)에 우리나라 최초의 소방서를 설치하였고 이후 1939년 부산소방서(62명)와 평양소방서(88명)가 각각 설치되었고 청진(1941년), 인천(1944년), 함흥(1944년), 용산(1944년), 성동(1945년)에 소방서가 증설되었다.
> 5. 1935년 일본에서 119전화기를 도입하여 119전화를 설치하였다.
> 6. 1939년 경방단 규칙을 공포하여 소방조와 수방단을 통합하여 경방단을 설치하였다.

> 📖 **핵심정리 최초의 소방관서 및 소방서**
> ──────────────────────────────
> 1. **조선시대 전기**: 1426년 금화도감, 우리나라 최초 소방관서(현 소방본부)이다.
> 2. **일제강점기**: 1925년 경성소방서(종로소방서), 우리나라 최초 소방서(현 소방서)이다.

영철쌤 tip

시대별 소방조직

금화제도 ── 고려시대
↓
금화조건
↓
금화도감 ── 조선시대
↓
수성금화도감
↓
상비소방수제도 ── 일제강점기
↓
최초소방서

최초의 소방장비 및 소방차
1. 최초의 소방장비는 조선시대(전기) 경종 3년(1723년)의 수총기이다.
2. 최초의 소방차는 1912년 일제강점기에 등장했다.

영철쌤 tip

1. 1912년: 가솔린펌프
2. 1915년: 상비소방수, 민간소방대
3. 1925년: 최초소방서
4. 1935년: 119전화
5. 1939년: 경방단

6. 미군정시대

(1) 1945년 9월 조선총독부를 인수한 미군정청은 군정청장관 밑으로 조선 정부국을 부로, 과 중 일부를 처로 하는 등 각 부서의 명칭을 바꾸어 미군정 통치기구를 확정하였다. 소방행정기구는 경찰에서 분류되어 중앙의 토목부나 도의 토목국 내에서 담당하자 방화에 있어서는 도시계획의 중요성이 재삼 확인되었지만, 당시의 소방행정에 관한 서류는 대부분 망실되어 관계 일본인을 합류시켜 질문에 응하도록 하여 직무를 하기 시작하였다. 그 후 경무국의 경비과를 인수한 미군정청은 소방업무와 통신업무를 합쳐 소방과를 설치하였고, 1945년 11월에는 소방과를 소방부로 개칭하는 동시에 도 경찰부에도 소방과를 설치하였고, 1946년 4월 10일에는 군정법 제66호로 소방부 및 소방위원회를 설치하고 소방행정을 경찰에서 분리하여 자치화가 시작되었다.

(2) 중앙소방위원회는 상무부 토목국에 설치하였고, 7인으로 구성하고 그중 1인을 서기장으로 하였으며, 위원회의 임무는 전국의 소방예산과 조직적 계획 및 규칙 등을 공포하는 것이었다. 그 후 1947년 남조선 과도정부 후에는 동 위원회의 집행기구로 소방청을 설치하였는데, 소방청에는 청장 1인과 서기장 1인을 두고 군정자문 1인을 배치하여 총무과, 소방과, 예방과를 두었다. 한편 소방서의 증설은 일제 말기까지 서울의 경성, 용산, 성동, 인천, 부산 등 5개 소방서에서 미군정의 자치소방체제로 전환된 후에는 50여 개 소방서로 증설되는 등 소방행정에 많은 관심을 보이기도 하였다.

> 📖 **핵심정리** **미군정시대(과도기 1945~1948년)**
>
> 1. 1946년 군정법 제66호에 따라 소방부 및 소방위원회를 설치하고 소방조직 및 업무를 경찰로부터 완전 독립하여 자치소방체제로 전환하였다. 한편 소방위원회는 중앙소방위원회, 각 도 소방위원회로 구분하여 운영되었다.
>   ① 미군정부의 신탁통치하에서 소방을 경찰에서 분리하였다.
>   ② 최초로 독립된 자치소방제도를 시행하였다.
> 2. 1947년 남조선 과도정부 후에는 동 위원회의 집행기구로 소방청을 설치하고 소방청에는 청장 1인과 서기장 1인을 두고 군정자문 1인을 배치하여 총무과, 소방과, 예방과를 두었다.

7. 정부수립 이후의 소방행정

1948년 8월 15일 대한민국 정부수립 후 소방청을 비롯한 자치소방기구는 경찰기구에 인수되어 소방행정은 다시 경찰행정체제 속에 포함되었지만 인원·예산 확보 등 여러 측면에서 지방자치단체와의 협조가 불가능하여 소방행정에 많은 문제점이 대두되었다.

(1) 소방조직 변천

① 중앙소방조직은 1948년 11월 4일 내무부직제(대통령령 제18호)에 따라 소방업무는 내무부 치안국 소방과에서 관장하고 각 시·도에서는 **경찰국 소방계(소방과)**에서 관장하였다. 이후에도 여러 번의 직제 개정이 있었으며, 1961년 12월 8일 법률 제827호로 「지방세법」을 개정, 소방공동시설세가 신설되어 소방재원이 확보되었다.

그 후 1970년 8월 30일 법률 제2249호로 「정부조직법」을 개정, 내무부의 소방 기능을 삭제하고 소방사무를 자치단체로 이양하기로 하였으나, 그 후 1972년 5월에 서울특별시조례 제712호 '서울특별시 소방본부설치조례'와 동년 6월 대통령령 제6164호 '도와 부산시의 행정에 관한 규정 중 개정령'에 의하여 서울과 부산에 소방본부가 설치되고 기타 도의 경우는 경찰국 소방과에서 업무가 운영되었다. 그리고 1973년 2월 「지방공무원법」이 제정되어 소방공무원의 신분이 이원화(국가직 소방공무원 → 경찰공무원, 지방직 공무원 → 지방소방공무원)로 운영되었으며, 1977년 12월 「소방공무원법」이 제정되어 1978년 3월부터 시행됨에 따라 국가 및 지방공무원 모두가 소방공무원으로 신분이 일원화되었다. 현재의 소방조직은 1975년 7월 법률 제2772호로 「정부조직법」을 개정, 내무부에 민방위제도의 실시와 더불어 소방은 치안본부 소방과에서 민방위본부 소방국으로 격상하여 민방위업무체제의 일분야로 자리잡아 오늘에 이르고 있다.

② 정부수립 후 소방행정기구는 1948년 11월 4일 대통령령 제18호 내무부 직제에 의하여 기구를 확정하여 소방업무를 치안국 내 소방과에서 분담하고 소방훈련, 지도 등을 전담하였으며, 1950년 3월 18일 대통령령 제30호로 내무부 직제가 개정되어 소방과는 치안과 내 소방계로 축소되고, 1955년 2월 17일 보안과의 소방계를 경비과 방호계와 병합하여 방호계로 직제를 개편하였고, 1960년 10월 2일에는 내무부 직제를 개정하여 치안국에 다시 소방과를 설치하였다. 그리고 1962년 12월 6일 내무부차관을 위원장으로 하는 소방행정심의회를 설치하고 1964년 5월 23일에는 소방과의 방호계장을 총경으로, 소방계장을 소방령으로 직제를 개정하였으며 1969년 1월 「경찰공무원법」 시행에 따라 소방계장을 소방총경으로 보하였다.

③ 그러나 소방관에 대한 교육은 경찰전문학교에서 전담하도록 하였는데 1963년 4월부터는 경찰전문학교 내에 소방학과를 설치하였으며, 1972년 2월 22일에는 대통령령 제6096호로 경찰전문학교를 승격시켜 경찰대학으로 설치하고, 같은 해 7월 13일 내무부훈령 제314호로 「경찰대학 부설 학교설치규정」에 따라 소방학교를 설치하였다. 그 후 민방위본부가 발족되어 소방업무를 인수하면서 소방학교를 폐지하고, 소방교육은 경찰대학에서 위탁교육으로 실시하였다.

(2) 소방서의 증설

1950년 통계에 의하면, 각 시·도의 소방서는 23개 소방서로 존속하다가 24년이 지난 1974년에는 38개로 증설되었다. 그 후 소방서의 직제를 1952년 8월 16일 대통령령 제670호로 제정·공포하고, 1969년 1월 14일 소방서 직제 개정 시 소방서에는 소방과, 방호과를 두고 각 시·도지사가 필요한 계를 설치할 수 있도록 하였다. 그러나 오늘날까지 소방행정이 자치행정 또는 국가사무로 다루어야 하는 행정체제문제에 대하여는 과거부터 현재까지 많은 논쟁의 대상이 되어 왔다. 1970년 「정부조직법」 개정 시 소방사무를 지방자치단체의 고유사무로 개정하고 1973년 지방소방공무원제도가 이루어져 소방사무가 지방자치단체의 고유사무로 이관되었지만 서울과 부산을 제외한 기타의 도시에는 소방서를 국가기관으로 보았다.

영철쌤 tip

대한민국정부수립 이후 ~ 현재

1. 1948년 ~1970년: 국가소방체제
2. 1970년 ~1992년: 국가·자치 이원체제
3. 1992년 ~ 2004년: 광역소방체제
4. 2004년 ~ 2014년: 준 독립체제(소방방재청체제)
5. 2014년 ~ 2017년: 국민안전처(중앙소방본부체제)
6. 2017년 ~ 현재: 소방청체제

이러한 과정 속에서 1972년 서울과 부산시에 소방본부를 두어 소방사무를 관할하도록 하였다. 그리고 1974년 7월 20일 대통령령 제7205호에 의한 「소방서설치에 관한 규정」에 따라 서울특별시와 부산시에 있어 소방서 설치에 관한 사항은 내무부장관과 협의를 거쳐 시 조례로 정하도록 하였으며, 1981년 1월 1일 경상북도 대구시가 대구광역시로, 경기도 인천시가 인천광역시로, 1986년 11월 1일 전라남도 광주시가 광주광역시로, 1989년 1월 1일 충청남도 대전시가 대전광역시로 승격되면서 각 광역시별로 소방본부를 설치하여 소방사무를 자치사무로 하였으며, 1992년 4월 10일 소방행정에 새로운 장을 열었다고 할 수 있는 광역소방행정체제로 전환하면서 각 도별 소방본부가 설치되고 소방행정과 조직체제의 규정이 개정되면서 현재에 이르고 있다.

별 핵심정리 정부수립 이후의 소방행정

1. **대한민국 정부수립 이후(초창기 1948 ~ 1970년, 국가소방체제)**
   ① 정부수립과 동시에 국가에서 일괄적으로 관리하는 국가소방체제로 전환하였다.
   ② 「정부조직법」상 국가사무로서 경찰에서 관장하며, 「경찰공무원법」을 적용하였다.
     → 중앙: 내무부 치안국 소방과, → 지방: 경찰국 소방과
   ③ 1958년 3월 11일 소방법 제정·공포: 우리나라에 최초로 체계적이고 독립적인 소방법이 등장하였다.
   ④ 1961년 12월 8일 소방공동시설세❶가 신설되어 소방재원을 확보하였다.

2. **소방행정제도의 발전시기(1970 ~ 1992년, 국가·자치 이원체제)**
   ① 1972년 6월 서울과 부산에 소방본부를 설치하여 자치소방체제를 유지하고 기타 시·도는 정부수립 이후 초창기처럼 국가에서 관리하는 국가 소방체제를 유지하였다.
   ② 국가·자치 이원체제를 유지하였다.
   ③ 서울·부산은 소방본부에서 소방사무를 관장하고, 기타 시·도는 경찰국 소방과에서 관장하였다.
   ④ 1973년 2월 「지방공무원법」 제정하여 국가소방공무원은 경찰공무원으로, 지방소방공무원은 지방소방공무원으로 소방공무원의 이원화를 구축하였다.
   ⑤ 1975년 내무부❷에 민방위본부 설치로 민방위제도를 실시하게 되면서, 치안본부 소방과에서 내무부 민방위본부 내 소방국으로 이관되면서 소방이 경찰로부터 분리되었다.
   ⑥ 1977년 12월 31일 「소방공무원법」을 제정하였다.
   ⑦ 1978년 3월 「소방공무원법」이 제정 후 시행되어 소방공무원 신분을 단일화하였다.
   ⑧ 1978년 9월 소방학교를 수원시에 설치하였다(최초의 소방교육기관, 소방교육의 체계화).
   ⑨ 1986년 12월 소방학교를 충남 천안시로 이전하였고, 2019년 7월 1일 충남 공주로 이전하였다.

영철쌤 tip

1958년 3월 11일 소방법
1. 화재, 풍수해, 설해 등 예방, 경계, 진압, 방어까지 소방업무로 규정되었다.
2. 1967년 「풍수재해대책법」의 제정으로 자연재해업무가 이관되어 소방의 업무는 화재의 예방·경계·집압, 방어로 축소되었다.

국가·자치 이원체제
1. 국가소방체제는 국가가 시·군까지 모든 소방행정을 관리하는 체제를 말한다.
2. 자치소방체제는 각 시·도별로 소방행정을 관리하는 체제를 말한다.

용어사전
❶ 소방공동시설세: 소방에 대한 세금을 말한다.
❷ 내무부: 현재 행정안전부를 의미한다.

8. 현대의 소방행정 조직

(1) 1992년 광역자치단체로 전환되기까지 자치소방제도로 운영되고 있는 서울특별시, 광역시는 시에 소방본부를 두고 소방업무 전반을 시장이 총괄 지휘·감독하며 소방서는 「지방자치법」에 근거를 두고 지방자치단체 조례로 설치하여 소방업무를 수행하여 왔으며, 국가소방체제로 운영되고 있는 시·군의 소방서는 국가의 특별행정기관으로서 소방업무를 수행하고 그 지휘·감독은 해당 지방자치단체장이 소방업무를 수행함으로써 사실상 행정이 이원적으로 운영되고 있었다.

754 해커스소방 학원·인강 fire.Hackers.com

그리고 국가소방과 자치소방제도에서 소방법 제3조에 의하여 소방사무의 책임을 시·군에서 시·도로 전환하였으며, 「정부조직법」 제3조의 국가기관인 특별행정기관을 「지방자치법」 제104조에 의하여 지방자치단체의 직속기관으로 소방본부를 설치(특별시 1곳, 광역시 6곳, 광역자치단체 9곳)하여 16개 소방본부의 광역소방행정체제로 전환하였다.

(2) 2004년 6월 1일에는 행정자치부 소방국이 속하고 있던 민방위재난통제본부가 소방방재청으로 독립 신설되어 국가재난관리의 중앙조직이 되었다.

(3) 2014년 세월호 침몰사고의 여파로 국민안전처가 신설되면서 산하에 차관급 본부로 중앙소방본부가 되었다.

(4) 2017년 7월 26일 국민안전처를 행정안전부로 통합시키면서 행정안전부 외청인 소방청으로 완전 독립되었다.

(5) 화재, 구조, 구급은 소방청이 재난관리를 하고, 그 외 재난은 행정안전부 직속인 재난안전관리본부에서 재난관리를 하게 되었다.

(6) 소방방재청은 모든 재난을 관리하는 최초의 재난관리 전담기구이며, 소방청은 화재, 구급, 구조만 담당하는 전담기구이다.

📖 **핵심정리 현대의 소방행정 조직**

1. **소방행정제도의 발전시기(1992~2004년, 광역소방체제)**
   ① 1992년 국가·자치 이원체제에서 광역자치소방체제로 전환(16개 시·도)하였다.
     · 전국 시·도에 소방본부를 설치·운영하였다.
     · 소방사무의 책임은 시·군에서 시·도로 완전히 전환하였다.
   ② 1994년 성수대교 붕괴 이후 대형재난사고를 관리하기 위하여 1994년 12월에 방재계획과·재난대책과 및 재난복구과를 구성하여 방재국을 신설하였다.
   ③ 1995년 삼풍백화점 붕괴사고를 계기로 재난관리법이 제정되었다.
   ④ 1995년 민방위본부를 민방위재난통제본부로 확대·개편하였고 1998년 민방위재난관리국으로 개칭되었다.
   ⑤ 1995년 대부분의 소방공무원은 지방공무원의 신분을 가지게 되었다(단, 소방본부장, 중앙학교장은 제외).
   ⑥ 1995년 중앙소방학교로 개칭하였다.

2. **소방방재청 시대(2004년 6월~2014년, 준독립체제)**
   ① 2003년 2월 18일 대구 지하철 방화사건 발생하였다.
   ② 2003년 5월 30일 1년 후 시행계획으로 「소방기본법」 등 4개의 법률을 제정하였다.
   ③ 2004년 3월 11일 「재난 및 안전관리 기본법」을 공포하였다.
   ④ 2004년 6월 1일 소방방재청을 개청하였다. 이는 최초의 재난관리 전담기구이다.

3. **중앙소방본부체제(2014년 11월~2017년)**
   2014년 11월 소방방재청이 세월호 사건 이후 국민안전처 소속의 중앙소방본부로 바뀌었다.

4. **소방청체제(2017년 7월~현재)**
   ① 2017년 3월 탄핵 결정에 따라 5월 새 정부가 들어서면서 행정안전부 외청인 소방청으로 바뀌었다.
   ② 2019년 5월 14일 국립소방연구원을 개원하였다.
   ③ 2019년 7월 1일 중앙소방학교가 공주로 이전하였다(충남 공주 국민안전교육연구단지의 중앙소방학교).
   ④ 2020년 4월 1일 국가소방공무원(국가직)으로 제정하였다.
   ⑤ 2022년 12월 1일 「소방기본법」 등 6개 법률을 제정하였다.

영철쌤 tip

법 제정
1. 1958년 3월 11일 소방법이 제정되었다.
2. 1995년 7월 18일 재난관리법이 제정되었다.
3. 2003년 5월 30일 「소방기본법」 등 4개 법률이 제정되었다.
4. 2004년 3월 11일 「재난 및 안전관리 기본법」이 제정되었다.
5. 2022년 12월 1일 「소방기본법」 등 6개 법률이 제정되었다.

소방법(4분법)
「소방기본법」, 「소방시설 설치·유지 및 안전관리에 관한 법률」, 「소방시설공사업법」, 「위험물안전관리법」이 해당한다.

소방법(6분법)
「소방기본법」, 「소방의 화재조사에 관한 법률」, 「소방시설공사업법」, 「화재의 예방 및 안전관리에 관한 법률」, 「소방시설 설치 및 관리에 관한 법률」, 「위험물안전관리법」

중앙소방학교
1978년 9월 수원 → 1986년 12월 천안 → 2019년 7월 공주로 이동하였다.

중앙소방위원회와 중앙소방본부
1. 중앙소방위원회: 1946년
2. 중앙소방본부: 2014년

1. 대한민국 정부수립 이후: 국가소방체제 → 국가·자치 이원체제 → 광역소방체제 → 소방방재청→ 국민안전처 → 소방청

2. 대한민국 정부수립 이후 넓은 의미
   ① 1948년~1970년(국가소방체제): 경찰(국가)
   ② 1970년~1992년(이원적 소방체제): 서울, 부산 - 자치(지방), 기타 - 경찰(국가)
   ③ 1992년~2020년(광역소방체제): 광역자치, 소방방재청, 국민안전처, 소방청(지방)
   ④ 2020년~현재(국가소방체제): 소방청(국가)

5 소방행정조직

1. 직접적 소방행정조직

(1) 소방청

(2) 중앙소방학교

(3) 중앙119구조본부

(4) 국립소방연구원

2. 간접적 소방행정조직

국가가 소방행정사무를 스스로 또는 자신의 행정관청을 통해서 수행하는 것이 아니라 독립된 공법상 조직에게 위탁하여 소방행정사무를 수행하도록 하는 경우 그 수탁자로서 당해 소방행정사무를 직접 수행하는 공법상 조직을 간접적 국가소방행정조직이라 한다.

(1) 한국소방안전원

(2) 한국소방산업기술원

(3) 대한소방공제회

(4) 소방산업공제조합

3. 지방소방행정조직

지방소방행정조직의 책임자는 시·도지사이며 광역소방체제로 운영되고 있다.

(1) 시·도 소방본부

(2) 지방소방학교

(3) 서울종합방재센터

(4) 소방서 등

영철쌤 tip

간접적 소방행정조직
1. 한국소방안전원은 재난법인으로서 소방기술자 교육, 소방안전관리자 교육 및 시험, 위험물안전관리자 교육 등을 하는 곳이다.
2. 한국소방산업기술원은 재난법인으로서 소방용품 조사, 연구, 검사, 위험물탱크안전성능 업무 등을 하는 곳이다.
3. 대한소방공제회는 복지기관으로서 직무수행 중 사망, 상이 등에 대한 지원 사업 등을 하는 곳이다.
4. 소방산업공제조합은 소방청 인가로서 보증, 자금융자 및 공제사업 등을 하는 곳이다.

영철쌤 tip

소방행정조직

직접적 소방행정조직	간접적 소방행정조직
· 소방청	· 한국소방안전원
· 중앙소방학교	· 한국소방산업기술원
· 중앙119구조본부	· 대한소방공제회
· 국립소방연구원	· 소방산업공제조합

6 소방행정이론

1. 행정이론 관련 용어의 정의

행정행위	행정관청인 공무원이 법 테두리 안에서 국민에게 하는 행위이다.
행정강제	행정작용 중 강제성을 가지는 행위이다(징역, 압류 등).
행정지도	행정행위 중 강제성 없이 부탁하는 권고행위이다.
행정구제	권리침해의 이전과 이후, 행정작용의 시정 등을 요구하는 절차이다.
행정책임	공무원이 행동해야 할 기본적인 의무이며 책임을 말한다.

2. 행정행위

법률행위적 행정행위는 행정행위 중에서 효과 의사의 표시를 구성요소로 하고 그 효과 의사의 내용에 따라 법률적 효과를 발생시키는 행위를 말하며, 준법률행위적 행정행위는 행정행위 중에서 효과 의사 이외의 정신작용에 대한 표시를 구성요소로 하고, 그 법률 효과는 행위자의 의사와 관계없이 직접 법규가 정하는 바에 의하여 발생하는 행위를 말한다.

(1) 법률행위적 행정행위

① **명령적 행정행위**: 하명, 허가, 면제가 있다.

    ㉠ **하명**

        ⓐ **작위하명**: 특정한 행위를 적극적으로 해야 할 의무를 명하는 행정행위이다.

            예 화재예방조치명령, 피난명령, 소방대상물의 특별조치명령, 화재현장에서 소화종사명령, 화재경계지구에 대한 명령, 소방시설 및 방염에 관한 명령, 위험물제조소등의 예방규정 변경명령, 무허가 위험물시설의 조치명령, 소방특별조사를 위한 보고 및 자료제출명령, 위험물제조소등의 감독명령 등이 있다.

        ⓑ **부작위하명**: 특정한 행위를 금지하도록 하는 의무를 명하는 행정행위이다.

            예 소방용수시설의 불법사용 금지, 소방대상물의 사용금지, 화기취급금지, 소방시설공사의 정지 등이 있다.

        ⓒ **급부하명**: 소방의 목적으로 금전, 물품, 노력 등을 제공할 의무를 명하는 행정행위이다.

            예 각종 인·허가의 수수료 납부통지(세금납부) 등이 있다.

        ⓓ **수인하명**: 행정주체(행정청)의 권한행사에 대하여 저항하지 아니할 의무를 명하는 행정행위이다.

            예 행정대집행의 집행❶, 화재진화를 위한 강제처분, 소방자동차의 우선통행 등이 있다.

영철쌤 tip

부작위하명이 작위하명보다 강도가 더 세다.

용어사전

❶ **행정대집행의 집행**: 행정관청으로부터 명령 받은 행위를 의무자가 이행하지 않을 경우 행정관청이 의무를 대신하여 이를 행하는 것을 말한다.

    ⓛ 허가
        ⓐ **대인허가**: 자격증과 같은 행정행위이다.
            예 소방설비기사 자격증, 운전면허 등이 있다.
        ⓑ **대물허가**: 대상의 물건과 같은 행정행위이다.
            예 건축허가, 위험물제조소등 설치허가, 약품허가, 장비허가 등이 있다.
        ⓒ **혼합허가**: 대인허가와 대물허가의 행정행위이다.
            예 약물 영업허가(인적과 약품), 소방시설공사업(인적과 장비) 등의 허가 등이 있다.
    ⓒ **면제**: 소방시설의 설치면제 등이 있다.
  ② **형성적 행정행위**: 특허, 인가, 대리가 있다.
    ㉠ **특허**: 한국소방안전원 설립, 한국소방산업기술원 설립 등이 있다.
    ⓛ **인가**: 예방규정의 인가 등이 있다.
    ⓒ **대리**: 소방법규상 대리는 없다.

(2) 준법률행위적 행정행위: 확인, 공증, 통지, 수리가 있다.
  ① **확인**: 소방공무원 합격자 결정, 소방관련 자격합격자 결정, 소방안전관리자 자격 인정 등이 있다.
  ② **공증**: 소방시설의 완비증명교부, 소방안전관리자 수첩교부 등이 있다.
  ③ **통지**: 소방특별조사의 사전 통보, 조세체납장에 대한 독촉 등이 있다.
  ④ **수리**: 각종 허가의 신청서 처리, 소방안전관리자의 변경신고 처리 등이 있다.

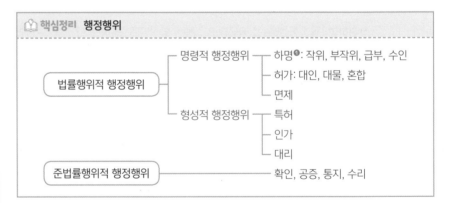

핵심정리 행정행위

3. 행정강제

행정목적을 달성하기 위하여 개인의 신체나 재산에 대하여 그 의사에 반하여 실력을 가하는 행정작용을 말한다.

(1) 직접적 강제수단: 행정상 강제집행, 행정상 즉시강제가 있다.
  ① **행정상 강제집행**
    ㉠ **대집행**: 행정관청으로부터 명령받은 행위를 의무자가 이행하지 않을 경우, 행정관청이 의무자를 대신하여 이를 행하거나 제3자로 하여금 하도록 시키고 그 비용을 의무자로부터 강제로 징수하는 것으로 계고, 통지, 실행, 비용징수의 절차를 거친다.

영철쌤 tip

준법률행위적 행정행위
강제성이 없고 객체에게 확인하는 것을 의미한다.

용어사전

❶ **하명**: 소방하명은 소방의 목적을 달성하기 위하여 국민에게 작위, 부작위, 급부, 수인을 명하는 행정행위를 말한다.

ⓛ **집행벌**: 행정상의 부작위 의무 또는 비대체적 작위 의무 이행을 강제하기 위하여 행정관청이 과하는 **과료 따위의 벌**을 말한다. 소화활동 등을 위반한 경우 징역이나 벌금에 해당된다.

ⓒ **직접강제**: 의무자가 의무준수사항을 불이행 시 집행기관이 의무자의 의사에 관계없이 강제로 권리의 내용을 실현하는 일을 말하며 화재예방조치명령 등에 해당된다. 즉시강제와 유사하나 의무불이행을 전제로 하는 점에서 즉시강제와 구별된다.

ⓔ **강제징수**: 국가나 지방 공공단체에 대하여 부담하는 공법상의 금전 지급 의무를 이행하지 않는 경우에, 강제로 그것을 징수하는 것을 말하며 독촉, 압류, 매각의 절차를 거친다.

② 행정상 즉시강제

ⓐ **대인적강제**: 피난명령 등에 해당된다.

ⓛ **대물적강제**: 강제처분 등에 해당된다.

ⓒ **대가택강제**: 화재안전조사 검사 등에 해당된다.

(2) 간접적 강제수단

① 행정벌

ⓐ **행정형벌**: 징역, 금고, 벌금이 있다.

ⓛ **행정질서벌**: 과태료가 있다.

② 신종수단

ⓐ **공급거부**: 가스, 전기 등 공급을 중단한다.

ⓛ **위반사실의 공표**: 신문 등을 통해 널리 알린다.

ⓒ **사업제한**: 위법건축물 등을 철거한다.

ⓔ **과징금 등**: 행정청이 일정한 행정상의 의무를 위반한 것에 대한 제재로 부과하는 금전적인 부담을 말한다.

(3) 직접강제와 즉시강제 비교

구분	직접강제	즉시강제
개념	의무자가 의무준수사항을 불이행시 집행기관이 의무자의 의사에 관계없이 강제로 권리의 내용을 실현하는 일을 의미한다. 의무불이행을 전제로 하며 벌칙이 있다.	긴급한 상황 및 미리 의무를 이행할 시간적 여유가 없을 때를 의미한다. 의무불이행을 전제로 하지 않으며 벌칙이 없다.
예시	소속공무원이 위험한 물건의 소유자, 관리자, 점유자에게 옮기거나 치우도록 명령을 하는 경우 등이 있다.	위험한 물건의 소유자, 관리자, 점유자를 알 수 없어 소속공무원이 위험한 물건을 옮기거나 치우도록 하는 경우 등이 있다.

 영철쌤 tip

1. 행정상 강제집행: 의무자가 실행
2. 행정상 즉시강제: 공무원이 실행

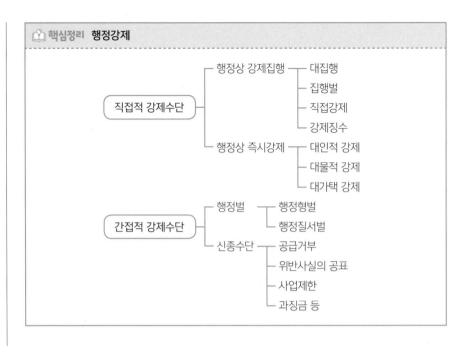

4. 소방행정권의 한계

소방소극목적의 원칙, 소방공공의 원칙, 소방비례의 원칙 등이 있다.

(1) 소방소극목적의 원칙

화재의 예방·경계 및 공공의 안녕 및 질서유지 등을 위하여 소방행정권을 발동시키지만, 그러지 않을 경우에는 발동시킬 수가 없다. 이와 같이 우리사회의 안녕·질서유지 및 복리증진에 방해가 되는 경우에만 제거한다는 소극적인 목적의 원칙을 말한다.

(2) 소방공공의 원칙

개인 사생활에는 관여하지 않는다는 원칙을 말한다. 즉, 사생활 불가침원칙 등이 해당된다.

(3) 소방비례의 원칙

사회의 공공안전 등을 위하여 일정한 의무를 국민에게 행하는 행정행위는 모든 사람에게 균형 있게 적용되어야 한다는 원칙을 말한다.

5. 소방행정의 특수성

(1) 법제적 특성

화재의 예방·경계·진압·구조 및 구급 등 전문적인 업무를 수행해야 하므로 그 임용절차, 자격, 계급구분, 징계방법, 보수체계, 신분보장 등을 일반행정직 공무원과 달리하여 소방행정조직 내에서만 순환되는 시스템을 말한다.

(2) 조직적 특성

국가재난관리상황에서 원활한 업무수행을 위해 경찰, 군인처럼 계급체계와 상명하복의 지휘체계로 이루어진 조직문화를 말한다.

영철쌤 tip

소방행정의 특수성에는 법제적 특성, 조직적 특성, 업무적 특성이 있다.

(3) 업무적 특성(8가지)

① **현장성(긴급성)**: 화재현장에서 직접 화재와 싸워야 하므로 현장기능중심의 특성을 말한다.

② **대기성**: 화재 등 재난이 언제 발생할지 모르므로 대기하는 것을 말한다.

③ **신속·정확성**: 화재 등 재난에 대해 신속하고 정확성이 있어야 한다.

④ **전문성**: 소방이라는 지식만 가지고 대처할 수 없고 기계, 전기, 건축, 위험물 등 다양한 분야 등을 필요로 하는 전문성이 요구되는 전문기술업무를 말한다.

⑤ **일체성**: 위급한 재난현장에서는 강력한 지휘체계로 일사분란하게 대처를 하는 것을 말한다. 즉, 조직의 일체성이 요구된다.

⑥ **가외성**: 외관상 당장은 무용하고 불필요하거나 낭비적인 것으로 보일지 몰라도 특정한 체제가 장래 불확실성에 노출될 때 발생할지도 모를 적응의 실패를 방지하며 특정체제의 환경에 대한 동태성을 높일 수 있도록 하는 **중복현상**이나 중첩장치를 말한다.

⑦ **위험성**: 소방은 항상 위험이 따르므로 소방공무원은 위험에 대비하여 강한 체력과 사명감을 가져야 한다.

⑧ **결과성**: 소방은 인명 및 재산피해가 발생하면 그 책임을 면하기 어렵다는 특성을 가지고 있으므로 일반행정에서의 과정 및 절차보다는 결과를 중요시한다.

6. 소방조직의 기본원리

(1) 계선의 원리

특정사안에 대한 결정에 있어 의사결정 과정에서는 개인의 의견이 참여되지만, 결정을 내리는 것은 개인이 아니라 그 소속기관의 자라는 것을 말한다.

(2) 계층제의 원리

소방, 군대, 경찰 등과 같은 조직에서 권한 및 책임에 따른 상하의 계층을 형성하는 것을 말한다.

(3) 업무조정의 원리

조직의 공통된 목표를 달성하기 위하여 전문화 및 분업화되어 있는 개인이나 조직을 통합하여 행동을 통일시키는 것을 말한다.

(4) 명령통일의 원리

하나의 조직은 한 사람의 상급자에게 명령을 받고 그에 따른 보고를 하는 것을 말한다.

(5) 분업의 원리(기능의 원리, 전문화의 원리)

한 가지 주된 업무를 분담시키는 것으로 한 사람이나 한 부서가 하나의 주 업무를 맡는 것을 말한다.

(6) 통솔범위의 원리

한 명의 상관이 부하를 효과적으로 통솔할 수 있는 범위를 말한다. 통솔 가능한 범위는 7~12명이며, 비상시 3~4명으로 더 적다.

영철쌤 tip

업무적 특성 8가지에 예측성, 안정성, 과정성은 없다.

영철쌤 tip

소방조직의 기본원리

계선의 원리, 계층제의 원리, 업무조정의 원리, 명령통일의 원리, 분업의 원리, 통솔범위의 원리가 있다.

7. 소방조직의 구조

소방조직의 구조를 기능중심조직, 분업중심조직, 애드호크라시조직으로 구분한다.

(1) 기능중심조직

소방관서의 조직형태로서 수행하는 목표에 따라 진압대, 구조대, 구급대, 화재예방, 화재조사 등으로 편성한 전문화된 소규모의 조직을 말한다. 즉, 인력·자원 및 기술을 배분하는 방식이다. 개인에 따라 확실한 임무를 부여할 수 있고 개인의 능력을 발휘할 수 있으나 다른 부서조직과의 협조가 어렵다.

(2) 분업중심조직

조직의 규모가 커지면 소방수요가 증가하고 소방서와 같은 하위조직이 증가하여 세분화된 업무를 수요자 중심으로 구성하는 방식을 말한다. 수요자의 욕구를 쉽게 만족시킬 수 있으나 조직의 전문성과 훈련의 수준이 낮다.

(3) 애드호크라시조직

일반업무는 자기가 속한 부서의 지휘·감독을 받고, 특별한 프로젝트와 같은 업무는 프로젝트 관리자의 지휘·감독을 받는 이중적인 지휘체계를 갖는 매트릭스조직을 말한다. 즉, 임시적·역동적·유기적인 조직으로 전문가 집단이다.

---

7 소방 민간조직

소방 민간조직에는 의용소방대, 자체소방대, 자위소방대, 소방안전관리자, 소방안전관리보조자, 위험물안전관리자, 민방위대 등이 있다.

1. 의용소방대

(1) 의용소방대의 설치·운영 목적

1958년 소방법 제정 시 의용소방대 설치규정이 마련되었다. 이 법은 화재진압, 구조·구급 등의 소방업무를 체계적으로 보조하기 위하여 의용소방대 설치 및 운영 등에 필요한 사항을 규정함을 목적으로 한다.

① **의용소방대의 설치 등:** 특별시장·광역시장·특별자치시장·도지사·특별자치도지사(이하 "시·도지사"라 한다) 또는 소방서장은 재난현장에서 화재진압, 구조·구급 등의 활동과 화재예방활동에 관한 업무(이하 "소방업무"라 한다)를 보조하기 위하여 의용소방대를 설치할 수 있다. 의용소방대의 대원은 관할 지역에 거주하는 주민 중 그 직을 희망하는 자로 구성하며 의용소방대를 설치하는 경우 남성만으로 구성하는 의용소방대, 여성만으로 구성하는 의용소방대 또는 남성과 여성으로 구성하는 의용소방대로 구분하여 설치할 수 있다.

② 의용소방대원의 임명
    ㉠ 관할 구역 내에서 안정된 사업장에 근무하는 사람
    ㉡ 신체가 건강하고 협동정신이 강한 사람
    ㉢ 희생정신과 봉사정신이 투철하다고 인정되는 사람
    ㉣ 「소방시설공사업법」 제28조에 따른 소방기술 관련 자격·학력 또는 경력이 있는 사람
    ㉤ 의사·간호사 또는 응급구조사 자격을 가진 사람
    ㉥ 기타 의용소방대의 활동에 필요한 기술과 재능을 보유한 사람

(2) 의용소방대는 시·도, 시·읍 또는 면에 둔다.

(3) 시·도지사 또는 소방서장은 필요한 경우 관할 구역을 따로 정하여 그 지역에 의용소방대를 설치할 수 있다.

(4) 시·도지사 또는 소방서장은 필요한 경우 (2) 또는 (3)에 따른 의용소방대를 화재진압 등을 전담하는 의용소방대(이하 '전담 의용소방대'라 한다)로 운영할 수 있다. 이 경우 관할 구역의 특성과 관할 면적 또는 출동거리 등을 고려하여야 한다.

(5) 그 밖에 의용소방대의 설치 등에 필요한 사항은 행정안전부령으로 정한다.
    ① 의용소방대원의 정년은 65세로 한다.
    ② 의용소방대에는 대장, 부대장, 부장, 반장 또는 대원을 둔다.
    ③ 대장 및 부대장은 의용소방대원 중 관할 소방서장의 추천에 따라 시·도지사가 임명한다.
    ④ 의용소방대의 임무
        ㉠ 화재의 경계와 진압업무의 보조
        ㉡ 구조·구급업무의 보조
        ㉢ 화재 등 재난 발생 시 대피 및 구호업무의 보조
        ㉣ 화재예방업무의 보조

(6) 그 밖에 행정안전부령으로 정하는 사항
    ① 의용소방대원의 근무 등
        ㉠ 의용소방대원은 비상근(非常勤)으로 한다.
        ㉡ 소방본부장 또는 소방서장은 소방업무를 보조하게 하기 위하여 필요한 때에는 의용소방대원을 소집할 수 있다.
    ② 의용소방대원 경비의 부담: 의용소방대의 운영과 활동 등에 필요한 경비는 해당 시·도지사가 부담한다.

📖 **핵심정리** **의용소방대**

1. **설치 구역**: 시·도, 시·읍·면에 둔다(군, 구는 없음).
2. **임무**: 예방, 경계, 진압, 구조, 구급업무를 보조한다.
3. **설치**: 시·도지사, 소방서장
4. **운영**: 시·도지사, 소방서장
5. **소집**: 소방본부장, 소방서장

 영철쌤 tip

의용소방대
1. 의용소방대는 군, 구에는 없다.
2. 의용소방대의 날은 매년 3월 19일이다.
3. 의용소방대의 정년은 65세로 하고, 소방공무원의 정년은 60세로 한다.

6. **지도, 감독:** 소방본부장, 소방서장

7. **대장, 부대장 임명:** 소방서장추천으로 시·도지사 임명

8. **임기**
   ① 대장: 3년(한 차례만 연임할 수 있다)
   ② 부대장: 3년

9. **정년:** 65세

10. **경비:** 시·도지사

11. **정원**
    ① 시·도: 60명 이내
    ② 시·읍: 60명 이내
    ③ 면: 50명 이내
    ④ 관할 구역을 따로 정한 지역: 50명 이내
    ⑤ 전문의용소방대: 50명 이내

2. 전국의용소방대연합회 설립

(1) 재난관리를 위한 자율적 봉사활동의 효율적 운영 및 상호협조 증진을 위하여 전국의용소방대연합회(이하 "전국연합회"라 한다)를 설립할 수 있다.

(2) 전국연합회의 구성 및 조직 등에 필요한 사항은 행정안전부령으로 정한다.

(3) **전국연합회의 업무**
    ① 의용소방대의 효율적 운영을 위한 연구에 관한 사항
    ② 대규모 재난현장의 구조·지원 활동을 위한 네트워크 구축에 관한 사항
    ③ 의용소방대원의 복지증진에 관한 사항
    ④ 그 밖에 의용소방대의 활성화에 필요한 사항

(4) **전국연합회의 회의**
    ① 전국연합회의 회의는 정기총회 및 임시총회로 구분한다.
    ② 정기총회는 1년에 한 번 개최하고, 다음 사항을 의결한다.
       ㉠ 전국연합회의 회칙 및 운영과 관련된 사항
       ㉡ 전국연합회 기능 수행을 위한 사업계획에 관한 사항
       ㉢ 회계감사 결과에 관한 사항
       ㉣ 그 밖에 회장이 총회에 안건으로 상정하는 사항
    ③ 임시총회는 전국연합회의 회장 또는 재적회원 3분의 1 이상이 요구하는 경우 소집한다.
    ④ 그 밖에 회의운영에 필요한 사항은 행정안전부령으로 정한다.

(5) 소방청장은 국민의 소방방재 봉사활동의 참여증진을 위하여 전국연합회의 설립 및 운영을 지원할 수 있다.

(6) 소방청장은 전국연합회의 운영 등에 대하여 지도 및 관리·감독을 할 수 있다.

3. 전국의용소방대연합회의 구성

(1) 전국의용소방대연합회(이하 '전국연합회'라 한다)는 각 시·도 지역연합회의 대표 2명씩으로 구성한다.

(2) 전국연합회에 회장 1명, 부회장 2명, 감사 2명 및 사무총장 1명을 두되(회장, 부회장 및 사무총장은 임원으로 한다), 회장, 부회장 및 감사는 총회에서 선출하고, 사무총장은 회장이 임명한다.

(3) 전국연합회 임원 및 감사의 임기

① 회장의 임기는 3년으로 하고 한 번만 연임할 수 있다.

② 부회장 및 사무총장의 임기는 3년으로 한다.

③ 감사의 임기는 3년으로 한다. 다만, 시·도 지역연합회 대표의 임기가 종료되는 경우 감사의 임기도 만료되는 것으로 한다.

(4) 전국연합회의 분과위원회

전국연합회의 효율적 운영을 위하여 운영분과위원회, 연구개발분과위원회, 자원봉사분과위원회를 두되, 각 분과위원회의 위원수는 15명 이내로 한다.

> **참고 소방력**
>
>

 영철쌤 tip

소방력의 3요소
소방인력(소방대), 소방장비, 소방용수이다.

소방대
소방공무원, 의무소방원, 의용소방원으로 구성된다.

2. 자체소방대

화재 발생 시 소방공무원이 도착하기 전에 화재를 진압하는 자체 소방대로, 다량의 위험물을 저장·취급하는 제조소등으로서 대통령령이 정하는 제조소등이 있는 동일한 사업소에서 대통령령이 정하는 수량 이상의 위험물을 저장 또는 취급하는 경우 당해 사업소의 관계인은 대통령령이 정하는 바에 따라 당해 사업소에 자체소방대를 설치하여야 한다.

(1) 대통령령이 정하는 제조소등

① 제4류 위험물을 취급하는 제조소 또는 일반취급소(지정수량의 3천 배 이상)를 말한다(다만, 보일러로 위험물을 소비하는 일반취급소 등 행정안전부령이 정하는 일반취급소를 제외한다).

② 제4류 위험물을 저장하는 옥외탱크저장소(지정수량의 50만 배 이상)를 말한다.

(2) 법 제19조의 규정에 의하여 자체소방대를 설치하는 사업소의 관계인은 별표 8의 규정에 따라 자체소방대에 화학소방자동차 및 자체소방대원을 두어야 한다. 다만, 화재 그 밖의 재난 발생 시 다른 사업소 등과 상호 응원에 관한 협정을 체결하고 있는 사업소에 있어서는 행정안전부령이 정하는 바에 따라 별표 8의 범위 안에서 화학소방자동차 및 인원의 수를 달리할 수 있다.

참고 자체소방대에 두는 화학소방자동차 및 인원(「위험물안전관리법 시행령」 별표 8)

사업소의 구분	화학소방자동차	자체소방대원의 수
제조소 또는 일반취급소에서 취급하는 제4류 위험물의 최대수량의 합이 지정수량의 3천배 이상 12만배 미만인 사업소	1대	5인
제조소 또는 일반취급소에서 취급하는 제4류 위험물의 최대수량의 합이 지정수량의 12만배 이상 24만배 미만인 사업소	2대	10인
제조소 또는 일반취급소에서 취급하는 제4류 위험물의 최대수량의 합이 지정수량의 24만배 이상 48만배 미만인 사업소	3대	15인
제조소 또는 일반취급소에서 취급하는 제4류 위험물의 최대수량의 합이 지정수량의 48만배 이상인 사업소	4대	20인
옥외탱크저장소에 저장하는 제4류 위험물의 최대수량이 지정수량의 50만배 이상인 사업소	2대	10인

(3) 자체소방대의 설치 제외대상인 일반취급소

① 보일러, 버너, 그 밖에 이와 유사한 장치로 위험물을 소비하는 일반취급소

② 이동저장탱크, 그 밖에 이와 유사한 것에 위험물을 주입하는 일반취급소

③ 용기에 위험물을 옮겨 담는 일반취급소

④ 유압장치, 윤활유순환장치, 그 밖에 이와 유사한 장치로 위험물을 취급하는 일반취급소

⑤ 「광산안전법」의 적용을 받는 일반취급소

3. 소방안전관리자

소방계획을 수립하고 소방안전을 교육하며 소방대상물을 관리 및 유지·보수한다.

(1) 소방안전관리자를 두어야 하는 특정소방대상물

① 특급 소방안전관리대상물

ㄱ 50층 이상(지하층은 제외한다)이거나 지상으로부터 높이가 200m 이상인 아파트

ㄴ 30층 이상(지하층을 포함한다)이거나 지상으로부터 높이가 120m 이상인 특정소방대상물(아파트는 제외한다)

ㄷ ㄴ에 해당하지 않는 특정소방대상물로서 연면적이 10만m² 이상인 특정소방대상물(아파트는 제외한다)

② 1급 소방안전관리대상물

ㄱ 30층 이상(지하층은 제외한다)이거나 지상으로부터 높이가 120m 이상인 아파트

ㄴ 연면적 1만5천m² 이상인 특정소방대상물(아파트 및 연립주택은 제외한다)

ㄷ ㄴ에 해당하지 않는 특정소방대상물로서 층수가 11층 이상인 특정소방대상물(아파트는 제외한다)

ㄹ 가연성 가스를 1,000t 이상 저장·취급하는 시설

③ 2급 소방안전관리대상물

    ㉠ 옥내소화전설비, 스프링클러설비, 물분무 등 소화설비

    ㉡ 가스 제조설비를 갖추고 도시가스사업의 허가를 받아야 하는 시설 또는 가연성 가스를 100t 이상 1,000t 미만 저장·취급하는 시설

    ㉢ 지하구

    ㉣ 공동주택

    ㉤ 보물 또는 국보로 지정된 목조건축물

④ 3급 소방안전관리대상물: 자동화재탐지설비, 간이 스프링클러설비(주택전용 간이스프링클러설비는 제외한다)

참고 소방안전관리자들은 방재실에서 근무한다.

▲ 방재실

참고 소방안전관리자 현황표

소방안전관리자 현황표(대상명: ○○○ 3단지 아파트)

이 건물의 소방안전을 담당하고 있는 사람은 다음과 같습니다.

☐ 소방안전관리자: 관리소장(선임일자: 2023년 06월 09일)

☐ 소방안전관리대상물 등급: 2급

「화재의 예방 및 안전관리에 관한 법률」 제20조 제4항에 따라 이 표지를 붙입니다.

연락처: 010 - XXXX - XXXX

---

(2) 소방안전관리자의 업무(소방안전관리대상물)

① 피난계획에 관한 사항과 대통령령으로 정하는 사항이 포함된 소방계획서의 작성 및 시행

② 자위소방대(自衛消防隊) 및 초기대응체계의 구성·운영·교육

③ 피난시설, 방화구획 및 방화시설의 관리

④ 소방시설이나 그 밖의 소방 관련 시설의 관리

⑤ 소방훈련 및 교육

⑥ 화기(火氣) 취급의 감독

⑦ 행정안전부령으로 정하는 바에 따라 소방안전관리자에 관한 업무수행에 관한 기록·유지(③, ④, ⑥ 업무를 말한다)

⑧ 화재발생 초기 대응

⑨ 그 밖에 소방안전관리에 필요한 업무

(3) 관계인의 업무(특정소방대상물)

① 피난시설, 방화구획 및 방화시설의 관리

② 소방시설이나 그 밖의 소방 관련 시설의 관리

③ 화기(火氣) 취급의 감독

④ 화재발생 초기 대응

⑤ 그 밖에 소방안전관리에 필요한 업무

 영철쌤 tip

관계인의 업무

1. 관계인의 업무는 소방안전관리자의 업무의 ③, ④, ⑥, ⑧, ⑨에 해당한다.

2. 소방안전관리자 및 관계인의 업무는 화기(火氣) 취급의 감독이다. 화기(火氣) 취급의 유지·관리는 아니다.

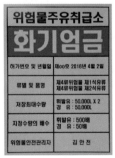
4. 위험물안전관리자

관계인은 위험물의 안전관리에 관한 직무를 수행하게 하기 위하여 **제조소등마다 대통령령**이 정하는 위험물의 취급에 관한 자격이 있는 자(이하 '위험물취급자격자'라 한다)를 위험물안전관리자(이하 '안전관리자'라 한다)로 선임하여야 한다.

(1) 안전관리자를 선임한 제조소등의 관계인은 그 안전관리자를 해임하거나 안전관리자가 퇴직한 때에는 해임하거나 퇴직한 날부터 30일 이내에 다시 안전관리자를 선임하여야 한다.

(2) 제조소등의 관계인은 안전관리자를 선임한 경우에는 선임한 날부터 14일 이내에 행정안전부령으로 정하는 바에 따라 소방본부장 또는 소방서장에게 신고하여야 한다.

(3) 제조소등의 관계인이 안전관리자를 해임하거나 안전관리자가 퇴직한 경우 그 관계인 또는 안전관리자는 소방본부장이나 소방서장에게 그 사실을 알려 해임되거나 퇴직한 사실을 확인받을 수 있다.

(4) 안전관리자를 선임한 제조소등의 관계인은 안전관리자가 여행·질병, 그 밖의 사유로 인하여 일시적으로 직무를 수행할 수 없거나 안전관리자의 해임 또는 퇴직과 동시에 다른 안전관리자를 선임하지 못하는 경우에는 「국가기술자격법」에 따른 위험물의 취급에 관한 자격취득자 또는 위험물안전에 관한 기본지식과 경험이 있는 자로서 행정안전부령이 정하는 자를 대리자(代理者)로 지정하여 그 직무를 대행하게 하여야 한다. 이 경우 대리자가 안전관리자의 직무를 대행하는 기간은 30일을 초과할 수 없다.

(5) 안전관리자는 위험물을 취급하는 작업을 하는 때에는 작업자에게 안전관리에 관한 필요한 지시를 하는 등 행정안전부령이 정하는 바에 따라 위험물의 취급에 관한 안전관리와 감독을 하여야 하고, 제조소등의 관계인과 그 종사자는 안전관리자의 위험물 안전관리에 관한 의견을 존중하고 그 권고에 따라야 한다.

(6) 다수의 제조소등을 동일인이 설치한 경우에는 관계인은 대통령령이 정하는 바에 따라 1인의 안전관리자를 중복하여 선임할 수 있다.

(7) 제조소등의 종류 및 규모에 따라 선임하여야 하는 안전관리자의 자격은 대통령령으로 정한다.

> **참고** **위험물**
>
> 위험물이라 함은 인화성 또는 발화성 등의 성질을 가지는 것으로서 대통령령이 정하는 물품을 말한다.
>
> 1. **지정수량**: 위험물의 종류별로 위험성을 고려하여 대통령령이 정하는 수량으로서 제조소등의 설치허가 등에 있어서 최저의 기준이 되는 수량을 말한다.
>
> 2. **제조소**: 위험물을 제조할 목적으로 지정수량 이상의 위험물을 취급하기 위하여 허가를 받은 장소를 말한다.
>
> 3. **저장소**: 지정수량 이상의 위험물을 저장하기 위한 대통령령이 정하는 장소로서 허가를 받은 장소를 말한다.
>
> 4. **취급소**: 지정수량 이상의 위험물을 제조 외의 목적으로 취급하기 위한 대통령령이 정하는 장소로서 허가를 받은 장소를 말한다.
>
> 5. **제조소등**: 제조소·저장소 및 취급소를 말한다.

5. 자위소방대

방화건물의 구조, 규모, 용도 등에 따라 각 층 또는 각 동별로 자위소방조직을 편성하고
정기적으로 소방훈련을 실시한다.

> **핵심정리** **소방 민간조직**
>
> 1. **의용소방대**: 화재현장 등 소방업무를 보조하는 주민들을 말한다.
> 2. **자체소방대**: 다량의 위험물(정유공장)을 저장·취급하는 제조소등의 화재 시 소방활동 또는
>   관리하는 직원들을 말한다.
> 3. **소방안전관리자**: 자동화재탐지설비 등이 설치된 특정소방대상물을 관리하는 직원들을 말한다.
> 4. **위험물안전관리자**: 제4류 위험물(인화성 액체)을 취급하는 주유소 등을 관리하는 직원들을
>   말한다.
> 5. **자위소방대**: 일반공장, 근린생활 등 화재 시 소방활동 또는 관리하는 직원들을 말한다.

8 | 기타 소방 관련 법규

1. 소방의 목적

화재를 예방·경계하거나 진압하고 화재, 재난·재해, 그 밖의 위급한 상황에서의 구
조·구급활동 등을 통하여 국민의 생명·신체 및 재산을 보호함으로써 공공의 안녕
및 질서유지와 복리증진에 이바지함을 목적으로 한다.

2. 소방신호

화재예방, 소방활동 또는 소방훈련을 위하여 사용되는 소방신호의 종류와 방법은 다
음과 같이 행정안전부령으로 정한다.

(1) 소방신호의 종류

경계신호	화재예방상 필요하다고 인정되거나 화재위험 경보 시 발령한다.
발화신호	화재가 발생한 때 발령한다.
해제신호	소화활동이 필요 없다고 인정되는 때 발령한다.
훈련신호	훈련상 필요하다고 인정되는 때 발령한다.

영철쌤 tip

소방의 목적
1. 소방의 기본적인 목적은 화재를 예방·경
   계·진압하고, 구조·구급활동을 하는 것
   이다.
2. 소방의 궁극적인 목적은 공공의 안녕 및
   질서유지와 복리증진에 이바지함이다.

소방신호
1. 소방신호의 종류는 경계신호, 발화신호,
   해제신호, 훈련신호가 있다.
2. 소방신호의 목적은 화재예방, 소방훈련,
   소방활동이다.

(2) 소방신호의 방법(「소방기본법 시행규칙」 별표 4)

신호방법 / 종별	타종신호	사이렌신호	그 밖의 신호
경계신호	1타와 연 2타를 반복	5초 간격을 두고 30초씩 3회	통풍대 게시판 화재경보발령중 ▲ 통풍대 및 게시판
발화신호	난타	5초 간격을 두고 5초씩 3회	
해제신호	상당한 간격을 두고 1타씩 반복	1분간 1회	▲ 기
훈련신호	연 3타 반복	10초 간격을 두고 1분씩 3회	

▶ 비고
1. 소방신호의 방법은 그 전부 또는 일부를 함께 사용할 수 있다.
2. 게시판을 철거하거나 통풍대 또는 기를 내리는 것으로 소방활동이 해제되었음을 알린다.
3. 소방대의 비상소집을 하는 경우에는 훈련신호를 사용할 수 있다.

3. 소방박물관

(1) 소방의 역사와 안전문화를 발전시키고 국민의 안전의식을 높이기 위하여 소방청장은 소방박물관을 설립하여 운영할 수 있다.

(2) 소방박물관의 설립과 운영에 필요한 사항은 행정안전부령으로 정한다.

(3) 소방박물관에 소방박물관장 1인과 부관장 1인을 둔다.

(4) 소방박물관장은 소방공무원 중에서 소방청장이 임명한다.

(5) 소방박물관은 국내·외의 소방의 역사, 소방공무원의 복장 및 소방장비 등의 변천 및 발전에 관한 자료를 수집·보관 및 전시한다.

(6) 소방박물관에는 그 운영에 관한 중요한 사항을 심의하기 위하여 7인 이내의 위원으로 구성된 운영위원회를 둔다.

(7) 소방박물관의 관광업무·조직·운영위원회의 구성 등에 관하여 필요한 사항은 소방청장이 정한다.

4. 소방체험관

(1) 시·도지사는 소방체험관(화재 현장에서의 피난 등을 체험할 수 있는 체험관을 말한다)을 설립하여 운영할 수 있다.

(2) 소방체험관의 설립과 운영에 필요한 사항은 행정안전부령으로 정하는 기준에 따라 시·도의 조례로 정한다.

 영철쌤 tip
소방박물관 및 소방체험관의 설립·운영자
1. 소방청장: 소방박물관을 설립·운영한다.
2. 시·도지사: 소방체험관을 설립·운영한다.

(3) 소방체험관 기능

① 재난 및 안전사고 유형에 따른 예방·대처·대응 등에 관한 체험교육을 제공한다.

② 체험교육 프로그램 개발 및 국민 안전의식 향상을 위한 홍보·전시를 한다.

③ 체험교육 인력을 양성하고 유관기관·단체 등과 협력한다.

④ 그 밖에 체험교육을 위하여 시·도지사가 필요하다고 인정하는 사업을 수행한다.

5. 국고보조 대상사업의 범위

(1) 다음의 소방활동장비와 설비의 구입 및 설치

① 소방자동차

② 소방헬리콥터 및 소방정

③ 소방전용통신설비 및 전산설비

④ 그 밖에 방화복 등 소방활동에 필요한 소방장비

(2) 소방관서용 청사의 건축(「건축법」 제2조 제1항 제8호에 따른 건축을 말한다)

(3) 소방활동장비 및 설비의 종류와 규격은 행정안전부령으로 정한다.

6. 화재의 예방조치 등

(1) 누구든지 화재예방강화지구 및 이에 준하는 대통령령으로 정하는 장소에서는 다음 어느 하나에 해당하는 행위를 하여서는 아니 된다. 다만, 행정안전부령으로 정하는 바에 따라 안전조치를 한 경우에는 그러하지 아니한다.

① 모닥불, 흡연 등 화기의 취급

② 풍등 등 소형열기구 날리기

③ 용접·용단 등 불꽃을 발생시키는 행위

④ 그 밖에 대통령령으로 정하는 화재 발생 위험이 있는 행위

(2) 소방관서장은 화재 발생 위험이 크거나 소화 활동에 지장을 줄 수 있다고 인정되는 행위나 물건에 대하여 행위 당사자나 그 물건의 소유자, 관리자 또는 점유자에게 다음의 명령을 할 수 있다.

① (1) 어느 하나에 해당하는 행위의 금지 또는 제한

② 목재, 플라스틱 등 가연성이 큰 물건의 제거, 이격, 적재 금지 등

③ 소방차량의 통행이나 소화 활동에 지장을 줄 수 있는 물건의 이동

7. 화재예방강화지구

화재발생우려가 크거나 화재가 발생할 경우 피해가 클 것으로 예상되는 지역에 대하여 화재의 예방 및 안전관리를 강화하기 위해 지정·관리하는 지역을 말한다. 시·도지사는 다음 어느 하나에 해당하는 지역을 화재예방강화지구로 지정하여 관리할 수 있다.

(1) 시장지역

(2) 공장·창고가 밀집한 지역

(3) 목조건물이 밀집한 지역

(4) 노후·불량건축물이 밀집한 지역

 영철쌤 tip

1. 화재예방조치명령권자: 소방관서장(소방청장, 소방본부장, 소방서장)
2. 화재예방강화지구지정권자: 시·도지사

(5) 위험물의 저장 및 처리 시설이 밀집한 지역

(6) 석유화학제품을 생산하는 공장이 있는 지역

(7) 「산업입지 및 개발에 관한 법률」 제2조 제8호에 따른 산업단지

(8) 소방시설·소방용수시설 또는 소방출동로가 없는 지역

(9) 「물류시설의 개발 및 운영에 관한 법률」 제2조 제6호에 따른 물류단지

(10) 그 밖에 (1)부터 (9)까지에 준하는 지역으로서 소방관서의 장이 화재예방강화
지구로 지정할 필요가 있다고 인정하는 지역

8. 소방기관의 설치 등

(1) 시·도의 화재 예방·경계·진압 및 조사, 소방안전교육·홍보와 화재, 재난·재해,
그 밖의 위급한 상황에서의 구조·구급 등의 업무(이하 '소방업무'라 한다)를 수행
하는 소방기관의 설치에 필요한 사항은 대통령령으로 정한다.

(2) 소방업무를 수행하는 소방본부장 또는 소방서장은 그 소재지를 관할하는 특별시
장·광역시장·특별자치시장·도지사 또는 특별자치도지사(이하 '시·도지사'라
한다)의 지휘와 감독을 받는다.

(3) (2)에도 불구하고 소방청장은 화재 예방 및 대형 재난 등 필요한 경우 시·도 소방
본부장 및 소방서장을 지휘·감독할 수 있다.

(4) 시·도에서 소방업무를 수행하기 위해 시·도지사 직속으로 소방본부를 둔다.

> 📖 **핵심정리 소방업무의 지휘·감독**
>
> 1. 소방업무를 수행하는 소방본부장 또는 소방서장은 시·도지사의 지휘와 감독을 받는다.
> 2. 소방청장은 화재 예방 및 대형 재난 등 필요한 경우 시·도 소방본부장 및 소방서장을
>   지휘·감독할 수 있다.
> 3. 소방본부는 지방자치단체(시·도지사)의 직속기관이므로 소방기관이 아니다.

9. 방염

(1) 제조 또는 가공 공정에서 **방염처리를 한 물품**(합판·목재류의 경우에는 설치 현장
에서 방염처리를 한 것을 포함한다)으로서 다음의 어느 하나에 해당하는 것은 방
염성능기준 이상의 것으로 설치하여야 한다.

① 창문에 설치하는 커튼류(블라인드를 포함한다)

② 카펫, 두께가 2mm 미만인 벽지류(종이벽지는 제외한다)

③ 전시용 합판 또는 섬유판, 무대용 합판 또는 섬유판

④ 암막·무대막(「영화 및 비디오물의 진흥에 관한 법률」 제2조 제10호에 따른
영화상영관에 설치하는 스크린과 「다중이용업소의 안전관리에 관한 특별법
시행령」 제2조 제7호의4에 따른 가상체험 체육시설업에 설치하는 스크린을
포함한다)

▲ 방염마크(방염처리)

⑤ 섬유류 또는 합성수지류 등을 원료로 하여 제작된 소파·의자(「다중이용업소의 안전관리에 관한 특별법 시행령」제2조 제1호 나목 및 같은 조 제6호에 따른 단란주점영업, 유흥주점영업 및 노래연습장업의 영업장에 설치하는 것만 해당한다)

(2) 방염성능기준

다음의 기준의 범위에서 소방청장이 정하여 고시하는 바에 따른다.

① 버너의 불꽃을 제거한 때부터 불꽃을 올리며 연소하는 상태가 그칠 때까지 시간은 20초 이내일 것(잔염시간)

② 버너의 불꽃을 제거한 때부터 불꽃을 올리지 아니하고 연소하는 상태가 그칠 때까지 시간은 30초 이내일 것(잔신시간)

③ 탄화(炭化)한 면적은 50cm² 이내, 탄화한 길이는 20cm 이내일 것

④ 불꽃에 의하여 완전히 녹을 때까지 불꽃의 접촉 횟수는 3회 이상일 것

⑤ 소방청장이 정하여 고시한 방법으로 발연량(發煙量)을 측정하는 경우 최대 연기밀도는 400 이하일 것

10. 국립소방연구원

(1) 소방청장의 관장 사무를 지원하기 위하여 소방청장 소속의 책임운영기관으로 국립소방연구원을 둔다.

(2) 국립소방연구원에 원장 1명을 두며, 원장은 고위공무원단에 속하는 임기제공무원으로 보하되, 그 직위의 직무등급은 나등급으로 한다.

(3) 원장은 국립소방연구원의 사무를 총괄하고, 소속 공무원을 지휘·감독한다.

(4) 국립소방연구원은 시험·연구개발 및 기술지원 등에 관하여 다음 사업을 수행한다.

① 소방 및 안전 관련 정책 연구 및 제도개선에 관한 사항

② 소방 및 안전 관련 기술의 연구 개발 및 보급에 관한 사항

③ 소방 및 안전 관련 연구·개발 종합계획의 수립·총괄·조정의 지원

④ 소방공무원 보건안전 및 복지에 관한 연구

⑤ 화재에 대한 과학적 조사(감식·감정) 및 제도개선에 관한 사항

⑥ 위험물 판정·시험 및 국가화재안전기준에 관한 연구

⑦ 소방현장 대응기술에 관한 연구

⑧ 소방현장 문제해결을 위한 연구개발 및 현장 실용화에 관한 사항

⑨ 소방드론 개발 연구 및 교육훈련 지원에 관한 사항

⑩ 소방 및 안전 관련 국제교류협력 및 국내·외 연구기관 공동연구

⑪ 국가기관 또는 지방자치단체가 요청하는 소방관련 연구개발 사업의 수행

⑫ 기타 연구원의 사업목표 달성을 위해 필요한 사업

 영철쌤 tip

국립소방연구원
1. 소방청장 소속의 책임운영기관이다.
2. 국립소방연구원은 공무원 및 연구원 등으로 구성되어 있다.

11. 한국119청소년단

(1) 청소년에게 소방안전에 관한 올바른 이해와 안전의식을 함양시키기 위하여 한국 119청소년단을 설립한다.

(2) 소방청장은 한국119청소년단의 설립목적 달성 및 원활한 사업 추진 등을 위하여 필요한 지원과 지도·감독을 할 수 있다.

(3) 한국119청소년단에 관하여 「소방기본법」에서 규정한 것을 제외하고는 「민법」 중 사단법인에 관한 규정을 준용한다.

12. 소방시설업

(1) 소방시설설계업

소방시설공사에 기본이 되는 공사계획, 설계도면, 설계 설명서, 기술계산서 및 이와 관련된 서류(이하 '설계도서'라 한다)를 작성(이하 '설계'라 한다)하는 영업이다.

(2) 소방시설공사업

설계도서에 따라 소방시설을 신설, 증설, 개설, 이전 및 정비(이하 '시공'이라 한다)하는 영업이다.

(3) 소방공사감리업

소방시설공사에 관한 발주자의 권한을 대행하여 소방시설공사가 설계도서와 관계 법령에 따라 적법하게 시공되는지를 확인하고, 품질·시공 관리에 대한 기술지도(이하 '감리'라 한다)를 하는 영업이다.

(4) 방염처리업

방염대상물품에 대하여 방염처리(이하 '방염'이라 한다)하는 영업이다.

13. 소방시설관리업

소방시설관리업은 소방안전관리업무의 대행 또는 소방시설등을 점검하거나 유지·관리하는 업을 말한다. 소방시설관리업을 하고자 하는 때에는 「소방시설 설치 및 관리에 관한 법률」에 따라 기술인력과 장비를 갖추고 시·도지사에게 소방시설관리업을 등록하여야 한다.

영철쌤 tip

소방시설업
1. 소방시설업은 설계업, 공사업, 감리업, 방염처리업이 해당한다.
2. 소방시설관리업은 소방시설점검업이므로 소방시설업이 아니다.

14. 위험물 등

(1) 위험물

인화성 또는 발화성 등의 성질을 가지는 것으로서 **대통령령이 정하는 물품**을 말한다.

(2) 지정수량

위험물의 종류별로 위험성을 고려하여 대통령령이 정하는 수량으로서 제조소등의 설치허가 등에 있어서 최저의 기준이 되는 수량을 말한다.

(3) 제조소

위험물을 제조할 목적으로 지정수량 이상의 위험물을 취급하기 위하여 허가를 받은 장소를 말한다.

(4) 저장소

지정수량 이상의 위험물을 저장하기 위한 대통령령이 정하는 장소로서 허가를 받은 장소를 말한다.

(5) 취급소

지정수량 이상의 위험물을 제조 외의 목적으로 취급하기 위하여 대통령령이 정하는 장소로서 허가를 받은 장소를 말한다.

(6) 제조소등

제조소 · 저장소 및 취급소를 말한다.

15. 소방기술민원센터의 설치 · 운영 등

(1) 소방청장 또는 소방본부장은 소방시설, 소방공사 및 위험물안전관리 등과 관련된 법령해석 등의 민원을 종합적으로 접수하여 처리할 수 있는 기구(이하 '**소방기술민원센터**'라 한다)를 설치 · 운영할 수 있다.

(2) 소방기술민원센터의 설치 · 운영 등에 필요한 사항은 대통령령으로 정한다.

> **참고** **국립소방병원건립추진단**
> 1. 소방청 소방정책국에 「행정기관의 조직과 정원에 관한 통칙」 제17조의3 제1항 제1호에 따라 2023년 12월 31일까지 존속하는 한시조직으로 국립소방병원건립추진단(이하 '추진단'이라 한다)을 둔다.
> 2. 추진단에는 단장 1명을 두며, 단장은 소방정으로 보한다.

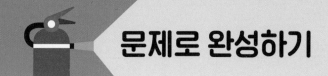

01 우리나라 최초의 소방행정관청은?

① 성문도감   ② 5가 작통제

③ 금화도감   ④ 수성금화도감

02 우리나라 시대적 소방의 연대에 대한 설명으로 옳지 않은 것은?

① 1426년 2월 성문도감과 금화도감이 합병되면서 수성금화도감으로 개편

② 1958년 3월 우리나라 최초의 소방법 제정·공포

③ 2022년 12월 「소방기본법」 등 6개 법률 제정

④ 2017년 7월 소방청 개청

03 소방조직 및 업무를 경찰로부터 완전 독립하여 자치소방체제로 전환한 시기로 옳은 것은?

① 조선시대   ② 갑오경장 전후

③ 일제시대   ④ 미군정시대

04 다음 [보기]에서 해방 이후의 소방조직 변천과정을 과거부터 현재까지 옳게 나열한 것은?

───────── [보기] ─────────

ㄱ. 중앙에는 중앙소방위원회를 두고, 지방에는 도 소방위원회를 두어 독립된 자치소방제도를 시행하였다.

ㄴ. 소방행정이 경찰행정 사무에 포함되어 시·군까지 일괄적으로 관리하는 국가소방체제로 전환되었다.

ㄷ. 서울과 부산에는 소방본부를 설치하였고, 다른 지역은 국가소방체제로 국가소방과 자치소방의 이원화 시기였다.

ㄹ. 소방사무가 시·도 사무로 전환되어 전국 시·도에 소방본부가 설치되었다.

① ㄱ → ㄴ → ㄷ → ㄹ   ② ㄱ → ㄴ → ㄹ → ㄷ

③ ㄴ → ㄱ → ㄷ → ㄹ   ④ ㄴ → ㄱ → ㄹ → ㄷ

05 우리나라 소방의 시대별 발전과정에 관한 내용으로 옳은 것만을 [보기]에서 고른 것은?

─────── [보기] ───────

ㄱ. 고려시대: 금화도감을 설치하였다

ㄴ. 조선시대: 일본에서 들여온 수총기를 궁정소방대에 처음으로 구비하였다.

ㄷ. 일제강점기: 우리나라 최초로 소방서를 설치하였다.

ㄹ. 미군정시대: 소방을 경찰에서 분리하여 최초로 독립된 자치적 소방제도를 시행하였다.

① ㄱ, ㄴ   ② ㄱ, ㄹ   ③ ㄴ, ㄷ

④ ㄴ, ㄹ   ⑤ ㄷ, ㄹ

정답 및 해설

01 조선시대의 소방조직
금화도감은 우리나라 최초의 소방관서이다.

02 조선시대의 소방조직
1426년(세종 8년) 2월에 병조에 금화도감을 설치하였으며, 1426년 6월 공조에 속한 성문도감과 병조에 속한 금화도감에 운영상 폐단이 생겨 두 기관을 합병하여 공조에 속하는 수성금화도감으로 개편하였다.

03 미군정시대의 소방조직
1946년 4월 10일「군정법」제66호에 따라 소방부 및 소방위원회를 설치하고 소방조직 및 업무를 경찰로부터 완전 독립하여 자치소방체제로 전환하였다.

04 해방 이후 소방조직
· 미군정시대(과도기 1945~1948년): 자치소방체제
  1946년「군정법」제66호에 따라 소방부 및 소방위원회를 설치하고 소방조직 및 업무를 경찰로부터 완전 독립하여 자치소방체제로 전환하였다. 한편 소방위원회는 중앙소방위원회, 각 도 소방위원회로 구분하여 운영되었다.
· 대한민국 정부수립 이후(초창기 1948~1970년): 국가소방체제
  정부수립과 동시에 국가에서 일괄적으로 관리하는 국가소방체제로 전환하였다.

· 1970~1992년: 국가·자치 이원체제
  1972년 6월 서울과 부산에 소방본부를 설치하여 자치소방체제를 유지하고 기타 시·도는 정부수립 이후 초창기처럼 국가에서 관리하는 국가소방체제를 유지하였다.
· 1992~2004년: 광역소방체제
  광역자치소방체제로 전환(16개 시·도 소방본부)하였다.
· 2004~2014년: 소방방재청체제
  최초의 재난관리 전담기구인 소방방재청을 개청하였다.
· 2014~2017년: 중앙소방본부체제
  국민안전처 소속 중앙소방본부로 바뀌었다.
· 2017~현재: 소방청체제
  행정안전부 외청인 소방청을 개청하였다.

05 소방의 역사
ㄱ. 조선시대(전기): 1426년 2월(세종8년) 금화도감을 설치하였다
ㄴ. 조선시대(전기): 1723년 6월(경종3년)중국에서 들여온 수총기를 궁정소방대에 처음으로 구비하였다.

정답 **01** ③ **02** ① **03** ④ **04** ① **05** ⑤

06 우리나라 소방의 역사에 대한 설명으로 옳은 것만을 모두 고른 것은? 21. 공채·경채

> ㄱ. 고려시대에는 소방(消防)을 소재(消災)라 하였으며, 화통도감을 신설하였다.
>
> ㄴ. 조선시대 세종 8년에 금화도감을 설치하였다.
>
> ㄷ. 1915년에 우리나라 최초 소방본부인 경성소방서를 설치하였다.
>
> ㄹ. 1945년에 중앙소방위원회 및 중앙소방청을 설치하였다.

① ㄱ, ㄴ

② ㄱ, ㄴ, ㄷ

③ ㄴ, ㄷ, ㄹ

④ ㄱ, ㄴ, ㄷ, ㄹ

07 우리나라 소방의 발전과정에 대한 설명 중 옳지 않은 것은?

① 최초의 소방관서는 금화도감이다.

② 일제강점기에 최초의 소방서가 설치되었다.

③ 갑오개혁 이후 '소방'이라는 용어를 처음 사용하였다.

④ 대한민국 정부수립과 동시에 소방본부가 설치되었다.

08 우리나라 소방 역사에 대한 설명으로 옳지 않은 것은? 20. 공채·경채

① 조선시대인 1426년(세종 8년) 금화도감이 설치되었다.

② 일제강점기인 1925년 최초의 소방서가 설치되었다.

③ 미군정시대인 1946년 중앙소방위원회가 설치되었다.

④ 대한민국 정부수립 이후인 1948년 소방법이 제정·공포되었다.

09 우리나라 소방행정에 대한 설명으로 옳은 것은? 20. 공채·경채

① 미군정시대에는 소방행정을 경찰에서 분리하여 자치소방행정체제를 도입하였다.

② 1972년 전국 시·도에 소방본부를 설치·운영하고 광역소방행정체제로 전환하였다.

③ 소방공무원은 공무원 분류상 경력직 공무원 중 특수경력직 공무원에 해당한다.

④ 소방공무원의 징계 중 경징계에는 정직, 감봉, 견책이 있다.

10 우리나라 소방행정체제의 변천과정에 관한 내용으로 옳지 않은 것은?

23. 공채·경채

① 중앙소방위원회 설치(1946) 당시에는 자치소방체제였다.

② 정부수립(1948) 당시에는 국가소방체제였다.

③ 중앙소방학교 설립(1978) 당시에는 국가소방과 자치소방의 이원적 체제였다.

④ 대구지하철 화재 발생(2003) 당시에는 국가소방체제였다.

정답 및 해설

06 소방의 역사

ㄱ. 고려시대에는 소방(消防)을 소재(消災)라 하였으며, 화약제조 및 사용량 증가에 따라 화통도감을 신설하여 특별관리하였다.

ㄴ. 1426년 2월(세종 8년)에 병조소속에 금화도감을 설치하였다.

ㄷ. 1925년에 우리나라 최초 소방서인 경성소방서를 설치하였다.

ㄹ. 1946년 군정법 제66호에 따라 소방부 및 소방위원회를 설치하고 소방조직 및 업무를 경찰로부터 완전 독립하여 자치소방체제로 전환하였다. 한편 소방위원회는 중앙소방위원회, 각 도 소방위원회로 구분하여 운영되었다. 1947년 남조선 과도정부 후에는 동 위원회의 집행기구로 소방청을 설치, 소방청에는 청장 1인과 서기장 1인을 두고 군정자문 1인을 배치하여 총무과, 소방과, 예방과를 두었다.

07 소방의 역사

④ 대한민국 정부수립 이후 국가소방체제로 전환(경찰에서 관장, 「경찰공무원법」 적용)되었다.

· 중앙: 내부무 치안국 소방과

· 지방: 경찰국 소방과

① 금화도감 설치

· 1426년 세종 8년 병조에 금화도감을 설치하였으며, 최초의 소방관서이다.

· 금화도감의 조직: 제조 7명, 사 5명, 부사 6명, 판관 6명

② 일제강점기인 1925년 경성(現 종로)에 우리나라 최초의 소방서가 설치되었고 이후 1939년 부산소방서(62명)와 평양소방서(88명)가 각각 설치되었으며 청진(1941년), 인천(1944년), 함흥(1944년), 용산(1944년), 성동(1945년)에 소방서가 증설되었다.

③ 1894년 갑오경장을 통하여 경찰사무를 담당한 경무청에서 화재에 관한 사무 담당 1895년 4월 29일 경무청 직제를 제정하면서 경무청처리세칙에서 '수화·소방은 난파선 및 출화·홍수 등에 계하는 구호에 관한 사항'이라고 정했는데 여기에서 소방이라는 용어가 처음으로 등장하였다.

08 소방의 역사

대한민국 정부수립 이후인 1958년 3월 11일 소방법이 제정·공포되었다.

09 소방행정

② 1992년 전국 시·도에 소방본부를 설치·운영하고 광역소방행정체제로 전환하였다.

③ 소방공무원은 공무원 분류상 경력직 공무원 중 특정직 공무원에 해당한다.

④ 소방공무원의 징계 중 경징계에는 감봉, 견책이 있다.

10 소방의 역사

대구지하철 화재 발생(2003) 당시에는 광역소방체제였다.

■ **대한민국 정부수립 이후 넓은 의미**

· 1948년 ~ 1970년(국가소방체제)

· 1970년 ~ 1992년(이원적소방체제)

· 1992년 ~ 2020년(광역소방체제)

· 2020년 ~ 현재(국가소방체제)

정답 06 ① **07** ④ **08** ④ **09** ① **10** ④

11 대한민국 정부 수립 이후 중앙소방조직의 변천 과정을 시간적 순서대로 옳게 나열한 것은?

① 소방방재청 – 내무부 소방국 – 내무부 치안국 소방과 – 국민안전처 중앙소방본부 – 소방청

② 소방방재청 – 내무부 치안국 소방과 – 내무부 소방국 – 국민안전처 중앙소방본부 – 소방청

③ 내무부 소방국 – 내무부 치안국 소방과 – 국민안전처 중앙소방본부 – 소방방재청 – 소방청

④ 내무부 경찰국 소방과 – 내무부 소방국 – 소방청 – 국민안전처 중앙소방본부 – 소방방재청

⑤ 내무부 치안국 소방과 – 내무부 소방국 – 소방방재청 – 국민안전처 중앙소방본부 – 소방청

12 소방행정조직의 발전 과정에 관한 설명으로 옳지 않은 것은?

① 1426년(세종 8년)에 독자적인 소방 관리를 위해 금화도감을 설치하였으며 이후 성문도감과 병합하여 수성금화도감으로 개편하였다.

② 1894년에 경무청이 설치되고, '소방'이란 용어가 처음으로 사용되었다.

③ 1948년에 대한민국 정부가 수립되고 국가 소방체제로 전환하면서 소방행정조직이 경찰에서 분리되었다.

④ 2017년에 「정부조직법」 개정으로 국민안전처를 해체하고 소방청을 개설하였다.

13 소방조직의 원리에 해당하지 않는 것은?

① 조정의 원리
② 계층제의 원리
③ 명령분산의 원리
④ 통솔범위의 원리

14 소방 관련 민간조직 중 소방시설의 설계, 공사, 감리 등 소방대상물에 소방시설을 기준에 맞게 설치하는 공사와 관련된 업은?

① 소방시설업

② 소방시설관리업

③ 방염처리업

④ 소방용품 제조업

15 소방안전관리업무의 대행 또는 소방시설 등을 점검하거나 유지·관리하는 업은?

① 방염처리업

② 소방시설관리업

③ 소방시설공사업

④ 소방용품제조업

정답 및 해설

11 중앙소방조직의 변천 과정
내무부 치안국 소방과(1948년) - 내무부 민방위 본부 내 소방국(1975년) - 소방방재청(2004년) - 국민안전처 중앙소방본부(2014년) - 소방청(2017년)

12 소방의 역사
1948년에 대한민국 정부가 수립되고 국가 소방체제로 전환하면서 소방행정조직이 경찰소속이 되었다.

13 소방조직의 기본원리
· 계선의 원리: 특정사안에 대한 결정에 있어 의사결정 과정에서는 개인의 의견이 참여되지만, 결정을 내리는 것은 개인이 아니라 그 소속기관의 자라는 것을 말한다.
· 계층제의 원리: 소방, 군대, 경찰 등과 같은 조직에서 권한 및 책임에 따른 상하의 계층을 형성하는 것을 말한다.
· 업무조정의 원리: 조직의 공통된 목표를 달성하기 위하여 전문화 및 분업화되어 있는 개인이나 조직을 통합하여 행동을 통일시키는 것을 말한다.
· 명령통일의 원리: 하나의 조직은 한 사람의 상급자에게 명령을 받고 그에 따른 보고를 하는 것을 말한다.
· 분업의 원리(기능의 원리, 전문화의 원리): 한 가지 주된 업무를 분담시키는 것으로 한 사람이나 한 부서가 하나의 주 업무를 맡는 것을 말한다.
· 통솔범위의 원리: 한 명의 상관이 부하를 효과적으로 통솔할 수 있는 범위를 말한다. 통솔 가능한 범위는 7~12명이며 비상 시 3~4명으로 더 적다.

14 소방시설업
소방시설업은 소방시설을 설계하는 소방시설설계업, 설계도서에 따라 소방시설을 시공하는 소방시설공사업, 소방시설공사에 관한 발주자의 권한을 대행하여 소방시설공사가 설계도서와 관계 법령에 따라 적법하게 시공되는지를 확인하고 품질·시공관리에 대한 기술지도를 하는 소방공사감리업으로 나누어진다.

15 소방시설관리업
소방시설관리업은 소방안전관리업무의 대행 또는 소방시설 등을 점검하거나 유지·관리하는 업을 말한다. 소방시설관리업을 하고자 하는 때에는 「소방시설 설치·유지 및 안전관리에 관한 법률」에 따라 기술인력과 장비를 갖추고 시·도지사에게 소방시설관리업을 등록하여야 한다.

정답 11 ⑤ **12** ③ **13** ③ **14** ① **15** ②

16 민간 소방조직의 설치에 대한 설명으로 옳지 않은 것은?

① 주유취급소에는 위험물안전관리자를 선임해야 한다.

② 소방안전관리대상물에는 소방안전관리자를 선임해야 한다.

③ 소방업무를 체계적으로 보조하기 위해 의용소방대를 설치한다.

④ 제4류 위험물을 저장·취급하는 제조소에는 반드시 자체소방대를 설치해야 한다.

17 「위험물안전관리법」상 위험물안전관리자에 대한 내용으로 옳지 않은 것은?　　　　21. 소방간부

① 안전관리자를 선임한 제조소등의 관계인은 그 안전관리자를 해임하거나 안전관리자가 퇴직한 때에는 해임하거나 퇴직한 날부터 30일 이내에 다시 안전관리자를 선임하여야 한다.

② 제조소등의 관계인은 관련 법령에 따라 안전관리자를 선임한 경우에는 선임한 날부터 14일 이내에 행정안전부령으로 정하는 바에 따라 소방본부장 또는 소방서장에게 신고하여야 한다.

③ 제조소등의 관계인이 안전관리자를 해임하거나 안전관리자가 퇴직한 경우 그 관계인 또는 안전관리자는 소방본부장이나 소방서장에게 그 사실을 알려 해임되거나 퇴직한 사실을 확인받을 수 있다.

④ 안전관리자를 선임한 제조소등의 관계인은 안전관리자의 해임 또는 퇴직과 동시에 다른 안전관리자를 선임하지 못하는 경우에는 「국가기술자격법」에 따른 위험물의 취급에 관한 자격취득자 또는 위험물안전에 관한 기본지식과 경험이 있는 자로서 소방본부장이나 소방서장이 정하는 자를 대리자(代理者)로 지정하여 그 직무를 대행하게 하여야 한다.

⑤ 제조소등의 종류 및 규모에 따라 선임하여야 하는 안전관리자의 자격은 대통령령으로 정한다.

18 의용소방대에 대한 설명으로 옳지 않은 것은?

① 시·도지사 또는 소방서장은 소방업무를 보조하게 하기 위하여 특별시·광역시·시·읍·면에 의용소방대를 둔다.

② 의용소방대는 지역과 관계없이 희망하는 자로 구성한다.

③ 의용소방대의 필요한 사항은 시·도의 조례로 정한다.

④ 의용소방대의 운영과 처우 등에 대한 경비는 그 대원의 임면권자가 부담한다.

19 「소방기본법」 및 같은 법 시행규칙상 화재예방, 소방활동 또는 소방훈련을 위하여 사용되는 소방신호의 종류와 방법에 관한 내용으로 옳은 것은? 23. 공채·경채

① 소방신호의 방법으로는 타종신호, 사이렌신호, 음성신호가 있다.

② 소방대의 비상소집을 하는 경우에는 훈련신호를 사용할 수 있다.

③ 타종신호로 하는 경우 경계신호는 5초 간격을 두고 30초씩 3회로 한다.

④ 소방신호의 종류에는 비상신호, 훈련신호, 해제신호, 경계신호가 있다.

정답 및 해설

16 자체소방대
제4류 위험물을 저장·취급하는 제조소에는 자체소방대를 설치해야 한다. 반드시는 아니다.

> **■ 자체소방대를 설치하여야 하는 사업소**
>
> 화재 발생 시 소방공무원이 도착하기 전에 화재를 진압하는 자체 소방대로, 다량의 위험물을 저장·취급하는 제조소등으로서 대통령령이 정하는 제조소등이 있는 동일한 사업소에서 대통령령이 정하는 수량 이상의 위험물을 저장 또는 취급하는 경우 당해 사업소의 관계인은 대통령령이 정하는 바에 따라 당해 사업소에 자체소방대를 설치하여야 한다.
>
> 1. 대통령령이 정하는 제조소등
> 2. 제4류 위험물을 취급하는 제조소 또는 일반취급소(지정수량의 3천 배 이상)를 말한다(다만, 보일러로 위험물을 소비하는 일반취급소 등 행정안전부령이 정하는 일반취급소를 제외한다).
> 3. 제4류 위험물을 저장하는 옥외탱크저장소(지정수량의 50만 배 이상)를 말한다.

17 위험물안전관리자
안전관리자를 선임한 제조소등의 관계인은 안전관리자가 여행·질병, 그 밖의 사유로 인하여 일시적으로 직무를 수행할 수 없거나 안전관리자의 해임 또는 퇴직과 동시에 다른 안전관리자를 선임하지 못하는 경우에는 「국가기술자격법」에 따른 위험물의 취급에 관한 자격취득자 또는 위험물 안전에 관한 기본지식과 경험이 있는 자로서 행정안전부령이 정하는 자를 대리자(代理者)로 지정하여 그 직무를 대행하게 하여야 한다. 이 경우 대리자가 안전관리자의 직무를 대행하는 기간은 30일을 초과할 수 없다.

18 의용소방대
의용소방대는 그 지역의 주민 가운데 희망하는 자로 구성하되, 그 설치·명칭·구역·조직·임면·정원·훈련·검열·복제·복무 및 운영 등에 관하여 필요한 사항은 시·도 조례로 정한다.

19 소방신호
① 소방신호의 방법으로는 타종신호, 사이렌신호, 그 밖의 신호가 있다.
③ 사이렌신호로 하는 경우 경계신호는 5초 간격을 두고 30초씩 3회로 한다.
④ 소방신호의 종류에는 발화신호, 훈련신호, 해제신호, 경계신호가 있다.

■ 소방신호의 방법

종별 ＼ 신호방법	타종신호	사이렌신호	그 밖의 신호
경계신호	1타와 연 2타를 반복	5초 간격을 두고 30초씩 3회	
발화신호	난타	5초 간격을 두고 5초씩 3회	
해제신호	상당한 간격을 두고 1타씩 반복	1분간 1회	
훈련신호	연 3타 반복	10초 간격을 두고 1분씩 3회	

▲ 통풍대 게시판

▲ 기

[비고]
1. 소방신호의 방법은 그 전부 또는 일부를 함께 사용할 수 있다.
2. 게시판을 철거하거나 통풍대 또는 기를 내리는 것으로 소방활동이 해제되었음을 알린다.
3. 소방대의 비상소집을 하는 경우에는 훈련신호를 사용할 수 있다.

정답 16 ④ **17** ④ **18** ② **19** ②

20 방염성능기준으로 옳지 않은 것은?

① 버너의 불꽃을 제거한 때부터 불꽃을 올리며 연소하는 상태가 그칠 때까지 시간은 20초 이내일 것

② 버너의 불꽃을 제거한 때부터 불꽃을 올리지 아니하고 연소하는 상태가 그칠 때까지 시간은 20초 이내일 것

③ 탄화(炭化)한 면적은 50cm² 이내, 탄화한 길이는 20cm 이내일 것

④ 불꽃에 의하여 완전히 녹을 때까지 불꽃의 접촉 횟수는 3회 이상일 것

21 위험물안전관리법령상 자체소방대를 설치하여야 하는 사업소로 옳은 것은? 24. 소방간부

① 용기에 위험물을 옮겨 담는 일반취급소

② 이동저장탱크 그 밖에 이와 유사한 것에 위험물을 주입하는 일반취급소

③ 보일러, 버너 그 밖에 이와 유사한 장치로 위험물을 소비하는 일반취급소

④ 제4류 위험물을 취급하는 제조소 또는 일반취급소에서 취급하는 제4류 위험물의 최대수량의 합이 지정수량의 3천배 이상인 경우

⑤ 제4류 위험물을 저장하는 옥외탱크저장소에 저장하는 제4류 위험물의 최대수량이 지정수량의 30만배 이상인 경우

22 「위험물안전관리법 시행령」상 제조소에서 취급하는 제4류 위험물의 최대수량의 합이 지정수량의 50만 배인 사업소의 경우, 자체소방대에 두는 화학소방자동차와 자체소방대원의 수로 옳은 것은?

23. 소방간부

	화학소방자동차	자체소방대원
①	1대	5인
②	2대	10인
③	3대	15인
④	4대	20인
⑤	5대	10인

정답 및 해설

20 방염성능기준
방염성능기준은 다음의 기준의 범위에서 소방청장이 정하여 고시하는 바에 따른다.
· 버너의 불꽃을 제거한 때부터 불꽃을 올리며 연소하는 상태가 그칠 때까지 시간은 20초 이내일 것
· 버너의 불꽃을 제거한 때부터 불꽃을 올리지 아니하고 연소하는 상태가 그칠 때까지 시간은 30초 이내일 것
· 탄화(炭化)한 면적은 50cm² 이내, 탄화한 길이는 20cm 이내일 것
· 불꽃에 의하여 완전히 녹을 때까지 불꽃의 접촉 횟수는 3회 이상일 것
· 소방청장이 정하여 고시한 방법으로 발연량(發煙量)을 측정하는 경우 최대 연기밀도는 400 이하일 것

21 자체소방대 설치
· 제4류 위험물을 취급하는 제조소 또는 일반취급소에서 취급하는 제4류 위험물의 최대수량의 합이 지정수량의 3배 이상인 경우
· 제4류 위험물을 저장하는 옥외탱크저장소에 저장하는 제4류 위험물의 최대수량이 지정수량의 50만배 이상인 경우

22 자체소방대에 두는 화학소방자동차 및 인원

사업소의 구분	화학소방자동차	자체소방대원의 수
제조소 또는 일반취급소에서 취급하는 제4류 위험물의 최대수량의 합이 지정수량의 3천배 이상 12만배 미만인 사업소	1대	5인
제조소 또는 일반취급소에서 취급하는 제4류 위험물의 최대수량의 합이 지정수량의 12만배 이상 24만배 미만인 사업소	2대	10인
제조소 또는 일반취급소에서 취급하는 제4류 위험물의 최대수량의 합이 지정수량의 24만배 이상 48만배 미만인 사업소	3대	15인
제조소 또는 일반취급소에서 취급하는 제4류 위험물의 최대수량의 합이 지정수량의 48만배 이상인 사업소	4대	20인
옥외탱크저장소에 저장하는 제4류 위험물의 최대수량이 지정수량의 50만배 이상인 사업소	2대	10인

정답 20 ② **21** ④ **22** ④

23 「화재의 예방 및 안전관리에 관한 법률 시행령」상 화재의 확대가 빠른 특수가연물의 품명 및 수량으로 옳은 것은?

23. 소방간부

① 넝마: 500킬로그램 이상

② 사류: 1,000킬로그램 이상

③ 면화류: 100킬로그램 이상

④ 가연성고체류: 2,000킬로그램 이상

⑤ 석탄·목탄류: 3,000킬로그램 이상

24 「화재의 예방 및 안전관리에 관한 법률」상 시·도지사가 화재예방강화지구로 지정하여 관리해야 하는 지역으로 옳은 것만을 [보기]에서 있는 대로 고른 것은?

23. 소방간부

─────── [보기] ───────

ㄱ. 시장지역

ㄴ. 공장·창고가 밀집한 지역

ㄷ. 노후·불량건축물이 밀집한 지역

ㄹ. 위험물의 저장 및 처리 시설이 밀집한 지역

① ㄱ, ㄴ   ② ㄱ, ㄷ   ③ ㄴ, ㄹ

④ ㄱ, ㄴ, ㄹ   ⑤ ㄱ, ㄴ, ㄷ, ㄹ

정답 및 해설

23 특수가연물의 품명 및 수량

품명		수량
면화류		200kg 이상
나무껍질 및 대팻밥		400kg 이상
넝마 및 종이부스러기		1,000kg 이상
사류(絲類)		1,000kg 이상
볏짚류		1,000kg 이상
가연성 고체류		3,000kg 이상
석탄·목탄류		10,000kg 이상
가연성 액체류		2m³ 이상
목재가공품 및 나무부스러기		10m³ 이상
고무류·플라스틱류	발포시킨 것	20m³ 이상
	그 밖의 것	3,000kg 이상

24 화재예방강화지구

시·도지사는 다음 어느 하나에 해당하는 지역을 화재예방강화지구로 지정하여 관리할 수 있다.

■ 화재예방강화지구

1. 시장지역
2. 공장·창고가 밀집한 지역
3. 목조건물이 밀집한 지역
4. 노후·불량건축물이 밀집한 지역
5. 위험물의 저장 및 처리 시설이 밀집한 지역
6. 석유화학제품을 생산하는 공장이 있는 지역
7. 「산업입지 및 개발에 관한 법률」제2조 제8호에 따른 산업단지
8. 소방시설·소방용수시설 또는 소방출동로가 없는 지역
9. 「물류시설의 개발 및 운영에 관한 법률」제6호에 따른 물류단지
10. 그 밖에 1.부터 8.까지에 준하는 지역으로서 소방관서장이 화재예방강화지구로 지정할 필요가 있다고 인정하는 지역

정답 **23** ②   **24** ⑤

CHAPTER 2 국가공무원법

1 총칙

1. 목적

각급 기관에서 근무하는 모든 국가공무원에게 적용할 인사행정의 근본 기준을 확립하여 그 공정을 기함과 아울러 국가공무원에게 국민 전체의 봉사자로서 행정의 민주적이며 능률적인 운영을 기하게 하는 것을 목적으로 한다.

2. 공무원 구분

(1) 경력직 공무원

① **경력직 공무원:** 실적과 자격에 따라 임용되고, 그 신분이 보장되며 평생 동안(근무기간을 정하여 임용하는 공무원의 경우에는 그 기간 동안을 말한다) 공무원으로 근무할 것이 예정되는 공무원이다.

② **경력직 공무원의 구분**

일반직	기술·연구 또는 행정 일반에 대한 업무를 담당하는 공무원
특정직	법관, 검사, 외무공무원, 경찰공무원, 소방공무원, 교육공무원, 군인, 군무원, 헌법재판소 헌법연구관, 국가정보원의 직원, 경호공무원과 특수 분야의 업무를 담당하는 공무원으로서 다른 법률에서 특정직 공무원으로 지정하는 공무원

(2) 특수경력직 공무원

① **특수경력직 공무원:** 경력직 공무원 외의 공무원

② **특수경력직 공무원 구분**

정무직	· 선거로 취임하거나 임명할 때 국회의 동의가 필요한 공무원 · 고도의 정책결정 업무를 담당하거나 이러한 업무를 보조하는 공무원으로서 법률이나 대통령령(대통령비서실 및 국가안보실의 조직에 관한 대통령령만 해당한다)에서 정무직으로 지정하는 공무원
별정직	비서관·비서 등 보좌업무 등을 수행하거나 특정한 업무 수행을 위하여 법령에서 별정직으로 지정하는 공무원

3. 일반직 공무원의 분류

일반직 공무원은 1급부터 9급까지의 계급으로 구분하며, 직군(職群)과 직렬(職列)별로 분류한다. 다만, 고위공무원단에 속하는 공무원은 그러하지 아니하다.

출제 POINT

01 공무원의 구분	★★☆
02 용어의 정의	★☆☆
03 공무원의 징계	★★★

영철쌤 tip

소방공무원 신분
1. 일반직 공무원: 1949년 8월 12일 ~ 1969년 1월 6일
2. 별정직 공무원: 1969년 1월 7일 ~ 1982년 12월 31일
3. 특정직 공무원: 1983년 1월 1일 ~ 현재

특정직 공무원
소방공무원은 경력직 공무원 중 특정직 공무원이다. 특수경력직 공무원이 아니다.

4. 용어의 정의

(1) 직위(職位)

1명의 공무원에게 부여할 수 있는 직무와 책임을 말한다.

예 소방서장, 소방행정과장, 119안전센터장 등

(2) 직급(職級)

직무의 종류·곤란성과 책임도가 상당히 유사한 직위의 군을 말한다.

예 소방공무원 계급(소방사, 소방교, 소방장, 소방위, 소방경, 소방령) 등

(3) 정급(定級)

① 직위를 직급 또는 직무등급에 배정하는 것을 말한다.

② 소방서장이라는 직위를 소방정으로 배정, 119안전센터장이라는 직위를 소방경으로 배정한다.

(4) 강임(降任)●

같은 직렬 내에서 하위 직급에 임명하거나 하위 직급이 없어 다른 직렬의 하위 직급으로 임명하거나 고위공무원단에 속하는 일반직 공무원을 고위공무원단 직위가 아닌 하위 직위에 임명하는 것을 말한다. 다만, 「소방공무원법」 제2조에서는 '소방공무원을 동종의 직무 내에서 하위의 직위에 임명하는 것'으로 정의하고 있다.

(5) 전직(轉職)

직렬을 달리하는 임명을 말한다.

예 경찰공무원을 소방공무원으로 임명

(6) 전보(轉補)

같은 직급 내에서의 보직 변경 또는 고위공무원단 직위간의 보직 변경을 말한다. 다만, 「소방공무원법」 제2조에서는 '소방공무원의 동일 직위 및 자격내에서의 근무기관이나 부서를 달리하는 임용'으로 정의하고 있다.

예 예방과장(직급: 소방령)에서 행정과장(직급: 소방령)으로 보직 변경 등

(7) 직군(職群)

직무의 성질이 유사한 직렬의 군을 말한다.

예 행정직군, 기술직군 등

(8) 직렬(職列)

직무의 종류가 유사하고 그 책임과 곤란성의 정도가 서로 다른 직급의 군을 말한다.

예 행정직렬, 소방직렬, 세무직렬 등

(9) 직류(職類)

같은 직렬 내에서 담당 분야가 같은 직무의 군을 말한다.

예 일반행정, 법무행정, 교육행정 등

(10) 직무등급

직무의 곤란성과 책임도가 상당히 유사한 직위의 군을 말한다.

📖 용어사전

● 강임(降任): 하위직급으로 임명하는 것을 말한다.

*강등: 1계급 아래 직급으로 임명하는 것을 말한다.

영철쌤 tip

직류 < 직렬 < 직군 순이다.

2 │ 징계

1. 징계의 종류

(1) 중징계의 종류
① 파면
② 해임
③ 강등
④ 정직

(2) 경징계의 종류
① 감봉
② 견책

영철쌤 tip

훈계, 주의, 경고, 직위해제는 징계가 아니다.

(3) 공무원의 징계사항(6종의 징계)

중징계	파면	· 공무원의 신분을 배제(박탈)한다. · 퇴직급여(수당)의 1/2을 감액(5년 미만 재직자는 퇴직급여의 1/4 감액)한다. · 5년간 공무원에 임용이 불가하다.
	해임	· 공무원의 신분을 배제(박탈)한다. · 퇴직급여(수당) 전액을 지급(5년 미만 재직자는 퇴직급여의 1/8 감액)한다. · 3년간 공무원에 임용이 불가하다.
	강등	· 1계급 아래로 직급을 내리고 공무원신분은 보유하나, 3개월간 직무에 종사하지 못하며 그 기간 중 보수의 전액을 감액한다. · 승급제한(처분기간 3월 + 18개월)이 있다. · 9년 후 기록이 말소된다.
	정직	· 1개월 이상 3개월 이하의 기간으로 하고 그 기간 중 공무원의 신분은 보유하나 직무에 종사하지 못하며 그 기간 중 보수의 전액을 감액한다. · 승급제한(정직처분기간 + 18개월)이 있다. · 7년 후 기록이 말소된다.
경징계	감봉	· 1개월 이상 3개월 이하의 기간으로 하고 그 기간 중 보수 1/3을 감액한다. · 승급제한(감봉처분기간 + 12개월)이 있다. · 5년 후 기록이 말소된다.
	견책	· 전과에 대하여 훈계하고 회개한다. · 승급제한(6개월)이 있다. · 3년 후 기록이 말소된다.

영철쌤 tip

강등(3개월간 직무에 종사하지 못하는 효력 및 그 기간 중 보수는 전액을 감하는 효력으로 한정한다), 정직 및 감봉의 징계처분은 휴직기간 중에는 그 집행을 정지한다.

(4) 징계 강도 순서
견책 < 감봉 < 정직 < 강등 < 해임 < 파면 순이다.

(5) 징계 등 처분기록 말소

인사기록관리자는 징계처분을 받은 소방공무원이 다음에 해당하는 때에는 제14조 제1항의 규정에 의하여 당해소방공무원의 인사기록카드에 등재된 징계처분의 기록을 말소하여야 한다.

① 징계처분의 집행이 종료된 날로부터 다음의 기간이 경과한 때. 다만, 징계처분을 받고 그 집행이 종료된 날로부터 다음의 기간이 경과하기 전에 다른 징계처분을 받은 때에는 각각의 징계처분에 대한 해당기간을 합산한 기간이 경과하여야 한다.

  ㉠ 강등: 9년   ㉡ 정직: 7년
  ㉢ 감봉: 5년   ㉣ 견책: 3년

② 소청심사위원회나 법원에서 징계처분의 무효 또는 취소의 결정이나 판결이 확정된 때

③ 징계처분에 대한 일반사면이 있는 때

📖 핵심정리 징계의 종류

1. 경중에 따른 징계의 종류
 ① 중징계: 파면, 해임, 강등, 정직
 ② 경징계: 감봉, 견책

2. 신분에 따른 징계의 종류
 ① 배제징계: 공무원 신분을 배제(박탈)하는 징계(**예** 파면, 해임)
 ② 교정징계: 공무원 신분은 보유하나 신분적 이익 일부를 제한하는 징계(**예** 강등, 정직, 감봉, 견책)

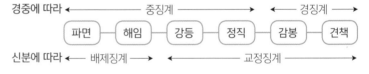

---

2. 징계위원회의 설치

(1) 징계위원회의 관할

① 소방청에 설치된 소방공무원 징계위원회는 다음 각 호의 징계 또는 「국가공무원법」 제78조의2에 따른 징계부가금(이하 "징계부가금"이라 한다) 사건을 심의·의결한다.

 ㉠ 소방청 소속 소방정 이하의 소방공무원에 대한 징계 또는 징계부가금(이하 "징계등"이라 한다) 사건

 ㉡ **소방청 소속기관의 소방공무원에 대한 다음 각 목의 구분에 따른 징계등 사건**

  ⓐ **국립소방연구원 소속 소방공무원에 대한 다음의 어느 하나에 해당하는 징계등 사건**

   · 소방정에 대한 징계등 사건

   · 소방령 이하 소방공무원에 대한 중징계 또는 중징계 관련 징계부가금(이하 "중징계등"이라 한다) 요구사건

징계위원회
징계위원회는 소방청 징계위원회와 시·도 징계위원회가 있다.

징계위원회의 위원장
징계위원회가 설치된 기관의 장의 차순위 계급자(동일 계급의 경우에는 직위를 설치하는 법령에 규정된 직위의 순위를 기준으로 정한다)가 된다.

소방청 소속기관
1. 국립소방연구원
2. 중앙119구조본부
3. 중앙소방학교

ⓑ 소방청 소속기관(국립소방연구원은 제외한다) 소속 소방공무원에 대한 다음의 어느 하나에 해당하는 징계등 사건
  · 소방정 또는 소방령에 대한 징계등 사건
  · 소방경 이하 소방공무원에 대한 중징계등 요구사건
ⓒ 소방정인 지방소방학교장에 대한 징계등 사건

② 「소방공무원법」 제28조 제2항에서 "대통령령으로 정하는 소방기관"이란 중앙소방학교, 중앙119구조본부 및 국립소방연구원을 말하며, 각 소방기관별 징계위원회는 다음 구분에 따른 징계등 사건을 심의·의결한다. 다만, 제1항 제2호 가목 2) 및 같은 호 나목 2)에 따라 소방청에 설치된 소방공무원 징계위원회의 관할로 된 경우에는 그렇지 않다.

ⓐ **중앙소방학교 및 중앙119구조본부에 설치된 징계위원회:** 소속 소방경 이하의 소방공무원에 대한 징계등 사건

ⓑ **국립소방연구원에 설치된 징계위원회:** 소속 소방령 이하의 소방공무원에 대한 징계등 사건

③ 특별시·광역시·특별자치시·도 및 특별자치도(이하 "시·도"라 한다)에 설치된 징계위원회는 「소방공무원임용령」 제3조 제1항 및 같은 조 제5항 제1호·제3호에 따라 특별시장·광역시장·특별자치시장·도지사 및 특별자치도지사(이하 "시·도지사"라 한다)가 임용권을 행사하는 소방공무원에 대한 징계등 사건(제4항의 징계위원회에서 심의·의결하는 사건은 제외한다)을 심의·의결한다.

④ 「소방공무원법」 제28조 제3항에서 "대통령령으로 정하는 소방기관"이란 지방소방학교, 서울종합방재센터, 소방서, 119특수대응단 및 소방체험관을 말하며, 각 소방기관별 징계위원회는 소속 소방위 이하의 소방공무원에 대한 징계등 사건(중징계등 요구사건은 제외한다)을 심의·의결한다.

참고 **관련사건의 관할**

1. 임용권자(「소방공무원임용령」 제3조에 따라 임용권을 위임받은 사람을 포함한다. 이하 같다)가 동일한 2명 이상의 소방공무원이 관련된 징계등 사건으로서 관할 징계위원회가 서로 다른 경우에는 제2조에도 불구하고 다음에 따라 관할한다.
   ① 그중의 1인이 상급소방기관에 소속된 경우에는 그 상급소방기관에 설치된 징계위원회
   ② 각자가 대등한 소방기관에 소속된 경우에는 그 소방기관의 상급소방기관에 설치된 징계위원회

2. 1.에 따라 관할 징계위원회를 정할 수 없을 때에는 소방서 간의 경우에는 시·도지사가, 시·도 간의 경우에는 소방청장이 정하는 징계위원회에서 관할한다.

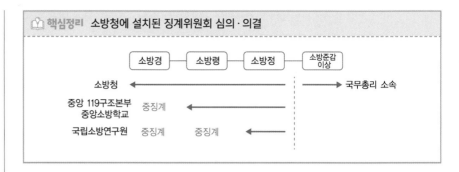

핵심정리 소방청에 설치된 징계위원회 심의 · 의결

(2) 징계위원회 구성

징계위원회는 공무원위원과 민간위원으로 구성한다. 이 경우 민간위원의 수는 위원장을 제외한 위원 수의 2분의 1 이상이어야 한다.

① **소방청 징계위원회**: 위원장 1명을 포함하는 17명 이상 33명 이하의 위원

② **중앙소방학교 · 중앙119구조본부 · 국립소방연구원 · 지방소방학교 · 서울종합방재센터 · 소방서 · 119특수대응단 및 소방체험관에 설치된 징계위원회, 시 · 도에 설치된 징계위원회**: 위원장 1명을 포함하는 9명 이상 15명 이하의 위원

③ 징계위원회의 위원장은 해당 징계위원회가 설치된 기관의 장의 차순위 계급자(동일계급의 경우에는 직위를 설치하는 법령에 규정된 직위의 순위를 기준으로 정한다)가 된다.

④ 징계위원회가 설치된 소방기관의 장은 다음 구분에 따라 해당 사람 중에서 민간위원을 위촉한다. 이 경우 특정 성별의 위원이 민간위원 수의 10분의 6을 초과하지 않도록 해야 한다.

　㉠ **소방청 및 시 · 도에 설치된 징계위원회의 경우에는 다음에 해당하는 사람**

　　ⓐ 법관 · 검사 또는 변호사로 10년 이상 근무한 사람

　　ⓑ 「고등교육법」 제2조에 따른 학교(이하 '대학'이라 한다)에서 법률학 · 행정학 또는 소방 관련 학문을 담당하는 부교수 이상으로 재직 중인 사람

　　ⓒ 소방공무원으로 소방정 또는 법률 제16768호 소방공무원법 전부개정법률 제3조의 개정규정에 따라 폐지되기 전의 지방소방정 이상의 직위에서 근무하고 퇴직한 사람으로서 퇴직일부터 3년이 경과한 사람

　　ⓓ 민간부문에서 인사 · 감사 업무를 담당하는 임원급 또는 이에 상응하는 직위에 근무한 경력이 있는 사람

　㉡ **중앙소방학교 · 중앙119구조본부 · 국립소방연구원 · 지방소방학교 · 서울종합방재센터 · 소방서 · 119특수대응단 및 소방체험관에 설치된 징계위원회의 경우에는 다음에 해당하는 사람**

　　ⓐ 법관 · 검사 또는 변호사로 5년 이상 근무한 사람

　　ⓑ 대학에서 법률학 · 행정학 또는 소방 관련 학문을 담당하는 조교수 이상으로 재직 중인 사람

　　ⓒ 소방공무원으로 20년 이상 근속하고 퇴직한 사람으로서 퇴직일부터 3년이 경과한 사람

　　ⓓ 민간부문에서 인사 · 감사 업무를 담당하는 임원급 또는 이에 상응하는 직위에 근무한 경력이 있는 사람

⑤ 민간위원의 임기는 3년으로 하며, 한 차례만 연임할 수 있다

⑥ 징계위원회의 회의는 위원장과 위원장이 회의마다 지정하는 4명 이상 6명 이하의 위원으로 구성한다. 이 경우 민간위원이 위원장을 포함한 위원 수의 2분의 1 이상 포함되어야 한다.

⑦ 징계 사유가 다음 어느 하나에 해당하는 징계 사건이 속한 징계위원회의 회의를 구성하는 경우에는 피해자와 같은 성별의 위원이 위원장을 제외한 위원 수의 3분의 1 이상 포함되어야 한다.

　　㉠ 「성폭력범죄의 처벌 등에 관한 특례법」에 따른 성폭력범죄

　　㉡ 「양성평등기본법」에 따른 성희롱

(3) 회의의 비공개

징계위원회의 심의·의결의 공정성을 보장하기 위하여 다음 사항은 공개하지 않는다.

① 징계위원회의 회의

② 징계위원회의 회의에 참여할 또는 참여한 위원의 명단

③ 징계위원회의 회의에서 위원이 발언한 내용이 적힌 문서(전자적으로 기록된 문서를 포함한다)

④ 그 밖에 공개할 경우 징계위원회의 심의·의결의 공정성을 해칠 우려가 있다고 인정되는 사항

(4) 징계의결등의 기한

① 징계의결등 요구를 받은 징계위원회는 그 요구서를 받은 날부터 30일 이내에 징계의결등을 해야 한다. 다만, 부득이한 사유가 있을 때에는 해당 징계위원회의 의결로 30일의 범위에서 그 기한을 연기할 수 있다.

② 징계의결등이 요구된 사건에 대한 징계등 절차의 진행이 「국가공무원법」 제83조에 따라 중지되었을 때에는 그 중지된 기간은 ①의 징계의결등 기한에서 제외한다.

3. 퇴직을 희망하는 공무원의 징계사유 확인 및 퇴직 제한 등

(1) 임용권자 또는 임용제청권자는 공무원이 퇴직을 희망하는 경우에는 제78조 제1항에 따른 징계사유가 있는지 및 제2항 각 호의 어느 하나에 해당하는지 여부를 감사원과 검찰·경찰 등 조사 및 수사기관의 장에게 확인하여야 한다.

(2) (1)에 따른 확인 결과 퇴직을 희망하는 공무원이 파면, 해임, 강등 또는 정직에 해당하는 징계사유가 있거나 다음의 어느 하나에 해당하는 경우(①·③ 및 ④의 경우에는 해당 공무원이 파면·해임·강등 또는 정직의 징계에 해당한다고 판단되는 경우에 한정한다) 제78조 제4항에 따른 소속 장관 등은 지체 없이 징계의결 등을 요구하여야 하고, 퇴직을 허용하여서는 안 된다.

① 비위(非違)❶와 관련하여 형사사건으로 기소된 때

② 징계위원회에 파면·해임·강등 또는 정직에 해당하는 징계 의결이 요구 중인 때

③ 조사 및 수사기관에서 비위와 관련하여 조사 또는 수사 중인 때

📖 **용어사전**

❶ 비위(非違): 법에 위반되는 것을 말한다.

④ 각급 행정기관의 감사부서 등에서 비위와 관련하여 내부 감사 또는 조사 중인 때

(3) (2)에 따라 징계의결 등을 요구한 경우 임용권자는 제73조의3 제1항 제3호에 따라 해당 공무원에게 직위를 부여하지 않을 수 있다.

(4) 관할 징계위원회는 (2)에 따라 징계의결 등이 요구된 경우 다른 징계사건에 우선하여 징계의결 등을 하여야 한다.

(5) 그 밖에 퇴직을 제한하는 절차 등 필요한 사항은 대통령령 등으로 정한다.

참고 **경고 및 직위해제**

1. 경고의 종류

① **불문경고**: 징계위원회에 회부되었으나 감경된 경우로서 징계의 일부 인사기록카드에 기록이 된다.

② **일반경고**
- 업무상 과오에 대한 감독기관이 행하는 문서로서 징계가 아니다.
- 인사기록카드에 기록되지 않으나 별도 관리(경고 대장)한다.
- 경고 누적 시(**예** 1년간 3회 등) 징계가 가능하다.

2. 직위해제
공무원에게 잘못이 있을 경우 징계처분을 하기 위해 그 직에서 물러나게 하는 것을 말한다 (출근의 의무는 없다). 즉, 징계를 주기 위한 단계이다.

01 소방공무원의 징계에서 중징계에 해당하지 않는 것은?

① 파면　　　　　　　　　　　　　　　② 해임

③ 정직　　　　　　　　　　　　　　　④ 견책

02 「국가공무원법」 및 「소방공무원 징계령」에서 정하고 있는 소방공무원의 징계에 대한 내용으로 옳은 것은?　　22. 소방간부

① 중징계의 종류에는 파면, 해임, 강등, 정직, 감봉이 있다.

② 경징계의 종류에는 견책, 훈계, 경고가 있다.

③ 소방정인 지방소방학교장에 관한 징계는 시·도에 설치된 징계위원회에서 심의·의결한다.

④ 정직은 1개월 이상 3개월 이하의 기간으로 하고, 정직 처분을 받은 자는 그 기간 중 공무원의 신분은 보유하나 직무에 종사하지 못하며 보수는 전액을 감한다.

⑤ 감봉은 1개월 이상 3개월 이하의 기간 동안 보수의 2분의 1을 감한다.

정답 및 해설

01 공무원의 징계

견책은 경징계에 해당한다.

· 중징계: 파면, 해임, 강등, 정직
· 경징계: 감봉, 견책

02 소방공무원의 징계

④ 정직은 1개월 이상 3개월 이하의 기간으로 하고 그 기간 중 공무원의 신분은 보유하나 직무에 종사하지 못하며 그 기간 중 보수의 전액을 감액한다.

① 중징계의 종류에는 파면, 해임, 강등, 정직이 있다.

② 경징계의 종류에는 감봉, 견책, 훈계가 있다.

③ 소방정인 지방소방학교장에 관한 징계는 소방청에 설치된 징계위원회에서 심의·의결한다.

정답 01 ④ **02** ④

CHAPTER 3 소방공무원법

영철쌤 tip

견책, 감봉은 임용에 해당사항이 없다.

용어사전

❶ 면직: 공무원이 그 직위에서 물러나게 하는 것을 말한다(징계가 아닌 본인 의사에 의해 물러나는 것이고, 파면, 해임은 징계에 의해 물러나는 것).
예 소방학교에서 교육훈련을 불량하게 받을 경우 면직을 시킬 수 있다.

영철쌤 tip

소방기관
소방본부는 시·도직속부서이므로 소방기관이 아니다.

참고 소방력
소방공무원의 필수보직기간은 일반적으로 1년으로 한다.
1. 소방력의 3요소: 소방인력, 소방장비, 소방용수
2. 소방대: 소방공무원, 의무소방원, 의용소방원

---

1 목적

소방공무원의 책임 및 직무의 중요성과 신분 및 근무조건의 특수성에 비추어 그 임용, 교육훈련, 복무, 신분보장 등에 관하여 「국가공무원법」에 대한 특례를 규정하는 것을 목적으로 한다.

2 정의

(1) 임용

신규채용·승진·전보·파견·강임·휴직·직위해제·정직·강등·복직·면직❶·해임 및 파면을 말한다.

(2) 복직

휴직·직위해제 또는 정직(강등에 따른 정직을 포함한다) 중에 있는 소방공무원을 직위에 복귀시키는 것을 말한다.

(3) 소방기관

소방청, 특별시·광역시·특별자치시·도·특별자치도(이하 '시·도'라 한다)와 중앙소방학교·중앙119구조본부·국립소방연구원·지방소방학교·서울종합방재센터·소방서·119특수대응단 및 소방체험관을 말한다.

(4) 필수보직기간

소방공무원이 다른 직위로 전보되기 전까지 현 직위에서 근무하여야 하는 최소기간을 말한다.

(5) 전보

소방공무원의 같은 계급 및 자격 내에서의 근무기관이나 부서를 달리하는 임용을 말한다.

(6) 강임

동종의 직무 내에서 하위의 직위에 임명하는 것을 말한다.

핵심정리 **소방공무원의 임용**

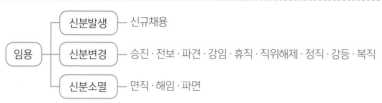

임용 ── 신분발생 ── 신규채용
　　 ── 신분변경 ── 승진 · 전보 · 파견 · 강임 · 휴직 · 직위해제 · 정직 · 강등 · 복직
　　 ── 신분소멸 ── 면직 · 해임 · 파면

1. **임용의 원칙:** 평등의 원칙, 실적주의의 원칙, 적격자임용의 원칙이 있다.

2. **복직:** 파면, 해임은 공무원의 신분이 배제(박탈)되므로 복직에는 해당 사항이 없다.

3. **소방기관:** 시 · 도의 직속부서이므로 소방본부는 소방기관이 아니다.

3　소방공무원의 계급 구분

영철쌤 tip

소방공무원 계급은 11계급으로 구분한다.

구분	임용권자		계급 장
소방총감	대통령이 임명한다.		
소방정감	소방청장의 제청으로 국무총리를 거쳐 대통령이 임용한다.	－	
소방감			
소방준감		전보, 휴직, 직위해제, 강등, 정직 및 복직은 소방청장이 행한다.	
소방정			
소방령			
소방경	소방청장이 임용한다.		
소방위			
소방장			
소방교			
소방사			

영철쌤 tip

소방공무원인사위원회는 소방청 인사위원회, 시·도 인사위원회로 구성된다.

4 소방공무원인사위원회의 설치

(1) 소방공무원의 인사(人事)에 관한 중요사항에 대하여 소방청장의 자문에 응하게 하기 위하여 소방청에 소방공무원인사위원회를 둔다. 다만, 제6조 제3항 및 제4항에 따라 특별시장·광역시장·특별자치시장·도지사·특별자치도지사(이하 '시·도지사'라 한다)가 임용권을 행사하는 경우에는 특별시·광역시·특별자치시·도·특별자치도(이하 '시·도'라 한다)에 인사위원회를 둔다.

(2) 소방공무원인사위원회 구성 및 위원장

① **소방공무원인사위원회 구성**: 위원장을 포함한 5명 이상, 7명 이하의 위원으로 구성한다.

② **위원장**

　㉠ **소방청에 설치된 인사위원회의 위원장**: 소방청차장

　㉡ **시·도에 설치된 인사위원회의 위원장**: 소방본부장

③ 위원은 인사위원회가 설치된 기관의 장이 소속 소방정 이상의 소방공무원 중에서 임명한다.

(3) 위원장 직무
① 위원장은 인사위원회의 사무를 총괄하며, 인사위원회를 대표한다.
② 위원장이 부득이한 사유로 직무를 수행할 수 없는 때에는 위원 중에서 최상위의 직위 또는 선임의 공무원이 그 직무를 대행한다.

(4) 회의
① 위원장은 인사위원회의 회의를 소집하고 그 의장이 된다.
② 회의는 제적위원 3분의 2 이상의 출석과 출석위원 과반수 찬성으로 의결한다.

(5) 인사위원회의 구성 및 운영에 필요한 사항은 대통령령으로 정한다.

영철쌤 tip

소방공무원 인사위원회 회의가 열리는 것은 2/3 이상 출석이고, 통과는 1/2(과반수)이다.

5 인사위원회의 심의 기능

(1) 소방공무원의 인사행정에 관한 방침과 기준 및 기본계획을 심의한다.

(2) 소방공무원의 인사에 관한 법령의 제정·개정 또는 폐지에 관한 사항을 심의한다.

(3) 그 밖에 소방청장과 시·도지사가 해당 인사위원회의 회의에 부치는 사항을 심의한다.

6 소방공무원의 임용

(1) 소방령 이상의 소방공무원은 소방청장의 제청[1]으로 국무총리를 거쳐 대통령이 임용[2]한다.

(2) 소방총감은 대통령이 임명[3]한다.

(3) 소방령 이상 소방준감 이하의 소방공무원에 대한 전보, 휴직, 직위해제, 강등, 정직 및 복직은 소방청장이 한다.

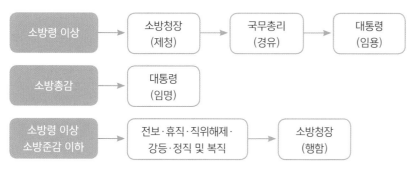

용어사전

❶ 제청: 소방청장이 임명해 줄 것을 윗사람에게 요청하는 것을 말한다.
❷ 임용: 어떤 일을 맡아 하도록 하기 위해 사람을 뽑아 씀
❸ 임명: 일정한 직무나 직책을 맡김

(4) 소방경 이하의 소방공무원은 소방청장이 임용한다.

(5) 대통령은 (1) ~ (3)에 따른 임용권의 일부를 대통령령으로 정하는 바에 따라 소방청장 또는 시·도지사에게 위임할 수 있다.

(6) 소방청장은 (3) 및 (4)에 따른 임용권의 일부를 대통령령으로 정하는 바에 따라 시·도지사 및 소방청 소속기관의 장에게 위임할 수 있다.

(7) 시·도지사는 (5) 및 (6)에 따라 위임받은 임용권의 일부를 대통령령으로 정하는 바에 따라 그 소속기관의 장에게 다시 위임할 수 있다.

(8) 임용권자(임용권을 위임받은 사람을 포함한다. 이하 같다)는 대통령령으로 정하는 바에 따라 소속 소방공무원의 인사기록을 작성·보관하여야 한다.

> **참고** **임용권의 위임**
>
> 1. 대통령은 「소방공무원법」(이하 '법'이라 한다) 제6조 제3항에 따라 소방청과 그 소속기관의 소방정 및 소방령에 대한 임용권과 소방정인 지방소방학교장에 대한 임용권을 소방청장에게 위임하고, 시·도 소속 소방령 이상의 소방공무원(소방본부장 및 지방소방학교장은 제외한다)에 대한 임용권을 특별시장·광역시장·특별자치시장·도지사·특별자치도지사(이하 '시·도지사'라 한다)에게 위임한다.
>
> 2. 소방청장은 법 제6조 제4항에 따라 중앙소방학교 소속 소방공무원 중 소방령에 대한 전보·휴직·직위해제·정직 및 복직에 관한 권한과 소방경 이하의 소방공무원에 대한 임용권을 중앙소방학교장에게 위임한다.
>
> 3. 소방청장은 법 제6조 제4항에 따라 중앙119구조본부 소속 소방공무원 중 소방령에 대한 전보·휴직·직위해제·정직 및 복직에 관한 권한과 소방경 이하의 소방공무원에 대한 임용권을 중앙119구조본부장에게 위임한다.
>
> 4. 중앙119구조본부장은 119특수구조대 소속 소방경 이하의 소방공무원에 대한 해당 119특수구조대 안에서의 전보권을 해당 119특수구조대장에게 다시 위임한다.
>
> 5. 소방청장은 법 제6조 제4항에 따라 다음의 권한을 시·도지사에게 위임한다.
>   ① 시·도 소속 소방령 이상 소방준감 이하의 소방공무원(소방본부장 및 지방소방학교장은 제외한다)에 대한 전보, 휴직, 직위해제, 강등, 정직 및 복직에 관한 권한
>   ② 소방정인 지방소방학교장에 대한 휴직, 직위해제, 정직 및 복직에 관한 권한
>   ③ 시·도 소속 소방경 이하의 소방공무원에 대한 임용권
>
> 6. 시·도지사는 법 제6조 제5항에 따라 그 관할 구역안의 지방소방학교·서울종합방재센터·소방서·119특수대응단·소방체험관 소속 소방경 이하(서울소방학교·경기소방학교 및 서울종합방재센터의 경우에는 소방령 이하)의 소방공무원에 대한 해당 기관 안에서의 전보권과 소방위 이하의 소방공무원에 대한 휴직·직위해제·정직 및 복직에 관한 권한을 지방소방학교장·서울종합방재센터장·소방서장·119특수대응단장 또는 소방체험관장에게 위임한다.
>
> 7. 2. 및 3.에 따라 임용권을 위임받은 중앙소방학교장 및 중앙119구조본부장은 소속 소방공무원을 승진시키려면 미리 소방청장에게 보고하여야 한다.
>
> 8. 소방청장은 소방공무원의 정원의 조정 또는 소방기관 상호간의 인사교류 등 인사행정 운영상 필요한 때에는 2., 3. 및 5. ②에도 불구하고 그 임용권을 직접 행사할 수 있다.

📖 핵심정리 소방공무원의 임용

1. 국가 소방공무원

소방총감	대통령이 임명한다.
소방령 이상	소방청장의 제청으로 국무총리를 경유하여 대통령이 임용한다.
소방경 이하	소방청장이 임용한다.
소방령 이상 소방준감 이하	소방공무원에 대한 전보·휴직·직위해제·강등·정직 및 복직은 소방청장이 실행한다.

2. 임용권의 위임

영철쌤 tip

소방청 소속기관
1. 중앙소방학교
2. 중앙119구조본부
3. 국립소방연구원

임용권 위임	임용 사항
대통령 → 소방청장	소방공무원 중 소방청과 그 직속 기관의 소방정 및 소방령에 대한 임용권과 소방정인 지방소방학교장에 대한 임용권을 소방청장에게 위임한다.
대통령 → 시·도지사	시·도 소속 소방령 이상의 소방공무원(소방본부장, 지방소방학교장 제외)에 대한 임용권을 시·도지사에게 위임한다.
소방청장 → 시·도지사	• 시·도 소속 소방령 이상 소방준감 이하의 소방공무원(소방본부장 및 지방소방학교장은 제외한다)에 대한 전보·휴직·직위해제·강등·정직 및 복직에 관한 권한을 시·도지사에게 위임한다. • 소방정인 지방소방학교장에 대한 휴직·직위해제·정직 및 복직에 관한 권한을 시·도지사에게 위임한다. • 시·도 소속 소방경 이하의 소방공무원에 대한 임용권을 시·도지사에게 위임한다.
소방청장 → 중앙소방학교장	중앙소방학교 소속 소방공무원 중 소방령에 대한 전보·휴직·직위해제·정직 및 복직에 관한 권한과 소방경 이하의 소방공무원에 대한 임용권을 중앙소방학교장에게 위임한다.
소방청장 → 중앙119구조본부장	중앙119구조본부 소속 소방공무원 중 소방령에 대한 전보·휴직·직위해제·정직 및 복직에 관한 권한과 소방경 이하의 소방공무원에 대한 임용권을 중앙119구조본부장에게 위임한다.
중앙119구조본부장 → 119특수구조대장	119특수구조대 소속 소방경 이하의 소방공무원에 대한 해당 119특수구조대 안에서의 전보권을 119특수구조대장에게 위임한다.
시·도지사 → 지방소방학교장·서울종합방재센터장·소방서장·119특수대응단장 또는 소방체험관장	그 관할 구역 안의 지방소방학교·서울종합방재센터·소방서·119특수대응단·소방체험관 소속 소방경 이하(서울소방학교·경기소방학교 및 서울종합방재센터의 경우에는 소방령 이하)의 소방공무원에 대한 해당 기관 안에서의 전보권과 소방위 이하의 소방공무원에 대한 휴직·직위해제·정직 및 복직에 관한 권한을 지방소방학교장·서울종합방재센터장·소방서장·119특수대응단장 또는 소방체험관장에게 위임한다.

(1) 공개경쟁채용시험

① 소방공무원의 신규채용은 공개경쟁채용시험으로 한다.

② 소방간부후보생의 신규채용은 정해진 교육훈련을 마친 사람 중에서 한다.

(2) 경력경쟁채용시험

다음의 경우 경력경쟁채용시험으로 채용한다.

① 직위가 없어지거나 과원이 되어 퇴직한 소방공무원이나 신체·정신상의 장애로 장기요양이 필요하여 휴직하였다가 휴직기간이 만료되어 퇴직한 소방공무원을 퇴직한 날부터 3년(「공무원 재해보상법」에 따른 공무상 부상 또는 질병으로 인한 휴직의 경우에는 5년) 이내에 퇴직 시에 재직하였던 계급 또는 그에 상응하는 계급의 소방공무원으로 재임용하는 경우

② 공개경쟁시험으로 임용하는 것이 부적당한 경우에 임용예정 직무에 관련된 자격증 소지자를 임용하는 경우

③ 임용예정직에 상응하는 근무실적 또는 연구실적이 있거나 소방에 관한 전문 기술교육을 받은 사람을 임용하는 경우

④ 5급 공무원의 공개경쟁채용시험이나 사법시험 또는 변호사시험에 합격한 사람을 소방령 이하의 소방공무원으로 임용하는 경우

⑤ 외국어에 능통한 사람을 임용하는 경우

⑥ 경찰공무원을 그 계급에 상응하는 소방공무원으로 임용하는 경우

⑦ 소방 업무에 경험이 있는 의용소방대원을 소방사 계급의 소방공무원으로 임용하는 경우

영철쌤 tip

소방공무원의 채용시험 또는 소방간부후보생 선발시험에서 부정행위를 한 사람에 대해서는 그 시험을 정지 또는 무효로 하거나 합격을 취소하고, 그 처분이 있은 날부터 5년간 시험의 응시자격을 정지한다.

참고 소방공무원채용시험의 응시연령

계급별	공개경쟁채용시험	경력경쟁채용시험등	소방간부후보생 선발시험
소방령 이상	25세 이상 40세 이하	20세 이상 45세 이하	21세 이상 40세 이하
소방경, 소방위	–	23세 이상 40세 이하 (사업·운송용조종사 또는 항공·항공공장정비사는 23세 이상 45세 이하)	
소방장, 소방교	–	20세 이상 40세 이하 (사업·운송용조종사 또는 항공·항공공장정비사는 23세 이상 40세 이하)	
소방사	18세 이상 40세 이하	18세 이상 40세 이하 (의무소방원은 20세 이상 30세 이하)	

8 소방공무원의 인사교류

(1) 소방청장은 소방공무원의 능력을 발전시키고 소방사무의 연계성을 높이기 위하여 소방청과 시·도간 및 시·도 상호 간에 인사교류가 필요하다고 인정하면 인사교류계획을 수립하여 이를 실시할 수 있다.

(2) (1)에 따른 인사교류의 대상, 절차, 그 밖에 인사교류에 필요한 사항은 대통령령으로 정한다.

(3) 소방청장은 법 제9조 제1항에 따라 다음에 해당하는 경우 시·도 상호 간 소방공무원의 인사교류계획을 수립하여 실시할 수 있다.
   ① 시·도간 인력의 균형있는 배치와 소방행정의 균형있는 발전을 위하여 시·도 소속 소방령 이상의 소방공무원을 교류하는 경우
   ② 시·도간의 협조체제 증진 및 소방공무원의 능력발전을 위하여 시·도간 교류하는 경우
   ③ 시·도 소속 소방경 이하의 소방공무원의 연고지배치를 위하여 필요한 경우

(4) (3)에 따른 인사교류의 인원(시·도 소속 소방경 이하의 소방공무원의 연고지배치를 위하여 필요한 경우에 따라 실시하는 인원을 제외한다)은 필요한 최소한으로 하되, 소방청장은 시·도간 교류인원을 정할 때에는 미리 해당 시·도지사의 의견을 들어야 한다.

(5) 소방청장은 인사교류계획을 수립함에 있어서 시·도지사로부터 교류대상자의 추천이 있거나 해당 시·도로 전입요청이 있는 경우에는 이를 최대한 반영하여야 하며, 해당 시·도지사의 동의 없이는 인사교류대상자의 직위를 미리 지정하여서는 아니 된다.

(6) 소방청장은 법 제9조 제1항에 따라 인력의 균형있는 배치와 효율적인 활용, 소방공무원의 종합적 능력발전 기회 부여 및 소방사무의 연계성을 높이기 위하여 소방청과 시·도간 소방공무원 인사교류계획을 수립하여 실시할 수 있다.

(7) 소방청과 시·도간 및 시·도 상호 간에 인사교류를 하는 경우에는 인사교류 대상자 본인의 동의나 신청이 있어야 한다. 다만, 소방청과 그 소속기관 소속 소방공무원으로서 시·도 소속 소방공무원으로의 임용예정계급이 인사교류 당시의 계급보다 상위계급인 경우에는 동의를 받지 않을 수 있다.

(8) 소방청장은 소방인력 관리를 위해 필요한 경우에는 소방청과 시·도간 및 시·도 상호 간의 인사교류를 제한할 수 있다.

(9) (3)부터 (8)까지에서 규정한 사항 외에 인사교류에 필요한 사항은 소방청장이 정한다.

9 시보임용

(1) 정의
시보란 정식으로 소방공무원으로 임명되기 전에 그 일에 실제로 종사하여 사무를 익히는 것이다.

(2) 소방공무원을 신규채용할 때 시보임용기간
① 계급별 시보임용기간
  ㉠ 소방장 이하: 6개월
  ㉡ 소방위 이상: 1년
② 시보임용기간이 만료된 다음 날에 정규 소방공무원으로 임용한다. 다만, 대통령령으로 정하는 경우에는 시보임용을 면제하거나 그 기간을 단축할 수 있다.

(3) 휴직기간, 직위해제기간 및 징계에 의한 정직처분 또는 감봉처분을 받은 기간은 시보임용기간에 포함하지 않는다.

(4) 소방공무원으로 임용되기 전에 그 임용과 관련하여 소방공무원 교육훈련기관에서 교육훈련을 받은 기간은 시보임용기간에 포함한다.

(5) 시보임용기간 중에 있는 소방공무원이 근무성적 또는 교육훈련성적이 불량할 때에는 면직시키거나 면직을 제청할 수 있다.

📖 **핵심정리 시보임용**

1. 시보
① 정식으로 소방공무원으로 임명되기 전에 그 일에 실제로 종사하여 사무를 익힌다.

시보임용기간	소방장 이하	6월
	소방위 이상	1년

② 휴직기간·직위해제기간 및 징계에 의한 정직 또는 감봉처분을 받은 기간은 시보임용기간에 산입하지 아니한다.
③ 소방공무원으로 임용되기 전에 그 임용과 관련하여 소방공무원 교육훈련기관에서 교육훈련을 받은 기간은 시보임용기간에 산입한다.
④ 시보임용기간 중에 있는 소방공무원이 근무성적 또는 교육훈련성적이 불량한 때에는 면직시키거나 면직을 제청할 수 있다.

2. 시보임용기간의 만료
시보가 끝나야 정규 소방공무원이 되며, 시보 전에는 정규 소방공무원이 아니다.

10 | 임용유예

(1) 임용권자 또는 임용제청권자는 채용후보자가 다음에 해당하는 경우에는 채용후보자명부의 유효기간의 범위안에서 기간을 정하여 임용 또는 임용제청을 유예할 수 있다. 다만, 유예기간중이라도 그 사유가 소멸하는 경우에는 임용 또는 임용제청을 하여야 한다.

① 학업의 계속

② 6월 이상의 장기요양을 요하는 질병이 있는 경우

③ 「병역법」에 따른 병역의무복무를 위하여 징집 또는 소집되는 경우

④ 임신하거나 출산한 경우

⑤ 그 밖에 임용 또는 임용제청의 유예가 부득이하다고 인정되는 경우

(2) (1)의 규정에 의한 임용 또는 임용제청의 유예를 받고자 하는 자는 그 사유를 증명할 수 있는 자료를 첨부하여 임용권자 또는 임용제청권자가 정하는 기간 내에 유예신청을 하여야 한다. 이 경우 유예를 원하는 기간을 명시하여야 한다.

11 | 채용후보자의 자격상실

채용후보자가 다음 어느 하나에 해당하는 경우에는 채용후보자의 자격을 상실한다. 다만, 제5호에 해당하는 경우에는 제22조의2에 따른 임용심사위원회의 의결을 거쳐야 한다.

(1) 채용후보자가 임용 또는 임용제청에 응하지 않은 경우

(2) 채용후보자로서 받아야 할 교육훈련에 응하지 않은 경우

(3) 채용후보자로서 받은 교육훈련과정의 졸업요건을 갖추지 못한 경우

(4) 채용후보자로서 교육훈련을 받는 중 질병, 병역 복무 또는 그 밖에 교육훈련을 계속할 수 없는 불가피한 사정 외의 사유로 퇴교처분을 받은 경우

(5) 채용후보자로서 품위를 크게 손상하는 행위를 함으로써 소방공무원으로서의 직무를 수행하기 곤란하다고 인정되는 경우

(6) 법 또는 법에 따른 명령을 위반하여 「소방공무원 징계령」 제1조의2 제1호에 따른 중징계(이하 '중징계'라 한다) 사유에 해당하는 비위를 저지른 경우

(7) 법 또는 법에 따른 명령을 위반하여 「소방공무원 징계령」 제1조의2 제2호에 따른 경징계(이하 '경징계'라 한다) 사유에 해당하는 비위를 2회 이상 저지른 경우

12 시보임용 소방공무원

임용권자 또는 임용제청권자는 시보임용소방공무원이 다음 어느 하나에 해당하여 정규소방공무원으로 임용하는 것이 부적당하다고 인정되는 경우에는 제22조의2에 따른 임용심사위원회의 의결을 거쳐 면직시키거나 면직을 제청할 수 있다.

(1) 제24조 제1항에 따른 교육훈련과정의 졸업요건을 갖추지 못한 경우

(2) 제24조 제1항에 따른 교육훈련을 받는 중 질병, 병역 복무 또는 그 밖에 교육훈련을 계속할 수 없는 불가피한 사정 외의 사유로 퇴교처분을 받은 경우

(3) 근무성적 또는 교육훈련 성적이 매우 불량하여 성실한 근무수행을 기대하기 어렵다고 인정되는 경우

(4) 소방공무원으로서 품위를 크게 손상하는 행위를 함으로써 소방공무원으로서의 직무를 수행하기 곤란하다고 인정되는 경우

(5) 법 또는 법에 따른 명령을 위반하여 중징계 사유에 해당하는 비위를 저지른 경우

(6) 법 또는 법에 따른 명령을 위반하여 경징계 사유에 해당하는 비위를 2회 이상 저지른 경우

13 임용심사위원회

영철쌤 tip

1. 임용심사위원회: 위원장 1명을 포함하여 5명 이상 8명 이하의 위원으로 구성
2. 위원장: 위원 중에서 임용권자 또는 임용제청권자가 지명한 사람
3. 위원회: 재적위원 3분의 2 이상 출석과 출석위원 과반수 찬성으로 의결
4. 소방공무원 인사위원회, 임용심사위원회: 재적위원 3분의 2 이상 출석

(1) 다음 어느 하나에 해당하는 경우 그 적부(適否)를 심사하게 하기 위하여 임용권자 또는 임용제청권자 소속으로 임용심사위원회를 둔다.
   ① 제21조 제5호의 사유로 채용후보자 자격상실 여부를 결정하려는 경우
   ② 시보임용소방공무원을 정규소방공무원으로 임용 또는 임용 제청하려는 경우
   ③ 시보임용소방공무원을 면직 또는 면직 제청하려는 경우

(2) (1)에 따른 임용심사위원회의 구성 및 운영에 필요한 사항은 행정안전부령으로 정한다.

(3) 임용심사위원회(이하 '위원회'라 한다)는 위원장 1명을 포함하여 5명 이상 8명 이하의 위원으로 구성한다.

(4) 위원장은 위원 중에서 임용권자 또는 임용제청권자가 지명하고, 위원은 심사대상자보다 상위 계급인 소속 소방공무원 중에서 임용권자 또는 임용제청권자가 지명한다.

(5) 위원회는 재적위원 3분의 2 이상 출석과 출석위원 과반수 찬성으로 의결한다.

(6) 위원회는 시보임용소방공무원을 정규소방공무원으로 임용 또는 임용 제청하려는 경우에는 다음 사항을 고려하여 그 적부(適否)를 심사해야 한다.

① 근무성적, 교육훈련성적

② 근무태도, 공직관

③ 그 밖에 소방공무원으로서의 자질 등

(7) 위원회는 회의 결과에 따라 별지 제1호 서식의 임용심사위원회 의결서를 작성하여 회의일부터 10일 이내에 임용권자 또는 임용제청권자에게 제출해야 한다.

(8) 임용권자 또는 임용제청권자는 채용후보자에 대한 자격상실을 결정하거나 시보임용소방공무원에 대한 면직 또는 면직 제청을 결정한 경우에는 제5항에 따른 의결서의 사본을 첨부하여 해당 채용후보자 또는 시보임용소방공무원에게 통보해야 한다.

14 | 시험실시기관

소방공무원의 신규채용시험 및 승진시험과 소방간부후보생 선발시험은 소방청장이 실시한다. 다만, 소방청장이 필요하다고 인정할 때에는 대통령령으로 정하는 바에 따라 그 권한의 일부를 시·도지사 또는 소방청 소속기관의 장에게 위임할 수 있다.

> **참고** 시험실시기관 위임
>
> | 소방청장 → 시·도지사 | 시·도 소속 소방경 이하 소방공무원의 신규채용을 위임한다. |
> |---|---|
>
> 시·도지사는 시·도 소속 소방경 이하 소방공무원의 신규채용시험을 실시하는 경우 시험 문제의 출제를 소방청장에게 의뢰할 수 있다. 이 경우 시험문제출제를 위한 비용 부담 등에 관하여 필요한 사항은 시·도지사와 소방청장이 협의하여 정한다.

15 | 공개경쟁채용시험의 공고

(1) 소방공무원공개경쟁채용시험을 실시하고자 할 때에는 임용예정계급, 응시자격, 선발예정인원, 시험의 방법·시기·장소·시험과목 및 배점에 관한 사항을 시험실시 20일 전까지 공고하여야 한다. 다만, 시험 일정 등 미리 공고할 필요가 있는 사항은 시험 실시 90일 전까지 공고하여야 한다.

(2) (1)의 규정에 의한 공고내용을 변경하고자 할 때에는 시험실시 7일 전까지 그 변경 내용을 공고하여야 한다.

16　전문직위의 운영 등

(1) 소방청장은 전문성이 특히 요구되는 직위를 「공무원임용령」제43조의3에 따른 전문직위(이하 '전문직위'라 한다)로 지정하여 관리할 수 있다.

(2) 전문직위에 임용된 소방공무원은 3년의 범위에서 소방청장이 정하는 기간이 지나야 다른 직위로 전보할 수 있다. 다만, 직무수행에 필요한 능력·기술 및 경력 등의 직무수행요건이 같은 직위 간 전보 등 소방청장이 정하는 경우에는 기간에 관계없이 전보할 수 있다.

(3) (1) 및 (2)에서 규정한 사항 외에 전문직위의 지정, 전문직위 전문관의 선발 및 관리 등 전문직위의 운영에 필요한 사항은 소방청장이 정한다.

17　임용시험의 응시 자격 및 방법

소방공무원의 신규채용시험 및 승진시험과 소방간부후보생 선발시험의 응시 자격, 시험방법, 그 밖에 시험 실시에 필요한 사항은 대통령령으로 정한다.

18　임용후보자명부

(1) 시험실시기관의 장은 시험 합격자의 명단을 임용권자에게 보내야 한다.

(2) 임용권자는 신규채용시험에 합격한 사람(소방간부후보생 선발시험에 합격하여 정하여진 교육훈련을 마친 사람을 포함한다)과 승진시험에 합격한 사람을 대통령령으로 정하는 바에 따라 성적순으로 각각 신규채용후보자명부 또는 시험승진후보자명부에 등재하여야 한다.

(3) 명부의 유효기간은 2년의 범위에서 대통령령으로 정한다. 다만, 임용권자는 필요에 따라 1년의 범위에서 그 기간을 연장할 수 있다.

(4) (2)에 따른 명부의 작성 및 운영에 필요한 사항은 대통령령으로 정한다.

19 임용 및 면직일자

(1) 임용일자는 임용장 또는 임용통지서에 기재된 일자에 임용된 것으로 보며, 임용일자를 소급해서는 아니 된다.

(2) 사망으로 인한 면직일자는 사망한 다음 날에 면직한 것으로 본다.

20 승진

(1) 승진임용은 근속승진, 시험승진, 심사승진, 특별승진으로 구분된다.

(2) 승진임용 구분별 임용비율과 승진임용예정 인원수의 책정

① 소방공무원의 승진임용예정인원수는 당해 연도의 실제결원 및 예상되는 결원을 고려하여 임용권자(「소방공무원임용령」 제3조에 따라 임용권을 위임받은 사람을 포함한다. 이하 같다)가 정한다.

② 「소방공무원법」(이하 "법"이라 한다) 제14조 제2항 단서에 따라 심사승진임용과 시험승진임용을 병행하는 경우에는 승진임용예정 인원수의 60퍼센트를 심사승진임용예정 인원수로, 40퍼센트를 시험승진임용예정 인원수로 한다.

③ ②의 규정에 의한 계급별 승진임용예정인원수를 정함에 있어서 ④의 규정에 의하여 특별승진임용예정인원수를 따로 책정한 경우에는 당초 승진임용예정 인원수에서 특별승진임용예정인원수를 뺀 인원수를 당해 계급의 승진임용예정인원수로 한다.

④ ①에 따라 소방경 이하 계급으로의 승진임용예정 인원수를 정하는 경우에는 해당 계급으로의 승진임용예정 인원수의 30퍼센트 이내에서 특별승진임용예정 인원수를 따로 정할 수 있다. 다만, 제38조 제1항 제1호·제4호·제5호 및 같은 조 제2항에 따른 특별승진의 경우에는 그 비율을 초과하여 정할 수 있다.

(3) 근속승진

인사교류 경력이 있거나 주요 업무의 추진 실적이 우수한 공무원 등 소방행정 발전에 기여한 공이 크다고 인정되는 경우에는 대통령령으로 정하는 바에 따라 그 기간을 단축할 수 있다.

① **소방사를 소방교로 근속승진임용하려는 경우:** 해당 계급에서 4년 이상 근속자

② **소방교를 소방장으로 근속승진임용하려는 경우:** 해당 계급에서 5년 이상 근속자

③ **소방장을 소방위로 근속승진임용하려는 경우:** 해당 계급에서 6년 6개월 이상 근속자

④ **소방위를 소방경으로 근속승진임용하려는 경우:** 해당 계급에서 8년 이상 근속자

 영철쌤 tip

승진소요최저근무연수
소방공무원이 승진하려면 다음에 따른 기간 이상 해당 계급에 재직하여야 한다.
1. 소방정: 3년
2. 소방령: 2년
3. 소방경: 2년
4. 소방위: 1년
5. 소방장: 1년
6. 소방교: 1년
7. 소방사: 1년

소방사 → 소방교	해당 계급에서 4년 이상 근속자
소방교 → 소방장	해당 계급에서 5년 이상 근속자
소방장 → 소방위	해당 계급에서 6년 6개월 이상 근속자
소방위 → 소방경	해당 계급에서 8년 이상 근속자

소방사에서 소방경까지의 근속승진은 23년 6개월이 걸린다. 다만, 인사교류 경력이 있거나 주요 업무의 추진 실적이 우수한 공무원 등 소방행정 발전에 기여한 공이 크다고 인정되는 경우에는 대통령령으로 정하는 바에 따라 그 기간을 단축할 수 있다.

(4) 승진임용의 제한

징계처분의 집행이 끝난 날부터 다음의 기간[징계처분과 소극행정, 음주운전(음주측정에 응하지 않은 경우를 포함한다), 성폭력, 성희롱 또는 성매매로 인한 징계처분의 경우에는 각각 6개월을 더한 기간]이 지나지 않은 사람은 승진임용을 할 수 없다.

① **강등 · 정직:** 18개월
② **감봉:** 12개월
③ **견책:** 6개월

(5) 승진심사위원회

① 승진심사를 하기 위하여 소방청에 중앙승진심사위원회를 두고, 소방청 및 대통령령으로 정하는 소속 기관에 보통승진심사위원회를 둔다. 다만, 시 · 도지사가 임용권을 행사하는 경우에는 시 · 도에 보통승진심사위원회를 둔다.

② 승진심사위원회는 작성된 계급별 승진심사대상자명부의 선순위자(先順位者) 순으로 승진임용하려는 결원의 5배수의 범위에서 승진후보자를 심사 · 선발한다.

③ 승진후보자로 선발된 사람에 대해서는 승진심사위원회가 설치된 소속 기관의 장이 각 계급별로 심사승진후보자명부를 작성한다.

④ 승진심사위원회의 구성 · 관할 및 운영에 필요한 사항은 대통령령으로 정한다.

참고 **승진심사위원회**

1. **소방공무원의 승진심사:** 연 1회 이상 승진심사위원회가 설치된 기관의 장이 정하는 날에 실시한다.

2. **소방청 – 중앙승진심사위원회:** 소방청 및 대통령령으로 정하는 소속기관에 보통승진심사위원회 시도지사가 임용권을 행사하는 경우에는 시 · 도에 보통승진심사위원회를 둔다.

3. **중앙승진심사위원회:** 위원장을 포함한 위원 5명 이상 7명 이하로 구성한다.

4. **보통승진심사위원회**
   ① 보통승진심사위원회는 중앙소방학교, 중앙119구조본부 및 국립소방연구원을 말한다.
   ② 보통승진심사위원회는 위원장을 포함하여 5명 이상 9명 이하의 위원으로 구성한다.

21   정년

(1) 연령정년은 만 60세이다.

(2) 계급정년

소방감	4년
소방준감	6년
소방정	11년
소방령	14년

(3) 계급정년을 산정(算定)할 때에는 근속 여부와 관계없이 소방공무원 및 경찰공무원으로서 그 계급에 상응하는 계급으로 근무한 연수(年數)를 포함한다.

(4) 징계로 인하여 강등(소방경으로 강등된 경우를 포함한다)된 소방공무원의 계급정년은 다음에 따른다.

    ① 강등된 계급의 계급정년은 강등되기 전 계급 중 가장 높은 계급의 계급정년으로 한다.

    ② 계급정년을 산정할 때에는 강등되기 전 계급의 근무연수와 강등 이후의 근무연수를 합산한다.

(5) 소방청장은 전시, 사변, 그 밖에 이에 준하는 비상사태에서는 2년의 범위에서 (2)에 따른 계급정년을 연장할 수 있다. 이 경우 소방령 이상의 소방공무원에 대해서는 행정안전부장관의 제청으로 국무총리를 거쳐 대통령의 승인을 받아야 한다.

(6) 소방공무원이 그 정년이 되는 날은 다음과 같다.

    ① 1월에서 6월 사이에 있는 경우에는 6월 30일에 당연히 퇴직한다.

    ② 7월에서 12월 사이에 있는 경우에는 12월 31일에 당연히 퇴직한다.

영철쌤 tip

계급정년
1. 소방령 이상 ~ 소방감 이하는 연령정년, 계급정년이 있다.
2. 소방경 이하, 소방정감, 소방총감은 연령정년은 있지만 계급정년은 없다.

22   소방청 직무 등

(1) 소방청은 소방에 관한 사무를 관장한다.

(2) 청장은 소방총감으로 보한다.

(3) 차장은 소방정감으로 보한다.

(4) 하부조직

    ① 소방청에 운영지원과 · 119대응국 · 화재예방국 및 장비기술국을 둔다.

    ② 청장 밑에 대변인 및 119종합상황실장 각 1명을 두고, 차장 밑에 기획조정관 및 감사담당관 각 1명을 둔다.

23 공상소방공무원의 휴직기간

소방공무원이 「공무원 재해보상법」 제5조 제2호 각 목에 해당하는 직무를 수행하다가 「국가공무원법」 제72조 제1호 각 목의 어느 하나에 해당하는 공무상 질병 또는 부상을 입어 휴직하는 경우 그 휴직기간은 같은 호 단서에도 불구하고 5년 이내로 하되, 의학적 소견 등을 고려하여 대통령령으로 정하는 바에 따라 3년의 범위에서 연장할 수 있다.

24 고충심사위원회

(1) 소방공무원의 인사상담 및 고충을 심사하기 위하여 소방청, 시 · 도 및 대통령령으로 정하는 소방기관에 소방공무원 고충심사위원회를 둔다.

(2) 소방공무원 고충심사위원회의 심사를 거친 소방공무원의 재심청구와 소방령 이상의 소방공무원의 인사상담 및 고충은 「국가공무원법」에 따라 설치된 중앙고충심사위원회에서 심사한다.

(3) 소방공무원 고충심사위원회의 구성, 심사 절차 및 운영에 필요한 사항은 대통령령으로 정한다.

25 벌칙 – 5년 이하의 징역 또는 금고

다음의 어느 하나에 해당하는 자는 5년 이하의 징역 또는 금고에 처한다.

(1) 화재 진압 업무에 동원된 소방공무원으로서 거짓 보고나 통보를 하거나 직무를 게을리하거나 유기한 자

(2) 화재 진압 업무에 동원된 소방공무원으로서 상관의 직무상 명령에 불복하거나 직장을 이탈한 자

(3) 화재 진압 또는 구조 · 구급활동을 할 때 소방공무원을 지휘 · 감독하는 자로서 정당한 이유 없이 그 직무수행을 거부 또는 유기하거나 소방공무원을 지정된 근무지에서 진출 · 후퇴 또는 이탈하게 한 자

문제로 완성하기

01 「소방공무원법」상 용어의 정의로 옳지 않은 것은?

① 임용이란 신규채용·승진·전보·파견·강임·휴직·직위해제·정직·강등·복직·면직·해임 및 파면을 말한다.

② 복직이란 휴직·직위해제 또는 정직(강등에 따른 정직을 포함한다) 중에 있는 소방공무원을 직위에 복귀시키는 것을 말한다.

③ 소방기관이란 소방청, 소방본부, 특별시·광역시·특별자치시·도·특별자치도와 중앙소방학교·중앙119구조 본부·국립소방연구원·지방소방학교·서울종합방재센터·소방서·119특수대응단 및 소방체험관을 말한다.

④ 필수보직기간이란 소방공무원이 다른 직위로 전보되기 전까지 현 직위에서 근무하여야 하는 최소기간을 말한다.

02 소방공무원의 소방계급을 낮은 순에서 높은 순으로 옳게 나열한 것은?

① 소방령 – 소방정 – 소방감 – 소방준감 – 소방총감 – 소방정감

② 소방정 – 소방령 – 소방준감 – 소방감 – 소방정감 – 소방총감

③ 소방령 – 소방정 – 소방준감 – 소방감 – 소방총감 – 소방정감

④ 소방령 – 소방정 – 소방준감 – 소방감 – 소방정감 – 소방총감

정답 및 해설

01 용어의 정의
소방기관이란 소방청, 특별시·광역시·특별자치시·도·특별자치도와 중앙소방학교·중앙119구조본부·국립소방연구원·지방소방학교·서울종합방재센터·소방서·119특수대응단 및 소방체험관을 말한다.

02 국가 소방공무원(11계급)
소방공무원의 소방계급은 소방사 → 소방교 → 소방장 → 소방위 → 소방경 → 소방령 → 소방정 → 소방준감 → 소방감 → 소방정감 → 소방총감 순으로 올라간다.

정답 01 ③ **02** ④

03 「소방공무원법」상 임용 등에 대한 설명으로 옳지 않은 것은?

① 소방공무원 중 소방경 이하는 소방청장이 임용한다.

② 소방공무원 중 소방령 이상은 대통령이 임용한다.

③ 소방령 이상 소방준감 이하의 소방공무원에 대한 정직 · 복직 · 직위해제 · 전보 · 휴직 · 강등은 소방청장이 행한다.

④ 소방공무원 중 소방령 이상은 시 · 도지사가 임용하고 소방경 이하는 소방청장이 임용한다.

04 「소방공무원법」상 근속승진과 계급정년의 내용으로 옳은 것은?

24. 소방간부

	근속승진	계급정년
① 소방사를 소방교로:	해당 계급에서 4년 이상 근속자	소방령: 14년
② 소방장을 소방위로:	해당 계급에서 7년 6개월 이상 근속자	소방준감: 6년
③ 소방위를 소방경으로:	해당 계급에서 8년 이상 근속자	소방경: 18년
④ 소방교를 소방장으로:	해당 계급에서 6년 이상 근속자	소방감: 5년
⑤ 소방경을 소방령으로:	해당 계급에서 10년 이상 근속자	소방정: 10년

정답 및 해설

03 소방공무원의 임용

소방령 이상의 소방공무원은 소방청장의 제청으로 국무총리를 경유하여 대통령이 임용하고, 소방경 이하의 소방공무원은 소방청장이 임용한다.

04 근속승진

소방사 ⇨ 소방교	해당 계급에서 4년 이상 근속자	
소방교 ⇨ 소방장	해당 계급에서 5년 이상 근속자	23년 6개월
소방장 ⇨ 소방위	해당 계급에서 6년 6개월 이상 근속자	
소방위 ⇨ 소방경	해당 계급에서 8년 이상 근속자	

- **■ 소방공무원의 정년**
1. 연령정년: 만 60세
2. 계급정년

소방감	⇨	4년
소방준감	⇨	6년
소방정	⇨	11년
소방령	⇨	14년

· 소방령 이상 ~ 소방감 이하는 연령정년, 계급정년이 있다.
· 소방경 이하, 소방정감, 소방총감은 연령정년은 있지만, 계급정년은 없다.

② 소방장을 소방위로:
· 근속승진: 해당 계급에서 6년 6개월 이상 근속자
· 계급정년: 소방준감 – 6년

③ 소방위를 소방경으로:
· 근속승진: 해당 계급에서 8년 이상 근속자
· 계급정년: 소방경감 – 해당사항 없음

④ 소방교를 소방장으로:
· 근속승진: 해당 계급에서 5년 이상 근속자
· 계급정년: 소방감감 – 4년

⑤ 소방경을 소방령으로:
· 근속승진: 해당사항 없음
· 계급정년: 소방정감 – 11년

정답 03 ④ **04** ①

한눈에 정리하기

1 한국소방의 역사 및 소방조직

다시 학습하기   p.740

1. 소방역사

삼국시대	· 화재가 사회적 재앙으로 등장하게 된 시기이다. · 화재가 국가적 관심사였던 시기이다.
통일신라시대	초가를 기와로 교체하고 나무를 사용하지 않고 숯을 사용했던 시기이다.
고려시대	· 소방을 소재라고 하였다. · 소방조직은 없었으나, 금화제도는 시행되었다. · 화통도감을 신설하였다.
조선시대(전기)	· 병조 소속에 금화도감을 설치하였다. · 공조 소속에 수성금화도감을 설치하였다. · 5가 작통제를 실시하였다.
조선시대(후기) [갑오경장전후, 구한말]	· 소방이라는 용어가 처음으로 등장하였다. · 화재보험회사가 설립되었다. · 소화전을 설치하였다.
일제강점기시대	· 상비소방수제도를 시행(소방관 배치)하였다. · 소방서, 소방관, 소방차가 등장하였다. · 119전화를 설치하였다.
미군정시대	최초로 독립된 자치소방제도를 시행하였다.
대한민국정부수립 이후 1948 ~ 1970년	· 국가소방체제로 전환되었다. · 1958년 3월 11일 소방법이 제정 · 공포되었다. · 1961년 12월 8일 소방공동시설세가 신설되어 소방재원을 확보하였다.
1970 ~ 1992년	· 국가 · 자치이원체제로 전환되었다. · 1975년 내무부 민방위본부 내 소방국을 설치 · 운영하였다. · 1977년 12월 31일 「소방공무원법」을 제정하였다. · 1978년 3월 「소방공무원법」이 제정 · 시행(소방공무원 신분의 단일화)되었다. · 1994년 12월 방재국을 신설하였다.
1992 ~ 2004년	· 1995년 7월 18일 재난관리법이 제정 · 공포되었다. · 광역자치소방체제로 전환(16개 시 · 도 소방본부 설치 · 운영)되었다.
2004 ~ 2014년	· 2003년 5월 30일 1년 후 시행계획으로 「소방기본법」 등 4개 법률이 제정되었다. · 2004년 3월 11일 「재난 및 안전관리 기본법」을 공포하였다. · 2004년 6월 1일 소방방재청을 개청(최초 재난관리 전담기구)되었다.
2014 ~ 2017년	국민안전처 소속의 중앙소방본부를 설치 · 운영하였다.
2017년 ~ 현재	· 2017년 7월 행정안전부 외청인 소방청을 설치 · 운영하였다. · 2019년 5월 14일 국립소방연구원을 개원하였다. · 2019년 7월 1일 중앙소방학교 공주로 이전(충남 공주 국민안전교육연구단지의 중앙소방학교)하였다. · 2020년 4월 1일 국가소방공무원(국가직)으로 전환되었다. · 2022년 12월 1일 「소방기본법」 등 6개 법률이 제정되었다.

2. 소방민간조직

의용소방대	화재현장 등 소방업무를 보조하는 주민들이다.
자체소방대	다량의 위험물(정유공장)을 저장·제조하는 제조소등의 화재 시 소방활동 또는 관리하는 직원들이다.
소방안전관리자	자동화재탐지설비 등이 설치된 특정소방대상물을 관리하는 직원들이다.
위험물안전관리자	제4류 위험물(인화성 액체)을 취급하는 주유소등을 관리하는 직원들이다.
자위소방대	일반공장, 근린생활 등 화재 시 소방활동 또는 관리하는 직원들이다.

3. 소방 관련 법규

소방신호	· 종류: 경계신호, 발화신호, 해제신호, 훈련신호 · 목적: 화재예방, 소방훈련, 소방활동
소방박물관 설립·운영권자	소방청장
소방체험관 설립·운영권자	시·도지사
화재의 예방조치를 위한 조치명령을 할 수 있는 자	소방관서장
방염	· 버너의 불꽃을 제거한 때부터 불꽃을 올리며 연소하는 상태가 그칠 때까지 시간은 20초 이내일 것 → 잔염시간 · 버너의 불꽃을 제거한 때부터 불꽃을 올리지 아니하고 연소하는 상태가 그칠 때까지 시간은 30초 이내일 것 → 잔신시간

다시 학습하기   p.787

2 「국가공무원법」

1. 소방공무원

경력직 공무원 중 특정직 공무원이다.

2. 징계

① **중징계**: 파면, 해임, 강등, 정직
② **경징계**: 감봉, 견책

1. 소방공무원의 계급(11계급)

소방사 → 소방교 → 소방장 → 소방위 → 소방경 → 소방령 → 소방정 → 소방준감 → 소방감 → 소방정감 → 소방총감 순서이다.

2. 임용권자

소방총감	대통령이 임명한다.
소방령 이상	소방청장의 제청으로 국무총리를 경유하여 대통령이 임용한다.
소방경 이하	소방청장이 임용한다.
소방령 이상 소방준감 이하	소방공무원에 대한 전보·휴직·직위해제·강등·정직 및 복직은 소방청장이 행한다.

3. 임용권 위임

임용권 위임	임용 사항
대통령 → 소방청장	소방공무원 중 소방청과 그 소속 기관의 소방정 및 소방령에 대한 임용권과 소방정인 지방소방학교장에 대한 임용권을 소방청장에게 위임한다.
대통령 → 시·도지사	시·도 소속 소방령 이상의 소방공무원(소방본부장, 지방소방학교장 제외)에 대한 임용권을 시·도지사에게 위임한다.
소방청장 → 시·도지사	• 시·도 소속 소방령 이상 소방준감 이하의 소방공무원(소방본부장 및 지방소방학교장은 제외한다)에 대한 전보·휴직·직위해제·강등·정직 및 복직에 관한 권한을 시·도지사에게 위임한다. • 소방정인 지방소방학교장에 대한 휴직·직위해제·정직 및 복직에 관한 권한을 시·도지사에게 위임한다. • 시·도 소속 소방경 이하의 소방공무원에 대한 임용권을 시·도지사에게 위임한다.

4. 시보

소방장 이하	6개월
소방위 이상	1년

5. 근속승진

소방사 → 소방교	해당 계급에서 4년 이상 근속자
소방교 → 소방장	해당 계급에서 5년 이상 근속자
소방장 → 소방위	해당 계급에서 6년 6개월 이상 근속자
소방위 → 소방경	해당 계급에서 8년 이상 근속자

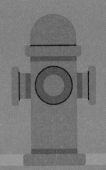

해커스소방 **이영철 소방학개론** 기본서

PART 8

구조 및 구급

해커스소방 학원 · 인강 fire.Hackers.com

CHAPTER 1 119구조 · 구급에 관한 법률

용어사전

❶ 요구조자: 구조 대상자를 말한다.

1 총칙

1. 목적

「119구조 · 구급에 관한 법률」은 화재, 재난 · 재해 및 테러, 그 밖의 위급한 상황에서 119구조 · 구급의 효율적 운영에 관하여 필요한 사항을 규정함으로써 국가의 구조 · 구급 업무 역량을 강화하고 국민의 생명 · 신체 및 재산을 보호하며 삶의 질 향상에 이바지함을 목적으로 한다.

2. 용어의 정의

(1) 구조

화재, 재난 · 재해 및 테러, 그 밖의 위급한 상황(이하 '위급상황'이라 한다)에서 외부의 도움을 필요로 하는 사람(이하 '요구조자❶'라 한다)의 생명, 신체 및 재산을 보호하기 위하여 수행하는 모든 활동을 말한다.

(2) 119구조대

탐색 및 구조활동에 필요한 장비를 갖추고 소방공무원으로 편성된 단위조직을 말한다.

(3) 구급

응급환자에 대하여 행하는 상담, 응급처치 및 이송 등의 활동을 말한다.

(4) 119구급대

구급활동에 필요한 장비를 갖추고 소방공무원으로 편성된 단위조직을 말한다.

(5) 응급환자

질병, 분만, 각종 사고 및 재해로 인한 부상이나 그 밖의 위급한 상태로 인하여 즉시 필요한 응급처치를 받지 아니하면 생명을 보존할 수 없거나 심신에 중대한 위해(危害)가 발생할 가능성이 있는 환자 또는 이에 준하는 사람으로서 보건복지부령으로 정하는 사람을 말한다.

(6) 응급처치

응급의료행위의 하나로서 응급환자의 기도를 확보하고 심장박동의 회복, 그 밖에 생명의 위험이나 증상의 현저한 악화를 방지하기 위하여 긴급히 필요로 하는 처치를 말한다.

(7) 구급차 등

응급환자의 이송 등 응급의료의 목적에 이용되는 **자동차, 선박 및 항공기** 등의 이송수단을 말한다.

(8) 지도의사

응급환자를 이송하기 위하여 구급차 등을 사용하는 경우 상담·구조·이송 및 응급처치를 지도받기 위한 의사를 말한다.

(9) 119항공대

항공기, 구조·구급 장비 및 119항공대원으로 구성된 단위조직을 말한다.

(10) 119항공대원

구조·구급을 위한 119항공대에 근무하는 조종사, 정비사, 항공교통관제사, 운항관리사, 119구조·구급대원을 말한다.

(11) 119구조견

위급상황에서 「소방기본법」 제4조에 따른 소방활동의 보조를 목적으로 소방기관에서 운용하는 개를 말한다.

(12) 119구조견대

위급상황에서 119구조견을 활용하여 「소방기본법」 제4조에 따른 소방활동을 수행하는 소방공무원으로 편성된 단위조직을 말한다.

> **참고** 응급환자 및 응급처치
>
> 1. **응급환자**: 생명에 대한 긴급히 필요로 하는 처치를 받지 않으면 안 되는 사람을 말한다.
> 2. **응급처치**: 생명에 대한 긴급히 필요로 하는 처치를 말한다.
> 3. 현실에서는 응급환자에 대한 응급처치를 구급대원이 하고 미흡할 경우 구급상황관리센터근무자에게 도움을 청하고, 그럼에도 응급대응이 되지 않으면 지도의사에게 지도를 받는다.

---

2 구조·구급 기본계획 등

1. 구조·구급 기본계획 등의 수립·시행

(1) 소방청장은 관계 중앙행정기관의 장과 협의하여 대통령령으로 정하는 바에 따라 구조·구급기본계획을 수립·시행하여야 한다.

(2) 구조·구급기본계획은 중앙(구조·구급)정책협의회를 거쳐 5년마다 수립하여야 한다.

(3) 시·도 구조·구급집행계획의 수립·시행

① 소방본부장은 기본계획 및 집행계획에 따라 관할 지역에서 신속하고 원활한 구조·구급활동을 위하여 매년 특별시·광역시·특별자치시·도·특별자치도 (이하 '시·도'라 한다) 구조·구급 집행계획(이하 '시·도 집행계획'이라 한다) 을 수립하여 소방청장에게 제출하여야 한다.

② 소방본부장은 시·도 집행계획을 수립하기 위하여 필요한 경우에는 해당 특별 자치도지사·시장·군수·구청장(자치구의 구청장을 말한다. 이하 같다)에게 관련 자료의 제출을 요청 할 수 있다. 이 경우 자료제출을 요청받은 해당 특별 자치도지사·시장·군수·구청장은 특별한 사유가 없으면 이에 따라야 한다.

③ 시·도 집행계획의 수립시기·내용, 그 밖에 필요한 사항은 대통령령으로 정한다.

2. 구조·구급정책협의회

(1) 구조·구급 관련 새로운 기술의 연구·개발 등과 기본계획 및 집행계획에 관하여 필요한 사항을 관계 중앙행정기관 등과 협의하기 위하여 소방청에 중앙 구조·구 급정책협의회를 둔다.

> **참고 중앙(구조·구급)정책협의회의 구성 및 기능**
>
> 1. 중앙 정책협의회는 위원장 및 부위원장 각 1명을 포함한 20명 이내의 위원으로 구성한다.
> 2. 중앙 정책협의회 위원장은 소방청장이 되고, 부위원장은 민간위원 중에서 호선(互選)한다.
> 3. 위원은 다음 사람 중에서 소방청장이 임명하거나 위촉한다.
>   ① 관계 중앙행정기관 소속 고위공무원단에 속하는 일반직공무원(이에 상당하는 특정 직·별정직 공무원을 포함한다) 중에서 소속 기관의 장이 추천하는 사람
>   ② 긴급구조, 응급의료, 재난관리, 그 밖에 구조·구급업무에 관한 학식과 경험이 풍부 한 사람
> 4. 위촉위원의 임기는 2년으로 한다.
> 5. 중앙 정책협의회의 효율적인 운영을 위하여 중앙 정책협의회에 간사 1명을 두며, 간사 는 소방청의 구조·구급업무를 담당하는 소방공무원 중에서 소방청장이 지명한다.

(2) 시·도 집행계획의 수립·시행에 필요한 사항을 해당 시·도의 구조·구급 관련 기관 등과 협의하기 위하여 시·도 소방본부에 시·도 구조·구급정책협의회를 둔다.

(3) 구조·구급정책협의회의 구성·기능 및 운영, 그 밖에 필요한 사항은 대통령령으 로 정한다.

1. 119구조대의 편성과 운영 등

(1) 119구조대의 편성과 운영

① 소방청장·소방본부장 또는 소방서장(이하 '소방청장등'이라 한다)은 위급상황에 서 요구조자의 생명 등을 신속하고 안전하게 구조하는 업무를 수행하기 위하여 대통령령으로 정하는 바에 따라 119구조대(이하 '구조대'라 한다)를 편성하여 운영하여야 한다.

② 구조대의 종류, 구조대원의 자격기준, 그 밖에 필요한 사항은 대통령령으로 정한다.

③ 구조대는 행정안전부령으로 정하는 장비를 구비하여야 한다.

영철쌤 tip

1. 화재조사권자: 소방관서장(소방청장, 소방본부장, 소방서장)
2. 119구조·구급 편성권자: 소방청장 등(소방청장, 소방본부장, 소방서장)

▲ 수난구조대

(2) 구조대의 종류

일반 구조대		시·도의 규칙으로 정하는 바에 따라 소방서마다 1개 대(隊) 이상 설치하되, 소방서가 없는 시·군·구의 경우에는 해당 시·군·구 지역의 중심지에 있는 119안전센터에 설치할 수 있다.
특수 구조대	소방서	화학구조대 — 화학공장이 밀집한 지역에 설치한다. 수난구조대 — 내수면지역에 설치한다. 산악구조대 — 자연공원 등 산악지역에 설치한다. 고속국도구조대 — 고속국도에 설치한다. 지하철구조대 — 도시철도의 역사(驛舍) 및 역 시설에 설치한다.
직할 구조대		대형·특수 재난사고의 구조, 현장 지휘 및 지원 등을 위하여 소방청 또는 소방본부에 설치한다.
테러대응 구조대		• 테러 및 특수재난에 전문적으로 대응하기 위하여 필요한 경우 소방청 또는 시·도 소방본부에 각각 설치한다. • 필요한 경우 화학구조대와 직할구조대를 테러대응구조대로 지정할 수 있다.

(3) 구조대원의 자격기준

구조대원은 소방공무원으로서 다음의 어느 하나에 해당하는 자격을 갖추어야 한다.

① 소방청장이 실시하는 인명구조사 교육을 받았거나 인명구조사 시험에 합격한 사람

② 국가·지방자치단체 및 공공기관의 구조 관련 분야에서 근무한 경력이 2년 이상인 사람

③ 응급구조사 자격을 가진 사람으로서 소방청장이 실시하는 구조업무에 관한 교육을 받은 사람

(4) 구조요청의 거절

구조대원은 다음의 어느 하나에 해당하는 경우에는 구조출동요청을 거절할 수 있다. 다만, 다른 수단으로 조치하는 것이 불가능한 경우에는 그렇지 않다.

① 단순 문 개방의 요청을 받은 경우

② 시설물에 대한 단순 안전조치 및 장애물 단순 제거의 요청을 받은 경우

③ 동물의 단순 처리·포획·구조요청을 받은 경우

④ 그 밖에 주민생활 불편해소 차원의 단순 민원 등 구조활동의 필요성이 없다고 인정되는 경우

2. 국제구조대의 편성과 운영 등

(1) 국제구조대의 편성과 운영

① 소방청장은 국외에서 대형재난 등이 발생한 경우 재외국민의 보호 또는 재난 발생국의 국민에 대한 인도주의적 구조활동을 위하여 국제구조대를 편성하여 운영할 수 있다.

② 소방청장은 외교부장관과 협의를 거쳐 국제구조대를 재난발생국에 파견할 수 있다.

③ 소방청장은 국제구조대를 국외에 파견할 것에 대비하여 구조대원에 대한 교육훈련 등을 실시할 수 있다.

④ 소방청장은 국제구조대의 국외재난대응능력을 향상시키기 위하여 국제연합 등 관련 국제기구와의 협력체계 구축, 해외재난정보의 수집 및 기술연구 등을 위한 시책을 추진할 수 있다.

⑤ 소방청장은 국제구조대를 재난발생국에 파견하기 위하여 필요한 경우 관계 중앙행정기관의 장 또는 시·도지사에게 직원의 파견 및 장비의 지원을 요청할 수 있다. 이 경우 관계 중앙행정기관의 장 또는 시·도지사는 특별한 사유가 없으면 요청에 따라야 한다.

(2) 소방청장은 국제구조대를 편성·운영하는 경우 인명 탐색 및 구조, 응급의료, 안전평가, 시설관리, 공보연락 등의 임무를 수행할 수 있도록 구성하여야 한다.

① 국제구조대의 편성: 국제구조대장, 구조담당, 관리담당, 구조반, 탐색반, 운영반, 물류반으로 구성한다.

② 국제구조대의 반별임무: 인명 탐색 및 구조, 응급의료, 안전평가, 시설관리, 공보연락 등을 수행한다.

(3) 소방청장은 구조대의 효율적 운영을 위하여 필요한 경우 국제구조대를 소방청에 설치하는 직할구조대에 설치할 수 있다.

(4) 국제구조대의 파견 규모 및 기간은 재난유형과 파견지역의 피해 등을 종합적으로 고려하여 외교부장관과 협의하여 소방청장이 정한다.

(5) 국제구조대원의 교육훈련

① 소방청장은 교육훈련에 다음 내용을 포함시켜야 한다.

    ㉠ **전문 교육훈련:** 붕괴건물 탐색 및 인명구조, 방사능 및 유해화학물질 사고 대응, 유엔재난평가조정요원 교육 등

    ㉡ **일반 교육훈련:** 응급처치, 기초통신, 구조 관련 영어, 국제구조대 윤리 등

② 소방청장은 국제구조대원의 재난대응능력을 높이기 위하여 필요한 경우에는 국외 교육훈련을 실시할 수 있다.

> **참고** **구조된 사람과 물건의 인도·인계**
>
> 1. 소방청장 등은 구조활동으로 구조된 사람(이하 '구조된 사람'이라 한다) 또는 신원이 확인된 사망자를 그 보호자 또는 유족에게 지체 없이 인도하여야 한다.
>
> 2. 소방청장 등은 구조·구급활동과 관련하여 회수된 물건(이하 '구조된 물건'이라 한다)의 소유자가 있는 경우에는 소유자에게 그 물건을 인계하여야 한다.
>
> 3. 소방청장 등은 다음 어느 하나에 해당하는 때에는 구조된 사람, 사망자 또는 구조된 물건을 특별자치도지사·시장·군수·구청장(「재난 및 안전관리 기본법」, 재난안전대책본부가 구성된 경우 해당 재난안전대책본부장을 말한다. 이하 같다)에게 인도하거나 인계하여야 한다.
>   ① 구조된 사람이나 사망자의 신원이 확인되지 아니한 때
>   ② 구조된 사람이나 사망자를 인도받을 보호자 또는 유족이 없는 때
>   ③ 구조된 물건의 소유자를 알 수 없는 때

---

3. 119구급대의 편성과 운영 등

(1) 119구급대의 편성과 운영

① 소방청장 등(소방청장, 소방본부장, 소방서장)은 위급상황에서 발생한 응급환자를 응급처치하거나 의료기관에 긴급히 이송하는 등의 구급업무를 수행하기 위하여 대통령령으로 정하는 바에 따라 119구급대(이하 '구급대'라 한다)를 편성하여 운영하여야 한다.

② 구급대의 종류, 구급대원의 자격기준, 이송대상자, 그 밖에 필요한 사항은 대통령령으로 정한다.

③ 구급대는 행정안전부령으로 정하는 장비를 구비하여야 한다.

④ 소방청장은 응급환자가 신속하고 적절한 응급처치를 받을 수 있도록 「의료법」 제27조에도 불구하고 대통령령으로 정하는 바에 따라 보건복지부장관과 협의하여 구급대원의 자격별 응급처치의 범위를 정할 수 있다. 다만, 대통령령으로 정하는 범위는 「응급의료에 관한 법률」 제41조에서 정한 내용을 초과하지 아니한다.

⑤ 소방청장은 구급대원의 자격별 응급처치를 위한 교육·평가 및 응급처치의 품질관리 등에 관한 계획을 수립·시행하여야 한다.

(2) 구급대의 종류

① **일반구급대:** 시·도의 규칙으로 정하는 바에 따라 소방서마다 1개 대 이상 설치하되, 소방서가 설치되지 아니한 시·군·구의 경우에는 해당 시·군·구 지역의 중심지에 소재한 119안전센터에 설치할 수 있다.

영철쌤 tip

119구조·구급대의 편성과 운영은 소방청장 등(소방청장, 소방본부장, 소방서장)이 한다.

② **고속국도구급대:** 교통사고 발생 빈도 등을 고려하여 **소방청, 시·도 소방본부 또는 고속국도를 관할하는 소방서**에 설치하되, 시·도 소방본부 또는 소방서에 설치하는 경우에는 시·도의 규칙으로 정하는 바에 따른다.

(3) 구급대원의 자격기준

구조대원은 소방공무원으로서 다음의 어느 하나에 해당하는 자격을 갖추어야 한다.

① **의료인** [1]
② 1급 응급구조사 자격을 취득한 사람
③ 2급 응급구조사 자격을 취득한 사람
④ **소방청장**이 실시하는 구급업무에 관한 교육을 받은 사람

(4) 구급요청의 거절

구급대원은 구급대상자가 다음의 어느 하나에 해당하는 비응급환자인 경우에는 구급출동을 거절할 수 있다.

① 단순 치통환자
② 단순 감기환자(다만, 섭씨 38도 이상의 고열 또는 호흡곤란이 있는 경우는 제외한다)
③ 혈압 등 생체징후가 안정된 타박상 환자
④ 술에 취한 사람(다만, 강한 자극에도 의식이 회복되지 아니하거나 외상이 있는 경우는 제외한다)
⑤ 만성질환자로서 검진 또는 입원 목적의 이송 요청자
⑥ 단순 열상(裂傷) 또는 찰과상(擦過傷)으로 지속적인 출혈이 없는 외상환자
⑦ 병원간 이송 또는 자택으로의 이송 요청자(다만, 의사가 동승한 응급환자의 병원간 이송은 제외한다)

4. 119구급상황관리센터의 설치·운영 등

(1) 119구급상황관리센터의 설치·운영

① **소방청장**은 119구급대원 등에게 응급환자 이송에 관한 정보를 효율적으로 제공하기 위하여 소방청과 시·도 소방본부에 **구급상황센터**를 설치·운영하여야 한다.
② 구급상황센터에서는 다음의 업무를 수행한다.
  ㉠ 응급환자에 대한 안내·상담 및 지도
  ㉡ 응급환자를 이송 중인 사람에 대한 응급처치의 지도 및 이송병원 안내
  ㉢ ㉠ 및 ㉡와 관련된 정보의 활용 및 제공
  ㉣ 119구급이송 관련 정보망의 설치 및 관리·운영
  ㉤ 감염병환자 등의 이송 등 중요사항 보고 및 전파
  ㉥ 재외국민, 영해·공해상 선원 및 항공기 승무원·승객 등에 대한 의료상담 등 응급의료서비스 제공
③ **구급상황센터**는 감염병환자등(이하 '감염병환자등'이라 한다)의 현재 상태 및 이송 관련 사항 등 중요사항을 구급대원 및 이송의료기관, 관할 보건소 등 관계기관에 전파·보고해야 한다.

④ 소방본부장은 구급상황센터의 운영현황을 파악하고 응급환자 이송정보제공
   체계를 효율화하기 위하여 매 반기별로 소방청장에게 구급상황센터의 운영상
   황을 종합하여 보고하여야 한다.

⑤ 구급상황센터의 설치·운영, 그 밖에 필요한 사항은 대통령령으로 정한다.

⑥ 보건복지부장관은 구급상황센터의 업무를 평가할 수 있으며, 소방청장은 그 평가
   와 관련한 자료의 수집을 위하여 보건복지부장관이 요청하는 경우 기록 등 필
   요한 자료를 제공하여야 한다.

⑦ 소방청장은 응급환자의 이송정보가 응급의료 전산망과 연계될 수 있도록 하
   여야 한다.

(2) 119구급상황관리센터 근무 자격기준(24시간 근무체제)

① 의료인
② 1급 응급구조사 자격을 취득한 사람
③ 2급 응급구조사 자격을 취득한 사람
④ 응급의료정보센터에서 2년 이상 응급의료에 관한 상담 경력이 있는 사람

 영철쌤 tip

119구급대원 및 119구급상황관리센터 근무
자격기준은 ④번이 다르다.

> 📖 **핵심정리** 119구급상황관리센터
>
> 1. 119구급상황관리센터의 설치·운영자: 소방청장
> 2. 119구급상황관리센터의 설치: 소방청, 시·도 소방본부에 설치한다.

5. 국제구급대의 편성과 운영 등

(1) 소방청장은 국외에서 대형재난 등이 발생한 경우 재외국민에 대한 구급 활동, 재
   외국민 응급환자의 국내 의료기관 이송 또는 재난발생국 국민에 대한 인도주의
   적 구급 활동을 위하여 국제구급대를 편성하여 운영할 수 있다. 이 경우 이송과 관
   련된 사항은 「재외국민보호를 위한 영사조력법」 제19조에 따른다.

(2) 국제구급대의 편성, 파견, 교육훈련 및 국제구급대원의 귀국 후 건강관리 등에 관
   하여는 제9조 제2항부터 제7항까지를 준용한다. 이 경우 "국제구조대"는 "국제구
   급대"로, "구조대원"은 "구급대원"으로 본다.

6. 구조·구급대의 통합 편성과 운영

(1) 소방청장 등은 구조·구급대를 통합하여 편성·운영할 수 있다.

(2) 소방청장은 국제구조·국제구급대를 통합하여 편성·운영할 수 있다.

 영철쌤 tip

1. 구조·구급대를 통합하여 편성·운영권
   자: 소방청장 등(소방청장, 소방본부장,
   소방서장)
2. 국제구조·구급대를 통합하여 편성·운영
   권자: 소방청장

7. 119항공대의 편성과 운영

(1) 119항공대의 편성과 운영

① 소방청장 또는 소방본부장은 초고층 건축물 등에서 요구조자의 생명을 안전하
   게 구조하거나 도서·벽지에서 발생한 응급환자를 의료기관에 긴급히 이송하
   기 위하여 119항공대(이하 '항공대'라 한다)를 편성하여 운영한다.

 영철쌤 tip

119항공대

1. 소방청장은 119항공대를 소방청에 설치
   하는 직할구조대에 설치한다.
2. 소방본부장은 119항공대를 시·도 소방본
   부에 설치하는 직할구조대에 설치한다.

119항공대에 두는 항공기
119항공대에 두는 항공기는 3대 이상 갖추어
야 한다.

② 소방청장은 119항공대를 소방청에 설치하는 직할구조대에 설치할 수 있다. 소방본부장은 시·도 규칙으로 정하는 바에 따라 119항공대를 편성하여 운영하되, 효율적인 인력 운영을 위하여 필요한 경우에는 시·도 소방본부에 설치하는 직할구조대에 설치할 수 있다.

③ 항공대의 편성과 운영, 업무 및 항공대원의 자격기준, 그 밖에 필요한 사항은 대통령령으로 정한다.

④ 항공대는 행정안전부령으로 정하는 장비를 구비하여야 한다.

(2) 119항공운항관제실의 편성과 운영

① 소방청장은 소방항공기의 안전하고 신속한 출동과 체계적인 현장활동의 관리·조정·통제를 위하여 소방청에 119항공운항관제실을 설치·운영하여야 한다.

② 119항공운항관제실의 업무는 다음과 같다.

　㉠ 재난현장 출동 소방헬기의 운항·통제·조정에 관한 사항

　㉡ 관계 중앙행정기관 소속의 응급의료헬기 출동 요청에 관한 사항

　㉢ 관계 중앙행정기관 소속의 헬기 출동 요청 및 공역통제·현장지휘에 관한 사항

　㉣ 소방항공기 통합 정보 및 안전관리 시스템의 설치·관리·운영에 관한 사항

　㉤ 소방항공기의 효율적 운항관리를 위한 교육·훈련 계획 등의 수립에 관한 사항

③ 119항공운항관제실 설치·운영 등에 필요한 사항은 대통령령으로 정한다.

(3) 119항공정비실의 편성과 운영

① 소방청장은 항공대의 소방헬기를 전문적으로 통합정비 및 관리하기 위하여 소방청에 119항공정비실(이하 '정비실'이라 한다)을 설치·운영할 수 있다.

② 정비실에서는 다음의 업무를 수행한다.

　㉠ 소방헬기 정비운영 계획 수립 및 시행 등에 관한 사항

　㉡ 중대한 결함 해소 및 중정비 업무 수행 등에 관한 사항

　㉢ 정비에 필요한 전문장비 등의 운영·관리에 관한 사항

　㉣ 정비에 필요한 부품 수급 등의 운영·관리에 관한 사항

　㉤ 정비사의 교육훈련 및 자격유지에 관한 사항

　㉥ 소방헬기 정비교범 및 정비 관련 문서·기록의 관리·유지에 관한 사항

　㉦ 그 밖에 소방헬기 정비를 위하여 필요한 사항

③ 정비실의 설치·운영, 그 밖에 필요한 사항은 대통령령으로 정한다.

④ 정비실의 인력·시설 및 장비기준 등에 필요한 사항은 행정안전부령으로 정한다.

(4) 119항공대의 업무

① 인명구조 및 응급환자의 이송(의사가 동승한 응급환자의 병원간 이송을 포함)

② 화재 진압

③ 장기이식환자 및 장기의 이송

④ 항공 수색 및 구조 활동

⑤ 공중 소방 지휘통제 및 소방에 필요한 인력·장비 등의 운반

⑥ 방역 또는 방재 업무의 지원

⑦ 그 밖에 재난관리를 위하여 필요한 업무

(5) 119항공대원의 자격기준

119항공대원은 구조대원의 자격기준 또는 구급대원의 자격기준을 갖추고, 소방청장이 실시하는 항공 구조·구급과 관련된 교육을 마친 사람으로 한다.

> 📖 **핵심정리 편성·운영 등**
>
> 1. 119구조·구급대의 편성·운영: 소방청장 등(소방청장, 소방본부장, 소방서장)
> 2. 국제구조·구급대의 편성·운영: 소방청장
> 3. 119구급상황관리센터의 설치·운영: 소방청장
> 4. 119항공대의 편성·운영: 소방청장, 소방본부장
> 5. 119구조견대의 편성·운영: 소방청장, 소방본부장

---

8. 119구조견대의 편성과 운영

(1) 소방청장과 소방본부장은 위급상황에서 「소방기본법」 제4조에 따른 소방활동의 보조 및 효율적 업무 수행을 위하여 119구조견대를 편성하여 운영한다.

(2) 소방청장은 119구조견(이하 '구조견'이라 한다)의 양성·보급 및 구조견 운용자의 교육·훈련을 위하여 구조견 양성·보급기관을 설치·운영하여야 한다.

(3) (1)에 따른 119구조견대의 편성·운영 및 (2)에 따른 구조견 양성·보급 기관의 설치·운영, 그 밖에 필요한 사항은 대통령령으로 정한다.

(4) 119구조견대는 행정안전부령으로 정하는 장비를 구비하여야 한다.

9. 구조·구급대원의 전문성 강화 등

(1) 소방청장은 국민에게 질 높은 구조와 구급서비스를 제공하기 위하여 전문 구조·구급대원의 양성과 기술향상을 위하여 필요한 교육훈련 프로그램을 운영하여야 한다.

(2) 구조·구급대원은 업무와 관련된 새로운 지식과 전문기술의 습득 등을 위하여 행정안전부령으로 정하는 바에 따라 소방청장이 실시하는 교육훈련을 받아야 한다.

(3) 소방청장은 구조·구급대원의 전문성을 향상시키기 위하여 필요한 경우 ②에 따른 교육훈련을 국내외 교육기관 등에 위탁하여 실시할 수 있다.

(4) 교육훈련의 방법·시간 및 내용, 그 밖에 필요한 사항은 행정안전부령으로 정한다.

영철쌤 tip

119구조견대 편성·운영
1. 소방청장은 119구조견대를 중앙119구조본부에 편성·운영한다.
2. 소방본부장은 시·도소방본부에 구조견대를 편성·운영한다.

119구조견대 출동구역
1. 중앙119구조본부에 편성하는 구조견대의 출동구역은 전국이다.
2. 시·도 소방본부에 편성하는 구조견대의 출동구역은 관할 시·도이다.

영철쌤 tip

구조대원의 교육훈련
1. 구조대원의 교육훈련은 일상교육훈련 및 특별구조훈련으로 구분한다.
2. 일상교육훈련은 구조대원의 일일근무 중 실시하고 구조장비 조작과 안전관리에 관한 내용을 포함해야 한다.
3. 구조대원은 연간 40시간 이상 특별교육훈련을 받아야 한다.

구급대원의 교육훈련
1. 구급대원의 교육훈련은 일상교육훈련 및 특별구조훈련으로 구분한다.
2. 일상교육훈련은 구급대원의 일일근무 중 실시하고 구급장비 조작과 안전관리에 관한 내용을 포함해야 한다.
3. 구급대원은 연간 40시간 이상 특별교육훈련을 받아야 한다.

1. 구조·구급활동

(1) 소방청장 등은 위급상황이 발생한 때에는 구조·구급대를 현장에 신속하게 출동시켜 인명구조, 응급처치 및 구급차 등의 이송, 그 밖에 필요한 활동을 하게 하여야 한다.

(2) 누구든지 (1)에 따른 구조·구급활동을 방해하여서는 안 된다.

(3) 소방청장 등은 대통령령으로 정하는 위급하지 않은 경우에는 구조·구급대를 출동시키지 않을 수 있다.

2. 구조·구급요청의 거절

구조·구급요청의 거절
1. '단순'이라는 표현이 들어가면 구조·구급요청의 거절을 의미한다.
2. 요청을 거절한 구조·구급대원은 거절확인서 작성하여 소속 소방관서장에게 보고하고, 소속 소방관서에 3년간 보관한다.

(1) 구조·구급대원은 요구조자 또는 응급환자가 구조·구급대원에게 폭력을 행사하는 등 구조·구급활동을 방해하는 경우에는 구조·구급활동을 거절할 수 있다.

(2) 구조·구급대원은 구조 또는 구급요청을 거절한 경우 구조 또는 구급을 요청한 사람이나 목격자에게 그 내용을 알리고, 행정안전부령으로 정하는 바에 따라 그 내용을 기록·관리하여야 한다.

(3) 구조요청을 거절한 구조대원은 별지 제1호 서식의 구조 거절 확인서를 작성하여 소속 소방관서장에게 보고하고, 소속 소방관서에 3년간 보관하여야 한다.

(4) 구급요청을 거절한 구급대원은 별지 제2호 서식의 구급 거절·거부 확인서(이하 "구급 거절·거부 확인서"라 한다)를 작성하여 소속 소방관서장에게 보고하고, 소속 소방관서에 3년간 보관하여야 한다.

구조출동 요청의 거절	· 단순 문 개방의 요청을 받은 경우 · 시설물에 대한 단순 안전조치 및 장애물 단순 제거의 요청을 받은 경우 · 동물의 단순 처리·포획·구조요청을 받은 경우 · 그 밖에 주민생활 불편해소 차원의 단순 민원 등 구조활동의 필요성이 없다고 인정되는 경우
구급출동 요청의 거절	· 단순 치통환자 · 단순 감기환자(다만, 섭씨 38도 이상의 고열 또는 호흡곤란이 있는 경우는 제외한다) · 혈압 등 생체징후가 안정된 타박상 환자 · 술에 취한 사람(다만, 강한 자극에도 의식이 회복되지 않거나 외상이 있는 경우는 제외한다) · 만성질환자로서 검진 또는 입원 목적의 이송 요청자 · 단순 열상(裂傷) 또는 찰과상(擦過傷)으로 지속적인 출혈이 없는 외상 환자 · 병원간 이송 또는 자택으로의 이송 요청자(다만, 의사가 동승한 응급환자의 병원간 이송은 제외한다)

3. 구조·구급대원에 대한 안전사고방지대책 등 수립·시행

(1) 소방청장은 구조·구급대원의 안전사고방지대책, 감염방지대책, 건강관리대책 등 (이하 '안전사고방지대책 등'이라 한다)을 수립·시행하여야 한다.

(2) 안전사고방지대책등의 수립에 관하여 필요한 사항은 대통령령으로 정한다.

4. 구조·구급활동을 위한 긴급조치

(1) 소방청장 등은 구조·구급활동을 위하여 필요하다고 인정하는 때에는 다른 사람의 토지·건물 또는 그 밖의 물건을 일시사용, 사용의 제한 또는 처분을 하거나 토지·건물에 출입할 수 있다.

(2) 소방청장 등은 (1)에 따른 조치로 인하여 손실을 입은 자가 있는 경우에는 대통령령으로 정하는 바에 따라 그 손실을 보상하여야 한다.

5. 감염병환자 등의 통보 등

(1) 질병관리청장 및 의료기관의 장은 구급대가 이송한 응급환자가 감염병환자등인 경우에는 그 사실을 소방청장 등에게 즉시 통보하여야 한다. 이 경우 정보시스템을 활용하여 통보할 수 있다.

(2) 소방청장 등은 감염병환자 등과 접촉한 구조·구급대원이 적절한 치료를 받을 수 있도록 조치하여야 한다.

(3) (1)에 따른 감염병환자 등에 대한 구체적인 통보대상, 통보 방법 및 절차, (2)에 따른 조치 방법 등에 필요한 사항은 대통령령으로 정한다.

6. 감염관리대책

(1) 소방청장 등은 구조·구급대원의 감염 방지를 위하여 구조·구급대원이 소독을 할 수 있도록 소방서별로 119감염관리실을 1개소 이상 설치하여야 한다.

(2) 구조·구급대원은 근무 중 위험물·유독물 및 방사성물질(이하 '유해물질 등'이라 한다)에 노출되거나 감염성 질병에 걸린 요구조자 또는 응급환자와 접촉한 경우에는 그 사실을 안 때부터 48시간 이내에 소방청장 등에게 보고하여야 한다.

(3) 소방청장 등은 유해물질 등에 노출되거나 감염성 질병에 걸린 요구조자 또는 응급환자와 접촉한 구조·구급대원이 적절한 진료를 받을 수 있도록 조치하고, 접촉일부터 15일 동안 구조·구급대원의 감염성 질병 발병 여부를 추적·관리하여야 한다. 이 경우 잠복기가 긴 질환에 대해서는 잠복기를 고려하여 추적·관리기간을 연장할 수 있다.

영철쌤 tip

감염병환자등
1. 감염병환자
2. 감염병의사환자
3. 병원체보유자
4. 감염병의심자

(4) 119감염관리실의 규격·성능 및 119감염관리실에 설치하여야 하는 장비 등 세부
기준은 소방청장이 정한다.

▲ 119 감염관리실

7. 구조활동

(1) 구조활동의 순서

① **초기대응단계**: 상황파악 → 접근 → 상황안정화 → 후송

② **구조활동 우선순위**: 구명 → 신체구출 → 고통경감(정신적·육체적) → 재산보
전(재산보호)

③ **구조활동 절차의 우선순위**: 위험평가 → 수색 → 구조 → 응급의료 또는 피난
유도 → 인명검색 → 구출 → 응급처치 → 이송

(2) 구조활동의 결정 원칙

① 가장 안전하고 신속한 방법

② 상태의 긴급성에 맞는 방법

③ 현장상황 및 특성을 고려한 방법

④ 실패가능성이 가장 적은 방법

⑤ 재산피해가 적은 방법

(3) 구조활동을 위한 로프매듭법

① **좋은 매듭의 조건**

㉠ 묶기 쉽다.

㉡ 연결이 튼튼하여 자연적으로 풀리지 않는다(작업 도중).

㉢ 사용 후 간편하게 해체(작업 후)가 가능하다.

② **매듭의 주의사항**

㉠ 매듭법을 많이 아는 것보다 잘 쓰이는 매듭을 정확히 숙지하는 것이 더욱
중요하다.

㉡ 될 수 있으면 매듭의 크기가 작은 방법을 선택(고리에 쉽게 넣기 위해서)
한다.

㉢ 매듭의 끝 부분이 빠지지 않도록 주매듭을 묶은 후 옭매듭(엄지매듭) 등으
로 다시 마감해 준다.

영철쌤 tip

구조활동의 원칙
구조활동은 요구조자의 생명을 보전하는 것
이 가장 중요하므로 구명(救命)을 최우선으
로 하고 다음에 신체구출, 정신적·육체적 고
통경감, 재산피해의 최소화의 순으로 구조활
동의 우선순위를 결정한다.

③ 매듭 분류의 종류

　　㉠ **결절매듭(마디짓기)**: 로프의 끝이나 중간에 마디(절)나 매듭·고리를 만드는 방법이다.

　　㉡ **결합매듭(이어매기)**: 한 로프를 다른 로프와 서로 연결하는 방법이다.

　　㉢ **결착매듭(움켜매기)**: 로프를 지지물 또는 특정 물건에 묶는 방법(대표적으로 말뚝매기)이다.

결절매듭(마디짓기)	결합매듭(이어매기)	결착매듭(움켜매기)
· 엄지매듭(옭매듭)❶ · 8자매듭❷ · 절반매듭 · 나비매듭 · 한겹8자매듭 · 두겹8자매듭 · 에반스매듭 · 줄사다리매듭 · 8자줄사다리매듭 · 고정매듭(두겹고정매듭, 　세겹고정매듭)	· 바른매듭 · 한겹매듭 · 두겹매듭 · 아카데미매듭 · 피셔면매듭 · 테이프매듭	· 말뚝매기 · 반말뚝매기 · 감아매기 · 터벅매듭 · 바흐만매듭

(4) 로프를 사용할 때 주의하여야 하는 사항

① 사용 전에는 마모가 절손부위가 있는지 확인한다.

② 밟거나 깔고 앉지 말 것

③ 땅에 끌리지 않는다(모래 등에 의한 심지손상).

④ 로프를 장시간 당긴 상태로 놓아두지 않는다.

⑤ 건물이나 모서리에 직접 닿는 것을 피한다.

⑥ 불에 약하기 때문에 화기에 조심한다.

⑦ 화학약품이나 기름 등에 주의한다(부식우려).

⑧ 구입시기를 기록하여 적절한 시기에 폐기조치 한다.

⑨ 자외선(햇빛)에 약하다.

8. 소방전술의 기본원칙

(1) 신속대응의 원칙

(2) 인명구조 최우선의 원칙

(3) 선착대 우위의 원칙

선착대의 역할을 존중한다.

(4) 포위공격의 원칙

소방대가 상하, 좌우 포위해서 진압한다.

(5) 중점주의의 원칙

화재진압 중 가장 피해가 적은 것을 희생하더라도 중요한 부분을 중점적으로 방어한다.

📖 **용어사전**

❶ **엄지매듭(옭매듭)**: 매듭을 한 후 풀리지 않도록 끝처리하는 매듭이다.

❷ **8자매듭**: 강한 강도 및 충격을 받아도 풀리지 않는 매듭이다. 가장 많이 사용한다.

▲ 말뚝매기

9. 소방전술

(1) 포위전술
소방대가 상하, 좌우 포위하는 전술이다.

(2) 블록전술
건물4면 중 연소확대가 가능한 면을 방어하는 전술이다.

(3) 중점전술
중요한 부분을 중점적으로 진압 및 방어하는 전술이다.

(4) 집중전술
위험물탱크화재인 경우 집중적으로 진압하는 전술이다.

10. 물의 주수방법

(1) 집중주수
연소실체 또는 인명구조를 위한 엄호 등 한 곳에 집중적으로 주수하는 경우에 행하며 주수목표에 접근하면서 한다.

(2) 확산주수
연소물이나 연소위험이 있는 장소에 되도록 넓게 관창을 상하, 좌우 및 원을 그리듯 휘둘러서 주수하는 방법이다.

(3) 반사주수
장해물 등 주수사각으로 인하여 주수목표에 주수할 수없는 경우에 벽, 천장 등에 물을 반사시켜 주수하는 방법이다.

(4) 유하주수
주수압력을 약하게 하여 물 흐르듯이 주수하는 방법으로 건물 벽에 잠재하는 화세의 잔화처리 등에 이용 된다.

11. 선착대와 후착대의 임무

(1) 선착대의 임무
① 인명검색 및 구조활동 우선시 한다.
② 연소위험이 가장 큰 방면을 포위 부서한다.
③ 화점 직근의 소방용수시설을 점유한다.
④ 사전 대응메뉴얼을 충분히 고려하여 행동한다.
⑤ 인명피해위험 및 화재확대위험 등을 파악하여 신속한 상황보고 및 정보제공

(2) 후착대의 임무

① 선착대와 함께 인명구조활동 등 중요임무 수행을 지원한다.

② 화재방어는 인접건물 및 선착대가 진입하지 않는 곳을 우선한다.

③ 화재방어가 필요없는 경우는 지휘자의 명령에 의해 급수, 비화경계, 수손방지 등의 업무를 수행한다.

④ 화재를 진압할 때 불필요한 파괴는 하지 않는다.

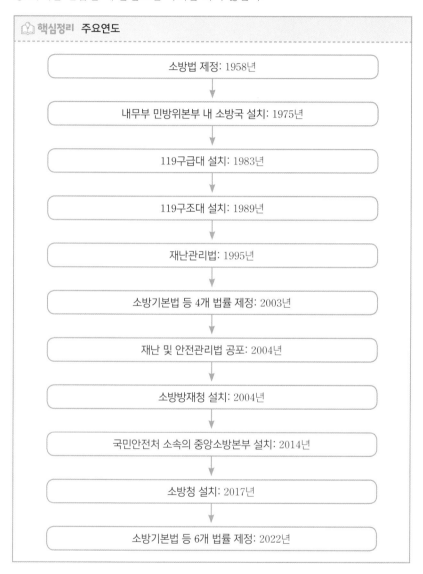

📖 핵심정리 **주요연도**

소방법 제정: 1958년

↓

내무부 민방위본부 내 소방국 설치: 1975년

↓

119구급대 설치: 1983년

↓

119구조대 설치: 1989년

↓

재난관리법: 1995년

↓

소방기본법 등 4개 법률 제정: 2003년

↓

재난 및 안전관리법 공포: 2004년

↓

소방방재청 설치: 2004년

↓

국민안전처 소속의 중앙소방본부 설치: 2014년

↓

소방청 설치: 2017년

↓

소방기본법 등 6개 법률 제정: 2022년

 영철쌤 tip

119구급대 및 119구조대

1. 119구급대는 1982년에 몇 개 소방서에 시범적으로 발족하였고, 1983년에 119구급대를 법제화하여 설치하였다.

2. 119구조대는 1988년에 몇 개 소방서에 시범적으로 발족하였고, 1989년에 119구조대를 법제화하여 설치하였다.

1. 벌금

(1) 5년 이하의 징역 또는 5천만원 이하의 벌금

　　정당한 사유 없이 구조·구급활동을 방해한 자

(2) 300만원 이하의 벌금

　　정당한 사유 없이 토지·물건 등의 일시사용, 사용의 제한, 처분 또는 토지·건물에 출입을 거부 또는 방해한 자

(3) 200만원 이하의 벌금

　　감염병환자 등으로 진단된 경우에는 그 사실을 소방청장 등에게 즉시 통보를 하지 않거나 거짓으로 통보한 자

2. 과태료

500만원 이하의 과태료: 위급상황을 소방기관 또는 관계 행정기관에 거짓으로 알린 자

영철쌤 tip

과태료는 대통령령으로 정하는 바에 따라 소방청장등 또는 관계 행정기관의 장이 부과·징수한다.

01 119구조대 편성 · 운영권자는?

① 대통령

② 시 · 도지사

③ 소방청장 등

④ 보건복지부장관

02 119구조대의 편성과 운영에 대한 설명으로 옳지 않은 것은?

① 119구조대는 일반구조대, 특수구조대, 직할구조대, 테러대응구조대로 구분한다.

② 일반구조대는 소방서마다 1개 대 이상 설치한다.

③ 특수구조대는 소방대상물, 지역 특성, 재난 발생 유형 및 빈도 등을 고려하여 구분에 따른 지역을 관할하는 소방서에 설치한다.

④ 테러대응구조대는 소방청 및 소방본부 · 소방서에 각각 설치하는 것을 원칙으로 한다.

정답 및 해설

01 119구조대의 편성과 운영

소방청장 · 소방본부장 또는 소방서장(이하 '소방청장 등'이라 한다)은 위급상황에서 요구조자의 생명 등을 신속하고 안전하게 구조하는 업무를 수행하기 위하여 대통령령으로 정하는 바에 따라 119구조대(이하 '구조대'라 한다)를 편성하여 운영하여야 한다.

02 119구조대의 편성과 운영(시행령 제5조)

테러대응구조대는 소방청 또는 소방본부에 설치하는 것을 원칙으로 한다.

> **■ 119구조대**
>
> 1. **일반구조대**: 시 · 도의 규칙으로 정하는 바에 따라 소방서마다 1개 대(隊) 이상 설치하되, 소방서가 없는 시 · 군 · 구(자치구를 말한다)의 경우에는 해당 시 · 군 · 구 지역의 중심지에 있는 119안전센터에 설치할 수 있다.
> 2. **특수구조대**: 소방대상물, 지역 특성, 재난 발생 유형 및 빈도 등을 고려하여 시 · 도의 규칙으로 정하는 바에 따라 다음의 구분에 따른 지역을 관할하는 소방서에 다음의 구분에 따라 설치한다. 다만, 고속국도구조대는 직할구조대에 설치할 수 있다.
>   - 화학구조대: 화학공장이 밀집한 지역
>   - 수난구조대: 내수면지역
>   - 산악구조대: 자연공원 등 산악지역
>   - 고속국도구조대: 고속국도
>   - 지하철구조대: 도시철도의 역사(驛舍) 및 역 시설
> 3. **직할구조대**: 대형 · 특수재난사고의 구조, 현장 지휘 및 지원 등을 위하여 소방청 또는 소방본부에 설치하되, 소방본부에 설치하는 경우에는 시 · 도의 규칙으로 정하는 바에 따른다.
> 4. **테러대응구조대**: 테러 및 특수재난에 전문적으로 대응하기 위하여 필요한 경우 소방청 또는 소방본부에 설치하는 것을 원칙으로 하되, 구조대의 효율적 운영을 위하여 필요한 경우에는 화학구조대와 직할구조대를 테러대응구조대로 지정할 수 있다.

정답 01 ③ **02** ④

03 국제구조대 편성·운영권자는?

① 외교부장관   ② 소방청장

③ 국무총리   ④ 소방청장 또는 소방본부장

04 「119구조·구급에 대한 법률 시행령」상 특수구조대에 해당하는 것을 [보기]에서 있는 대로 고른 것은?   21. 소방간부

─────────────── [보기] ───────────────

ㄱ. 화학구조대   ㄴ. 수난구조대

ㄷ. 산악구조대   ㄹ. 고속국도구조대

ㅁ. 지하철구조대   ㅂ. 테러대응구조대

① ㄱ   ② ㄱ, ㄴ

③ ㄱ, ㄴ, ㄷ, ㄹ   ④ ㄱ, ㄴ, ㄷ, ㄹ, ㅁ

⑤ ㄱ, ㄴ, ㄷ, ㄹ, ㅁ, ㅂ

05 다음 [보기] 중 화재 현장에서 구조작업의 우선순위를 옳게 배열한 것은?

─────────────── [보기] ───────────────

ㄱ. 고통경감   ㄴ. 신체구출

ㄷ. 구명   ㄹ. 재산보전

① ㄱ - ㄴ - ㄷ - ㄹ   ② ㄴ - ㄷ - ㄱ - ㄹ

③ ㄷ - ㄱ - ㄴ - ㄹ   ④ ㄷ - ㄴ - ㄱ - ㄹ

06 119구급대원이 비응급환자인 경우 구급출동요청을 거절할 수 있는 경우가 아닌 것은?

① 단순 치통환자

② 섭씨 38도 이상의 고열 또는 호흡곤란이 있는 환자

③ 단순 열상(裂傷) 또는 찰과상(擦過傷)으로 지속적인 출혈이 없는 외상환자

④ 만성질환자로서 검진 또는 입원 목적의 이송 요청자

07 119구급대가 의료행위를 하기 위해 갖추어야 할 구급대원의 자격기준이 아닌 것은?

① 「의료법」 제2조 제1항에 따른 의료인

② 「응급의료에 관한 법률」에 따라 1급 응급구조사 자격을 취득한 사람

③ 「응급의료에 관한 법률」에 따라 2급 응급구조사 자격을 취득한 사람

④ 대한 적십자사가 실시하는 구급 업무의 교육을 받은 사람

정답 및 해설

03 국제구조대

국제구조대의 편성·운영권자는 소방청장이다.

> ■ **국제구조대**
>
> 1. 소방청장은 국외에서 대형재난 등이 발생한 경우 재외국민의 보호 또는 재난발생국의 국민에 대한 인도주의적 구조 활동을 위하여 국제구조대를 편성하여 운영할 수 있다.
> 2. 소방청장은 외교부장관과 협의를 거쳐 1.에 따른 국제구조대를 재난발생국에 파견할 수 있다.
> 3. 소방청장은 1.에 따른 국제구조대를 국외에 파견할 것에 대비하여 구조대원에 대한 교육훈련 등을 실시할 수 있다.

04 특수구조대

특수구조대는 소방서에 설치하며, 화학구조대, 수난구조대, 산악구조대, 고속국도구조대, 지하철구조대로 구분된다.

05 구조활동의 원칙

구조활동은 요구조자의 생명을 보전하는 것이 가장 중요하므로 구명(救命)을 최우선으로 하고 다음에 신체구출, 정신적·육체적 고통경감, 재산 피해의 최소화의 순으로 구조활동의 우선순위를 결정한다.

06 구급대원이 구급출동요청을 거절할 수 있는 경우

· 단순 치통환자
· 단순 감기환자(다만, 섭씨 38도 이상의 고열 또는 호흡곤란이 있는 경우는 제외)
· 단순 열상(裂傷) 또는 찰과상(擦過傷)으로 지속적인 출혈이 없는 외상환자
· 만성질환자로서 검진 또는 입원 목적의 이송 요청자

07 구급대원의 자격기준

· 의료인
· 1급 응급구조사 자격을 취득한 사람
· 2급 응급구조사 자격을 취득한 사람
· 소방청장이 실시하는 구급업무에 관한 교육을 받은 사람

정답 **03** ② **04** ④ **05** ④ **06** ② **07** ④

CHAPTER 2 응급의료에 관한 법률

1 총칙

1. 목적

「응급의료에 관한 법률」은 국민들이 응급상황에서 신속하고 적절한 응급의료를 받을 수 있도록 응급의료에 관한 국민의 권리와 의무, 국가·지방자치단체의 책임, 응급의료제공자의 책임과 권리를 정하고 응급의료자원의 효율적 관리에 필요한 사항을 규정함으로써 응급환자의 생명과 건강을 보호하고 국민의료를 적정하게 함을 목적으로 한다.

2. 용어의 정의

(1) 응급환자

질병, 분만, 각종 사고 및 재해로 인한 부상이나 그 밖의 위급한 상태로 인하여 즉시 필요한 응급처치를 받지 아니하면 생명을 보존할 수 없거나 심신에 중대한 위해(危害)가 발생할 가능성이 있는 환자 또는 이에 준하는 사람으로서 보건복지부령으로 정하는 사람을 말한다.

(2) 응급의료

응급환자가 발생한 때부터 생명의 위험에서 회복되거나 심신상의 중대한 위해가 제거되기까지의 과정에서 응급환자를 위하여 하는 상담·구조(救助)·이송·응급처치 및 진료 등의 조치를 말한다.

(3) 응급처치

응급의료행위의 하나로서 응급환자의 기도를 확보하고 심장박동의 회복, 그 밖에 생명의 위험이나 증상의 현저한 악화를 방지하기 위하여 긴급히 필요로 하는 처치를 말한다.

(4) 응급의료종사자❶

관계 법령에서 정하는 바에 따라 취득한 면허 또는 자격의 범위에서 응급환자에 대한 응급의료를 제공하는 **의료인❷**과 응급구조사를 말한다.

(5) 응급의료기관

의료기관 중에서 「응급의료에 관한 법률」에 따라 지정된 권역응급의료센터, 전문응급의료센터, 지역응급의료센터 및 지역응급의료기관을 말한다.

(6) 구급차 등

응급환자의 이송 등 응급의료의 목적에 이용되는 **자동차, 선박 및 항공기** 등의 이송수단을 말한다.

용어사전

❶ 응급의료종사자: 의료인(의사, 치과의사, 한의사, 간호사, 조산사)과 응급구조사를 말한다.
❷ 의료인: 의사, 치과의사, 한의사, 간호사, 조산사가 있다.

영철쌤 tip

1. 중앙응급의료센터 설치·운영권자는 보건복지부장관이다.
2. 중앙응급의료센터는 응급의료기관이 아니다.

(7) 응급의료기관 등

응급의료기관, 구급차 등의 운용자 및 응급의료지원센터를 말한다.

(8) 응급환자이송업

구급차 등을 이용하여 응급환자 등을 이송하는 업(業)을 말한다.

2 | 국민의 권리와 의무

1. 응급의료를 받을 권리

모든 국민은 성별, 나이, 민족, 종교, 사회적 신분 또는 경제적 사정 등을 이유로 차별 받지 아니하고 응급의료를 받을 권리를 가진다. 국내에 체류하고 있는 외국인도 또한 같다.

2. 응급의료에 관한 알 권리

(1) 모든 국민은 응급상황에서의 응급처치 요령, 응급의료기관 등의 안내 등 기본적 인 대응방법을 알 권리가 있으며, 국가와 지방자치단체는 그에 대한 교육·홍보 등 필요한 조치를 마련하여야 한다.

(2) 모든 국민은 국가나 지방자치단체의 응급의료에 대한 시책에 대하여 알 권리를 가진다.

3. 응급환자에 대한 신고 및 협조 의무

(1) 누구든지 응급환자를 발견하면 즉시 응급의료기관 등에 신고하여야 한다.

(2) 응급의료종사자가 응급의료를 위하여 필요한 협조를 요청하면 누구든지 적극 협 조하여야 한다.

4. 선의의 응급의료에 대한 면책(선한 사마리아인법)

생명이 위급한 응급환자에게 다음의 어느 하나에 해당하는 응급의료 또는 응급처치 를 제공하여 발생한 재산상 손해와 사상(死傷)에 대하여 고의 또는 중대한 과실이 없 는 경우 그 행위자는 민사책임과 상해(傷害)에 대한 형사책임을 지지 않으며 사망에 대한 형사책임은 감면한다.

(1) 다음의 어느 하나에 해당하지 않는 자가 한 응급처치
  ① 응급의료종사자
  ② 선박의 응급처치 담당자
  ③ 구급대 등 다른 법령에 따라 응급처치 제공의무를 가진 자

(2) 응급의료종사자가 업무수행 중이 아닌 때 본인이 받은 면허 또는 자격의 범위에서 한 응급의료

(3) 선박의 응급처치 담당자, 응급처치 제공의무를 가진 자가 업무수행 중이 아닌 때에 한 응급처치

5. 119구급차의 운용

소방청장 등은 응급환자를 의료기관에 긴급히 이송하기 위하여 구급차(이하 '119구급차'라 한다)를 운용하여야 한다.

(1) 일반구급차
붉은색 또는 녹색으로 "환자이송" 또는 "환자후송"이라 표시할 수 있으며 "응급출동"은 표시하여서는 안 된다(의료장비, 구급의약품).

(2) 특수구급차
2면 이상 붉은색으로 "응급출동"이라 표시한다(의료장비, 구급의약품, 통신장비).

▲ 일반구급차(적색 또는 녹색으로 환자이송 또는 환자후송 표시)

▲ 특수구급차(적색으로 응급출동 표시)

3 구급환자의 중증도 분류

1. 응급처치를 위한 환자이송 순위의 4단계 구분

긴급환자(적색)	수 분, 수 시간 이내 응급처지를 요하는 환자이다.
응급환자(황색)	수 시간 이내 응급처지를 요하는 환자이다.
비응급환자(녹색)	수 시간, 수일 후 치료해도 생명에 지장이 없는 환자이다.
지연환자(흑색)	사망, 생존 가능성이 없는 환자이다.

2. 중증도의 분류기준

치료순서	색깔	심볼	부상정도	특성 및 증상
1	적색	토끼	긴급	· 수 분, 수 시간 이내 응급처지를 요하는 환자 · 기도폐쇄, 호흡곤란(호흡정지), 심장마비가 인지된 심정지(심장이상), 조절이 되지 않는 출혈(대량출혈), 개방성 흉부, 긴장성 기흉, 골반골 골절을 동반한 복부손상, 심각한 두부손상, 쇼크, 기도화상을 동반한 중증의 화상, 내과적 이상, 경추손상이 의심되는 경우[척추손상(경추포함)], 저체온증, 지속적인 천식, 지속적인 경련 등
2	황색	거북이	응급	· 수 시간 이내 응급처지를 요하는 환자 · 중증의 출혈, 중증의 화상, 경추를 제외한 부위의 척추골절[척추손상(경추제외)], 다발성 주요골절, 단순두부손상 등
3	녹색	구급차에 ×표시	비응급	· 수 시간, 수 일 후 치료해도 생명에 지장이 없는 환자 · 소량의 출혈, 경증의 화상, 타박상, 단순골절, 정신과적인 문제 등
4	흑색	십자가 표시	지연	· 사망, 생존 가능성이 없는 환자 · 20분 이상 호흡이나 맥박이 없는 환자, 두부나 몸체가 절단된 경우, 심폐소생술을 시도하여도 효과가 없다고 판단되는 경우

📖 **핵심정리** 구급환자

1. 환자의 이송순위(4단계): 긴급 → 응급 → 비응급 → 지연 순이다.
2. 중증도 분류
   ① 긴급환자: 대량출혈, 기도화상을 동반한 중증의 화상, 척추손상(경추포함) 등이 있는 환자이다.
   ② 응급환자: 중증의 출혈, 중증의 화상, 척추손상(경추제외) 등이 있는 환자이다.
   ③ 비응급환자: 소량의 출혈, 경증의 화상 등이 있는 환자이다.

중증도 분류표		일련번호
보행여부: 가능 / 불가능	호흡: 정상 / 비정상	
맥박: 정상 / 비정상	의식: 정상 / 비정상	

분류자:

분류시간:

0 ⬤　I ⬤　II ⬤　III ⬤

이름:　　　　　　　　　나이:　　　성별: 남 / 여

발견된 장소:

주요 손상명 및 처치

생체징후	혈압　　/　　호흡　　맥박　　의식
구급차	119 / 119 외
이송의료기관	
이송(출발)시간	

0	사		망	0
I	긴		급	I
II	응		급	II
III	비	응	급	III

1. 응급처치 기술

(1) 응급처치의 기본 순서

주변상황정리 → 의식유무확인 → 구조요청 → 기도(Airway)유지 → 호흡 → 순환 → 약물요법 → 병원이송 순이다.

(2) 환자평가

① **1차평가(ABCDE)**: 기도유지 평가 → 호흡평가 → 순환평가 → 의식상태 평가 → 노출 순이다. 그 다음 이송의 우선순위를 결정한다.

영철쌤 tip

환자평가
1. 이송의 우선순위 결정까지가 1차평가이다.
2. 환자의 병력조사(예 과거질병, 투약 중인 약물, 알레르기 등)가 2차평가이다.

기도유지 (A, Airway)	기도가 개방되어 있는지 여부를 평가한다. 기도개방이 적절하지 못한 경우에는 하악견인법, 두부후굴 하악거상법, 흡인 또는 구인구기도기나 비인두기도기를 삽입하여 기도를 개방한다.
호흡확인 (B, Breathing)	· 숨을 쉬는지 여부를 평가하는데 쉽게 관찰되지 않을 수도 있으므로 5~10초 정도 충분히 눈으로 가슴을 보고, 귀로 숨소리를 듣고 뺨으로는 숨을 느낀다. · 호흡이 없으면 가슴이 올라오는 정도로 2번 숨을 불어 넣어 준다. · 숨은 쉬지만 반응이 없다면 왼쪽을 밑으로 회복자세를 취해 준다.
순환확인 (C, Circulation)	· 순환기능은 어떤지를 평가한다. · 맥박을 확인하고 맥박이 없으면 심폐소생술을 시행한다. · 출혈이 발견되면 직접압박이나 붕대로 지혈한다. · 손톱, 입술, 눈꺼풀 등의 색은 순환기능을 평가하기 좋은 척도이다. · 구조자의 손등이나 손목과 같은 민감한 부위로 환자의 체온과 피부가 건조한지 습한지를 살핀다.
의식상태 평가 (기능장애평가) (D, Disability)	· 의식유무와 의식의 정도를 파악한다. · 척추손상을 확인한다. · 손가락, 발가락의 감각, 움직임, 맥박을 확인한다. · PMS확인: P(Pulse), M(Motor, Movement), S(Sence)
노출 (E, Expose)	외상에 있어서 중요한 출혈, 잠재적인 호흡이상과 그 외의 생명을 위협하는 손상들을 평가하기 위해 빠르게 전신을 노출시켜 평가하는 방법이다.

② **2차평가**: 1차조사 및 2차조사를 마친 후 필요한 응급처치를 마쳤다면 기도, 호흡, 순환재평가 및 환자의 병력조사를 한다.

2. 기도폐쇄처치 · 기도확보처치 및 심폐소생술(CPR)

(1) 기도폐쇄처치

① 의식이 있는 어른과 어린이의 기도폐쇄: 부상자가 의식이 있는 상태에서 말을 못하고 기침이나 호흡이 불가능할 때 하임리히법(복부 밀쳐 올리기)을 실시한다.

환자가 서있거나 앉아있는 경우 (하임리히법)	환자의 뒤에 서서 한 손은 주먹을 쥐고 다른 한 손은 주먹 쥔 손을 감싼 다음, 환자의 배꼽과 명치 사이에 이를 위치시킨 후 힘껏 누르면서 위쪽으로 당긴다(4~5회 실시). 
환자가 누워있는 경우 (가슴밀어내기)	환자를 바로 눕힌 후 골반과 다리 사이에 위치한 다음 환자의 배꼽과 명치 사이에 손바닥을 댄 상태에서 위쪽으로 민다(4~5회 실시). 

영철쌤 tip

환자가 누워있는 경우는 하임리히법이 아니다.

② 성인 및 아동: 기도폐쇄 유무를 질문하고 복부(배)밀어내기(하임리히법) 또는 가슴밀어내기를 실시한다.

⊙ 배밀어내기(하임리히법): 배를 감싸 밀어낸다.

⊙ 가슴밀어내기: 임신, 비만 등으로 인해 배를 감싸 안을 수 없는 경우 가슴밀어내기(하임리히법 아님)를 실시한다.

⊙ 영아(만 1세 이하)

ⓐ 등두드리기 5회, 가슴밀쳐올리기 5회를 반복(복부 아님)한다.

ⓑ 복부밀어내기를 실시하지 않는다.

(2) 기도확보처치

① **두부후굴 하악거상법**: 머리를 젖히고 턱 들기법(인공호흡을 위한 기도유지법)

구급대원이 한 손으로 환자의 머리를 등쪽으로 밀어주고 손이 턱 주위를 압박하면 오히려 기도가 폐쇄될 수 있으므로 반드시 하악골을 받쳐주도록 주의해야 하며, 엄지 손가락으로 턱을 밀지 않도록 한다. 소아는 성인과 기도구조가 다르므로 아래턱만 살며시 들어준다. 가장 기본적인 기도확보방법이지만 경추손상을 초래할 수 있으므로 **경추손상이 의심되는 환자에게는 사용하지 않는다.**

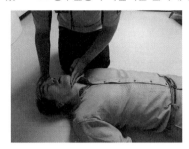

② **하악견인법**: 턱들어올리기법(인공호흡을 위한 기도유지법)

머리, 목, 척추 손상환자의 경우에 사용하는 방법으로 환자의 머리 위쪽에 위치하여 두 손으로 환자의 하악골작을 잡고 밀어올린다. 이때 구조자의 팔꿈치는 바닥에 닿도록 한다.

(3) 심폐소생술(CPR)

① 심폐소생술(CPR)은 심정지가 의심되는 환자에게 인공으로 호흡과 혈액순환을 유지함으로써 조직으로의 산소공급을 유지시켜서 생물학적 사망으로의 전환을 지연시키고자 하는 노력이다.

② **순서**: 의식유무 확인 → 도움 요청 → 흉부 압박(30회) → 기도유지 → 인공호흡(2회)

 영철쌤 tip

심폐소생술(CPR)
흉부압박 : 인공호흡 = 30 : 2로 진행한다.

응급장비
자동심장충격기 등 심폐소생술을 할 수 있는 응급장비를 설치한 자는 해당 응급장비를 매월 1회 이상 점검하고 그 결과를 관할 시장·군수·구청장에게 통보하여야 한다.

▲ AED(자동심장충격기)

영철쌤 tip

1급 응급구조사 자격에 의료인은 없다.

1. 응급구조사의 구분

응급구조사는 업무의 범위에 따라 1급 응급구조사와 2급 응급구조사로 구분한다.

1급 응급구조사	· 대학 또는 전문대학에서 응급구조학을 전공하고 졸업한 사람 · 보건복지부장관이 인정하는 외국의 응급구조사 자격인정을 받은 사람 · 2급 응급구조사로서 응급구조사의 업무에 3년 이상 종사한 사람
2급 응급구조사	· 보건복지부장관이 지정하는 응급구조사 양성기관에서 대통령령으로 정하는 양성과정을 마친 사람 · 보건복지부장관이 인정하는 외국의 응급구조사 자격인정을 받은 사람

2. 응급구조사의 업무

1급 응급구조사 업무범위	· 심폐소생술의 시행을 위한 기도유지 · 정맥로 확보 · 인공호흡기를 이용한 호흡의 유지 · 약물투여(의사지도 하에 실행): 1급 응급구조사의 약물투여는 저혈당성 혼수 시 포도당의 주입, 흉통 시 니트로글리세린의 혀 아래(설하) 투여, 쇼크 시 일정량의 수액투여, 천식발작 시 기관지 확장제 흡입이다. · 2급 응급구조사의 업무
2급 응급구조사 업무범위	· 구강 내 이물질의 제거 · 기도기를 이용한 기도유지 · 기본 심폐소생술 · 산소투여 · 부목·척추 고정기·공기 등을 이용한 사지 및 척추 등의 고정 · 외부출혈의 지혈 및 창상의 응급처치 · 심박·체온 및 혈압 등의 측정 · 쇼크방지용 하의 등을 이용한 혈압의 유지 · 자동심장충격기를 이용한 규칙적 심박동의 유도 · 약물투여: 2급 응급구조사의 약물투여는 흉통 시 니트로글리세린의 혀 아래(설하)투여 및 천식발작 시 기관지확장제 흡입(환자가 해당 약물을 휴대하고 있는 경우에 한함)이다.

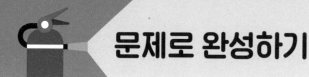

문제로 완성하기

01 1급 응급구조사만이 하여야 할 업무가 아닌 것은?

① 심폐소생술의 시행을 위한 기도유지

② 정맥로의 확보

③ 인공호흡기를 이용한 호흡의 유지

④ 척추고정기의 사용

02 중증도에 따른 환자 분류에서 이송순위를 순서대로 나열한 것은?

① 응급환자 – 긴급환자 – 지연환자 – 비응급환자

② 응급환자 – 긴급환자 – 비응급환자 – 지연환자

③ 지연환자 – 긴급환자 – 응급환자 – 비응급환자

④ 긴급환자 – 응급환자 – 비응급환자 – 지연환자

03 「긴급구조대응활동 및 현장지휘에 관한 규칙」상 중증도 분류별 표시방법으로 옳은 것은?   23. 소방간부

① 사망: 적색, 십자가 표시

② 긴급: 녹색, 토끼 그림

③ 응급: 적색, 거북이 그림

④ 비응급: 녹색, 구급차 그림에 × 표시

⑤ 대기: 황색, 구급차 그림에 × 표시

정답 및 해설

01 1급 응급구조사의 업무범위

· 심폐소생술의 시행을 위한 기도유지

· 정맥로의 확보

· 인공호흡기를 이용한 호흡의 유지

· 약물투여

· 2급 응급구조사의 업무

02 중증도에 따른 환자 분류에서 이송순위

긴급환자 → 응급환자 → 비응급환자 → 지연환자 순이다.

03 중증도 분류별 표시방법

④ 비응급: 녹색, 구급차 그림에 × 표시

① 사망: 흑색, 십자가 표시

② 긴급: 적색, 토끼 그림

③ 응급: 황색, 거북이 그림

⑤ 대기는 표시방법이 없다.

정답 01 ④ **02** ④ **03** ④

04 환자의 중증도 중 수 분 혹은 수 시간 내에 응급처치하지 않으면 생명이 위험한 환자는?

① 긴급환자   ② 응급환자

③ 비응급환자   ④ 지연환자

05 환자 중증도에 따른 분류 중 환자 상태에 대한 설명으로 옳지 않은 것은?

① 응급환자(황색): 수 시간 내에 응급을 요하는 중증의 출혈

② 비응급환자(녹색): 다발성골절, 척추손상, 중증화상

③ 지연환자(흑색): 20분 이상 호흡이나 맥박이 없는 환자, 심폐소생술을 시도하여도 효과가 없다고 판단되는 경우

④ 긴급환자(적색): 쇼크, 기도폐쇄

06 호흡과 맥박이 멈추었으며 심정지가 의심되는 환자에게 인공으로 호흡과 혈액순환을 유지함으로써 산소공급을 유지시키기 위한 전한조치는?

① 기도유지   ② 화상

③ 출혈   ④ 심폐소생술

07 긴급환자 심폐소생술 시 응급처치 순서로 옳은 것은?

① 의식유무 확인 → 도움 요청 → 흉부압박(30회) → 기도유지 → 인공호흡(2회)

② 의식유무 확인 → 도움 요청 → 흉부압박(50회) → 기도유지 → 인공호흡(2회)

③ 의식유무 확인 → 도움 요청 → 흉부압박(30회) → 인공호흡(2회) → 기도유지

④ 의식유무 확인 → 도움 요청 → 흉부압박(50회) → 인공호흡(2회) → 기도유지

08 환자의 아래턱을 전방으로 올려서 앞으로 당겨주는 일반적인 기도유지 방법은?

① 하임리히법

② 하악견인법

③ 하악거상법

④ 하임거상법

09 기도폐쇄를 해소하기 위해 환자의 상복부를 흉곽 쪽으로 밀쳐 올려 기도 내의 이물질을 배출하는 응급처치는?

① 하임리히법

② 두부후굴 하악거상법

③ 하악견인법

④ 하악거상법

정답 및 해설

04 중증도 분류

수 분 혹은 수 시간 이내의 응급처치를 요하는 중증환자는 긴급환자이며 적색으로 분류한다.

05 중증도에 따른 환자별 중증 정도

분류	환자소견 혹은 증상
긴급환자	· 기도폐쇄, 심한 호흡곤란 혹은 호흡정지, 심장마비가 인지된 심정지 · 개방성 흉부열상, 긴장성 기흉 혹은 연가양 분절, 대량출혈 혹은 수축기 · 혈압이 80mmHg 이하의 쇼크, 혼수상태의 중증 두부손상 · 개방성 복부열상, 골반골 골절을 동반한 복부손상, 기도화상을 동반한 중증의 화상, 경추손상이 의심되는 경우, 원위부 맥박이 촉지되지 않는 골절, 기타 심장병, 저체온증, 지속적인 천식 혹은 경련 등
응급환자	중증의 화상, 경추를 제외한 부위의 척추골절, 중증의 출혈, 다발성 골절
비응급환자	소량의 출혈, 경증의 열상 혹은 단순골절, 경증의 화상이나 타박상
지연환자	· 20분 이상 호흡이나 맥박이 없는 환자, 두부나 몸체가 절단된 경우 · 심폐소생술을 시도하여도 효과가 없다고 판단되는 경우

06 심폐소생술

심폐소생술은 심정지가 의심되는 환자에게 인공으로 호흡과 혈액순환을 유지함으로써 조직으로의 산소공급을 유지시켜서 생물학적 사망으로의 전환을 지연시키고자 하는 노력이다.

07 심폐소생술 순서

의식유무 확인 → 도움 요청 → 흉부압박(30회) → 기도유지 → 인공호흡(2회)의 순서로 진행한다.

08 두부후굴 하악거상법(머리를 젖히고 턱 들기법)

구급대원이 한 손으로 환자의 머리를 등 쪽으로 밀어주고 손이 턱 주위를 압박하면 오히려 기도가 폐쇄될 수 있으므로 반드시 하악골을 받쳐주도록 주의해야 하며, 엄지손가락으로 턱을 밀지 않도록 한다. 소아는 성인과 기도구조가 다르므로 아래턱만 살며시 들어준다. 가장 기본적인 기도확보 방법이지만 경추손상을 초래할 수 있으므로 경추손상이 의심되는 환자에게는 사용하지 않는다.

09 하임리히법

· 기도폐쇄: 하임리히법

· 기도확보: 두부후굴 하악거상법, 하악견인법, 삼중기도조작, 환자의 입열기와 이물질 제거

정답 04 ① **05** ② **06** ④ **07** ① **08** ③ **09** ①

■ 다시 학습하기   p.820

1 「119구조 · 구급에 관한 법률」

1. 119구조대 편성과 운영

일반구조대		시 · 도의 규칙으로 정하는 바에 따라 소방서마다 1개 대(隊) 이상 설치하되, 소방서가 없는 시 · 군 · 구의 경우에는 해당 시 · 군 · 구 지역의 중심지에 있는 119안전센터에 설치할 수 있다.
특수구조대	소방서 · 화학구조대	화학공장이 밀집한 지역에 설치한다.
	수난구조대	내수면지역에 설치한다.
	산악구조대	자연공원 등 산악지역에 설치한다.
	고속국도구조대	고속국도에 설치한다.
	지하철구조대	도시철도의 역사(驛舍) 및 역 시설에 설치한다.
직할구조대		대형 · 특수 재난사고의 구조, 현장 지휘 및 지원 등을 위하여 소방청 또는 시 · 도 소방본부에 설치한다.
테러대응 구조대		· 테러 및 특수재난에 전문적으로 대응하기 위하여 필요한 경우 소방청 또는 시 · 도 소방본부에 설치한다. · 필요한 경우 화학구조대와 직할구조대를 테러대응구조대로 지정할 수 있다.

2. 119구급대 편성과 운영

일반구급대	소방서	소방서가 없는 경우 119안전센터
고속국도구급대	소방청	–
	소방본부	–
	소방서	고속국도 관할

3. 119구조대 · 구급대 요청 거절

'단순'이라는 표현이 들어가면 구조 · 구급요청 거절을 의미한다.

4. 119구조대 · 구급대 편성 · 운영 등

119구조 · 구급대 편성 · 운영	소방청장 등(소방청장, 소방본부장, 소방서장)
국제구조 · 구급대 편성 · 운영	소방청장
119구급상황관리센터의 설치 · 운영	소방청장
119항공대 편성 · 운영	소방청장, 소방본부장
119구조견대 편성 · 운영	소방청장, 소방본부장

2 「응급의료에 관한 법률」

1. 중증도 분류 기준

치료순서	색깔	심볼	부상정도	특성 및 증상
1	적색	토끼	긴급	· 수 분, 수 시간 이내 응급처지를 요하는 환자 · 기도폐쇄, 호흡곤란(호흡정지), 심장마비가 인지된 심정지(심장이상), 조절이 되지 않는 출혈(대량출혈), 개방성 흉부, 긴장성 기흉, 골반골 골절을 동반한 복부손상, 심각한 두부손상, 쇼크, 기도화상을 동반한 중증의 화상, 내과적 이상, 경추손상이 의심되는 경우[척추손상(경추포함)], 저체온증, 지속적인 천식, 지속적인 경련 등
2	황색	거북이	응급	· 수 시간 이내 응급처지를 요하는 환자 · 중증의 출혈, 중증의 화상, 경추를 제외한 부위의 척추골절[척추손상(경추제외)], 다발성 주요골절, 단순두부손상 등
3	녹색	구급차에 ×표시	비응급	· 수 시간, 수 일 후 치료해도 생명에 지장이 없는 환자 · 소량의 출혈, 경증의 화상, 타박상, 단순골절, 정신과적인 문제 등
4	흑색	십자가 표시	지연	· 사망, 생존 가능성이 없는 환자 · 20분 이상 호흡이나 맥박이 없는 환자, 두부나 몸체가 절단된 경우, 심폐소생술을 시도하여도 효과가 없다고 판단되는 경우

2. 중증도에 따른 환자 이송순위

긴급환자 → 응급환자 → 비응급환자 → 지연환자

3. 구조활동 절차 우선순위

위험평가 → 수색 → 구조 → 응급의료

4. 구조활동 우선순위

구명 → 신체구출 → 고통경감 → 재산보전

5. 심폐소생술 순서(CPR)

의식유무 확인 → 도움 요청 → 흉부압박(30회) → 기도유지 → 인공호흡(2회)

MEMO

MEMO

MEMO

이영철

약력

서울시립대학교 방재공학 석사
서울시립대학교 재난과학과 박사수료
현 ㅣ 해커스소방 소방학개론 강의
현 ㅣ 서정대학교 소방안전관리과 겸임교수
현 ㅣ 서울시립대학교 소방방재학과 외래교수
현 ㅣ 세종사이버대학교 소방방재학과 외래교수
현 ㅣ 경희사이버대학교 재난방재과학과 외래교수
현 ㅣ 서울소방학교 외래교수
현 ㅣ 한국소방안전원 외래교수
현 ㅣ 한국장애인 고용공단 BK 심사단
현 ㅣ 법무법인 정률 화재조사 위원

저서

해커스소방 이영철 소방학개론 기본서
해커스소방 이영철 소방학개론 필기노트 + OX·빈칸문제
해커스소방 이영철 소방학개론 단원별 기출문제집
해커스소방 이영철 소방학개론 단원별 실전문제집
해커스소방 이영철 소방학개론 실전동형모의고사

2025 대비 최신개정판

해커스소방
이영철
소방학개론

기본서 ㅣ 2권

개정 6판 1쇄 발행 2024년 5월 2일

지은이	이영철 편저
펴낸곳	해커스패스
펴낸이	해커스소방 출판팀

주소	서울특별시 강남구 강남대로 428 해커스소방
고객센터	1588-4055
교재 관련 문의	gosi@hackerspass.com
	해커스소방 사이트(fire.Hackers.com) 교재 Q&A 게시판
학원 강의 및 동영상강의	fire.Hackers.com

ISBN	2권: 979-11-7244-049-7 (14350)
	세트: 979-11-7244-047-3 (14350)
Serial Number	06-01-01

소방공무원 1위,
해커스소방 fire.Hackers.com

해커스소방

· 해커스 스타강사의 **소방학개론 무료 특강**
· **해커스소방 학원 및 인강**(교재 내 인강 할인쿠폰 수록)